STATISTIQUE

CONCEPTS ET MÉTHODES

STATISTIQUE

CONCEPTS ET MÉTHODES

avec exercices et corrigés

Sabin Lessard
Professeur à l'Université
de Montréal

Monga
Professeur à l'Université
de Sherbrooke

1993

LES PRESSES DE L'UNIVERSITÉ DE MONTRÉAL
Canada

MASSON éditeur
Paris – Barcelone – Milan

Données de catalogage avant publication (Canada)

Lessard, Sabin, 1951-

Statistique : concepts et méthodes avec exercices et corrigés

Comprend des références bibliographiques et un index.

ISBN 2-7606-1606-1 – ISBN 2-225-84189-6 (Masson)

1. Statistique. 2. Probabilités. 3. Tests d'hypothèses (Statistique).
4. Distribution (Théorie des probabilités. 5. Statistiques. – Problèmes
et exercices.

I. Monga, 1955-   . II. Titre.

QA276.L47 1993   519.5   C93-097081-0

Couverture : ARTO
Mise-en-pages : Infographie G.L.

PREMIÈRE RÉIMPRESSION, 1995

© Les Presses de l'Université de Montréal, 1993
Imprimé au Canada

ISBN 2-7606-1606-1 (PUM)
ISBN 2-225-84189-6 (MASSON)

TABLE DES MATIÈRES

AVANT-PROPOS

L'objectif du livre est d'initier le lecteur aux méthodes statistiques avec insistance autant sur la compréhension des concepts sous-jacents que sur l'utilisation des méthodes elles-mêmes.

Le livre s'adresse aux étudiants et étudiantes du 1er cycle universitaire de toutes les disciplines autres que les mathématiques ou la statistique. On y trouve de nombreuses applications de la statistique, entre autres aux domaines suivants : génétique (p. ex., les lois de l'hérédité de Mendel), biologie (p. ex., l'estimation de l'effectif d'une population naturelle), économique et finance (p. ex., la distribution de revenus), physique (p. ex., la théorie cinétique des gaz), météorologie (p. ex., les variations climatiques), géologie (p. ex., la datation des fossiles), psychologie (p. ex., le quotient intellectuel), agriculture (p. ex., le rendement de cultures), sociologie (p. ex., les études sur la criminalité), politique (p. ex., les sondages d'opinion), médecine et pharmacologie (p. ex., l'efficacité de traitements ou de médicaments), tourisme et commerce (p. ex., les arrivées de clients), information journalistique (p. ex., les statistiques sportives), administration (p. ex., les admissions dans une institution d'enseignement), génie (p. ex., les contrôles de qualité de pièces mécaniques ou électroniques), marketing (p. ex., les taux de satisfaction pour certains produits), démographie (p. ex., les recensements de population).

La plupart des concepts et des méthodes sont présentés dans des contextes spécifiques, sinon historiques, qui éveillent l'attention et incitent à la réflexion : les jeux de hasard et certains problèmes célèbres comme celui des partis et celui de l'aiguille de Buffon pour les notions de probabilités, les sondages pour les procédures d'estimation, les contrôles d'efficacité ou de qualité pour les tests d'hypothèses, la biométrie pour la régression, la corrélation et l'analyse de variance. La loi normale est présentée notamment à l'aide du principe de vraisemblance maximale de Daniel Bernoulli appliqué à la valeur d'une quantité affectée d'une erreur d'observation à la manière originale de Gauss, l'estimation par intervalle est exposée selon l'approche maintenant la plus standard et est suivie d'une comparaison avec l'approche proposée par Thomas

Bayes qui est à la source de toute l'inférence statistique et qui connaît aujour-d'hui un regain de popularité, la régression linéaire est introduite par les études de Galton et de Pearson sur la taille des enfants comparée à la taille moyenne des parents et les questions toujours actuelles d'héritabilité, l'analyse de variance est développée à partir de la propriété de la moyenne d'être la meilleure approximation d'une quantité selon le critère des moindres carrés des erreurs de Legendre à la façon de R. A. Fisher qui demeure l'un des statis-ticiens les plus influents du XXᵉ siècle.

Le livre traite autant de méthodes d'inférence que de méthodes descrip-tives. L'accent est mis sur l'analyse des moyennes de variables quantitatives et en particulier des proportions. La plupart des procédures, bien que souvent introduites par des exemples, sont justifiées rigoureusement : les procédures d'estimation par la propriété de la moyenne et la loi des grands nombres, les approximations à l'aide de la loi normale dans les tests d'hypothèses par le théorème central limite dans le cas d'échantillons de grande taille. Certaines approches sont particulièrement originales tout en servant des buts pédago-giques, comme le calcul du nombre de combinaisons dans la loi binomiale à l'aide des probabilités conditionnelles, ou encore la déduction des tests d'hypo-thèses sur la valeur d'une moyenne à partir des tests d'hypothèses sur la com-paraison de deux moyennes.

Le livre aborde aussi des sujets qui sont rarement traités dans les ouvrages de base, comme les méthodes modernes de classification des données et de représentations graphiques que sont les représentations arborescentes et les diagrammes en boîte, les séries chronologiques, les espérances condition-nelles, le processus de Poisson, et la simulation de lois de probabilité. Par con-tre, des méthodes statistiques avancées comme l'échantillonnage stratifié, les tests séquentiels, les tests non paramétriques dans le cas d'échantillons de petite taille et la régression multiple ont dû être ignorées pour des raisons de concision.

De nombreux tableaux récapitulatifs, entre autres sur les intervalles de con-fiance et les tests d'hypothèses, permettent au lecteur de retrouver facilement les procédures à appliquer selon les circonstances. En tout, quelque 40 tableaux et 80 figures ainsi que plusieurs remarques explicatives et exemples facilitent la lecture et la compréhension. Les parties les plus importantes du texte sont mises en évidence pour attirer l'attention du lecteur. Le texte est complété par plus de 300 problèmes, dont environ la moitié sont corrigés. Enfin, les sections du livre qui peuvent être ignorées lors d'une première lecture sans entraver la compréhension de la suite de l'exposé sont marquées d'un astérisque.

Malgré l'envergure du livre, sa lecture ne nécessite pas de connaissances préalables en mathématiques ou en statistique autres que les manipulations algébriques élémentaires. Le premier chapitre sur les notions de variable, de population et d'échantillon ne contient intentionnellement aucune formule mathématique. Le formalisme mathématique est introduit par la suite au fur et à mesure des besoins de la présentation : les sommes arithmétiques pour les cal-culs de moyennes et de variances, les intégrales comme aires sous des courbes pour la description des propriétés des variables continues. Les caractéristiques dans les populations comme les probabilités, les espérances mathématiques et les distributions théoriques sont déduites naturellement des caractéristiques correspondantes dans les échantillons, c'est-à-dire les fréquences, les moyennes arithmétiques et les distributions empiriques, selon l'approche fréquentiste. Le formalisme est cependant réduit au minimum au profit de l'efficacité du traitement en ce qui concerne la compréhension. En somme, nous avons essayé de rendre accessible la plus grande quantité de connaissances possible avec le moins de moyens possible.

Le livre se divise en quatre parties : la première partie porte sur la statistique descriptive (chapitres 1, 2 et 3), la seconde, sur les notions de probabilités (chapitres 4, 5 et 6), la troisième, sur l'inférence statistique élémentaire (chapitres 7, 8 et 9), la quatrième sur l'inférence statistique avancée (chapitres 10 et 11). En nous basant sur notre expérience d'enseignement, nous estimons que le livre peut être couvert en entier dans environ 90 heures de cours (environ 60 heures en négligeant les sections marquées d'un astérisque). Pour un cours de 45 heures ou moins, nous recommandons les chapitres 1, 2, 3, 4, 7 et 8 et les sections 6.2, 6.5 et 9.1 des chapitres 6 et 9 si les étudiants n'ont aucune notion de statistique descriptive et de probabilités, les chapitres 4 à 9 si les étudiants possèdent déjà des notions de statistique descriptive et, enfin, les chapitres 7 à 11 si les étudiants sont déjà familiers avec la statistique descriptive et les probabilités. Avec l'inclusion ou l'exclusion des sections marquées d'un astérisque selon les intérêts ou les capacités de compréhension, le livre peut donc être utilisé par des étudiants de formations très diverses.

Les notes de cours qui ont servi à l'élaboration du livre ont été testées auprès de clientèles universitaires fort variées au cours de nombreuses années, ce qui a permis d'améliorer par essais et erreurs le contenu et la présentation. Le résultat est un livre de statistique pour non-spécialistes très complet qui allie la théorie à la pratique, le raisonnement à l'intuition, et qui devrait satisfaire autant les enseignants à la recherche d'exemples et d'explications que les étudiants désireux d'apprendre les techniques de base de traitement des données et de les utiliser à bon escient.

Nous tenons à remercier le Département de mathématiques et de statistique de l'Université de Montréal, où ce livre a pris forme, le Conseil de recherches en sciences naturelles et en génie du Canada, qui a accordé un appui financier par l'intermédiaire d'une subvention de dépenses courantes à Sabin Lessard, nos collègues de l'Université de Montréal Serge Tardif et Gilles Ducharme, dont les commentaires sur les premiers chapitres de l'ouvrage ont été des plus utiles, ainsi que Martin Goldstein, qui nous a communiqué de l'information sur des problèmes célèbres en théorie des probabilités, notre collègue de l'Université de Colombie-Britannique Jean Meloche, qui nous a suggéré des explications intuitives pour les tests d'hypothèses, notre collègue de l'Université de Sherbrooke Maurice Brisebois, qui a lu et commenté le manuscrit en entier, plusieurs étudiants de l'Université de Montréal, notamment Denis Larocque et Smail Mahdi, dont les questions ont permis d'améliorer les explications, Mme Claudine Raymond, qui a réalisé soigneusement les figures, Mme Josée Carignan, qui a rédigé et corrigé patiemment et avec professionnalisme les nombreuses versions du texte et, enfin, Mme Jocelyne Dorion, qui a révisé le texte au complet et avec minutie, ainsi que toute l'équipe de production des PUM, qui a permis la réalisation de ce projet.

INTRODUCTION

La statistique est l'étude des variations observables. Sans variations, il n'y aurait pas de statistique et sans observations, encore moins. C'est à l'aide d'observations qu'on appréhende le monde qui nous entoure autant physique et biologique qu'économique et social. Et c'est à partir d'observations de phénomènes et de relations entre ces observations que s'élaborent des hypothèses explicatives qui se transforment éventuellement en théories. Le mot théorie ne nous vient-il pas du grec *theôrein* qui signifie précisément « observer » !

Les lois newtoniennes de la mécanique classique comme elles sont exposées dans les *Principia* de 1687 ont été « découvertes » à la suite de nombreuses observations de mouvements répétés de certains corps (en particulier de planètes et de pendules), et la théorie darwinienne de l'évolution de 1859 expliquant « l'origine des espèces » a émergé d'une classification minutieuse (pour ne pas dire « contemplative ») des espèces elles-mêmes.

Les observations de phénomènes créent en général une urgence pour l'intellect en éveillant la curiosité pour ce qui demeure inexpliqué et en soulevant des interrogations qui exigent incessamment des réponses. Cette urgence est devenue tellement pressante pour le développement des sciences dites naturelles que sont la physique et la biologie, et leurs pendants que sont la chimie et la génétique, que ces sciences se sont transformées en ce qu'on appelle des sciences expérimentales. Les premières expériences conçues comme telles en physique ont été effectuées en optique et en mécanique (sur la réflexion et la réfraction au XIIIe siècle par le précurseur qu'est Bacon, sur la chute des corps et le mouvement pendulaire au début du XVIIe siècle par Galilée, sur la couleur au milieu du XVIIe siècle par Newton), alors que la méthode expérimentale proprement dite pour les sciences biologiques a été introduite par Claude Bernard en 1865 avec son *Introduction à l'étude de la médecine expérimentale*. À partir de ce moment-là, la méthode expérimentale va se répandre dans toutes les autres sciences, y compris les sciences humaines et sociales. Jusque-là, c'est plutôt la « philosophie expérimentale » avec une insistance autant sur les observations directes de phénomènes naturels que sur les expériences contrôlées pour faire des inductions sur les phénomènes qui s'était imposée peu à peu depuis aussi loin que l'Antiquité. La «méthode expérimentale» propose résolument ce qu'on pourrait appeler des «mises en scène» qui permettent de procéder à des observations de façon systématique et de vérifier ainsi des hypothèses sur des phénomènes.

On «monte» littéralement des expériences en laboratoire pour observer le plus librement possible, mais aussi le plus rigoureusement possible, les phénomènes que l'on veut étudier en contrôlant les facteurs principaux, du moins ceux qui nous semblent avoir le plus d'influence, et en les faisant varier si nécessaire pour mesurer très précisément leurs effets. L'avantage des expériences, c'est qu'elles peuvent être conçues pour répondre à des questions spécifiques, être répétées un grand nombre de fois dans les mêmes conditions et qu'elles peuvent elles-mêmes suggérer d'autres questions. Comme on dit souvent, «l'observateur lit, l'expérimentateur interroge». Le but reste cependant toujours le même : dégager des règles de validité générale sur la nature des phénomènes pour en saisir l'essence, sinon l'essentiel, c'est-à-dire le «pourquoi» ou le «comment». Ainsi les lois mendéliennes de l'hérédité de 1865 ont été élaborées et vérifiées à partir de croisements bien orchestrés d'individus (plantes ou animaux) sur deux ou plusieurs générations et, sans les accélérateurs de particules et les sondes d'aujourd'hui, nos connaissances sur l'infiniment petit et l'infiniment grand, en somme tout ce qui existe au-delà de nos sens, n'auraient sans doute jamais progressé. Cette compréhension en profondeur des phénomènes nous permet habituellement de faire des prévisions avec une certaine assurance car, à partir des règles déjà établies ou fortement pressenties et de ce que l'on peut en déduire, on est en mesure d'élaborer des scénarios qui s'avèrent normalement assez proches de la réalité, en fait d'autant plus proches que les règles sont justes et vraies.

Si tout n'est pas encore connu en physique, par contre il reste très peu d'incertitude entendue dans le sens de manque de précision ou d'exactitude dans les prévisions faites à partir des règles établies et confirmées jusqu'à maintenant. La plupart des règles décrivant des phénomènes physiques particuliers sont appelées **lois** et sont considérées comme des vérités scientifiques. Les lois expriment des relations spécifiques entre des variables qui sont vérifiables expérimentalement, et, dans des conditions données, les sources principales de variations, sinon les seules, sont des «erreurs d'observation». Qu'on pense aux lois du mouvement, de la gravitation et de l'électromagnétisme. Encore faut-il souligner qu'il existe des exceptions, notamment en géophysique, en météorologie et en astrophysique ; ces trois domaines connexes à la physique conservent une part importante d'incertitude due à la grandeur et à la complexité inhérente des systèmes à l'étude, d'où l'impossibilité d'en connaître l'état exact et complet à un instant donné et encore moins la dynamique précise au cours du temps. À un autre extrême, celui de l'infiniment petit, la physique des particules atomiques et subatomiques se bute à des frontières de connaissance infranchissables à cause des perturbations occasionnées sur les systèmes à l'étude par les observations elles-mêmes.

En biologie, les règles se révèlent généralement moins rigoureuses, les conditions étant moins bien définies et moins bien contrôlables, car nettement plus complexes du fait que le nombre de facteurs est beaucoup plus grand sinon incommensurable. On parle plutôt dans ce cas de **principes** qui admettent souvent plusieurs nuances ou variantes et qui, à la différence de lois spécifiques, présentent toujours une dimension hypothétique. Parmi les plus importants, mentionnons l'homéostasie (ou le maintien d'un équilibre interne), l'évolution (connue plus familièrement et à tort d'ailleurs comme la « loi du plus apte » sous l'effet de la sélection naturelle), l'unité (quant aux éléments, aux structures et aux fonctions des organismes vivants), la diversité (comme résultat de mutations et de recombinaisons génétiques), l'interdépendance (entre individus d'une même espèce et entre individus d'espèces différentes) et la continuité (assurée par la reproduction par le biais des cycles vitaux).

Il faut cependant souligner que plus de rigueur et de certitude peuvent être atteintes dans les sciences biologiques et sciences connexes, notamment en génétique et en médecine, moyennant un contrôle plus serré des conditions d'observation et une identification plus précise des facteurs en cause. Ne parle-t-on pas des lois de la génétique bien qu'il s'agisse de lois de chances! D'autre part, même en physique il existe des principes non encore complètement vérifiés et qui ne le seront sans doute jamais : par exemple, le principe de conservation de l'énergie (l'énergie totale d'un système isolé reste constante), le second principe de la thermodynamique (le désordre dans un système isolé — mesuré par l'entropie — croît d'un équilibre au suivant), le principe de la relativité d'Einstein (l'impossibilité de détecter un mouvement uniforme et rectiligne d'un système à l'intérieur même de ce système), le principe d'incertitude d'Heisenberg (l'impossibilité de connaître à la fois la position et la vitesse d'une particule subatomique).

Enfin, dans les sciences humaines et sociales, en passant par les sciences économiques, il est habituellement plus adéquat de parler de **tendances**, car les règles proposées sont susceptibles d'être entravées ou modifiées par des interventions humaines ou par des événements extérieurs incontrôlables. Ainsi, il y a la tendance à la croissance jusqu'à l'épuisement des ressources en démographie (d'après Malthus) et des profits en économique (d'après Riccardo et Marx), ce qui occasionne des crises sociopolitiques et détermine les cycles économiques. Il y a aussi les nombreuses tendances comportementales, instinctives ou habituelles, étudiées en psychologie. Il reste que des économistes parlent volontiers de principes et même de lois, comme la « loi de l'offre et de la demande » ou les « lois du marché », et qu'une école en psychologie (l'école behavioriste) considère plutôt les comportements comme des automatismes.

L'observation de phénomènes de plus en plus complexes nous met en présence de variations de plus en plus nombreuses qui ne peuvent plus être attribuées uniquement à des erreurs d'observation. Les causes de ces variations peuvent être très diverses et on cherche parfois en vain une régularité quelconque derrière les phénomènes, d'où les difficultés d'interprétation et de prédiction. On est alors loin des certitudes. On en est réduit à maîtriser l'incertitude au mieux de nos connaissances par l'analyse des variations observées. On entre dans le domaine de la supputation. C'est ici qu'intervient la statistique.

Aussi loin que l'on remonte dans le temps et dans l'espace (en Chine et en Égypte par exemple), les États ont toujours senti le besoin de disposer d'informations sur leurs sujets et sur les biens qu'ils possèdent ou produisent. Et dès que le commerce entre États a pris de l'importance (pensons aux commerçants vénitiens du XVe siècle), des inventaires de produits achetés, vendus, échangés ou perdus (lors de naufrages par exemple) sont devenus monnaie courante. Mais les recensements de population et de ressources et les données diverses sur le commerce, les statistiques en somme (du latin *status*, « état »), sont demeurés purement descriptifs jusqu'au XVIIe siècle. Les tables de mortalité par exemple ne furent utilisées pour faire des prévisions qu'à partir du XVIIe siècle avec John Graunt (1620-1674), qui est d'ailleurs considéré comme le fondateur de la démographie, et Edmond Halley (1656-1742) (celui-là même qui découvrit la comète du même nom). À cette époque, il s'agissait surtout pour les théoriciens d'évaluer les chances de réalisation de certains événements reliés, par exemple, aux jeux de hasard (chances de gain), aux jugements de tribunaux (issues de procès) ou aux accidents de toute sorte, entre autres maritimes (risques courus). Une correspondance entre Blaise Pascal (1623-1662) et Pierre de Fermat (1601-1665) sur des problèmes d'analyse combinatoire reliés aux jeux de hasard est aujourd'hui célébrée pour être à l'origine du calcul des probabilités, bien que des éléments de ce calcul aient été exposés presque un siècle plus tôt par Cardano (1501-1576). Un problème fameux est celui des partis : quelle est la juste répartition des enjeux lorsqu'une partie d'un jeu de pur hasard est interrompue avant son terme ? Cette répartition doit se faire selon les probabilités de gagner des joueurs, calculées à partir de toutes les suites possibles de la partie, chaque joueur recevant alors son « espérance de gain » au moment de l'interruption du jeu. La notion d'espérance mathématique est précisée à ce moment par Christiaan Huygens (1629-1695). Des contributions théoriques importantes sont apportées par la suite par Jacques Bernoulli (1654-1705) qui établit entre autres la loi des grands nombres pour la fréquence de réalisation observée d'un événement : il montre que celle-ci devrait se concentrer à long terme autour d'une quantité théorique appelée la « probabilité de l'événement » si un grand nombre d'observations sont effectuées « de façon indépendante et dans les mêmes conditions ». Un peu plus tard, un mathématicien anglais d'origine française, Abraham de Moivre (1667-1754), décrit les variations que devrait avoir la fréquence de réalisation future d'un événement autour de la probabilité de cet événement. Le révérend Thomas Bayes, dans un article posthume paru dans les *Philosophical Transactions of the Royal Society of London* en 1763, aborde le problème inverse qui en est véritablement un d'induction, le premier en statistique : étant donné la fréquence de réalisation passée d'un événement calculée à partir d'un certain nombre d'observations, quelles sont les chances que la probabilité de réalisation de cet événement lors d'une observation effectuée dans le futur soit comprise entre deux valeurs données ?

Une autre étape importante est franchie au début du XIXe siècle par Carl Friedrich Gauss (1777-1855) qui s'intéresse aux erreurs d'observation, plus particulièrement aux erreurs sur la position observée de corps célestes. En postulant que la valeur réelle « la plus vraisemblable » — au sens que lui reconnaît Daniel Bernoulli (1700-1782), neveu de Jacques — est la moyenne arithmétique des valeurs observées, Gauss en déduit une loi, qui porte aujourd'hui son nom, sur la distribution des variations d'un grand nombre de valeurs observées de façon indépendante et dans les mêmes conditions autour d'une moyenne théorique qui correspondrait à la valeur réelle. Il est à remarquer que le postulat plutôt métaphysique de la moyenne arithmétique est en fait équivalent au critère géométrique des moindres carrés des erreurs comme Adrien Marie Legendre (1752-1833) l'a proposé et qui est encore aujourd'hui si répandu. La loi de Gauss avait été déduite précédemment par le marquis de Laplace (1749-1827), et même avant lui par de Moivre pour la fréquence de réalisation d'un événement, avec l'hypothèse que les sources de variations sont nombreuses et ont des effets petits, additifs et indépendants. C'est la validité générale de ce théorème central limite qui explique en somme pourquoi la distribution « en forme de cloche » de Gauss, dite gaussienne ou normale, sera tant utilisée en statistique. On retrouve d'ailleurs cette distribution dans la nature : Adolphe Quételet (1796-1874), astronome de carrière, montre par exemple que beaucoup de données anthropométriques (dont la taille) sont distribuées selon la loi gaussienne. L'importance de la loi normale se confirme aussi en théorie cinétique des gaz : James Clerk Maxwell démontre en 1859 que la vitesse dans toute direction des particules d'un gaz est distribuée normalement, et Albert Einstein, en 1905, que le déplacement dans toute direction de particules en suspension suit une loi normale de plus en plus « évasée » avec le temps, en fait de « variance » proportionnelle au temps.

C'est dans l'Angleterre de la fin du XIXe siècle et du début du XXe que sont élaborées les méthodes statistiques modernes pour étudier une ou plusieurs variables comme l'inférence statistique (du latin *infere*, « être la cause de », « porter dans »), l'analyse ou la décomposition de la variance, qui est encore la mesure de dispersion la plus utilisée, et l'analyse factorielle (pour l'identification des facteurs de variations). Ces méthodes sont définies d'abord à partir de données anthropométriques, de tests d'aptitudes divers et de phénomènes dits de « corrélation » et de « régression » en biométrie et en psychométrie avec, entre autres, Francis Galton (1822-1911) — cousin de Charles Darwin —, Karl Pearson (1857-1936) — disciple de Galton — et Charles Spearman (1863-1945) — qui introduit l'hypothétique facteur g pour l'intelligence générale —, puis à partir de schémas d'expériences dans la recherche ou le contrôle des sources de variations, notamment en agriculture avec Sir Ronald Aylmer Fisher (1890-1962). Entre-temps, la statistique est passée de « problèmes d'estimation » de chances de réalisation d'événements ou de paramètres de distributions de variations aux « problèmes de décision » concernant une ou plusieurs distributions avec des « tests d'ajustement », des « tests d'indépendance » et des « tests paramétriques ». Jerzy Neyman et Egon S. Pearson (fils de Karl) décrivent en 1928 une méthode pour rejeter ou non une hypothèse de façon optimale selon la contre-hypothèse, et ce sur la base de la vraisemblance des observations. Par la suite, Abraham Wald introduit en 1944 une procédure générale d'analyse séquentielle pour déterminer si on continue ou non de faire des observations avant de prendre une décision. D'autre part, la statistique des « petits échantillons » tirés d'un petit nombre d'observations progresse avec Student — de son vrai nom William Sealy Gosset — dans le cas de distributions normales dès le début du XXᵉ siècle, et par des méthodes non paramétriques comme des « tests de rang » dans le cas de distributions quelconques dans les années quarante avec Wilcoxon, Mann et Whitney.

Les méthodes statistiques se sont aujourd'hui grandement perfectionnées et diversifiées et permettent de se libérer de plus en plus d'*a priori* sur les phénomènes et d'exploiter au maximum les capacités des ordinateurs dans le traitement et l'analyse des données en vue de détecter des liaisons entre différentes variables. Elles sont employées autant pour les contrôles de qualité dans l'industrie, pour les études de marché dans le commerce et dans les services divers (hospitaliers, financiers, etc.) et pour les sondages d'opinion en politique que pour l'identification de causes ou de facteurs en économique, psychologie ou sciences sociales, pour la détermination de primes d'assurance-vie ou d'assurance-biens en actuariat, pour la mesure de l'efficacité de médicaments ou de traitements en médecine, pour l'exploration minière, pétrolière et gazière, pour les prévisions météorologiques, démographiques, économiques et même volcaniques et sismiques.

NOTIONS DE VARIABLE, DE POPULATION ET D'ÉCHANTILLON

1.1. VARIABLES STATISTIQUES

INTRODUCTION

Le but de toute étude statistique est d'obtenir une information significative à partir de données qui, au premier abord, peuvent sembler disparates. On recueille généralement ces données par le biais d'observations sur des phénomènes naturels (physiques ou biologiques), d'expériences scientifiques ou d'enquêtes socio-économiques.

En météorologie par exemple, on enregistre chaque jour et en plusieurs endroits à la fois la pression atmosphérique, la température, la direction et la vitesse des vents, le niveau des précipitations, la durée d'ensoleillement, le taux d'humidité. Il existe aussi des postes de contrôle de la qualité de l'air (taux d'anhydride sulfureux, de poussières en suspension, etc.) et de la qualité de l'eau (taux de coliformes, de sels minéraux, d'acidité, etc.) qui jouent un rôle important pour la préservation de l'environnement et de la santé publique. Des expériences en agriculture et en élevage par croisements génétiques ou changements de conditions exogènes se poursuivent sans cesse pour améliorer le rendement ou la résistance au milieu. D'autre part, de nouveaux médicaments ou traitements sont continuellement mis à l'essai par des médecins sur des cobayes ou sur des volontaires pour vérifier leur efficacité et mesurer les effets secondaires.

Dans le secteur industriel, avant d'adopter une technique nouvelle, il est d'usage de procéder au préalable à des études de faisabilité et de rentabilité, portant notamment sur l'incidence de l'utilisation de la nouvelle technique sur la qualité du produit final et sur les coûts totaux de production. De telles études exigent habituellement un nombre considérable de tests. De plus, une fois la nouvelle technique adoptée, on effectue généralement un contrôle constant de la qualité pour maintenir des standards ou détecter des défaillances.

Lors de recensements de population ou lors de procédures d'admission dans des maisons d'enseignement ou des sociétés savantes, ou encore d'engagement dans des grandes entreprises, on demande de coutume aux individus concernés ou intéressés de donner des renseignements personnels tels leur âge, leur sexe, leur état matrimonial, leur niveau d'instruction, leur occupation actuelle, leur citoyenneté, leur langue maternelle et leurs langues secondes s'il en est, leur lieu de résidence. Chaque jour de la semaine, paraissent dans les journaux les principaux indices boursiers (Dow Jones, TSE 300, CAC 40, etc.), les volumes de transactions, les taux de change, la valeur de l'or, les taux d'intérêt, les prix des actions cotées à la bourse. Dans les pages sportives, on donne toujours des tableaux récapitulatifs sur le nombre de parties gagnées, perdues et nulles d'équipes en compétition et sur le nombre de points individuels accumulés par les meneurs dans différentes disciplines. Chaque année, sinon chaque trimestre, les entreprises publient un rapport financier faisant état de leurs actifs, leurs productions, leurs ventes, leurs achats, leurs revenus, leurs dépenses, leurs dettes, le nombre et le type d'actions en circulation. Les gouvernements nationaux font de même mensuellement pour le produit national brut (PNB), la balance commerciale, le taux d'inflation, le taux de chômage. On divulgue aussi très régulièrement dans les médias les résultats de sondages sur les allégeances politiques, les intentions de vote et les taux de satisfaction à l'endroit des chefs politiques.

Certains sondages portant sur les comportements personnels sont réalisés peut-être moins régulièrement, mais n'en demeurent pas moins importants économiquement ou socialement. Il y a les sondages sur les habitudes de consommation si essentiels en marketing (part du revenu affectée au logement, à la nourriture, aux loisirs, aux voyages, à l'épargne ; type de produits achetés ou demandés, de journaux ou de revues lus, d'émissions de radio ou de télévision écoutées ou regardées, etc.) ou sur les habitudes sexuelles et amoureuses (type de relations, fréquence des relations, préférences, etc.), sur les activités physiques (sports pratiqués, durée et fréquence des activités, etc.) et sur les activités culturelles (temps consacré à la lecture, au cinéma, au théâtre, à la musique, auteurs et compositeurs préférés, etc.).

NOTION DE VARIABLE STATISTIQUE

À chaque mesure particulière que l'on veut prendre et à chaque question spécifique que l'on pose correspond une **variable statistique** s'il y a effectivement moyen de prendre des mesures ou d'obtenir des réponses, c'est-à-dire de faire des observations. Une variable statistique est une caractéristique susceptible de variations observables. La mesure d'une caractéristique peut varier d'un moment à un autre, d'un lieu à un autre, d'un objet à un autre, etc., et une réponse à une question concernant une caractéristique peut varier d'une personne à une autre, d'un organisme à un autre, etc.

S'il y a variations, cela signifie qu'une variable peut prendre plusieurs valeurs. On entend explicitement par **valeurs** les mesures distinctes d'une caractéristique donnée, ou encore les réponses différentes à une question portant sur une caractéristique donnée. Les **valeurs possibles** d'une variable statistique désignent plus précisément tous les résultats possibles *a priori* (mesures ou réponses) si on fait une observation de cette variable. (*A priori* signifie sans information empirique préalable qui aurait pu être obtenue par exemple par des observations antérieures ou une connaissance partielle des résultats des observations.) Les valeurs possibles dépendent du type de mesure que l'on prend ou du choix de réponses que l'on propose. Une **valeur observée** est le résultat *a posteriori* d'une observation d'une variable. Voici quelques exemples :

a) Dans une étude génétique sur la population d'un pays, on s'intéresse en particulier au groupe sanguin. La variable « groupe sanguin » peut prendre les différentes valeurs « A », « B », « AB » et « O ».

b) Un sondage est réalisé pour connaître le niveau de satisfaction des citoyens d'un pays sur les politiques d'un parti au pouvoir. La variable « niveau de satisfaction » peut prendre par exemple les valeurs « très satisfait », « satisfait », « peu satisfait », « insatisfait », « très insatisfait », si celles-ci sont les seules réponses proposées lors du sondage.

c) Une banque enregistre le nombre de transactions effectuées à un guichet automatique chaque jour. La variable « nombre de transactions » admet comme valeurs possibles 0, 1, 2, ...

d) Une association de protection de consommateurs évalue la consommation d'essence par 100 km d'un nouveau modèle d'automobiles d'un fabricant. La variable « consommation » peut prendre des valeurs réelles positives quelconques.

VARIABLE QUANTITATIVE ET VARIABLE QUALITATIVE

On distingue deux grands types de variable statistique selon les valeurs prises par la variable. Lorsque les valeurs possibles de la variable sont mesurables (c'est-à-dire qu'on peut les évaluer numériquement en utilisant une unité de mesure bien définie servant de référence et permettant de faire des comparaisons précises entre deux valeurs distinctes), on dit alors que la variable est **quantitative** (voir les exemples *c*) et *d*)). Sinon on dit que la variable est **qualitative** (voir les exemples *a*) et *b*)).

Les valeurs d'une variable quantitative sont des nombres réels (nombres positifs, négatifs ou nuls) et correspondent à des « quantités ». À l'opposé, les valeurs d'une variable qualitative peuvent être des états, des opinions, des comportements, des propriétés, des lieux, des catégories de personnes ou d'objets, en somme des modalités qui correspondent à des « qualités ». Il peut arriver que les valeurs d'une variable qualitative soient numérotées dans un certain ordre ou sans ordre, mais ces nombres n'ont pas de signification propre comme pour une variable quantitative, car il n'y a aucune mesure de référence sous-jacente. (Pensons aux réponses numérotées dans un questionnaire ou aux chaînes de télévision identifiées par des nombres.)

VARIABLES QUALITATIVES NOMINALE ET ORDINALE

Lorsqu'une variable est qualitative, elle peut être qualitative ordinale ou qualitative nominale selon que les valeurs sont ordonnées ou non. Les variables qui ont pour valeurs des « noms », valeurs pour lesquelles aucun ordre n'existe naturellement ou n'a été défini comme le « nom de famille », le « pays d'origine », la « langue maternelle », le « met favori », le « sexe », etc., sont des **variables qualitatives nominales**. Par contre, le « statut professionnel » dans une structure hiérarchisée comme dans un corps d'armée ou une administration publique, le « niveau d'instruction » dans un système d'éducation pyramidal, la « position relative » dans une file ou une liste d'attente et le « rang occupé » dans un groupe d'individus ou d'entreprises en compétition sont des exemples de **variables qualitatives ordinales**. En fait, le rang est le cas type d'une variable qualitative ordinale bien que le rang soit exprimé par un nombre.

La distinction entre variables qualitatives ordinale et nominale n'est pas toujours aisée à faire et dépend même parfois seulement du contexte. Ainsi, un décorateur qui étudie les préférences de couleurs de ses clients n'a pas de raison *a priori* d'ordonner les couleurs. Une phrase du type « la couleur verte est plus belle que la couleur bleue » n'a pas de sens dans ce contexte, car aucun critère de comparaison entre les couleurs n'a été défini au préalable et aucun n'est naturel. (Le client n'a-t-il pas toujours raison !) Dans ce cas, la « couleur » est nettement une variable qualitative nominale. Par contre, un physicien qui étudie la couleur en rapport avec des problèmes de réfraction pourrait associer à chaque couleur une longueur d'onde ou un intervalle de longueurs d'onde, car c'est cette donnée qui, pour lui, présente le plus d'intérêt et surtout le plus de signification. Mais puisqu'on peut ordonner les couleurs selon la longueur d'onde comme dans un spectre (le vert avant le bleu, par exemple, en allant de la plus grande à la plus courte longueur d'onde ; voir la figure 1.1), la « couleur » serait dans ce cas une variable qualitative ordinale. Il est à noter que la longueur d'onde elle-même est une variable quantitative. La couleur de la peau qui est déterminée par la quantité de mélanine constitue un autre exemple du même type.

On voit aussi à partir de l'exemple précédent qu'une variable qualitative ordinale et une variable quantitative peuvent parfois se confondre, et en fait c'est le cas chaque fois que les valeurs d'une variable ordinale correspondent à des classes de valeurs d'une variable quantitative sous-jacente. Inversement, on peut toujours obtenir une variable qualitative ordinale à partir d'une variable quantitative en regroupant les valeurs en classes successives. Par exemple, si

FIGURE 1.1.

Spectre de couleurs

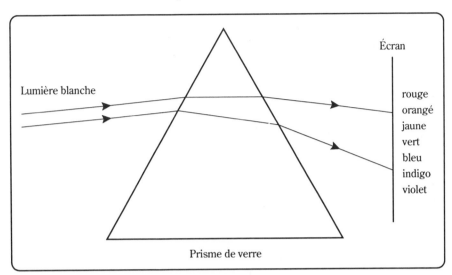

les notes à un test vont de 0 à 100, on peut obtenir des cotes de A à E en convenant arbitrairement que A équivaut à une note comprise entre 80 et 100, B entre 70 et 80, C entre 60 et 70, D entre 50 et 60 et E entre 0 et 50 (la borne inférieure étant toujours incluse et la borne supérieure toujours exclue à l'exception de 100 ; voir la figure 1.2). On peut par la suite utiliser soit la cote, soit la note selon l'information désirée. La note donne une information plus précise, mais des différences de quelques points n'ont peut-être pas beaucoup de signification. La cote peut en fait contenir l'information essentielle. Elle peut d'ailleurs être précisée au besoin, par exemple A^+ pour une note entre 90 et l00, A^- entre 80 et 90, B^+ entre 75 et 80, B^- entre 70 et 75, C^+ entre 65 et 70, C^- entre 60 et 65, D^+ entre 55 et 60, D^- entre 50 et 55 et E pour une note inférieure à 50. Dans le cas limite où chaque note observée correspond à une classe distincte, la cote devient le rang (dont les valeurs seraient 1, 2, ... , 20 s'il y a 20 individus qui passent le test par exemple). Mais de toute façon, si on transmet seulement la cote ou le rang, alors la note exacte est complètement occultée et sera perdue à jamais si elle n'est pas consignée. Et sans l'échelle de correspondance entre « cotes » et « classes de notes », une information de plus sera perdue, à savoir l'étendue des notes à l'intérieur de chaque cote. Sans cette échelle, on pourrait penser à tort que, par exemple, les cotes ont la même étendue, auquel cas on penserait que A correspond à une note entre 80 et 100, B entre 60 et 80, C entre 40 et 60, D entre 20 et 40 et E entre 0 et 20.

En ce qui concerne le « niveau de satisfaction » de l'exemple *b*), on peut ordonner naturellement les différentes valeurs prises par la variable. En effet, quelqu'un qui se déclare « très satisfait » est plus satisfait des politiques du parti en question que s'il se déclarait simplement « satisfait », et ainsi de suite. La variable « niveau de satisfaction » est donc considérée comme une variable

FIGURE 1.2.

Une correspondance entre la note et la cote à un test

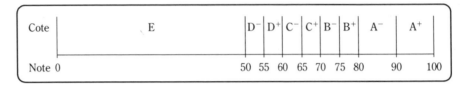

qualitative ordinale. Cependant, les frontières séparant les valeurs «très satisfait», «satisfait», «peu satisfait», «insatisfait», «très insatisfait» ne sont pas bien définies et peuvent varier d'un individu à un autre. Dans ce cas, bien qu'il existe un ordre naturel pour les valeurs, les valeurs elles-mêmes ont une signification subjective et la prudence est de mise lorsqu'il s'agit d'interpréter les réponses données quant au niveau de satisfaction. Un autre problème se pose : si la réponse «sans opinion» était permise, où se situerait-elle par rapport aux autres? Il faudrait alors considérer la variable «niveau de satisfaction» comme une variable qualitative nominale, à moins bien sûr d'ignorer ceux qui sont «sans opinion» ou de les placer arbitrairement entre ceux qui sont «peu satisfaits» et ceux qui sont «insatisfaits».

Un autre exemple intéressant est celui du «groupe sanguin» de l'exemple a). (Voir la figure 1.3.) Les groupes possibles sont A, B, AB et O. Le groupe O est le «donneur universel» alors que le groupe AB est le «receveur universel». Il existe un ordre naturel de O à A à AB, de O à B à AB et de O à AB qui va dans le sens de donneur à receveur. À remarquer aussi que tout groupe est donneur et receveur pour le même groupe. Cependant, A n'est pas donneur pour B et vice versa.

Les groupes A et B ne sont donc pas comparables sur la base donneur-receveur. Sans autre critère, le «groupe sanguin» est donc une variable qualitative nominale.

VARIABLES QUANTITATIVES DISCRÈTE ET CONTINUE

Les exemples c) et d) permettent de distinguer deux types de variables quantitatives. L'exemple c) est un exemple de **variable quantitative discrète**. En effet, les valeurs possibles *a priori* de la variable sont toutes des nombres représentant des quantités, et ces nombres sont isolés les uns des autres. En fait, dans ce cas, les valeurs possibles sont les entiers non négatifs 0, 1, 2, ... Il n'est pas possible que le «nombre de transactions» puisse prendre d'autres valeurs, en particulier des valeurs intermédiaires à deux valeurs entières non négatives consécutives quelconques. Peut-on dire, par exemple, que 1,5 transaction bancaire a été effectuée à un guichet? Les valeurs possibles sont donc bien isolées. Par contre, on ne met pas de limite supérieure au nombre (entier non négatif) de transactions bancaires possibles dans une journée à un gui-

FIGURE 1.3.

Relations entre les groupes sanguins ($\longrightarrow$ va d'un donneur à un receveur)

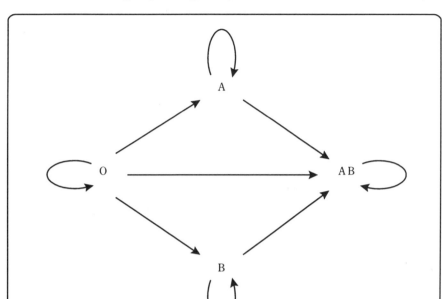

chet, car une telle limite, même si elle existe dans la réalité, est indéterminée *a priori*.

Souvent, les valeurs d'une variable discrète sont des nombres entiers qui sont les résultats de dénombrements. Cela n'est cependant pas toujours le cas. On peut illustrer cette situation à partir de l'exemple *c*) en supposant qu'il y ait des frais de 0,50 $ par transaction et en considérant le montant total des frais de transaction à un guichet chaque jour. Ce montant sera forcément un multiple de 0,50 $ et donc pas nécessairement un nombre entier. Un autre exemple, qui n'est pas obtenu celui-là d'une transformation d'une variable prenant des valeurs entières, est celui de taux d'intérêt hypothécaires. Habituellement, des quarts de point sont possibles mais sans plus de précision. Ainsi, les taux de 10 % et 10 1/4 % sont possibles, mais non pas 10 1/8 % sauf en de rares exceptions.

Dans l'exemple *d*), la « consommation » d'une automobile peut prendre *a priori* n'importe quelle valeur réelle plus grande que 0, et en particulier n'importe quelle valeur intermédiaire à deux valeurs observées. De plus, il est pour ainsi dire impossible que deux automobiles aient exactement la même consommation. Alors on dit que la « consommation » est une **variable quantitative continue**. Dans la réalité, la plupart sinon toutes les consommations observées se situeront dans un intervalle fini, disons entre 5 et 20 L par 100 km, car même si les limites ne sont pas connues précisément elles existent effectivement.

Cela est vrai de toute variable quantitative. De plus, il peut arriver que deux automobiles aient exactement la même consommation si celle-ci est donnée par exemple au dixième de litre le plus près. En fait, dans la pratique, les valeurs observées de toute variable quantitative continue sont toujours arrondies, car l'observateur n'a souvent pas besoin d'une précision extrêmement grande sur les valeurs, précision qui serait par ailleurs encombrante ; de toute façon, les instruments de mesure ne sont jamais assez précis pour permettre de faire une lecture exacte des valeurs réelles. L'arrondissement peut même se faire à l'entier le plus près lorsque les valeurs prises par la variable sont très grandes. La vitesse maximale en km/h d'une voiture par exemple pourrait être donnée à l'entier le plus près.

Des variables peuvent être considérées comme continues même si certaines valeurs intermédiaires sont impossibles pour la simple raison que la plus petite unité de mesure disponible est très petite par rapport aux valeurs de la variable. Il en est ainsi par exemple des variables dont les valeurs sont des montants en argent comme le « prix » d'une automobile en dollars, pour continuer l'exemple d) : les cents (centièmes de dollar) permettent amplement d'obtenir toute la précision souhaitée. On peut aussi considérer que le prix est déterminé au cent le plus près. D'autres exemples moins évidents incluent la population d'un pays en millions d'habitants et la production d'une entreprise en milliers d'unités.

VARIABLES BIDIMENSIONNELLE ET MULTIDIMENSIONNELLE

On peut s'intéresser à deux ou plusieurs caractéristiques à la fois plutôt qu'à une seule. On se trouve alors en présence d'une **variable bidimensionnelle** ou **multidimensionnelle**, selon le cas, plutôt qu'en présence d'une variable unidimensionnelle, dont chaque composante (ou dimension) correspond à une caractéristique. Ainsi, dans l'exemple a), on pourrait s'intéresser à la couleur des yeux, à la taille en centimètres et au facteur rhésus (positif ou négatif) en plus du groupe sanguin, dans l'exemple b), au niveau de satisfaction envers le chef du parti et à l'intention de vote en plus du niveau de satisfaction envers les politiques du parti, dans l'exemple c), au temps d'occupation du guichet et à la valeur des transactions en plus de leur nombre, dans l'exemple d), au nombre de pièces défectueuses ou mal conçues et à la distance franchie avant l'arrêt total à partir d'une vitesse donnée en plus de la consommation par 100 km. On pourrait aussi s'intéresser dans l'exemple c) au nombre de transactions bancaires à deux ou plusieurs guichets différents en une journée. Les composantes d'une variable bidimensionnelle ou multidimensionnelle n'ont pas à être du même type : variables qualitatives nominales et ordinales et variables quantitatives discrètes et continues peuvent se côtoyer. On n'a qu'à penser aux questionnaires auxquels on nous demande parfois de répondre. Un questionnaire est d'ailleurs un exemple type pour une variable multidimensionnelle.

Les valeurs d'une variable multidimensionnelle sont les valeurs des variables unidimensionnelles distinctes qui la composent et qui peuvent être observées ensemble (au même moment, au même endroit, sur la même personne, sur le même objet, sur le même groupe d'objets ou de personnes, etc.). Ainsi, dans l'exemple *a*) augmenté des variables mentionnées plus haut, on pourrait avoir pour une même personne (vert, 160, Rh+, O) pour la couleur des yeux, la taille en centimètres, le facteur rhésus et le groupe sanguin.

1.2. POPULATION

NOTION DE POPULATION

Rappelons qu'une variable statistique est susceptible de varier d'une personne à une autre, d'un objet à un autre, d'un appareil à un autre, d'une entreprise à une autre, d'un lieu à un autre, d'un moment à un autre, etc. Dans tous les cas, on dit simplement qu'une variable statistique varie d'un **individu** à un autre. Individu est donc entendu ici au sens large. Un individu est une unité distincte chez laquelle on peut observer une ou plusieurs caractéristiques données. Dans le cas d'un questionnaire, un individu est une personne physique à qui s'adresse le questionnaire. Mais en général un individu peut être n'importe quelle unité pour laquelle une variable statistique (unidimensionnelle ou multidimensionnelle) peut prendre une valeur. Par abus de langage, on peut donc parler d'une « population de valeurs » puisqu'à chaque individu correspond une valeur, la valeur de la variable à laquelle on s'intéresse. Dans ce contexte, une même valeur peut être représentée plusieurs fois.

Dans la définition complète d'une variable statistique, on doit préciser non seulement pour quel type d'individus, mais aussi pour quel groupe d'individus on considère cette variable. L'ensemble des individus qu'on considère est appelé **population**. C'est dans cette population qu'on fera effectivement des observations. Il peut s'agir par exemple d'un groupe de personnes ayant un point en commun (tel que la population d'un pays comme dans les exemples *a*) et *b*)) ou encore d'un ensemble d'objets ou d'appareils de même type (comme les automobiles d'un modèle donné de l'exemple *d*)). Encore faut-il préciser pour une population de personnes ou d'objets le temps et le lieu auxquels on se restreint car, nécessairement, une telle population n'est pas la même au cours du temps et est dispersée sur un territoire précis. Dans le cas d'une population de lieux (comme pour la température au niveau du sol sur un territoire donné), on doit préciser le temps, alors que pour une population de temps (comme dans l'exemple *c*)), on doit préciser le lieu.

POPULATION « RÉALISÉE » ET POPULATION « IMAGINÉE »

Une population peut avoir une existence réelle antérieure aux observations que l'on peut ou que l'on veut en faire. Il en est ainsi d'une population auprès de laquelle on projette de faire un sondage pour en connaître l'état actuel. On parle alors de **population « réalisée »**.

Mais on peut aussi s'intéresser à une population qui n'est pas encore réalisée ou qui ne sera jamais complètement réalisée, en l'occurrence une **population « imaginée »**. Cela est le cas notamment pour des variables qui varient d'un temps à un autre ou d'une expérience à une autre.

Considérons, par exemple, « l'heure d'arrivée » d'un avion sur un certain vol qui varie d'une arrivée à la suivante avec comme population l'ensemble de toutes les arrivées futures jusqu'à la fin des temps. Cependant, il y a fort à parier que le vol cessera d'exister un jour et que les arrivées « imaginées » au début n'auront alors plus lieu. On a donc affaire ici à une population imaginée. En fait, on peut imaginer ainsi une population chaque fois qu'un individu observé n'existe pas réellement avant l'observation. À remarquer que la variable « heure d'arrivée » aurait pu être examinée pour une étude rétrospective sur le vol en question avec comme population l'ensemble de toutes les arrivées passées, auquel cas il se serait agi ici d'une population réalisée. En somme, par rapport à un observateur dans le présent, une population réalisée l'est dans le passé alors qu'une population imaginée l'est dans le futur. Dans la première, les caractéristiques des individus sont déjà déterminées alors que, dans la seconde, elles restent encore, sinon toujours, à être déterminées. La première est utilisée pour des études rétrospectives, la seconde pour des études prospectives.

Souvent, on a le choix entre une population réalisée et une population imaginée. Pour le « numéro gagnant tiré à une loterie », par exemple, on peut prendre pour population tous les numéros inscrits sur les billets (population réalisée) ou tous les tirages effectués dans les mêmes conditions que l'on puisse imaginer (population imaginée). Nous reviendrons sur ce sujet lorsque nous traiterons d'échantillon aléatoire.

Il est à noter enfin qu'une population peut être en partie réalisée et en partie imaginée (voir la figure 1.4). Les automobiles d'un modèle donné d'un fabricant de l'exemple *d*) sont pour certaines déjà construites mais restent encore sans doute pour la plupart à être construites, sans mentionner toutes celles qui ne seront jamais construites mais qu'on peut imaginer passant par la même chaîne de montage, c'est-à-dire par les mêmes étapes de construction.

De même, lorsqu'on étudie l'effet d'un médicament sur une maladie, on pense avant tout au traitement des futurs malades (partie imaginée de la population) bien que l'étude elle-même porte sur les malades actuels (partie réalisée de la population).

TAILLE D'UNE POPULATION

La **taille d'une population** est son effectif défini comme le nombre d'individus constituant la population. Le cas le plus intéressant en statistique est celui d'une population de taille très grande car, dans le cas contraire, une connaissance complète de la population est accessible et alors des méthodes purement descriptives sont suffisantes. Nous étudierons donc principalement le cas d'une population de *taille très grande*.

FIGURE 1.4.

Schéma d'une population en partie « réalisée » et en partie « imaginée »

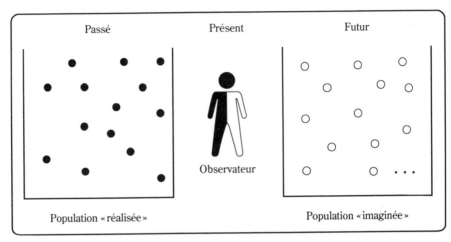

Dans le cas d'une population réalisée, la taille est habituellement finie (elle pourrait être infinie en théorie, mais, en pratique, elle est finie, puisque les observations doivent porter sur des individus observables dans un espace donné et sur une période de temps limitée), alors que, dans le cas d'une population imaginée, la taille peut toujours être considérée comme infinie (car on peut « imaginer » autant d'individus que l'on veut). Une population est dite **finie** ou **infinie** selon que sa taille est finie ou infinie.

1.3. ÉCHANTILLON

INTRODUCTION

Lorsqu'on veut étudier une variable statistique dans une population donnée, il peut être très difficile, voire impossible, d'interroger ou d'observer selon le cas tous les individus de la population. Cette difficulté peut provenir de la taille élevée de la population ou de sa dispersion dans l'espace ou le temps et peut être liée à des moyens matériels et financiers limités ou encore à du temps d'observation limité. Les recensements de population et les élections générales par exemple entraînent des dépenses considérables et ne peuvent être répétés trop fréquemment. Les postes d'observation en météorologie, en astrophysique et en sciences de la terre coûtent très cher, aussi leur nombre est restreint et leur emplacement stratégique. D'autre part, il est virtuellement impossible d'observer tous les représentants d'espèces végétales ou animales, car leur nombre est souvent incalculable, et il faut d'ailleurs y renoncer dès le départ étant donné le faible intérêt de l'entreprise par rapport à l'investissement requis. Dans les expériences à caractère destructif, il est impossible d'examiner tous les individus de la population. Par exemple, si on étudie la résistance aux chocs d'un modèle d'automobiles, il est impensable de les tester toutes avant de tirer une conclusion. Enfin, les coûts rattachés aux expériences en physique, en biologie, en psychologie, en médecine, etc. sont très élevés et ils deviennent vite prohibitifs si on les répète indéfiniment, d'où en général la nécessité de réduire le nombre d'observations, en somme d'observer une partie seulement de la population.

DÉFINITION D'UN ÉCHANTILLON

Le but d'une étude statistique est souvent, sinon la plupart du temps, de se faire une idée assez juste sur les variations d'une variable dans une population. Et pour ce, un nombre limité d'observations est généralement suffisant. On prélève donc un certain nombre d'individus dans la population pour les observer. Les résultats des observations portant sur la variable à l'étude effectuées sur ces individus à raison d'une observation pour chaque individu prélevé constituent ce qu'on appelle un **échantillon**. Il s'agit en fait d'un échantillon sur une variable dans une population. Plus généralement, l'échantillon est défini comme l'ensemble des individus prélevés.

TAILLE D'UN ÉCHANTILLON

La **taille d'un échantillon** est le nombre total d'observations effectuées sur des individus de la population pour obtenir cet échantillon. La taille d'un échantillon correspond donc au nombre d'individus prélevés. La principale qualité d'un échantillon est sans doute qu'il soit représentatif de la population dont il est issu, c'est-à-dire qu'il reflète bien les variations qui existent dans la population. Intuitivement, plus la taille de l'échantillon sera grande, plus on aura d'information et plus l'échantillon aura des chances d'être représentatif. Mais une autre qualité importante d'un échantillon est qu'il soit obtenu à un coût modique. Après un certain nombre d'observations, on peut s'attendre à ce que toute observation supplémentaire ne vaudra finalement pas la peine d'être effectuée étant donné son coût excessif par rapport à l'intérêt de l'ajout d'information sur la population qu'une telle observation procurera. La taille de l'échantillon doit donc en général être ni trop petite ni trop grande. De toute façon, la taille de l'échantillon est habituellement *beaucoup plus petite que la taille de la population*, surtout lorsque la taille de la population est très grande.

ÉCHANTILLON ALÉATOIRE

Une façon d'atteindre une plus grande représentativité est de procéder à des observations « au hasard » dans la population. On obtient alors ce que l'on appelle un **échantillon aléatoire**. Il existe essentiellement trois façons d'obtenir un échantillon aléatoire (voir la figure 1.5) :

a) **Tirages avec remise.** On prend un individu au hasard dans la population pour faire une première observation. L'expression « au hasard » signifie que tous les individus de la population ont *a priori* des chances égales d'être

FIGURE 1.5.

Trois types de tirages dans une population pour obtenir un échantillon aléatoire

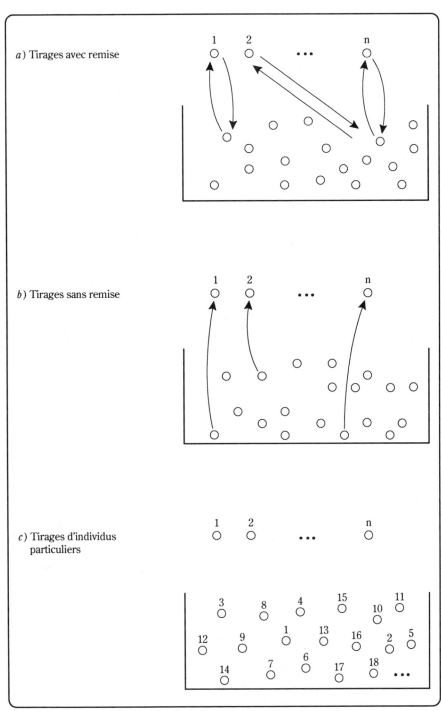

a) Tirages avec remise

b) Tirages sans remise

c) Tirages d'individus particuliers

choisis. (On peut se représenter les individus de la population comme des boules de même grosseur dans une grande urne et tirer une boule à l'aveuglette.) Après avoir observé la valeur prise par la variable à l'étude chez l'individu choisi, on remet cet individu dans la population. Puis on recommence pour faire une deuxième observation, et ainsi de suite.

Dans le cas de tirages avec remise, les observations sont faites de façon indépendante et dans les mêmes conditions, c'est-à-dire que le résultat d'une observation n'est pas influencé par les résultats des autres observations et que toutes les observations sont effectuées suivant la même procédure dans la même population exactement. À ce propos, il est à noter que lors de tirages avec remise un même individu peut être choisi deux ou plusieurs fois pour être l'objet d'une observation.

b) **Tirages sans remise (ou exhaustifs).** Une autre façon de procéder au tirage est de ne pas remettre l'individu choisi dans la population après l'avoir observé et de toujours prendre le prochain individu au hasard dans la population restante.

Dans ce cas, les observations ne sont normalement ni indépendantes ni effectuées dans les mêmes conditions, puisqu'un individu déjà choisi ne peut jamais être choisi à nouveau et que la composition de la population est modifiée après chaque observation. Cependant, si le nombre d'observations est très petit par rapport à la taille de la population, cette procédure devrait être à peu près équivalente à la précédente. En fait, tout ce qu'on dit pour des observations indépendantes obtenues dans les mêmes conditions par tirages avec remise est jugé valide aussi pour des observations obtenues par tirages sans remise dans le cas où la taille de la population est très grande par rapport à la taille de l'échantillon. Cela a une grande importance car, dans la pratique, les tirages sont faits très souvent sans remise, mais la théorie est beaucoup plus simple dans le cas de tirages avec remise.

c) **Tirages d'individus particuliers.** Si on suppose que les individus de la population sont désignés par un numéro, mais que la valeur prise par la variable à l'étude est indépendante du numéro, dans le sens que celui-ci n'a aucun lien avec la valeur que prend la variable (on peut imaginer par exemple que les numéros sont distribués à l'aveuglette), alors choisir des individus de numéros particuliers revient à faire des tirages au hasard sans remise dans la population par rapport à la variable à l'étude. Donc, encore une fois, si la taille de la population est très grande par rapport à la taille de l'échantillon, alors on peut considérer en pratique que les observations ont été faites de façon indépendante et dans les mêmes conditions. C'est cette propriété surtout qui importe, quelle que soit la façon d'obtenir l'échantillon.

Il existe un lien étroit entre la façon d'obtenir un échantillon aléatoire et le type de population. On effectue des tirages avec ou sans remise dans une population réalisée en contrôlant le hasard, c'est-à-dire en donnant *a priori* aux individus existants des chances égales d'être choisis. Par contre, on observe des individus particuliers d'une population imaginée en contrôlant les conditions d'observation et en supposant que la nature ou les circonstances déterminent

« au hasard » la valeur de la variable que l'on considère. Une façon de savoir quelle population est à l'étude consiste donc à se demander quels individus ont des chances égales d'être observés.

Les trois façons d'obtenir un échantillon aléatoire décrites ci-dessus cachent des hypothèses qu'il est parfois difficile de vérifier ou de satisfaire. Tout d'abord, faire des tirages au hasard dans une population présuppose que l'on puisse donner *a priori* à tous les individus des chances égales d'être choisis. Cela exige une identification préalable de tous les individus de la population et une procédure de tirage équitable pour tous, c'est-à-dire une procédure qui ne favorise pas au départ certains individus au détriment d'autres. Or, lorsque la population est de taille très grande, l'identification de tous les individus n'est pas toujours chose aisée sinon même possible (pensons à la population d'un pays comme dans les exemples *a*) et *b*)). Quant à la procédure de tirage elle-même, elle équivaut à un choix de nombres au hasard avec les mêmes chances pour chaque nombre et, bien qu'il existe des méthodes excellentes utilisant l'ordinateur, aucune n'est parfaite. Enfin, on doit aussi avoir la possibilité d'observer les caractéristiques des individus qui auraient été choisis par tirage, ce qui n'est malheureusement pas toujours le cas (pensons aux absences et aux refus de répondre lors de sondages).

Le fait que les individus de la population aient des chances égales d'être observés impose un *a priori* contraignant. Dans le cas d'un jet de dé par exemple, on peut dire que les six faces du dé constituent une population réalisée. Mais alors on devrait faire l'hypothèse *a priori* que le dé est non pipé avant même de faire des observations. Une approche plus statistique est de lancer plusieurs fois le dé de façon indépendante et dans les mêmes conditions pour décider à partir des observations si oui ou non le dé est pipé. Dans ce cas, la population est constituée de tous les jets du genre que l'on puisse imaginer. Si on a un dé où les faces avec 1, 2, 3, 4, 5 points ont effectivement des chances égales d'apparaître, mais que la face avec 6 points a 1 1/2 fois plus de chances d'apparaître que les autres, alors la population est constituée de la suite de nombres suivante :

1	1	2	2	3	3	4	4	5	5	6	6	6

nombres répétés autant de fois que l'on veut, chacun représentant le résultat d'un jet imaginé. Nous reviendrons sur ce sujet au chapitre 4.

Mais la condition que les observations soient effectuées de façon indépendante et dans les mêmes conditions peut être aussi contraignante, sinon plus, pour une population imaginée que pour une population réalisée. En effet, prenons l'exemple *c*) concernant les transactions bancaires qui seront effectuées en une journée à un guichet automatique. Le nombre de transactions risque fort de ne pas se faire dans les mêmes conditions d'un jour de la semaine à un autre (les activités des gens ne sont pas les mêmes le jeudi et le dimanche, par exemple) et de dépendre du nombre de transactions des jours précédents (une journée avec peu de transactions suivant une journée avec beaucoup de transactions, par exemple). Une façon de diminuer les risques de changement de conditions et de dépendance serait par exemple de prendre en considération la variable pour un jour spécifique de la semaine (disons le jeudi). Dans le cas de la consommation d'essence des automobiles d'un modèle donné (exemple *d*)), il faudrait s'assurer plutôt que les conditions de fabrication et de conduite sont les mêmes, ce qui n'est pas chose facile.

1.4. ÉTUDES STATISTIQUES

ÉTUDES D'OBSERVATIONS ET EXPÉRIENCES CONTRÔLÉES

On distingue deux grands types d'études statistiques. Il y a d'abord les études purement descriptives dans lesquelles on déduit certaines caractéristiques d'un ensemble de données. Ces données peuvent avoir été obtenues à partir d'observations partielles sur une population sans qu'on ait eu aucun contrôle ni aucun choix quant à la façon de procéder aux observations. Il peut aussi s'agir de résultats d'observations systématiques sur une population entière. Quoi qu'il en soit, on peut toujours effectuer une étude sommaire de résultats d'observations.

La partie de la statistique qui s'occupe exclusivement de la description de données obtenues à partir d'observations quelconques est appelée **statistique descriptive** ou **statistique déductive**. La statistique descriptive s'intéresse par exemple aux pourcentages des données qui prennent certaines valeurs, aux données les plus fréquentes, aux variations des données les unes par rapport aux autres, aux comparaisons avec d'autres données, etc., en somme au traitement des données. La plupart du temps, il s'agit de classer les données selon des critères déterminés et de faire des calculs pour mesurer, décomposer et comparer les variations.

Dans certains cas, les observations, quoique partielles, sont faites suivant des procédures bien définies et contrôlées : ou bien les individus sont sciemment pris au hasard, ou bien ils sont observés de façon indépendante et dans les mêmes conditions, le choix au hasard étant laissé à la nature ou aux circonstances, ou bien ils sont observés d'après des critères spécifiques qui permettent de les catégoriser. Le but des procédures est généralement de s'assurer que l'on obtient des échantillons représentatifs de populations bien définies, ce qui permet d'induire une information sur les populations à partir d'échantillons. La partie de la statistique qui s'occupe de tirer des conclusions générales à partir d'enquêtes ou d'expériences statistiques contrôlées est appelée **statistique inductive** ou **inférence statistique**. C'est l'inférence statistique qui permet les généralisations et les prévisions, d'où son grand intérêt théorique et pratique.

CAS DE PLUSIEURS POPULATIONS

Dans les études statistiques, on est souvent porté, et avec raison, à comparer les variations d'une même variable dans deux ou plusieurs populations. Une telle pratique permet de caractériser les populations les unes par rapport aux autres et de dégager des différences le cas échéant.

Dans le cas d'une variable qualitative par exemple, on peut se demander si le pourcentage d'individus pour lesquels la variable prend une valeur donnée est le même dans deux populations distinctes. Illustrons cette situation par un exemple concret : on voudrait savoir si les pourcentages d'individus de différents groupes sanguins (O, A, B, AB) sont les mêmes aujourd'hui dans l'île de Saint-Barthélemy dans les Caraïbes qu'en France d'où vinrent les premiers colons voilà plus de 300 ans. Les deux populations à comparer sont les habitants actuels de l'île de Saint-Barthélemy d'une part et ceux de la France d'autre part. Les populations étant très grandes, on procède naturellement à la comparaison d'échantillons de ces deux populations. Pour la question qui nous occupe, nous nous référons à deux études qui ont été réalisées l'une en 1958 sur la population française et l'autre en 1964 sur les habitants de l'île de Saint-Barthélemy (voir le tableau 1.1). On constate entre autres que le groupe O est beaucoup plus représenté dans l'échantillon de Saint-Barthélemy que dans celui de la France (58 % comparativement à 43 %) de telle sorte que le groupe O est plus commun que le groupe A dans l'échantillon de Saint-Barthélemy contrairement à celui de la France. Il est à noter que les échantillons ne sont pas de taille égale (34 174 pour la France, 734 pour Saint-Barthélemy). Mais cela n'a pas beaucoup de conséquences sur les conclusions, sinon aucune. Ce qui est important, c'est que les échantillons soient représentatifs des populations dont ils sont issus pour que l'on puisse étendre les conclusions tirées à partir des échantillons aux populations entières. C'est pour cette raison que la question de la représentativité est essentielle en statistique et que les procédures pour prélever des échantillons aléatoires comme celles qui ont été décrites dans la section précédente doivent être respectées scrupuleusement.

Lorsque l'on veut comparer deux populations, on doit faire particulièrement attention aux conditions d'observation. Ainsi, dans le cas de la consommation de carburant d'automobiles de modèles différents, il est impératif que

TABLEAU 1.1.
Pourcentages des groupes sanguins dans deux échantillons
en France et dans l'île de Saint-Barthélemy

	Taille de l'échantillon	Groupes sanguins			
		O	A	B	AB
France (Vallois, 1958)	34 174	43 %	47 %	7 %	3 %
Saint-Barthélemy (Benoist, 1964)	734	58 %	39 %	2 %	1 %

Source : J. Benoist, « Saint-Barthélemy : Physical Anthropology of an isolate », *Am. J. Phys. Anthrop.*, vol. **22**, 1964, p. 473-488.

les conditions de conduite soient les mêmes. Si l'on veut comparer une variable dans deux populations différentes, on doit éliminer autant que possible tous les autres facteurs de variations autres que la différence de populations elle-même. Changer les conditions de conduite d'un modèle d'automobiles à un autre, par exemple, reviendrait à comparer deux variables différentes, ce qui n'aurait pas véritablement de sens. On pourrait faire cela pour un même modèle d'automobiles pour étudier les effets de changements de conditions de conduite sur la consommation de carburant, mais on ne pourrait pas le faire pour deux modèles différents sans affecter la validité des conclusions.

CAS DE SOUS-POPULATIONS

Dans certaines situations, il est approprié et même recommandé de subdiviser une population en deux ou plusieurs sous-populations pour isoler les facteurs importants de variation d'une variable. Par exemple, il a souvent été observé que les opinions politiques varient selon l'âge, le sexe, le revenu, l'instruction, et on peut alors penser subdiviser la population selon ces caractéristiques. Un exemple plus simple est celui du nombre de transactions bancaires qui est susceptible de varier de façon différente selon le jour de la semaine. On peut alors étudier cette variable pour les jours de la semaine pris séparément (les lundis, les mardis, etc.) plutôt que tous ensemble. On procède ainsi à une **stratification** de la population en sous-populations et chaque sous-population correspond à une **strate**.

L'exemple du revenu annuel illustre bien la technique de la stratification. Une première stratification de la population peut être faite selon le type de travailleur (salarié, autonome, inactif), puis une seconde selon le sexe (masculin ou féminin) et enfin une troisième selon la scolarité (primaire, secondaire, collégial, universitaire). Dans ce cas, on obtient 24 ($3 \times 2 \times 4$) sous-populations. On doit alors appliquer les mêmes subdivisions dans un échantillon de la population. Il peut s'agir d'un échantillon aléatoire pris dans la population entière ou d'un ensemble de 24 échantillons aléatoires pris séparément dans les 24 sous-populations. Dans le premier cas, le nombre de représentants de chaque sous-population dans l'échantillon est déterminé par le hasard et l'importance relative de la sous-population, dans le second cas, il est fixé d'avance.

GROUPE DE TRAITEMENT ET GROUPE TÉMOIN

Un autre problème très fréquent dans les études statistiques est celui de savoir si un nouveau « traitement » est efficace par rapport à un traitement standard ou même par rapport à une absence totale de traitement. Les individus soumis au nouveau traitement forment le **groupe de traitement** (ou **groupe expérimental**) et les autres, qu'on observe pour les comparer aux premiers, le **groupe témoin** (ou **groupe de contrôle**).

Par exemple, dans le domaine horticole, avant d'utiliser un nouvel engrais pour une variété de plantes, il est naturel de se demander si celui-ci donnera un meilleur rendement que l'engrais couramment utilisé. En particulier, pour une variété de rosiers, on peut vouloir s'assurer que le nombre de roses produites par arbrisseau sera en général supérieur avec le nouvel engrais. Pour vérifier cette hypothèse sur une petite échelle, on peut prendre au hasard un certain nombre de rosiers qu'on fertilisera avec le nouvel engrais (c'est le groupe de traitement) et un certain nombre d'autres rosiers qui recevront l'engrais habituel (c'est le groupe témoin). Les soins donnés aux rosiers et les conditions climatiques sont autrement identiques. Le rendement est évalué par le nombre de roses produites par rosier. Il reste alors seulement à comparer le rendement dans les deux groupes pour décider s'il est profitable ou non d'utiliser le nouvel engrais pour cette variété de rosiers dans des conditions identiques à celles de l'étude.

En médecine et en pharmacologie, il est aussi très important de tester tout nouveau médicament auprès d'un groupe de traitement avant son introduction sur le marché. Dans ce cas, on compare habituellement les résultats avec ceux obtenus par un groupe témoin qui reçoit un placebo à la place du médicament. En effet, lorsque les sujets de l'expérience sont des êtres humains, donc des individus doués de raison et d'émotivité, cette précaution supplémentaire est essentielle si l'on veut évaluer exactement les effets d'un traitement quelconque, autant les effets secondaires que les effets principaux. Une première procédure à suivre est alors de prélever au hasard parmi tous les sujets de l'expérience les individus qui recevront le médicament et ceux qui recevront le placebo (par exemple, en lançant une pièce de monnaie pour chaque sujet et en convenant que si on obtient pile comme résultat alors l'individu est traité avec le médicament et si on obtient face alors il est traité avec le placebo). Il est aussi préférable d'avoir recours à la technique dite du double aveugle; en ce cas, tant les expérimentateurs et les médecins qui évaluent les « réponses » que les sujets de l'expérience ignorent qui fait partie du groupe de traitement et qui fait partie du groupe témoin. On élimine ainsi tous les préjugés favorables ou défavorables susceptibles d'influencer les expérimentateurs et les sujets.

L'affectation au hasard des sujets de l'expérience au groupe de traitement ou au groupe témoin et l'observation neutre et objective de leurs réponses au traitement servent à s'assurer que les deux groupes dans leur ensemble seront les plus similaires possible, contenu du traitement mis à part. Cela permet d'affirmer avec confiance après l'étude que les différences observées entre les réponses des individus traités avec le médicament et ceux traités avec le placebo sont dues uniquement aux effets du médicament et non pas aux effets d'autres facteurs. En effet, tous les effets des autres facteurs sont pour ainsi dire « mêlés ou confondus » au hasard dans les deux groupes. Il est d'ailleurs parfois très difficile de séparer les effets d'autres facteurs de ceux du médicament lui-même. Mais cela peut et doit être fait au moins pour les autres facteurs déjà connus ou que l'on croit importants pour le phénomène étudié; on classe alors les sujets de l'expérience selon ces facteurs. Par exemple, dans une expérience clinique sur un nouveau médicament pour traiter la pression artérielle, si on pense que l'âge de l'individu peut affecter les résultats, alors il est recommandé de regrouper les sujets de l'expérience, autant ceux du groupe de traitement que ceux du groupe témoin, en sous-groupes d'âge semblable avant même de procéder à l'expérience. C'est la **procédure de stratification**. Cette façon de procéder améliore presque toujours la qualité des résultats de l'expérience. Il est même d'ailleurs fréquent de procéder à plusieurs stratifications : on parle alors de stratification double, triple ou multiple. Si on pense que le taux de cholestérol en plus de l'âge peut influencer la réponse à un médicament destiné à contrôler la pression artérielle, par exemple, alors on peut subdiviser les groupes de traitement et témoin selon le taux de cholestérol en plus de l'âge, et ainsi de suite. Pour bien illustrer l'importance des étapes à suivre et des précautions à prendre lors d'études statistiques, nous présentons les résultats d'une étude réalisée dans les années cinquante aux États-Unis dans le cadre de la lutte contre la poliomyélite.

Pour enrayer les épidémies de polio, le service de la santé publique des États-Unis décida en 1954 de tester sur une grande échelle l'efficacité d'un vaccin mis au point un peu plus tôt par Jonas Salk. Des essais en laboratoire avaient au préalable montré que le vaccin de Salk entraînait la production d'anticorps contre la polio et n'était pas nocif. Environ 2 millions d'enfants furent approchés pour l'étude à grande échelle, mais moins de 500 000 reçurent effectivement le vaccin, les autres recevant un placebo ou refusant de participer à l'expérience. Une question liée à l'éthique médicale vient immédiatement à l'esprit. Peut-on délibérément ne pas vacciner un groupe d'enfants et courir ainsi le risque de les voir attraper la maladie ? À cette question on peut répondre que des succès en laboratoire ne sont pas absolument garants de succès sur le terrain et, même si cela était, ne faut-il pas respecter les libertés individuelles ! De plus si on administrait le vaccin à tous les enfants et qu'on constatait une baisse du nombre de cas de polio, on ne saurait jamais si la baisse est imputable au vaccin lui-même ou à une baisse circonstantielle de l'incidence de la maladie dans la population, puisque la polio est une maladie épidémique dont l'incidence varie beaucoup d'une année à l'autre. L'unique façon de vérifier que le vaccin est vraiment efficace est de ne pas inoculer le vaccin à toute la population de façon à pouvoir comparer l'incidence de la maladie avec et sans vaccin. Puisque le consentement des parents est nécessaire pour la vaccination des enfants, un plan d'expérience naturel consiste à prendre pour groupe témoin celui constitué des enfants dont les parents refusent le vaccin, les autres enfants formant le groupe de traitement. Cependant, il est connu que les parents à revenu élevé, à cause sans doute d'une plus grande instruction, consentent plus facilement à la vaccination de leurs enfants que les parents à faible revenu. Cet état de choses tend à défavoriser le vaccin par rapport au placebo, car les enfants de parents à revenu élevé sont aussi plus susceptibles d'attraper la polio que les enfants de parents à revenu faible. Ce paradoxe apparent vient du fait que la polio est une maladie associée à un manque d'hygiène. Les enfants qui naissent dans un milieu peu hygiénique présenteront souvent des cas bénins de polio dans leur enfance alors qu'ils sont encore protégés par les anticorps transmis par la mère. Lorsqu'ils sont infectés, ils fabriquent leurs propres anticorps qui les protègent contre des infections ultérieures plus graves. Par contre, les enfants issus de milieux plus hygiéniques sont moins susceptibles dans l'enfance de contracter la maladie sous forme bénigne et donc de développer des anticorps, ce qui augmente leurs chances d'attraper plus tard des infections plus graves.

Une chose est certaine, pour éviter des conditions d'expérience favorables ou défavorables au vaccin, le groupe de traitement et le groupe témoin doivent être aussi semblables que possible.

Pour le vaccin Salk, deux plans d'expérience furent finalement proposés. La *National Foundation of Infantile Paralysis* (NFIP) suggéra de vacciner tous les enfants de la deuxième année du primaire avec le consentement des parents et de laisser non vaccinés tous les enfants de première et de troisième année à des fins de comparaison. Le plan d'expérience de la NFIP fut accepté par plusieurs districts scolaires. Un inconvénient majeur de ce plan est que la polio est une maladie contagieuse qui se propage par simple contact et que donc l'exposition à la maladie peut être différente chez les enfants de deuxième année et ceux de première et troisième, les enfants d'une même année scolaire se côtoyant en général davantage. De plus, pour les raisons données plus haut au sujet du comportement des parents, le groupe de traitement risque d'être constitué majoritairement d'enfants de parents à revenu élevé, c'est-à-dire d'enfants plus susceptibles d'attraper la maladie que les autres enfants en général. Enfin, les convictions des expérimentateurs et des enfants eux-mêmes quant à l'efficacité du vaccin peuvent influencer les diagnostics et donc les résultats de l'expérience.

Forts de ces constatations, plusieurs districts scolaires optèrent pour un plan d'expérience mieux contrôlé que celui de la NFIP qu'on appellera ici plan contrôlé. Pour permettre une comparaison plus juste, le groupe de traitement et le groupe témoin furent choisis dans la même population, celle constituée d'enfants dont les parents avaient consenti à l'inoculation. Une fois cette population d'enfants définie, l'administration du vaccin ou du placebo à chaque enfant fut déterminée au hasard par une procédure équivalant à un tirage de pile ou face avec une pièce de monnaie. Ainsi, chaque enfant avait autant de chances, à son insu et indépendamment des autres, de faire partie du groupe de traitement que du groupe témoin. Une dernière précaution consista à confier les diagnostics à des personnes qui ne savaient pas lesquels des enfants avaient véritablement reçu le vaccin. Cette précaution avait pour but d'empêcher que les diagnostics ne soient influencés par l'information concernant la vaccination ou non de l'enfant.

Les résultats des deux plans d'expérience (plan NFIP et plan contrôlé) sont présentés dans le tableau 1.2. Les résultats du plan contrôlé montrent une nette réduction du taux de polio dans le groupe témoin, 71 par 100 000 enfants, par rapport au taux dans le groupe de traitement, 28 par 100 000 enfants. Cela équivaut à une réduction relative de 61 % environ. En comparaison, les résultats du plan de la NFIP indiquent une réduction plus faible de 54 % principalement due à un taux plus bas de 54 par 100 000 dans le groupe témoin. Le plan de la NFIP a donc tendance à amenuiser en apparence l'efficacité du vaccin.

Un autre avantage du plan d'expérience contrôlé sur le plan proposé par la NFIP est qu'à partir des résultats de l'expérience contrôlée, on peut déterminer

TABLEAU 1.2.

Résultats des tests sur le vaccin Salk contre la polio aux ÉU en 1954
(taille du groupe d'enfants et taux de polio pour 100 000 enfants
dans chaque groupe ; les nombres sont arrondis)

Plan contrôlé			Plan NFIP		
Groupe	Taille	Taux	Groupe	Taille	Taux
Traitement	200 000	28	2e année traitement	225 000	25
Témoin	200 000	71	1re et 3e année témoin	725 000	54
Pas de consentement	350 000	46	2e année pas de consentement	125 000	44

Source : D. Freedman, R. Pisani et R. Purves, *Statistics*, New York, Norton, 1980 (Extrait de Thomas Francis, Jr., *Am. J. of Public Health*, 1955).

si la différence observée entre les groupes de traitement et témoin peut être attribuée à la chance plutôt qu'à un effet réel du vaccin et avec quel degré de certitude elle peut l'être. Or, en supposant que le vaccin n'entraîne aucun effet et en faisant jouer seulement les lois du hasard, on peut dire que les chances pour qu'il y ait une telle différence entre les taux dans le groupe témoin et le groupe de traitement sont presque nulles. Jusqu'à preuve du contraire, on considère donc que le vaccin est efficace.

PROBLÈMES

1.1. Donnez un exemple d'une variable qui n'est pas une variable statistique.

1.2. Donnez un exemple d'une variable quantitative discrète qui varie toujours d'un individu à un autre.

1.3. Donnez un exemple d'une variable qualitative qui varie toujours d'un individu à un autre.

1.4. Classifiez chacune des variables suivantes selon qu'elles sont qualitatives, quantitatives discrètes ou quantitatives continues :
   a) occupation ;
   b) revenu annuel ;
   c) lieu de résidence ;
   d) citoyenneté ;
   e) âge ;
   f) sexe ;
   k) pointure en chaussures ;
   l) couleur des yeux ;
   m) langue maternelle ;
   n) nombre de langues parlées ;
   o) langues parlées ;
   p) propriétaire ou non d'un véhicule motorisé ;

g) état matrimonial ;
h) nombre d'enfants ;
i) poids ;
j) grandeur ;

q) nombre de véhicules motorisés possédés ;
r) tour de taille ;
s) taille en pantalon.

1.5. Donnez 2 exemples, autres que ceux mentionnés dans le texte, de chacune des 2 catégories de variables qualitatives, à savoir, de variables qualitatives nominales et de variables qualitatives ordinales.

1.6. Donnez 2 exemples de variables dont les valeurs possibles sont -1 et $+1$.

1.7. Quelles sont les valeurs possibles pour :
a) l'actif d'une entreprise ;
b) le passif d'une entreprise ;
c) la valeur nette d'une entreprise.

1.8. Quelles sont les valeurs possibles de la température de l'eau en degrés Celsius ($°C$), à la pression atmosphérique :
a) à l'état liquide ;
b) à l'état gazeux ;
c) à l'état solide.

1.9. On considère le nombre d'accidents sur un pont en une semaine. Déterminez :
a) une population pour cette variable ;
b) les valeurs possibles de cette variable.

1.10. Dans les 4 énoncés suivants, déterminez la population, la variable considérée et un ensemble de valeurs possibles pour la variable :
a) la quantité de pluie mensuelle à Fort Lauderdale entre 1990 et 1992 ;
b) le diamètre des accessoires produits par une machine ;
c) le classement des élèves pour un cours de statistique ;
d) l'appréciation de la qualité d'un vin par des consommateurs dans un concours de dégustation.

1.11. Donnez un exemple d'une population de grande taille avec une variable ne prenant qu'une seule valeur pour tous les individus de la population.

1.12. Un échantillon d'une population peut-il être lui-même considéré comme une population ? Si oui, par rapport à quelle variable ?

1.13. Une population est constituée de 4 individus que l'on désigne par *a, b, c, d*. Décrivez tous les échantillons de taille 2 qu'il est possible d'extraire de cette population si on utilise :
a) les tirages avec remise ;
b) les tirages sans remise ;
c) les tirages d'individus particuliers.

CHAPITRE

PRÉSENTATION DES DONNÉES

2.1. DONNÉES BRUTES ET DONNÉES GROUPÉES

INTRODUCTION

Les **données brutes** sont les résultats immédiats d'observations de variables statistiques qui n'ont été soumis à aucun traitement ni modification. En somme, ce sont les données originales. Ces données peuvent avoir été obtenues par suite d'une enquête comme un sondage, ou encore d'une expérience scientifique, ou plus simplement provenir d'une collecte d'informations, que celle-ci ait été faite de façon systématique ou désordonnée.

Les données brutes forment des échantillons pour les variables sur lesquelles elles portent. Les données brutes se présentent sous la forme d'une liste de modalités ou de nombres selon que la variable est qualitative ou quantitative. Voici trois exemples :

a) Lors d'un sondage d'opinion sur la peine de mort ou sur l'avortement, par exemple, les réponses recueillies auprès des personnes interrogées se présentent comme suit :

pour, contre, contre, pour, pour, pour, contre, abstention, pour, contre, contre, contre, abstention, abstention, pour, pour, contre, contre, abstention, pour, contre, contre, abstention, abstention, pour, contre, pour, contre, abstention, abstention, contre, pour, pour, contre, pour, contre, contre, pour, pour, contre, pour, pour, contre, abstention, contre, pour, contre, contre, contre, abstention.

b) Une enquête démographique sur la natalité dans une population menée auprès de 100 femmes et portant sur le nombre d'enfants qu'elles ont eus durant leur vie fertile a permis de recueillir les données suivantes :

2, 1, 3, 4, 2, 2, 1, 0, 0, 8, 6, 0, 0, 4, 3, 1, 0, 2, 3, 4, 0, 1, 0, 2, 1, 1, 3, 5, 1, 0, 4, 2, 1, 2, 0, 1, 6, 1, 6, 0, 5, 5, 1, 2, 2, 3, 1, 1, 0, 2, 1, 3, 0, 2, 2, 8, 1, 2, 7, 1, 3, 3, 4, 1, 3, 3, 0, 4, 1, 2, 1, 2, 1, 5, 2, 2, 5, 6, 1, 0, 2, 2, 2, 1, 2, 0, 0, 2, 4, 1, 2, 4, 0, 2, 1, 0, 2, 5, 7, 0.

c) Des tests répétés sur la durée de vie d'une pièce électronique d'un fabricant donnent les résultats suivants (en milliers d'heures) :

4,65	3,47	2,72	5,18	6,80	2,14	2,02	3,00
4,36	5,55	3,14	2,63	2,64	2,52	5,40	4,09
4,01	5,05	4,94	2,70	3,57	5,48	2,35	2,20
3,94	3,55	5,90	6,25	3,33	3,70	2,23	2,04
3,92	4,48	6,40	4,44	5,70	3,26	2,40	3,10
4,30	4,15	4,51	4,45	6,22	5,73	3,90	3,81
3,51	3,05	2,54	2,48	3,82	4,05	3,12	5,24
5,60	5,84	3,60	3,82	2,98	3,03	2,66	3,97
6,35	6,37	5,26	5,06	4,63	4,52	4,70	4,77
4,34	4,80	4,20	4,13	3,25	2,56	3,43	3,53

Les données brutes, qu'elles portent sur une variable qualitative ou quantitative, se présentent généralement sous la forme d'une liste désordonnée de valeurs observées. Il est alors difficile de déduire une information quelconque *de visu*. Pour améliorer la présentation visuelle et ainsi faciliter l'interprétation des données, on procède habituellement à un regroupement des données, une autre raison étant la simplification de certains calculs. Dans tous les cas, on obtient des **données groupées**. Parfois, les seules données disponibles sont déjà des données groupées. Il est donc important de connaître les méthodes de regroupement et de savoir qu'elles sont légèrement différentes selon qu'il s'agit de variables qualitatives ou de variables quantitatives discrètes d'une part ou de variables quantitatives continues d'autre part.

REGROUPEMENT POUR LES VARIABLES QUALITATIVES ET LES VARIABLES QUANTITATIVES DISCRÈTES

La procédure de regroupement des données est essentiellement la même pour les variables qualitatives et les variables quantitatives discrètes. Elle consiste simplement à associer à chaque valeur prise par la variable à l'étude l'effectif observé de cette valeur, c'est-à-dire le nombre de données correspondant à cette valeur. Le résultat du regroupement est présenté sous la forme d'un tableau donnant la liste des effectifs des valeurs distinctes de la variable. On obtient ainsi un **tableau d'effectifs**. (Voir les tableaux 2.1 et 2.2.)

TABLEAU 2.1.

Réponses au sondage de l'exemple *a*) regroupées en 3 classes

Réponse	Effectif
Pour	18
Contre	22
Abstention	10
Total	50

On peut voir facilement à l'aide d'un tableau d'effectifs quelles sont les valeurs les plus fréquentes, quelles sont celles qui sont les plus rares et comment en général se répartissent les données sur les valeurs.

Un rapide examen du tableau d'effectifs de l'exemple *a*) permet de constater par exemple qu'il y a plus de « contre » que de « pour » parmi les réponses recueillies, mais avec un nombre d'« abstention » non négligeable, alors que le tableau d'effectifs de l'exemple *b*) met entre autres en évidence le nombre relativement peu élevé de femmes parmi les 100 femmes sélectionnées ayant eu un nombre d'enfants supérieur ou égal à 3. Dans ce dernier cas, on remarque aussi immédiatement que les effectifs croissent de 0 à 2 enfants, puis décroissent à partir de 2 enfants.

TABLEAU 2.2.

Données sur le nombre d'enfants des 100 femmes sélectionnées
de l'exemple *b*) regroupées en 9 classes

Nombre d'enfants	Effectif
0	19
1	24
2	25
3	10
4	8
5	6
6	4
7	2
8	2
Total	100

REGROUPEMENT POUR LES VARIABLES QUANTITATIVES CONTINUES

Le regroupement des données pour les variables quantitatives continues ne peut pas se faire exactement de la même façon que pour les autres types de variables. En effet, en raison de sa nature même, une variable quantitative continue se caractérise généralement par des données qui sont toutes distinctes les unes des autres, du moins si la précision sur les données est suffisamment grande. Regrouper les données selon la valeur n'a alors aucun intérêt puisqu'il y aurait une donnée pour chaque valeur distincte. Les données sont donc plutôt regroupées dans ce cas en un certain nombre de **classes** distinctes qui contiennent chacune un éventail de valeurs.

Les classes dont il est question ici correspondent en fait à des intervalles de valeurs, ces intervalles étant disjoints et successifs de telle sorte qu'il n'y ait pas de chevauchement entre deux classes et que chaque donnée appartienne à une classe et une seule. En dénombrant les données dans chaque classe, on obtient une liste d'effectifs pour les classes. L'**effectif d'une classe** est donc le nombre de données appartenant à cette classe et la liste des effectifs de toutes les classes constitue un tableau d'effectifs.

Par exemple, les données de l'exemple c) peuvent être regroupées en 10 classes de longueur 0,5 en commençant par la classe 2,0 - 2,5 et en finissant par la classe 6,5 - 7,0. On obtient alors le tableau 2.3a. Par convention, la classe 2,0 - 2,5 inclut la borne inférieure 2,0 mais exclut la borne supérieure 2,5, et de même pour les autres classes.

Il existe une grande liberté dans le choix du nombre de classes et de leur longueur. Mais il est commode de définir des classes de longueur égale, car des classes de longueur inégale ont tendance à fausser la perception de la répartition des données. Ainsi, dans le tableau 2.3a, si on regroupe les deux classes 4,5 - 5,0 et 5,0 - 5,5 en une seule classe 4,5 - 5,5 et les trois dernières classes 5,5 - 6,0, 6,0 - 6,5 et 6,5 - 7,0 en une autre classe 5,5 - 7,0, alors on obtient 15 données dans la première et 12 dans la seconde. Mais ce nouveau regroupe-

TABLEAU 2.3a.

Données sur la durée de vie d'une pièce électronique de l'exemple c) regroupées en 10 classes

Durée de vie (en milliers d'heures)	Effectif
2,0 - 2,5	8
2,5 - 3,0	9
3,0 - 3,5	11
3,5 - 4,0	13
4,0 - 4,5	12
4,5 - 5,0	8
5,0 - 5,5	7
5,5 - 6,0	6
6,0 - 6,5	5
6,5 - 7,0	1
Total	80

ment camoufle l'étendue réelle des données ayant des valeurs supérieures ou égales à 4,5. En effet, ces données sont regroupées en une longue queue de classes de petits effectifs dans le tableau original où toutes les classes sont de même longueur alors qu'avec le nouveau regroupement elles forment seulement deux classes d'effectifs comparables aux autres mais de longueur plus grande. La situation serait encore plus ambiguë si on décidait de remplacer la classe 5,5 - 7,0 par la classe « 5,0 et plus » sans aucune borne supérieure, car avec cette seule information on n'aurait alors aucune idée de la grandeur réelle des données de cette classe. Il arrive cependant que l'on rencontre des classes de longueur inégale ou des classes semi-ouvertes (sans borne inférieure ou supérieure) dans la littérature. Dans de tels cas, il est recommandé de se méfier des premières impressions. L'utilisation de classes de longueur inégale ou de classes semi-ouvertes complique aussi légèrement les représentations graphiques et les calculs approximatifs effectués à partir de ces classes comme nous le verrons dans la section suivante.

Le nombre de classes est aussi une question importante. Ce nombre est étroitement lié à la longueur des classes. Plus celle-ci est petite, plus il y a de classes, et plus elle est grande, moins il y en a. Les classes doivent être de longueur ni trop petite pour contenir un nombre suffisant de données ni trop grande pour conserver une précision satisfaisante sur la répartition des données. Quelques-uns des effets que peut avoir un mauvais choix quant au nombre de classes sont illustrés dans les tableaux 2.3b et 2.3c. Avec un trop petit nombre de classes, les données sont tellement uniformisées par le regroupement en grandes classes communes que cela peut diluer et même faire disparaître une information précieuse (jusqu'à faire croire à tort à une répartition symétrique des données dans le tableau 2.3b, par exemple). Avec un trop grand nombre de classes, les fluctuations des effectifs des classes peuvent devenir tellement nombreuses qu'elles empêchent une perception globale de la répartition des données et rendent presque inexistants les avantages du regroupement (voir le tableau 2.3c). De plus, lorsque le nombre de classes est trop grand, on court le risque d'avoir des classes dont l'effectif est nul, ce qui n'est pas souhaitable. En conclusion, des problèmes d'interprétation peuvent survenir lorsque le regroupement est trop grossier ou, au contraire, lorsqu'il est trop fin.

TABLEAU 2.3b.

Données sur la durée de vie d'une pièce électronique de l'exemple c) regroupées en 3 classes

Durée de vie (en milliers d'heures)	Effectif
1,0 - 3,0	17
3,0 - 5,0	44
5,0 - 7,0	19
Total	80

TABLEAU 2.3c.

Données sur la durée de vie d'une pièce électronique de l'exemple *c*)
regroupées en 20 classes

Durée de vie (en milliers d'heures)	Effectif
2,00 - 2,25	5
2,25 - 2,50	3
2,50 - 2,75	8
2,75 - 3,00	1
3,00 - 3,25	6
3,25 - 3,50	5
3,50 - 3,75	6
3,75 - 4,00	7
4,00 - 4,25	6
4,25 - 4,50	6
4,50 - 4,75	5
4,75 - 5,00	3
5,00 - 5,25	4
5,25 - 5,50	3
5,50 - 5,75	4
5,75 - 6,00	2
6,00 - 6,25	1
6,25 - 6,50	4
6,50 - 6,75	0
6,75 - 7,00	1
Total	80

Voici donc quelques règles générales concernant le regroupement des données en classes :

1. *Définir dans la mesure du possible des classes de longueur égale.*

2. *Établir une longueur standard (par exemple, 100, 50, 20, 10, 5, 2, 1, 1/2, 1/4, 1/8, 1/10, etc.) pour les classes.*

3. *Faire en sorte d'avoir entre 5 et 20 classes selon le nombre de données disponibles et la précision souhaitée. Les classes doivent se succéder sans se chevaucher et recouvrir l'ensemble des données. La majorité des classes doivent contenir au moins 5 données.*

Il est certain qu'un regroupement en classes entraîne la perte d'une partie de l'information que fournissent les données originales. Une fois les données groupées, on ne peut plus par exemple distinguer les valeurs individuelles prises à l'intérieur d'une même classe. Par contre, les données groupées se prêtent plus facilement aux calculs mathématiques sans ordinateur ainsi qu'aux représentations graphiques.

2.2. DISTRIBUTIONS DE FRÉQUENCES

INTRODUCTION

Quelle que soit la méthode de regroupement employée, le traitement des données groupées peut se faire de la même façon. Si les données sont regroupées selon leur valeur (numérique ou autre), on conserve les données originales et on considère chaque valeur distincte comme une classe. Si, par contre, les données sont regroupées en classes de valeurs correspondant à des intervalles, on peut par exemple remplacer la valeur de chaque donnée originale par la valeur centrale de la classe à laquelle elle appartient. La **valeur centrale d'une classe** est donnée par :

$$\text{valeur centrale} = \frac{\text{borne inférieure} + \text{borne supérieure}}{2},$$

où la borne inférieure (supérieure) correspond à la plus petite (grande) donnée possible dans la classe ou au bord de la classe. Par exemple, dans le tableau 2.3a, la valeur centrale de la classe 2,0 - 2,5 est :

$$\frac{2,0 + 2,5}{2} = 2,25,$$

et les 8 données appartenant à cette classe peuvent se voir dorénavant attribuer la valeur 2,25. De la même façon, on peut obtenir les autres valeurs centrales des classes dans ce tableau, qui sont 2,75, 3,25, 3,75, 4,25, 4,75, 5,25, 5,75, 6,25 et 6,75 dont les effectifs sont 9, 11, 13, 12, 8, 7, 6, 5 et 1, respectivement. Ainsi, on se retrouve avec des données modifiées (« arrondies » aux centres des classes pour ainsi dire), mais tout de même très près des données originales, en fait d'autant plus près que la longueur des classes est petite. Toutes les descriptions et tous les calculs effectués à partir de ces données modifiées seront donc approximatifs. Ces descriptions et ces calculs seront cependant d'autant plus proches de ceux effectués à partir des données originales que les classes seront petites en longueur.

Il est à noter que, dans le cas de classes correspondant à des intervalles de valeurs, on pourrait aussi considérer par exemple que les données d'une même classe sont « uniformément réparties » dans la classe, c'est-à-dire également espacées dans l'intervalle de valeurs correspondant. Les approximations obtenues par cette méthode seraient peut-être très bonnes, mais les calculs seraient aussi compliqués, sinon plus, qu'avec les données originales. En fin de compte, l'utilisation des valeurs centrales des classes reste encore la méthode la plus efficace par sa simplicité.

Désormais ici, la *notion de classe* sera entendue au sens large et pourra désigner autant une valeur distincte pour une variable qualitative ou quantitative discrète qu'un intervalle de valeurs pour une variable quantitative continue.

TABLEAU DE FRÉQUENCES

Une fois les données regroupées en classes et les effectifs des classes connus, on peut s'intéresser aux fréquences relatives des classes. La **fréquence relative**, ou simplement **fréquence**, d'une classe est définie comme la proportion des données appartenant à cette classe. Si n_i est l'effectif de la classe i et n est le nombre total de données, alors la fréquence de la classe i, dénotée f_i, est donnée par :

$$f_i = \frac{n_i}{n} .$$

Une fréquence est donc toujours comprise entre 0 et 1. L'intérêt de la fréquence est qu'elle permet d'évaluer l'importance d'une classe par rapport à toutes les autres. Un tableau qui décrit explicitement les classes (valeurs distinctes ou intervalles de valeurs) et qui donne leurs fréquences respectives est appelé **tableau de fréquences**. L'information que contient un tableau de fréquences constitue ce que l'on appelle une **distribution de fréquences**. Celle-ci étant obtenue à partir d'observations, elle est aussi appelée **distribution empirique**. La distribution est exacte lorsque les classes correspondent à des valeurs distinctes et approximative lorsque les classes correspondent à des intervalles de valeurs.

Le tableau 2.4 donne les fréquences pour les données de l'exemple b). Dans ce cas, le nombre total de données étant 100, la fréquence d'une classe en centièmes correspond exactement à l'effectif de la classe. Soulignons que le total des fréquences de toutes les classes est égal à 1.

Dans un tableau de fréquences, la somme des fréquences est toujours égale à 1 en principe, car la somme des effectifs est toujours égale au nombre total de données. Il arrive cependant que cette somme diffère de 1 en pratique, lorsque les fréquences exprimées en décimales sont arrondies et donc ne représentent pas les fréquences exactes. Cela est illustré dans le tableau 2.5.

TABLEAU 2.4.

Fréquences pour les données de l'exemple b)

Valeur	Fréquence
0	0,19
1	0,24
2	0,25
3	0,10
4	0,08
5	0,06
6	0,04
7	0,02
8	0,02
Total	1,00

TABLEAU 2.5.

Fréquences pour les données de l'exemple *c)*
d'après les classes du tableau 2.3*c*

Classe	Fréquence
2,00 - 2,25	0,06
2,25 - 2,50	0,04
2,50 - 2,75	0,10
2,75 - 3,00	0,01
3,00 - 3,25	0,08
3,25 - 3,50	0,06
3,50 - 3,75	0,08
3,75 - 4,00	0,09
4,00 - 4,25	0,08
4,25 - 4,50	0,08
4,50 - 4,75	0,06
4,75 - 5,00	0,04
5,00 - 5,25	0,05
5,25 - 5,50	0,04
5,50 - 5,75	0,05
5,75 - 6,00	0,03
6,00 - 6,25	0,01
6,25 - 6,50	0,05
6,50 - 6,75	0,00
6,75 - 7,00	0,01
Total	1,02

Dans ce tableau, les fréquences ont été arrondies à la deuxième décimale. Ainsi, la fréquence de la dernière classe qui est exactement 1/80, ou 0,0125 en valeur décimale, a été arrondie à 0,01, ce qui s'est soldé par une perte de fréquence de 0,0025. Par contre, la fréquence de la classe 5,75 - 6,00 qui est en fait 2/80 ou 0,025 est devenue 0,03, ce qui a résulté en un gain de fréquence de 0,005. Au total, il y a eu ainsi plus de gains que de pertes, ce qui explique l'excédent de la somme des fréquences qui est 1,02 au lieu de 1.

Il arrive aussi parfois que les fréquences soient exprimées en pourcentage (%). Une fréquence f comprise entre 0 et 1 correspond alors à un pourcentage $f \times 100\%$ compris entre 0% et 100%, et la somme des pourcentages égale normalement 100%. Il suffit de se rappeler que 1% équivaut à 1/100 et que donc 100% équivaut à 1. Ainsi, dans le sondage d'opinion de l'exemple *a)*, il y a 18 répondants sur 50 qui sont « pour », soit un pourcentage de $100 \times 18/50$, c'est-à-dire 36%. De même, il y a 44% des répondants qui sont « contre », ce qui laisse 20% d'« abstention » pour un total de 100%. (Voir le tableau 2.6.)

Pour effectuer le calcul des fréquences et faciliter les calculs subséquents, on construit souvent un tableau qui donne à la fois les valeurs ou les valeurs centrales, les effectifs et les fréquences des classes. Un tel tableau sera appelé un **tableau de fréquences augmenté**. La forme générale d'un tableau de

TABLEAU 2.6.

Fréquences en pourcentage pour les données de l'exemple a)

Valeur	Fréquence (%)
Pour	36
Contre	44
Abstention	20
Total	100

fréquences augmenté et la notation utilisée pour ses divers éléments sont présentées dans le tableau 2.7. Si l'on suppose r classes numérotées 1, 2, ... , r, les valeurs (ou les valeurs centrales) sont représentées par $v_1, v_2, \ldots, v_r$, les effectifs par $n_1, n_2, \ldots, n_r$ et les fréquences par $f_1, f_2, \ldots, f_r$. En notant le nombre total de données par n ($n = n_1 + n_2 + \ldots + n_r$), on a

$$f_1 + f_2 + \ldots + f_r = \frac{n_1}{n} + \frac{n_2}{n} + \ldots + \frac{n_r}{n}$$

$$= \frac{n_1 + n_2 + \ldots + n_r}{n}$$

$$= 1 \ .$$

GRAPHIQUES À COLONNES ET GRAPHIQUES CIRCULAIRES

Il est avantageux de représenter graphiquement une distribution de fréquences, car un graphique est facilement et rapidement interprétable. En effet, un tableau de fréquences exige souvent plusieurs lectures avant que soit comprise toute l'information qu'il contient alors que, sous forme graphique, la même information peut être saisie d'un premier coup d'œil. Un autre avantage appréciable des représentations graphiques est qu'elles permettent de comparer facilement deux ou plusieurs distributions.

Toute représentation graphique pour décrire la distribution d'une variable, qu'elle soit qualitative ou quantitative, continue ou discrète, découle du désir de représenter les fréquences par des figures géométriques plutôt que par des nombres. Deux représentations graphiques en particulier sont fréquemment utilisées, les autres n'étant souvent que des variantes : il s'agit des graphiques à colonnes et des graphiques circulaires. Dans les premiers, les fréquences sont représentées par des rectangles, dans les seconds, par des secteurs circulaires. Dans les deux cas, il importe d'indiquer à quelle valeur ou à quelle classe de valeurs, selon le cas, correspond chaque rectangle ou chaque secteur. Lorsqu'un ordre existe entre les valeurs ou les classes de valeurs, on cherche habituellement à respecter cet ordre dans la représentation graphique.

Pour construire un **graphique à colonnes** standard, on inscrit les valeurs ou les classes de valeurs de gauche à droite sous une ligne horizontale sur

TABLEAU 2.7.

Forme générale d'un tableau de fréquences augmenté

Classe	Valeur (ou valeur centrale)	Effectif	Fréquence
1	v_1	n_1	$f_1 = \dfrac{n_1}{n}$
2	v_2	n_2	$f_2 = \dfrac{n_2}{n}$
.	.	.	.
.	.	.	.
.	.	.	.
r	v_r	n_r	$f_r = \dfrac{n_r}{n}$
Total		n	1

laquelle, au-dessus de chaque valeur ou classe de valeurs, on place un rectangle dont la hauteur correspond à la fréquence de la valeur ou de la classe. La fréquence est donc en ordonnée. Les rectangles, ou colonnes, ont des bases de même longueur. Habituellement, ils sont également espacés. Cependant, pour une variable quantitative discrète, on place parfois les colonnes au-dessus des valeurs correspondantes sur l'axe même des valeurs de la variable. Celles-ci sont alors espacées conformément aux valeurs réelles prises par la variable.

La figure 2.1 présente trois graphiques à colonnes standard pour l'âge, la scolarité et le nombre d'incarcérations antérieures d'hommes admis dans les pénitenciers fédéraux au Canada en 1976. On relève immédiatement une forte proportion de jeunes (plus de 70 % ont moins de 30 ans), une faible scolarité (plus de 70 % ont 10 années ou moins d'études) et un taux élevé de récidive (environ 45 % ont déjà été incarcérés). Il y a là matière à réflexion pour une politique préventive humaine et efficace.

Pour comparer deux distributions d'une même variable, on peut superposer en les décalant les deux graphiques à colonnes correspondants. Au-dessus de chaque classe, on a alors deux rectangles juxtaposés, celui de gauche correspondant à la fréquence selon la première distribution et celui de droite selon la seconde. De tels **graphiques à colonnes juxtaposés** peuvent être très révélateurs. Ceux de la figure 2.2 sur l'issue de causes civiles au Canada d'après des données de 1979, par exemple, nous permettent de voir clairement l'avantage qu'a un défendeur qui est représenté par un avocat par rapport à celui qui ne l'est pas.

Si on fait faire une rotation de 90° à un graphique à colonnes standard, on obtient une liste de valeurs ou de classes énumérées de haut en bas et des rectangles dont la longueur, dans la direction horizontale, représente la fréquence. Les colonnes sont alors à l'*horizontale* plutôt qu'à la *verticale*. On obtient une

FIGURE 2.1.

Caractéristiques d'hommes admis dans les pénitenciers fédéraux
au Canada, 1976

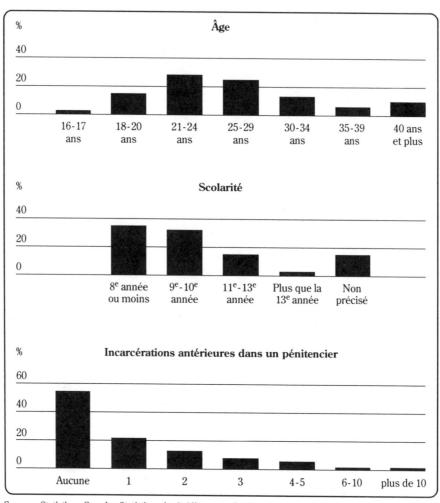

Source : Statistique Canada, *Statistique des établissements de correction*, n° de catalogue 85-207, 1976.

autre variante du graphique à colonnes en plaçant les rectangles *bout à bout*
plutôt que *côte à côte*. Une telle représentation est particulièrement appropriée
pour comparer plusieurs distributions entre elles. Le rapport d'une enquête
réalisée en 1977 auprès d'environ 3300 Canadiens et portant sur les percep-
tions générales de la qualité de la vie, enquête dirigée par un groupe de recherche de l'Institut sur les comportements de l'université York de Toronto,
présentait les résultats sur le niveau de satisfaction à l'endroit de la vie sentimentale (avec valeurs possibles « très satisfait », « assez satisfait », « neutre »,
« insatisfait ») selon la situation matrimoniale (« marié(e) », « non marié(e)
mais avec une relation stable », « non marié(e) sans relation stable »), le sexe

FIGURE 2.2.

Issue de causes civiles selon que le défendeur
est ou n'est pas représenté par un avocat

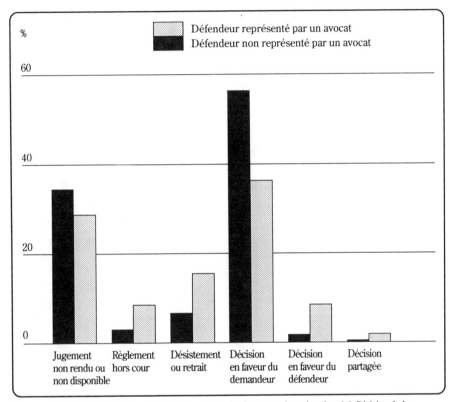

Source : C. McKie et P. Reed, *La justice civile au Canada*, document de recherche n° 8, Division de la statistique judiciaire, Statistique Canada, 1979.

(«homme», «femme»), et l'âge («18-34 ans», «35-49 ans», «50-64 ans», «65 ans et plus») sous cette forme (voir la figure 2.3). Voici le compte rendu et l'interprétation qu'a donnée le professeur Tom Atkinson de ces résultats :

> *Les personnes mariées se sont dites plus satisfaites de leur vie sentimentale que celles qui n'étaient pas mariées, et celles qui avaient une relation régulière étaient, à leur tour, plus satisfaites que celles qui n'en avaient pas. Les Canadiens des deux sexes tirent encore une grande satisfaction du mariage, contrairement à ce que pourraient laisser croire d'autres statistiques, dont celles sur le divorce.*
>
> *Les données indiquent également que les femmes réagissent de façon plus positive ou plus négative que les hommes aux relations hors mariage, et pourtant il n'y a pas de différence dans les niveaux moyens de satisfaction. Pour ce qui est des personnes qui ont ou qui n'ont pas de relation régulière, les proportions de «très satisfaits» et d'«insatisfaits» sont plus élevées chez les*

hommes que chez les femmes. Ces différences pourraient provenir du fait que les femmes, plus que les hommes, doivent prendre position face à l'institution du mariage. Celles qui choisissent de préférence une autre forme de relation peuvent en être plus satisfaites que leurs homologues masculins, tandis que celles qui continuent à désirer le mariage sont plus insatisfaites de situations qui ne renferment pas la promesse de cette réalisation. Le mariage et la vie sentimentale n'ont probablement pas une importance aussi cruciale pour les hommes ; par conséquent, leurs réponses sont plus modérées.

Les chiffres du graphique, qui indiquent des niveaux beaucoup plus élevés de satisfaction associée au mariage par rapport à l'absence de mariage, peuvent être trompeurs dans ce sens qu'ils comparent des personnes jeunes qui ne sont pas mariées avec des personnes mariées qui, en moyenne, sont beaucoup plus âgées. Dans les analyses antérieures, il ressortait clairement que la satisfaction augmentait en fonction de l'âge, et il est possible que les différences associées à la relation matrimoniale reflètent simplement des différences d'âge.

D'après des données du graphique, la satisfaction augmente effectivement en fonction de l'âge chez les personnes qui sont mariées ou qui n'ont pas de relation régulière, mais l'âge n'est pas le principal facteur responsable des différences marquées de satisfaction entre les divers types de relation. Dans tous les groupes d'âge à l'exception du groupe le plus âgé, la différence dans la proportion de personnes «très satisfaites» est de 40 à 45 % plus élevée chez les personnes mariées que chez les personnes n'ayant pas de relation régulière.

(*Perspectives Canada* III, Statistique Canada, 1980, p. 43-44.)

L'autre représentation graphique la plus utilisée est sans aucun doute le **graphique circulaire** ou **en pointes de tarte**. Dans ce cas, on divise une aire circulaire en secteurs dont les angles sont proportionnels aux fréquences des classes. À une fréquence f correspond un angle de $f \times 360°$. Les classes sont habituellement désignées autour et à l'extérieur du cercle. En représentant ainsi les distributions des données sur les avortements thérapeutiques au Canada en 1982 selon l'âge, l'état matrimonial, la durée de gestation et le nombre d'accouchements antérieurs, on obtient les graphiques de la figure 2.4. Ceux-ci suggèrent qu'un avortement thérapeutique type au Canada en 1982 se pratiquait sur une femme célibataire ayant entre 20 et 29 ans inclusivement, n'ayant jamais accouché auparavant et après 9 à 12 semaines de gestation. Mais peut-être y a-t-il très peu de cas dans cette catégorie.

Il est à remarquer que les graphiques circulaires comme les graphiques à colonnes peuvent être utilisés autant pour des variables qualitatives que pour des variables quantitatives discrètes ou continues.

HISTOGRAMME DE FRÉQUENCES

Une représentation graphique plus sophistiquée utilisée surtout pour décrire les distributions de variables quantitatives continues est l'**histogramme de**

FIGURE 2.3.

Satisfaction à l'endroit de la vie sentimentale selon le sexe et l'âge

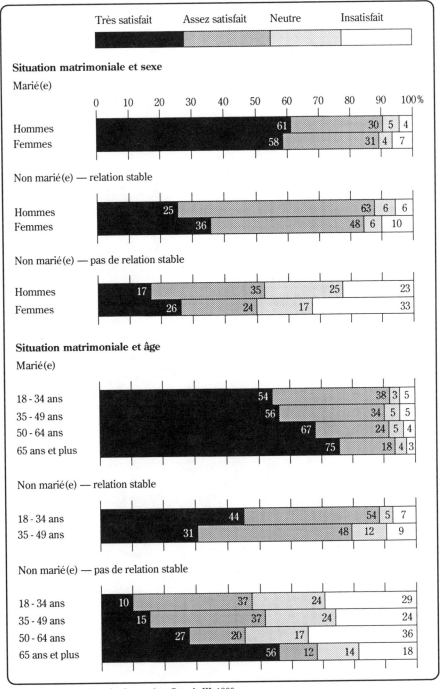

Source : Statistique Canada, *Perspectives Canada* III, 1980.

FIGURE 2.4.

Répartition en pourcentage des avortements thérapeutiques,
selon certaines caractéristiques démographiques et médicales,
Canada, 1982

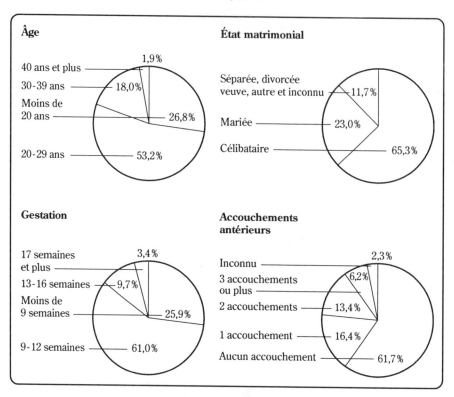

fréquences, ou simplement **histogramme**. Avec un histogramme de fréquences, on a une représentation graphique non seulement pour les fréquences, mais aussi pour les classes de valeurs. Plus précisément, les
fréquences sont représentées par des aires rectangulaires dont les bases correspondent aux classes elles-mêmes.

Prenons pour illustrer la distribution de la population du Canada selon
l'âge d'après le recensement de 1986. Avec des classes d'âge de 5 ans de longueur, ce qui est standard en démographie, à l'exception de la dernière classe
qui est semi-ouverte (75 ans et plus), on obtient le tableau 2.8. Par convention,
la classe « 0 - 4 ans » inclut tous les individus de 4 ans n'ayant pas encore atteint
l'âge de 5 ans et de même pour toutes les autres classes.

On obtient l'histogramme de fréquences correspondant à ce tableau en
juxtaposant des rectangles dont les bases correspondent aux intervalles de
valeurs des classes successives et dont les aires correspondent aux fréquences
des classes. Les bases des rectangles sont obtenues en inscrivant les classes
bout à bout horizontalement sur un axe de valeurs. Pour calculer la hauteur des

TABLEAU 2.8.

Distribution de la population selon l'âge, Canada, 1986

Classe d'âge	Fréquence (%)
0 - 4 ans	7,2
5 - 9 ans	7,1
10 - 14 ans	7,1
15 - 19 ans	7,6
20 - 24 ans	8,9
25 - 29 ans	9,3
30 - 34 ans	8,6
35 - 39 ans	8,0
40 - 44 ans	6,4
45 - 49 ans	5,2
50 - 54 ans	4,9
55 - 59 ans	4,8
60 - 64 ans	4,4
65 - 69 ans	3,6
70 - 74 ans	2,9
75 ans et plus	4,1

Source : Statistique Canada, *Annuaire du Canada 1988*.

rectangles, il suffit de diviser la fréquence par la longueur des classes. Pour la classe « 0 - 4 ans » de longueur 5 et de fréquence 0,072, par exemple, la hauteur du rectangle sera 0,072/5. De même pour toutes les autres classes sauf la dernière. En effet, la classe semi-ouverte « 75 ans et plus » pose des difficultés, car elle est *a priori* de longueur infinie. Mais comme en fait le nombre de pesonnes ayant plus de 100 ans est très petit par rapport aux autres, on peut convenir arbitrairement de transformer la classe « 75 ans et plus » de longueur infinie en la classe « 75 - 99 ans » de longueur 25, mais en conservant cependant la même fréquence, soit 0,041. Le rectangle correspondant dans l'histogramme de fréquences sera de hauteur 0,041/25. À noter que si on divise la classe « 75 - 99 ans » en 5 classes, soit « 75 - 79 ans », « 80 - 84 ans », « 85 - 89 ans », « 90 - 94 ans » et « 95 - 99 ans », de longueur 5 comme les autres et de fréquence uniforme 0,041/5, alors les rectangles associés à ces classes devraient être de hauteur (0,041/5)/5, c'est-à-dire, 0,041/25. Quoi qu'il en soit, on obtient l'histogramme de fréquences de la figure 2.5 avec l'âge (en années) sur l'axe horizontal et la fréquence par année d'âge sur l'axe vertical.

En construisant un histogramme de fréquences, on suppose toujours que les données dans une classe sont uniformément distribuées dans la classe. C'est l'idée qui sous-tend l'utilisation du rectangle qui couvre toute la longueur de la classe et dont l'aire représente la fréquence totale de la classe. On voit alors l'avantage de définir des classes de longueur égale : dans ce cas, la hauteur des rectangles exprimée en fréquence par unité de longueur des classes est proportionnelle à la fréquence des classes avec la même constante de proportionnalité pour toutes les classes et, par conséquent, la construction de

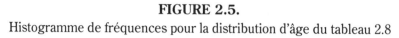

FIGURE 2.5.

Histogramme de fréquences pour la distribution d'âge du tableau 2.8

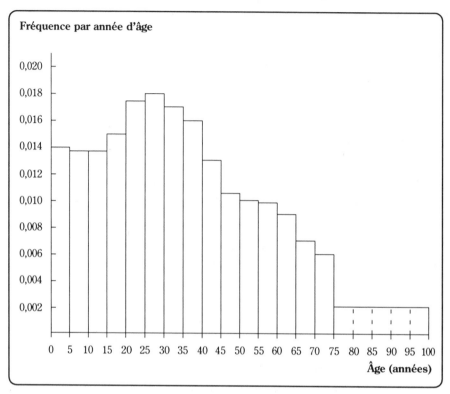

l'histogramme de fréquences est très rapide. (On peut même exprimer la hauteur en fréquence par longueur d'une classe, auquel cas la hauteur d'un rectangle égale la fréquence de la classe correspondante.) Cependant, il arrive assez souvent que les premières ou dernières classes soient de longueur différente des autres et parfois même que toutes les classes soient de longueur différente ; il faut alors procéder au calcul de la hauteur des rectangles de l'histogramme pour chaque classe séparément. Enfin, en présence d'une classe semi-ouverte, on doit fixer arbitrairement une borne au-delà de laquelle le nombre de données peut être considéré négligeable, en se basant simplement sur le bon sens.

Il peut aussi être avantageux dans certains cas de placer verticalement plutôt qu'horizontalement l'axe des valeurs de la variable. Cette construction est particulièrement recommandée lorsque l'on veut comparer visuellement deux distributions d'une même variable. Il suffit alors de placer les **histogrammes dos à dos**, l'un à gauche et l'autre à droite de l'axe des valeurs. En comparant ainsi la distribution d'âge au Canada en 1986 avec celle en 1976 (voir la figure 2.6), on peut constater immédiatement un vieillissement général de la population. Ce phénomène, attribuable à une plus faible natalité et une plus grande longévité, a des conséquences économiques et sociales, notamment sur

FIGURE 2.6.

Distributions d'âge au Canada, 1976 et 1986

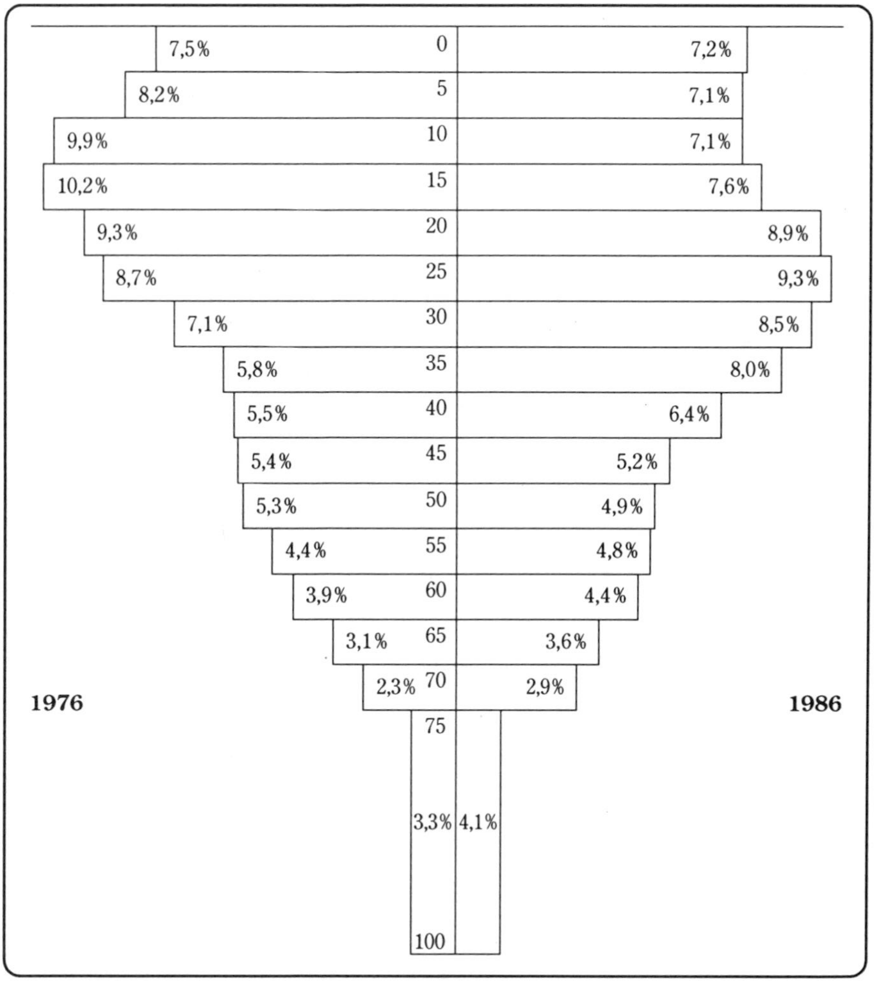

1976	Âge	1986
7,5%	0	7,2%
8,2%	5	7,1%
9,9%	10	7,1%
10,2%	15	7,6%
9,3%	20	8,9%
8,7%	25	9,3%
7,1%	30	8,5%
5,8%	35	8,0%
5,5%	40	6,4%
5,4%	45	5,2%
5,3%	50	4,9%
4,4%	55	4,8%
3,9%	60	4,4%
3,1%	65	3,6%
2,3%	70	2,9%
	75	
3,3%		4,1%
	100	

la gestion des fonds de pension et la mise en place d'infrastructures pour les personnes âgées.

L'histogramme de fréquences est aussi parfois utilisé pour représenter les distributions de variables quantitatives discrètes dont les différentes valeurs successives sont également espacées. Dans ce cas, les bases des rectangles ont pour longueur la distance entre deux valeurs successives et sont centrées aux différentes valeurs. Les aires des rectangles représentent les fréquences des valeurs correspondantes. Une telle représentation n'est pas naturelle pour une variable discrète qui ne peut prendre toutes les valeurs dans un intervalle et est plutôt utilisée pour comparer la distribution d'une variable discrète à la distribution d'une variable continue. Nous reviendrons sur ce sujet au chapitre 7.

PROBLÈMES

2.1. On a les données suivantes sur la couleur des yeux d'un certain nombre d'individus :

noir	brun	brun	bleu	noir	vert
brun	brun	brun	vert	bleu	noir
noir	bleu	vert	vert	brun	brun
vert	brun	brun	bleu	noir	brun
brun	brun	noir	noir	bleu	noir
noir	brun	brun	brun	bleu	brun

Réalisez un tableau d'effectifs et un tableau de fréquences.

2.2. Une enquête sur le nombre de langues parlées par les individus dans un groupe a donné les résultats suivants :

2	2	2	1	1	3	5	1	2	2
1	3	3	2	2	2	1	1	3	1
2	2	1	2	1	1	2	4	2	2
1	2	2	4	3	1	1	2	1	3
3	1	2	3	2	2	1	2	3	2
2	4	5	1	1	1	2	1	1	3

Réalisez un tableau d'effectifs et un tableau de fréquences.

2.3. Les données ci-dessous représentent les consommations d'électricité (en kWh) de ménages pour une période de 60 jours.

1002	1133	1087	1168	1140
1624	1406	1209	804	690
974	1014	1132	1035	1120
1588	1301	1322	879	785
654	843	1115	1312	1290
1997	1700	1501	1413	1800
1023	1251	1084	1281	1271
952	1629	1444	1445	1656
1244	1251	1900	712	998

a) Regroupez les données en classes de longueur 200 en commençant par la classe 600 - 800.

b) Faites un tableau de fréquences pour le regroupement en *a*).

2.4. Le tableau qui suit donne l'indice des prix et l'indice des salaires en 1988 pour 50 villes du monde sur la base 100 pour la ville de Zurich en Suisse.

a) Pour chacun des indices, procédez à un regroupement de données en classes. Choisissez la longueur des classes égale à 5, 20 ou 50 selon ce qui est préférable.

Ville	Indice des prix	Indice des salaires
Abu Dhabi	83,6	17,4
Amsterdam	68,4	60,2
Bangkok	55,1	7,1
Bogota	47,5	9,7
Bombay	47,6	4,1
Bruxelles	75,8	67,3
Buenos Aires	45,9	9,7
Le Caire	46,1	2,9
Caracas	57,4	14,8
Chicago	88,8	65,0
Copenhague	95,5	84,4
Dublin	78,3	42,2
Dusseldorf	78,6	64,9
Francfort	75,6	72,7
Genève	102,6	92,6
Helsinki	106,2	57,8
Hong Kong	75,1	19,5
Houston	66,9	60,6
Istanbul	53,4	14,1
Jakarta	48,3	4,6
Jeddah	78,8	23,8
Johannesbourg	45,0	24,2
Kuala Lumpur	46,3	8,4
Lagos	50,1	3,0
Lisbonne	57,4	13,3
Londres	88,2	57,9
Los Angeles	67,9	73,1
Luxembourg	69,1	59,7
Madrid	80,6	28,7
Manille	50,4	3,7
Mexico	42,7	4,4
Milan	75,3	51,8
Montréal	69,3	64,7
Nairobi	52,9	6,4
New York	93,1	67,9
Nicosie	49,2	23,8
Oslo	113,1	74,5
Panama City	69,7	17,7
Paris	81,0	43,9
Rio de Janeiro	46,2	7,1
Sao Paulo	49,3	8,0
Séoul	77,2	18,8
Singapour	82,7	15,5
Stockholm	97,2	64,5
Sydney	66,7	46,7
Tel Aviv	66,6	26,1
Tokyo	194,4	67,2
Toronto	82,4	61,8
Vienne	76,6	57,7
Zurich	100,0	100,0

Source : *The Canadian World Almanac and Book of Facts 1990*, Toronto, Global Press. (Extrait de Union Bank of Switzerland.)

b) Construisez un tableau de fréquences pour chacun des regroupements en *a*).

2.5. Voici un tableau d'effectifs sur la taille des ménages dans la ville d'Outremont au Québec, obtenu à partir du recensement canadien de 1986.

Taille du ménage	Nombre de ménages
1	2695
2	2835
3	1430
4 ou 5	1670
6 à 9	330
10 et plus	35

Source : *Le Journal d'Outremont*, mai 1988.

Déterminez la distribution de fréquences et représentez cette distribution à l'aide d'un graphique à colonnes. (Utilisez la borne supérieure 12 pour la classe « 10 et plus ».)

2.6. À la suite du recensement canadien de 1986, on a obtenu le tableau suivant sur la langue maternelle des résidents d'Outremont au Québec.

Langue maternelle	Nombre d'individus
Français	15 570
Anglais	2 290
Grec	1 050
Autres langues	2 765

Source : *Le Journal d'Outremont*, mai 1988.

Déterminez la distribution de fréquences et représentez cette distribution à l'aide d'un graphique circulaire.

2.7. Réalisez deux représentations graphiques pour la distribution des lauréats du prix Nobel de littérature de 1901 à 1988 selon leur continent d'origine d'après le tableau suivant :

Continent d'origine	Nombre de lauréats
Amérique du Nord	9
Amérique du Sud	4
Europe	66
Asie	3
Afrique	2
Australie	1

Source : *The Canadian World Almanac and Book of Facts 1990*, Toronto, Global Press.

2.8. Le regroupement selon la cause des morts accidentelles survenues au Canada en 1986 chez les individus de chacun des groupes d'âge « 20 à 25 ans » et « 85 ans et plus » a donné le tableau suivant :

Cause de la mort	Nombre de morts	
	20 à 25 ans	85 ans et plus
Véhicule moteur	713	44
Chute	25	855
Feu	28	20
Poison	43	5
Noyade	39	6
Étouffement	6	50
Électrocution	4	0
Arme à feu	5	0
Foudre	1	0

Source : *The Canadian World Almanac and Book of Facts 1990*, Toronto, Global Press. (Extrait de Statistique Canada.)

Réalisez des graphiques à colonnes juxtaposés pour les deux groupes d'âge.

2.9. Les distributions des familles au Canada en 1976 et 1986 selon la structure parentale sont données comme suit :

Structure parentale	Pourcentage des familles	
	1976	1986
Familles biparentales	90,2	87,3
Familles monoparentales	9,8	12,7
Parent masculin	1,7	2,3
Parent féminin	8,1	10,4

Source : Statistique Canada, *Annuaire du Canada 1988.*

a) Construisez des graphiques à colonnes juxtaposés pour les distributions des familles en 1976 et 1986 selon le nombre de parents.

b) Déterminez pour chacune des 2 années la distribution de fréquences des familles monoparentales selon le sexe du parent.

2.10. Les données ci-dessous portent sur la superficie, la population en 1650 et la population en 1989 des différents continents.

Continent	Superficie (en milliers km^2)	Population en 1650 (en millions)	Population en 1989 (en millions)
Amérique du Nord	24 350	5	420
Amérique du Sud	17 870	8	288
Europe	9 840	100	685
Asie	45 100	335	3 131
Afrique	30 300	100	642
Australie	8 550	2	26
Antarctique	13 990	0	0

Source : *The Canadian World Almanac and Book of Facts 1990*, Toronto, Global Press. (Extrait de Rand McNally and Co.)

a) Construisez un tableau de fréquences pour chacune des variables.

b) Construisez un graphique circulaire pour chacune des variables.

2.11. Une enquête auprès de propriétaires canadiens de véhicules automobiles sur leur
degré de satisfaction à l'endroit des véhicules qu'ils possèdent a donné les résultats suivants :

Véhicules	Nombre de propriétaires		
	Très satisfaits	Modérément satisfaits	Insatisfaits
Nord-américains	9202	3393	996
Japonais	5295	842	254
Européens	1243	260	86

Source : *Autopinion 90*, Canadian Automobile Association, Ottawa.

a) Réalisez des tableaux de fréquences du degré de satisfaction chez les propriétaires de véhicules nord-américains, japonais et européens pris séparément,
puis pris ensemble.

b) Représentez les distributions obtenues en *a*) par des graphiques circulaires.

2.12. Le tableau qui suit porte sur la répartition du nombre de naissances dans le sud-
ouest de l'Angleterre en 1965 selon le poids des bébés (aussi bien vivants à la
naissance que morts-nés).

Poids (livres)	Nombre de bébés
0 - 1	3
1 - 2	40
2 - 3	82
3 - 4	126
4 - 5	364
5 - 6	1182
6 - 7	4173
7 - 8	6723
8 - 9	4305
9 - 10	1365
10 - 11	240
11 - 12	39
12 - 13	2
13 - 15	1

Source : R. J. Pethybridge, J. R. Ashford et J. G. Fryer, *Brit. J. Prev. Soc. Med.*, vol. **28**, 1974, p. 10-18.

Construisez le tableau de fréquences et l'histogramme de fréquences correspondant.

2.13. Voici un histogramme (incomplet) des résultats (sur 100) obtenus à un test :

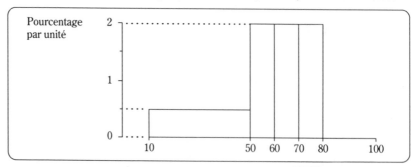

a) Le nombre de résultats entre 70 et 80 est-il supérieur, inférieur ou égal au nombre de résultats entre 10 et 50?

b) Complétez l'histogramme en indiquant la hauteur pour la classe 80 - 100.

2.14. L'histogramme suivant illustre la distribution de la note des étudiants dans un cours de statistique avec les classes 0 - 35, 35 - 50, 50 - 60, 60 - 70, 70 - 80, 80 - 100.

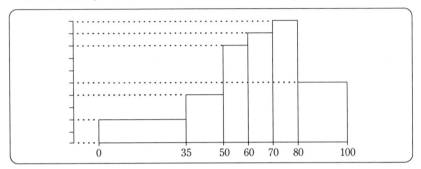

a) Quel est le pourcentage des étudiants dans chaque classe?

b) Quel est le nombre d'étudiants dans chaque classe si le nombre total d'étudiants est 50?

c) Le nombre total d'étudiants pourrait-il être 75?

2.15. Voici un tableau sur la valeur des transactions en milliards $ US et le pourcentage de croissance des 25 plus grandes banques du monde en 1988.

Banque (siège social)	Transactions (milliards $ US)	Croissance (%)
Dai-Ichi Kangyo Bank (Tokyo, Japon)	351,2	30
Sumitomo Bank (Osaka, Japon)	332,3	34
Fuji Bank Group (Tokyo, Japon)	326,3	34
Mitsubishi Bank (Tokyo, Japon)	316,6	40
Sanwa Bank (Osaka, Japon)	298,9	37
Industrial Bank of Japan (Tokyo, Japon)	248,1	33
Norinchukin Bank (Tokyo, Japon)	231,2	25
Caisse nationale du Crédit agricole (Paris, France)	214,4	39
Tokai Bank (Tokyo, Japon)	212,4	32
Citicorp (New York, USA)	204,3	2
Banque nationale de Paris (Paris, France)	197,0	8
Mitsui Bank (Tokyo, Japon)	195,3	27
Mitsubishi Trust and Banking Corp. (Tokyo, Japon)	194,6	27
Barclays (London, UK)	189,4	15
Crédit lyonnais (Paris, France)	178,9	6
National Westminster Bank (London, UK)	178,5	10
Sumitomo Trust and Banking (Osaka, Japon)	177,1	23
Mitsui Trust and Banking (Tokyo, Japon)	172,2	33
Deutsche Bank (Francfort, Allemagne)	170,8	1
Long-Term Credit Bank of Japan (Tokyo, Japon)	168,9	27
Taiyo Kobe Bank (Tokyo, Japon)	166,0	25
Yasuda Trust and Banking (Tokyo, Japon)	161,8	24
Bank of Tokyo (Tokyo, Japon)	161,3	27
Société générale (Paris, France)	145,7	1
Daiwa Bank (Osaka, Japon)	143,4	26

Source : *The Canadian World Almanac and Book of Facts 1990*, Toronto, Global Press. (Extrait de Euromoney Research, Londres.)

a) Regroupez les données sur la valeur des transactions selon des classes de longueur égale à 25 en commençant avec la classe 125 - 150.

b) Tracez l'histogramme de fréquences de la distribution obtenue en *a*).

c) Reprenez *a*) et *b*) pour le pourcentage de croissance avec des classes de longueur égale à 10 en commençant par la classe 0 - 10.

2.16. Le tableau ci-dessous donne les taux d'intérêt en vigueur le 27 juin 1988 pour les dépôts à court terme (30 à 59 jours) aux principales banques et fiducies du Canada.

Institution financière	Taux d'intérêt (%)
Banques	
Comm. italienne	6 1/2
Commerce	6 1/2
Crédit suisse (Canada)	8 1/2
Féd. cais. pop. (Qc)	6 3/4
Féd. cais. pop. (Mtl)	6 1/2
Laurentienne	6 1/2
Leumi (Canada)	7 1/2
Lloyds du Canada	7 1/4
Montréal	6 1/2
Nationale	6 3/4
Nationale de Grèce	6 3/4
Nouvelle-Écosse	6 1/2
Rep. nat. de N.Y. (Canada)	8 1/20
Royale	6 1/2
Soc. d'entr. et d'établi.	6 3/4
Toronto-Dominion	6 3/4
Fiducies	
Canada Trust	7 1/2
Can. italienne	7
Fiducie du Québec	7 1/2
Financial Trust	8 7/8
First City	7 1/2
Guaranty Trust	7 1/2
Guardcor	8 3/4
Guardian	8 1/2
La Métropolitaine	7 3/4
Montréal Trust	7 1/2
Morgan	8 3/4
Prêt et revenu	7 3/4
Soc. nat. de fiducie	7 3/4
Standard Trust	7 3/4
Trust Atlantique	8 3/8
Trust central	7 1/2
Trust général	7 1/2
Trust la Laurentienne	7 5/8
Trust national	7 1/2
Trust royal	7 1/2
Wellington	9

Source : *La Presse*, Montréal, 28 juin 1988.

a) Regroupez les taux d'intérêt accordés par les banques en classes de longueur 1/2 % en commençant par la classe 6 1/2 % - 7 % (6 1/2 % inclus, 7 % exclu).

b) Faites de même pour les taux d'intérêt accordés par les fiducies.

c) Construisez des histogrammes de fréquences dos à dos pour les distributions des taux d'intérêt accordés par les banques et par les fiducies.

2.17. Le tableau que voici donne la répartition des divorces prononcés au Canada en 1981 et en 1985 selon la durée du mariage.

Durée du mariage (années)	Nombre de divorces	
	1981	1985
0 - 5	11 645	9 853
5 - 10	21 987	18 312
10 - 15	13 271	13 439
15 - 20	7 668	8 413
20 - 25	5 534	5 156
25 - 30	3 709	3 396
30 et plus	3 760	3 343

Source : Statistique Canada, *Annuaire du Canada 1988.*

Construisez un histogramme de fréquences pour chacune des 2 années et présentez les deux histogrammes dos à dos. (Utilisez 40 comme borne supérieure de la classe « 30 et plus ».)

2.18. Une étude sur les suicides au Canada a donné le tableau que voici sur la répartition des suicides en 1975 et en 1985 selon le sexe (M pour masculin et F pour féminin) et l'âge des individus qui se sont suicidés.

Âge (années)	Nombre de suicides en 1975		Nombre de suicides en 1985	
	M	F	M	F
5 - 15	20	5	13	5
15 - 25	502	131	560	85
25 - 35	394	140	605	148
35 - 45	315	155	438	141
45 - 55	323	165	336	114
55 - 65	256	97	296	97
65 - 75	152	61	206	69
75 - 85	54	23	93	26
85 et plus	7	1	18	8

Source : *The Canadian World Almanac and Book of Facts 1990*, Toronto, Global Press. (Extrait de Statistique Canada.)

a) Construisez l'histogramme de fréquences de l'âge au suicide pour chacun des 2 sexes à chacune des 2 années. (Prenez 100 comme borne supérieure de la classe « 85 et plus ».)

b) Placez dos à dos les histogrammes pour les 2 sexes à chacune des 2 années, puis les histogrammes pour chacun des 2 sexes aux 2 années considérées.

2.19. Utilisez les données du problème précédent pour construire un histogramme de fréquences de l'âge au suicide pour les 2 sexes confondus à chacune des 2 années considérées. Placez dos à dos les 2 histogrammes.

2.20. Voici le nombre d'avortements pratiqués en milieu hospitalier au Canada en 1975 et en 1985 selon l'âge des femmes avortées.

Âge (années)	Nombre d'avortements	
	1975	1985
0 - 15	597	502
15 - 20	14 850	13 755
20 - 25	14 354	20 968
25 - 30	9 584	13 541
30 - 35	5 262	8 224
35 - 40	3 165	4 408
40 et plus	1 499	1 314

Source : *The Canadian World Almanac and Book of Facts 1990*, Toronto, Global Press. (Extrait de Statistique Canada.)

Pour chacune des 2 années, construisez un histogramme de fréquences. (Prenez 50 comme borne supérieure de la classe « 40 et plus ».) Placez les 2 histogrammes dos à dos.

2.21. Les distributions de fréquences de l'âge chez les femmes et chez les hommes en Chine sont les suivantes :

Âge (années)	0 - 10	10 - 20	20 - 30	30 - 40	40 - 50	50 - 60	60 - 70	70 et plus
Femmes (%)	20,4	26,7	16,7	12,3	9,3	7,2	5,1	3,3
Hommes (%)	20,6	25,5	16,6	12,8	9,9	7,6	4,7	2,3

Source : PC Globe Inc., Tempe, Arizona, 1990.

a) Construisez des histogrammes de fréquences dos à dos pour l'âge chez les 2 sexes en utilisant l'axe vertical pour l'âge.

b) En sachant que le nombre total de femmes était 540 577 000 et que le nombre total d'hommes était 571 722 000, trouvez la distribution de fréquences de l'âge chez les 2 sexes confondus. Tracez l'histogramme correspondant.

3

CARACTÉRISTIQUES NUMÉRIQUES D'UN ÉCHANTILLON

3.1. INTRODUCTION

Une liste de données contient beaucoup d'information, plus d'information que nécessaire dans la plupart des cas. C'est d'ailleurs pour essayer de saisir l'essentiel de cette information qu'on regroupe les données et qu'on représente graphiquement les distributions de fréquences ainsi obtenues. À l'extrême, il y a la tendance bien naturelle de vouloir résumer toute l'information à l'aide d'une ou deux caractéristiques seulement. Or cela est réalisable au moins pour les données de variables quantitatives, mais non sans qu'on ait défini au préalable des critères généraux pour choisir de telles caractéristiques : on peut penser d'abord à un premier nombre qui situe les données dans leur ensemble sur l'axe des valeurs de la variable, puis à un deuxième qui mesure l'étalement des données sur le même axe. Le premier nombre est une **mesure de tendance centrale** et le second, une **mesure de dispersion**.

Les mesures de tendance centrale et de dispersion doivent cependant être définies plus précisément. Dans le cas de l'âge au Canada en 1986 (figure 2.5), la classe d'âge la plus fréquente est la classe « 25 - 29 ans », mais il est clair que plus d'individus se situent dans les classes d'âge supérieures à celle-ci que dans les classes d'âge inférieures. Il est clair aussi que, si les individus avaient la possibilité d'échanger des années d'âge jusqu'à avoir tous le même âge, alors cet âge, l'âge moyen, ne serait sans doute pas dans la classe « 25 - 29 ans » à cause de la présence d'un nombre élevé d'individus très âgés. Si la classe d'âge

« 25 - 29 ans » est un centre selon le premier critère, elle ne l'est pas selon les deux autres. Cela est typiquement le cas lorsque l'histogramme de fréquences n'est pas symétrique par rapport à une valeur qui correspond à un sommet de l'histogramme. On voit donc la difficulté de choisir une mesure de tendance centrale et, *a fortiori*, une mesure de dispersion autour de cette tendance. Mais quelle que soit la mesure de tendance centrale choisie, celle-ci devrait être plus grande pour l'âge au Canada en 1986 qu'en 1976 d'après la figure 2.6. Il devrait en être de même dans ce cas pour toute mesure de dispersion, car l'histogramme est plus évasé, donc moins concentré, pour l'âge au Canada en 1986 que pour l'âge au Canada en 1976.

Les mesures de tendance centrale et de dispersion les plus importantes sont la moyenne et l'écart-type, respectivement. Il existe d'autres mesures comme la médiane et l'écart moyen qui jouent des rôles identiques à ceux de la moyenne et de l'écart-type, mais la moyenne et l'écart-type restent les mesures les plus utilisées pour des raisons historiques et pratiques.

Une information plus complète sur les données peut être obtenue à partir des centiles qui sont des mesures de position par rapport à la distribution des données. Ainsi le 50e centile, qui est la médiane, est tel que 50 % ou plus des données lui sont inférieures et 50 % ou plus lui sont supérieures.

Dans ce chapitre, nous présentons toutes ces mesures avec leur interprétation, leurs propriétés et leur utilisation.

3.2. MOYENNE

INTERPRÉTATION DE LA MOYENNE

Voici un exemple pour illustrer la signification de ce qu'on appelle la moyenne. Chez un petit entrepreneur général en construction et rénovation qui emploie 7 ouvriers qualifiés (1 électricien, 3 menuisiers, 2 peintres et 1 plombier) plus 4 apprentis, 1 contremaître et 1 secrétaire, supposons que les salaires annuels soient de 37 100 $ pour un électricien, 32 500 $ pour un menuisier, 30 700 $ pour un peintre et 40 400 $ pour un plombier alors qu'un apprenti reçoit 20 400 $, un contremaître 50 700 $ et un secrétaire 25 200 $. Ce qu'on entend par le « salaire moyen » de ces 13 employés est précisé par les trois interprétations suivantes :

1) *Le salaire moyen est celui que chaque employé recevrait si les salaires étaient partagés également entre les employés, peu importe la tâche.* Pour obtenir le salaire moyen, il suffit donc de calculer la masse salariale totale et de la diviser par le nombre d'employés, c'est-à-dire,

$$\text{salaire moyen} = \frac{\text{somme totale des salaires}}{\text{nombre d'employés}}.$$

2) Une autre interprétation est la suivante : *le salaire moyen est le salaire que chaque employé recevrait si les tâches étaient également partagées entre les employés.* Chaque employé serait donc électricien 1/13 du temps, menuisier

3/13 du temps, etc. Un tel employé devrait recevoir 1/13 du salaire d'un électricien, plus 3/13 du salaire d'un menuisier, etc., c'est-à-dire,

$$\left(\frac{1}{13} \times 37\,100\right) + \left(\frac{3}{13} \times 32\,500\right) + \left(\frac{2}{13} \times 30\,700\right) + \left(\frac{1}{13} \times 40\,400\right)$$
$$+ \left(\frac{4}{13} \times 20\,400\right) + \left(\frac{1}{13} \times 50\,700\right) + \left(\frac{1}{13} \times 25\,200\right),$$

en conformité avec l'interprétation précédente pour le salaire moyen en regroupant les salaires qui sont identiques. En effectuant les calculs, on obtient un salaire moyen de 30 300 $.

3) Voici enfin une dernière interprétation : *si on associe à chaque salaire une masse égale à la fréquence de ce salaire qu'on place sur un axe à la position exacte de ce salaire, alors le salaire moyen correspond au centre de masse.* Dans le cas qui nous occupe, cela veut dire que si des masses égales à 4/13, 1/13, 2/13, 3/13, 1/13, 1/13 et 1/13 sont placées aux positions 20 400, 25 200, 30 700, 32 500, 37 100, 40 400 et 50 700, respectivement, sur un axe horizontal rigide mais de masse négligeable ayant un seul point d'appui à la position 30 300, alors le système est en équilibre, c'est-à-dire que l'axe ne penche ni vers la droite ni vers la gauche (voir la figure 3.1). Cette interprétation particulière illustre à quel point la moyenne est sensible aux valeurs extrêmes (ou bien très petites, ou bien très grandes), car une masse acquiert un plus grand pouvoir de levier à mesure qu'elle s'éloigne du point d'appui, ce dont conviendra facilement quiconque a déjà essayé une balançoire. Dans le cas du salaire, il peut suffire d'un seul haut salarié pour augmenter substantiellement le salaire moyen qui peut alors mal refléter le salaire de la majorité s'il n'y a pas de contrepoids en bas salariés. Par le même phénomène, de très bas salariés peuvent entraîner la moyenne considérablement vers le bas. Dans notre exemple, les salaires des 4 apprentis pèsent lourd et le salaire du contremaître compense à peine les salaires de deux d'entre eux. En ne comptant pas le salaire du contremaître, le salaire

FIGURE 3.1.

Illustration de la moyenne comme centre de masse

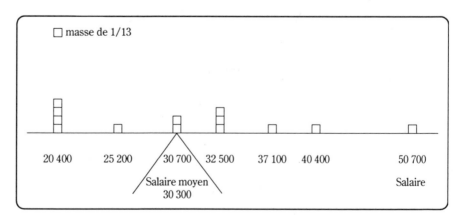

moyen descend à 28 600 $ alors que si on exclut les salaires des 4 apprentis, il monte à 34 700 $. Lorsqu'on calcule une moyenne, il est donc important de savoir pour quel groupe exactement on calcule cette moyenne.

Les différentes interprétations qu'on a données de la moyenne permettent de déduire immédiatement certaines propriétés. Reprenons l'exemple du salaire moyen des 13 employés dans une petite entreprise. Si pour une raison ou pour une autre l'un des employés recevait 1300 $ supplémentaires en salaire, alors dans le calcul du salaire moyen ces 1300 $ seraient répartis également entre les 13 employés, et donc le salaire moyen augmenterait de 100 $. L'effet sur le salaire moyen serait bien sûr le même si les employés recevaient effectivement 100 $ de plus chacun. Par contre, le salaire moyen resterait inchangé si l'employé touchant 1300 $ de plus en salaire les recevait aux dépens d'un ou plusieurs autres employés qui devraient alors céder une partie de leur salaire. D'autres propriétés de la moyenne seront déduites plus loin.

DÉFINITION ET CALCUL DE LA MOYENNE

Il est maintenant possible de donner une définition formelle de la moyenne. Étant donné un échantillon d'une variable quantitative constitué de n données brutes

$$x_1, x_2, \dots, x_n,$$

la **moyenne de ces données**, notée $\bar{x}$, est la quantité

$$\frac{x_1 + x_2 + \dots + x_n}{n}.$$

Si ces données sont regroupées en r classes dont les valeurs ou les valeurs centrales, selon le cas, sont

$$v_1, v_2, \dots, v_r,$$

et dont les fréquences sont

$$f_1, f_2, \dots, f_r,$$

alors la **moyenne de ces valeurs**, notée $\bar{v}$, est donnée par

$$v_1 f_1 + v_2 f_2 + \dots + v_r f_r.$$

Une formule équivalente pour $\bar{v}$ est

$$\frac{n_1 v_1 + n_2 v_2 + \dots + n_r v_r}{n},$$

où $n_1, n_2, \dots, n_r$ sont les effectifs des r classes et n la somme des effectifs. En général, $\bar{v}$ n'est pas égal à $\bar{x}$, à moins que les classes ne correspondent à des valeurs isolées. Cependant, $\bar{v}$ est toujours près de $\bar{x}$ puisque, même dans le cas de classes correspondant à des intervalles de valeurs, les centres des classes sont près des valeurs des données que celles-ci contiennent. On considère donc que $\bar{v}$ est une *approximation* de $\bar{x}$ et on note $\bar{v} \approx \bar{x}$. Si on rapetisse de plus en plus la longueur des classes, $\bar{v}$ se rapproche de plus en plus de $\bar{x}$ jusqu'à devenir pratiquement indiscernable de $\bar{x}$. On peut donc obtenir une approximation aussi précise que l'on veut de la moyenne exacte des données brutes en regroupant les données selon des classes de longueur suffisamment petite, puis en calculant la moyenne des données groupées à l'aide des valeurs centrales des classes.

Avec l'avènement des calculateurs électroniques, il est désormais aussi facile de calculer la moyenne des données brutes que la moyenne des données groupées. L'avantage de la moyenne des données brutes est qu'elle est toujours exacte. Quant à la moyenne des données groupées, elle peut être calculée manuellement sans trop de peine à partir d'un tableau de fréquences, même si le nombre de données est considérable. Dans certains cas, on n'a pas le choix entre les deux types de moyenne, car seules les données groupées sont disponibles.

Pour effectuer le calcul de la moyenne de données brutes, il suffit d'additionner toutes les données et de diviser par le nombre de données. Quant au calcul de la moyenne de données groupées, il peut être fait suivant la procédure présentée dans le tableau 3.1 portant sur le revenu des familles au Canada en 1985 : on multiplie d'abord les valeurs (ou valeurs centrales) par les fréquences, puis on additionne les produits. Il est réconfortant de savoir que le revenu moyen de 38 600 $ ainsi obtenu est très près du revenu moyen exact calculé à partir de quelque 35 000 données brutes, et qui est de 38 059 $.

Cet exemple appelle une autre observation intéressante concernant l'interprétation de la moyenne : si on traçait l'histogramme de fréquences correspondant à ces données sur un mur qu'on découpait en suivant le pourtour de cet histogramme et que l'on déposait à la verticale cette portion de mur sur un seul pieu situé à la moyenne, alors le mur tiendrait en équilibre (voir la figure 3.2).

FIGURE 3.2.

Histogramme de fréquences pour le revenu des familles au Canada en 1985

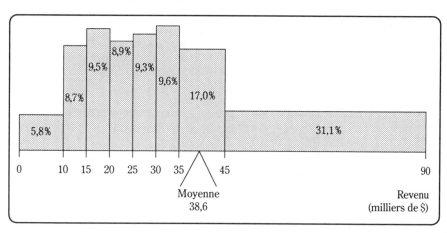

TABLEAU 3.1.

Distribution du revenu des familles, Canada, 1985

Tranche de revenu (en $)	Valeur centrale (en milliers)	Fréquence (en %)	Valeur centrale × fréquence (en milliers)	(valeur centrale − moyenne)^2 × fréquence (en millions)	(valeur centrale)^2 × fréquence (en millions)
Moins de 10 000 (0 - 10 000)	5,0	5,8	0,3	65,5	1,5
10 000 - 15 000	12,5	8,7	1,1	59,3	13,6
15 000 - 20 000	17,5	9,5	1,7	42,3	29,1
20 000 - 25 000	22,5	8,9	2,0	23,1	45,1
25 000 - 30 000	27,5	9,3	2,6	11,5	70,3
30 000 - 35 000	32,5	9,6	3,1	3,6	101,4
35 000 - 45 000	40,0	17,0	6,8	0,3	272,0
45 000 et plus (45 000 - 90 000)	67,5	31,1	21,0	259,8	1 417,0
Total		99,9	38,6	465,4	1 950,0

Revenu moyen ≈ 38,6 milliers .

Écart-type du revenu ≈ $\sqrt{465{,}4 \text{ millions}}$ = 21,6 milliers

≈ $\sqrt{(1950 - 38{,}6^2) \text{ millions}}$ = 21,4 milliers .

Source : Statistique Canada, *Annuaire du Canada 1988.*

L'interprétation de la moyenne basée sur le centre de masse est donc valide aussi pour des données groupées de variables quantitatives continues en supposant que les données dans une même classe sont uniformément réparties dans cette classe.

Remarque. L'histogramme de fréquences pour le revenu des familles au Canada en 1985 a deux sommets qui correspondent aux classes 15 000 - 20 000 et 30 000 - 35 000. Cela suggère une subdivision de la population en deux sous-populations. Ici, il s'agit respectivement des familles ayant une femme comme chef de famille et celles ayant un homme comme chef de famille.

PROPORTION COMME MOYENNE

Un cas particulier de moyennes présente un grand intérêt à cause de son utilisation très répandue. Il s'agit des **proportions**.

Lorsqu'on dit, par exemple, que le taux de chômage dans une région défavorisée est de 15 %, cela signifie qu'en moyenne 15 personnes actives sur 100 dans cette région sont en chômage. Autrement dit, la variable qui prend pour chaque personne active dans cette région la valeur 1 si la personne est en chômage et 0 sinon a pour moyenne 15 %.

Presque toutes les proportions peuvent être décrites par le biais de moyennes. Et comme on retrouve très fréquemment des proportions dans les études statistiques, il est important d'avoir constamment cette interprétation à l'esprit. Inversement, toute variable qui peut prendre seulement les valeurs 0 ou 1 a nécessairement une moyenne comprise entre 0 et 1, quel que soit l'échantillon considéré. La moyenne donne alors la proportion de 1 dans l'échantillon. Voilà sûrement le cas le plus simple de variable et aussi le cas le plus simple de moyenne.

MOYENNE PONDÉRÉE

Souvent, les données dont on dispose sont elles-mêmes des moyennes. Dans pareil cas, comment calcule-t-on la moyenne?

Supposons, par exemple, que l'on veuille calculer le taux de chômage moyen au Canada en 1986 à partir du taux de chômage dans chacune des 10 provinces pour cette même année (voir le tableau 3.2). On peut d'abord penser calculer la moyenne des taux en additionnant simplement les taux provinciaux et en divisant par 10 (c'est la formule de la moyenne de données brutes qui prend pour données les taux provinciaux). Mais ce calcul donne au taux de chômage de chacune des provinces le même poids, quelle que soit la taille de sa population active. Or dans le calcul du taux de chômage au Canada, ce sont les personnes actives partout au pays qui doivent avoir le même poids et non pas les provinces. On peut remédier à la situation en attribuant comme effectif

TABLEAU 3.2.

Taux de chômage dans les provinces canadiennes, 1986

Province	Taux de chômage	Nombre de personnes actives (en milliers)	% des personnes actives au pays	Taux de chômage × % des personnes actives
Terre-Neuve	20,0	225	1,7	0,3
Île-du-Prince-Édouard	13,4	60	0,5	0,1
Nouvelle-Écosse	13,4	396	3,1	0,4
Nouveau-Brunswick	14,4	313	2,4	0,3
Québec	11,0	3 236	25,1	2,8
Ontario	7,0	4 886	38,0	2,7
Manitoba	7,7	533	4,1	0,3
Saskatchewan	7,7	494	3,8	0,3
Alberta	9,8	1 276	9,9	1,0
Colombie-Britannique	12,6	1 452	11,3	1,4
Total	117,0	12 871	99,9	9,6

Source : Statistique Canada, *Annuaire du Canada 1988.*

à chacun des taux provinciaux le nombre de personnes actives dans la province. Dans le calcul du taux moyen, on multiplie alors le taux de chômage de chaque province par la proportion de personnes actives au pays résidant dans cette province et en faisant la somme des produits (c'est la formule de la moyenne pour des valeurs qui prend pour valeurs les taux provinciaux de chômage et pour fréquences les poids relatifs des provinces en nombre de personnes actives). On effectue ainsi une somme pondérée et la moyenne obtenue de cette façon est dite **moyenne pondérée**. Une **moyenne non pondérée** (ou simplement moyenne) est une moyenne qui donne le même poids à chaque donnée.

Une moyenne de données brutes telle qu'on l'a définie est donc une moyenne non pondérée, alors qu'une moyenne de données groupées ou de valeurs (qui peuvent être elles-mêmes des moyennes) est une moyenne pondérée.

Les calculs dans l'exemple ci-dessus nous donnent une moyenne pondérée des taux provinciaux de chômage égale à 9,6 %, comparativement à une moyenne non pondérée de 11,7 %. La différence est donc appréciable. Cette différence n'est pas étrangère au fait que les taux très élevés dans les provinces de l'Atlantique (Terre-Neuve, Île-du-Prince-Édouard, Nouvelle-Écosse, Nouveau-Brunswick), relativement peu populeuses, ont moins de poids dans la moyenne pondérée. En fait, ce sont principalement les taux au Québec, en Ontario, en Alberta et en Colombie-Britannique, à cause de la grande taille de la population active de ces provinces, qui déterminent la moyenne pondérée, donc le taux de chômage au Canada dans son ensemble.

La distinction entre moyenne (ou moyenne non pondérée) et moyenne pondérée joue un rôle particulièrement important lorsqu'il s'agit de faire des comparaisons. Ainsi, en calculant la moyenne des pourcentages des baccalauréats décernés à des femmes dans différentes disciplines des sciences sociales au Canada en 1985 (voir le tableau 3.3), on obtient 53,3 %, ce qui suggère une majorité de femmes parmi les diplômés. Mais en pondérant par le pourcentage des baccalauréats décernés au total dans chaque discipline, on trouve alors 50 %, ce qui signifie qu'autant d'hommes que de femmes ont reçu ce diplôme. L'explication est que plus du tiers des baccalauréats en sciences sociales sont décernés en commerce et ils le sont en majorité importante à des hommes (59 %), ce qui contrebalance la forte majorité de femmes dans des disciplines moins populaires (psychologie, service social et sociologie).

*PROPRIÉTÉ DE LA MOYENNE

La moyenne a une interprétation importante historiquement rattachée aux erreurs d'observation. En effet, depuis qu'on se livre à des observations scientifiques, on s'est aperçu que les mesures prises sur des objets ou des personnes ne sont pas toujours exactement identiques d'une fois à l'autre, même lorsque les conditions semblent être tout à fait similaires. En fait, les concordances parfaites sont extrêmement rares sinon inexistantes. Or les objets ou les per-

TABLEAU 3.3.

Pourcentages de baccalauréats en sciences sociales décernés à des hommes et
à des femmes par les universités canadiennes en 1985 selon la discipline

Discipline	À des hommes (%)	À des femmes (%)	Nombre de bacc.	% des bacc.	% aux femmes × % des bacc.
Commerce	59	41	11 947	35	14
Économie	66	34	3 967	12	4
Géographie	60	40	1 686	5	2
Droit	55	45	3 145	9	4
Sciences politiques	61	39	2 399	7	3
Psychologie	27	73	4 999	15	11
Service social	21	79	1 508	4	3
Sociologie	28	72	2 294	7	5
Autres	43	57	2 209	7	4
Total	420	480	34 154	101	50

Source : Statistique Canada, *Annuaire du Canada 1988.*

sonnes dont on mesure une caractéristique donnée ne changent pas substantiellement d'une fois à l'autre et, idéalement, les mesures devraient être
identiques si on utilise chaque fois un instrument de mesure ayant les mêmes
spécifications techniques ou un instrument de mesure suffisamment précis.
On doit donc chercher une explication rationnelle de ces variations de valeurs
qui, théoriquement, ne devraient pas varier. On recourt alors à ce qu'on appelle
les **erreurs d'observation**. En effet, même lorsque les conditions semblent
être les mêmes, elles ne le sont jamais exactement. Cela est vrai même lorsqu'on contrôle rigoureusement les conditions d'expérience dans un laboratoire, par exemple, car il est impossible de les contrôler toutes. Quoi qu'on
fasse, il se produit toujours des changements infimes dans l'état de l'objet ou de
la personne dont on mesure une caractéristique, dans les conditions extérieures et dans l'état interne de l'instrument de mesure, sans oublier les interventions humaines inconscientes lors des observations. Tout cela fait en sorte
qu'une valeur observée d'une variable quantitative continue dévie habituellement d'une valeur exacte par une quantité qui représente une erreur d'observation. Schématiquement, on a

valeur observée = valeur exacte + erreur d'observation.

Pour toute valeur observée x_i, on a donc

$$x_i = x_e + (x_i - x_e),$$

où x_e représente la valeur exacte, et $x_i - x_e$ l'erreur d'observation. Le problème
est alors de déterminer la valeur exacte qui est inconnue. Si les valeurs observées apparemment « dans les mêmes conditions » sont

$$x_1, x_2, \ldots, x_n,$$

il est naturel de prendre pour valeur exacte le x_e qui minimise la grandeur des erreurs dans un certain sens. Il est illusoire de chercher à minimiser la grandeur de toutes les erreurs individuelles en même temps si les valeurs observées sont différentes les unes des autres (toutes les erreurs ne peuvent alors être nulles en même temps). Aussi cherche-t-on plutôt la valeur de x_e pour laquelle la grandeur des erreurs dans leur ensemble selon un critère déterminé est un minimum. Pour mesurer la grandeur des erreurs dans leur ensemble, on choisit la moyenne des carrés des erreurs, c'est-à-dire,

$$\frac{(x_1 - x_e)^2 + (x_2 - x_e)^2 + \ldots + (x_n - x_e)^2}{n}.$$

C'est le **critère des moindres carrés** tel que Legendre l'a proposé la première fois.

Cette mesure a pour avantages d'accorder le même poids à chaque erreur individuelle, de ne pas distinguer entre une erreur positive et une erreur négative et d'être toujours positive ou nulle. Mais on peut imaginer beaucoup d'autres mesures possédant les mêmes propriétés. La justification pour choisir cette mesure plutôt qu'une autre est qu'elle coïncide, à une constante multiplicative près (en fait, $1/n$), avec le carré de la longueur du vecteur des erreurs

$$(x_1 - x_e, x_2 - x_e, \ldots, x_n - x_e) = (x_1, x_2, \ldots, x_n) - (x_e, x_e, \ldots, x_e)$$

en géométrie euclidienne par le théorème de Pythagore. Or minimiser le carré de la longueur revient à minimiser la longueur elle-même.

Enfin, remarquons que

$$\begin{aligned}
(x_1 - x_e)^2 + \ldots + (x_n - x_e)^2 &= (x_1 - \bar{x} + \bar{x} - x_e)^2 + \ldots + (x_n - \bar{x} + \bar{x} - x_e)^2 \\
&= (x_1 - \bar{x})^2 + \ldots + (x_n - \bar{x})^2 \\
&\quad + 2(x_1 - \bar{x})(\bar{x} - x_e) + \ldots + 2(x_n - \bar{x})(\bar{x} - x_e) \\
&\quad + (\bar{x} - x_e)^2 + \ldots + (\bar{x} - x_e)^2 \\
&= (x_1 - \bar{x})^2 + \ldots + (x_n - \bar{x})^2 \\
&\quad + 2(n\bar{x} - n\bar{x})(\bar{x} - x_e) + n(\bar{x} - x_e)^2 \\
&= (x_1 - \bar{x})^2 + \ldots + (x_n - \bar{x})^2 + n(\bar{x} - x_e)^2 \\
&\geqslant (x_1 - \bar{x})^2 + \ldots + (x_n - \bar{x})^2,
\end{aligned}$$

avec égalité si et seulement si $x_e = \bar{x}$. (Voir la figure 3.3.)

On peut maintenant conclure :

La moyenne des valeurs observées $\bar{x}$ correspond à la valeur exacte x_e qui minimise la moyenne des carrés des erreurs.

Cette propriété fondamentale est appelée la **propriété de la moyenne**. Dans la pratique, elle signifie qu'à moins d'information supplémentaire, on considère $\bar{x}$ comme étant la valeur exacte. En d'autres mots, on estime la valeur exacte par $\bar{x}$. Nous reviendrons sur ce sujet au chapitre 7. À noter que cela ne signifie pas que $\bar{x}$ est la valeur exacte, mais simplement que c'est la meilleure évaluation qu'on peut en faire selon le critère des moindres carrés avec les données dont on dispose.

FIGURE 3.3.

Représentation géométrique du vecteur des erreurs

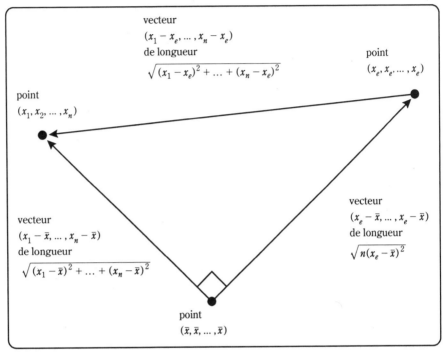

La **propriété de la moyenne** vaut aussi pour des données groupées :

La moyenne pondérée de valeurs $\bar{v}$ correspond à la valeur exacte v_e qui minimise la moyenne pondérée des carrés des erreurs.

En effet, avec des valeurs $v_1, \ldots, v_r$ de fréquences $f_1, \ldots, f_r$, la moyenne pondérée des carrés des erreurs est

$$
\begin{aligned}
f_1(v_1 - v_e)^2 + \ldots + f_r(v_r - v_e)^2 &= f_1(v_1 - \bar{v} + \bar{v} - v_e)^2 + \ldots \\
&\quad + f_r(v_r - \bar{v} + \bar{v} - v_e)^2 \\
&= f_1(v_1 - \bar{v})^2 + \ldots + f_r(v_r - \bar{v})^2 \\
&\quad + 2 f_1(v_1 - \bar{v})(\bar{v} - v_e) + \ldots \\
&\quad + 2 f_r(v_r - \bar{v})(\bar{v} - v_e) \\
&\quad + f_1(\bar{v} - v_e)^2 + \ldots + f_r(\bar{v} - v_e)^2 \\
&= f_1(v_1 - \bar{v})^2 + \ldots + f_r(v_r - \bar{v})^2 \\
&\quad + 2(\bar{v} - \bar{v})(\bar{v} - v_e) + (\bar{v} - v_e)^2 \\
&= f_1(v_1 - \bar{v})^2 + \ldots + f_r(v_r - \bar{v})^2 + (\bar{v} - v_e)^2 \\
&\geqslant f_1(v_1 - \bar{v})^2 + \ldots + f_r(v_r - \bar{v})^2,
\end{aligned}
$$

avec égalité si et seulement si $v_e = \bar{v}$.

Considérons un exemple. Un camion transportant des marchandises traverse le Canada d'est en ouest par la route transcanadienne. Le long de son trajet, il doit s'arrêter à des postes de pesage pour faire vérifier le poids de sa charge. Supposons que les poids mesurés (en tonnes métriques) soient, dans l'ordre :

10,1	10,3	9,9	10,2	10,5	10,0	10,2	10,1	10,4	10,3

Représentons ces données par des points sur un graphique avec le poids comme axe vertical et le temps comme axe horizontal (voir la figure 3.4).

Le poids exact correspond alors à une droite horizontale, mais la hauteur de cette droite est inconnue. Peu importe, les segments verticaux reliant les points des données à cette droite correspondent aux erreurs. Si le point est au-dessus de la droite, il s'agit d'une erreur positive, s'il est en dessous, c'est une erreur négative. Or la droite horizontale pour laquelle la somme des carrés des longueurs des segments est un minimum est celle dont la hauteur est donnée par la moyenne des données, qui est ici 10,2. On convient donc, jusqu'à preuve du contraire, que le poids exact est 10,2. On obtient le même résultat si on

FIGURE 3.4.

Poids de la charge d'un camion mesuré à des postes de pesage
le long d'un trajet

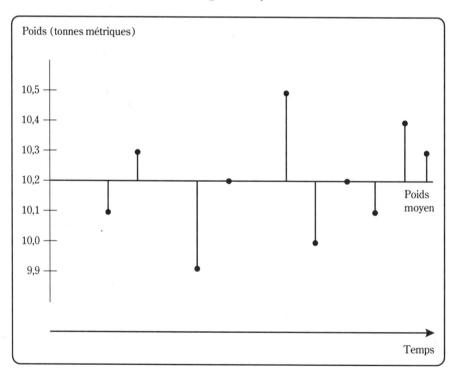

regroupe les données de telle sorte que les valeurs 9,9, 10,0, 10,4 et 10,5 ont chacune une fréquence 1/10 et les valeurs 10,1, 10,2 et 10,3 chacune une fréquence 2/10.

À remarquer enfin que plus les caractéristiques mécaniques ou électroniques des bascules utilisées lors des pesées sont les mêmes ou plus les bascules sont précises, moins les différences entre les poids mesurés et la moyenne seront grandes. Mais si toutes les bascules utilisées sous-évaluent le poids en raison d'un défaut de construction ou d'un effet à l'usure, alors la moyenne sera nettement en deçà du poids réel. En fait, il faut distinguer entre le poids exact estimé par la moyenne et le poids réel. Le poids exact est la meilleure estimation du poids que l'on puisse faire avec des instruments de mesure donnés. Le poids réel ne dépend pas des instruments de mesure, mais ceux-ci peuvent fausser sa perception. De la même façon que des erreurs d'observation « microscopiques » déforment la perception des valeurs exactes, il existe des erreurs d'observation « macroscopiques » ou erreurs de méthodologie qui faussent la perception des valeurs réelles de telle sorte qu'on peut écrire la relation

valeur exacte = valeur réelle + erreur de méthodologie.

Malheureusement, les valeurs réelles sont difficiles à connaître, car les erreurs de méthodologie peuvent aller toujours dans le même sens (positif ou négatif) sans que l'on en soit conscient et sans qu'on connaisse leur ordre de grandeur.

3.3. ÉCART-TYPE

DÉFINITION ET INTERPRÉTATION DE L'ÉCART-TYPE

Si on a une liste de données brutes pour une variable quantitative

$$x_1, x_2, \ldots, x_n,$$

on peut toujours écrire, pour chaque donnée x_i, l'équation

$$x_i = \bar{x} + (x_i - \bar{x}),$$

où $\bar{x}$ est la moyenne des données. Les **déviations par rapport à la moyenne** $x_1 - \bar{x}, x_2 - \bar{x}, \ldots, x_n - \bar{x}$ sont les quantités qui restent une fois la moyenne soustraite des données. La moyenne des déviations est nulle, les déviations positives compensant les déviations négatives. Les déviations peuvent cependant être plus ou moins grandes en amplitude. L'amplitude d'une déviation est la déviation en valeur absolue et est appelée **écart**. L'écart au carré est donc égal à la déviation au carré. Plutôt que d'utiliser l'**écart moyen**, qui serait la moyenne des écarts, pour mesurer l'amplitude des déviations par rapport à la moyenne, on se sert de la moyenne des carrés des écarts et on extrait la racine carrée ou, en écriture mathématique,

$$\sqrt{\frac{(x_1 - \bar{x})^2 + (x_2 - \bar{x})^2 + \ldots + (x_n - \bar{x})^2}{n}}.$$

Cette mesure est appelée l'**écart-type** et est notée s_x. Le carré de l'écart-type, s_x^2, représente alors la moyenne des carrés des écarts et est appelé la **variance**. Contrairement à ce qu'une première impression pourrait laisser croire, l'écart-type a une expression mathématique qui peut être manipulée plus facilement que l'écart moyen. En fait, le recours à l'écart-type de préférence à l'écart moyen tire ses origines de la prépondérance historique de la géométrie euclidienne en mathématiques.

Pour des données regroupées en classes avec valeurs ou valeurs centrales $v_1, v_2, \ldots, v_r$ de fréquences $f_1, f_2, \ldots, f_r$, on peut écrire, pour chaque valeur v_i, l'équation

$$v_i = \bar{v} + (v_i - \bar{v}),$$

où $\bar{v}$ représente la moyenne des valeurs, et $v_i - \bar{v}$ la déviation par rapport à la moyenne. Mais ici les carrés des déviations, ou des écarts, doivent être pondérés par les fréquences dans le calcul de l'écart-type, noté s_v, dont l'expression devient alors

$$\sqrt{f_1(v_1 - \bar{v})^2 + f_2(v_2 - \bar{v})^2 + \ldots + f_r(v_r - \bar{v})^2} \; .$$

Comme pour la moyenne, l'**écart-type** s_v calculé à partir des données groupées est généralement une bonne approximation de l'écart-type s_x calculé à partir des données brutes, en fait une approximation qu'on peut rendre aussi précise que l'on veut en prenant des classes de longueur suffisamment petite. On note $s_v \approx s_x$. La mesure s_v^2 est aussi appelée **variance**.

L'écart-type est exprimé dans les mêmes unités que les données et représente un écart par rapport à la moyenne «par donnée» si l'on considère les écarts dans leur ensemble. Le nombre de données en tant que tel n'influence pas l'écart-type qui est en quelque sorte un écart «typique» pour une donnée. L'écart-type est une quantité toujours plus grande ou égale à 0, et d'autant plus grande que les écarts par rapport à la moyenne sont grands. Un écart-type égal à 0 signifie simplement que les données sont toutes identiques à la moyenne, donc toutes identiques entre elles.

Une remarque importante au sujet des expressions précédentes pour s_x et s_v est qu'elles ne peuvent prendre des valeurs plus petites si on remplace $\bar{x}$ ou $\bar{v}$ selon le cas par n'importe quelle autre quantité. La moyenne est donc la quantité qui représente le mieux l'ensemble des données selon ce critère. C'est la propriété de la moyenne dont il a été question à la section 3.2. Si on veut résumer les données par une seule quantité, la moyenne est par conséquent une mesure de choix. En effet, la moyenne est une quantité telle que les écarts par rapport à cette quantité sont minimaux dans leur ensemble dans le sens précisé plus haut. La moyenne correspond alors à un centre et mérite plus que toute autre quantité l'appellation de mesure de tendance centrale. Si on veut utiliser une quantité de plus pour donner une information supplémentaire et ainsi décrire plus précisément les données dans leur ensemble, l'écart-type est alors tout désigné. Car l'écart-type est une mesure de la dispersion des données autour de la moyenne. Plus l'écart-type est grand, plus les données sont dispersées autour de la moyenne.

Avec la moyenne et l'écart-type, on peut déjà se faire une idée sommaire de la distribution de fréquences et comparer deux ou plusieurs distributions entre elles. Dans le cas de la distribution d'une variable quantitative continue par exemple, la moyenne des données groupées détermine le centre de l'histogramme de fréquences, alors que l'écart-type des mêmes données nous indique si l'histogramme est plus ou moins évasé. Simplement en regardant les deux histogrammes de la figure 3.5 pour le revenu des familles au Canada en 1971 et 1985, on peut déjà prévoir que la moyenne et l'écart-type sont plus grands pour le second que pour le premier. En effet, on a 38 600 $ et 21 600 $, respectivement, pour la moyenne et l'écart-type en 1985, comparativement à 31 600 $ et 19 500 $, respectivement, pour la moyenne et l'écart-type en 1971.

FIGURE 3.5.

Revenu des familles, Canada, 1971 et 1985

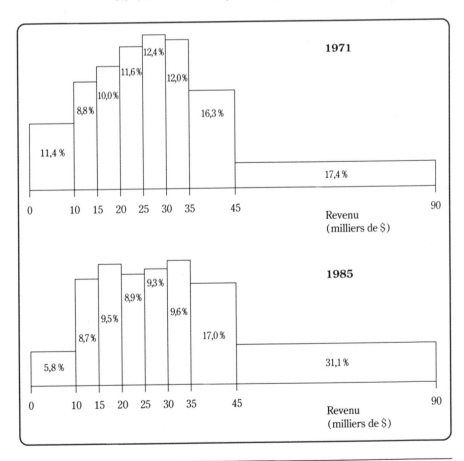

CALCUL DE L'ÉCART-TYPE

Les évaluations numériques de s_x et s_v peuvent se faire facilement à l'aide de calculateurs. Mais lorsque le nombre de données brutes est considérable ou encore que les données brutes ne sont pas disponibles, l'expression s_v pour les données groupées a l'avantage de toujours pouvoir se calculer même manuellement à partir du tableau de fréquences. Un tel calcul est effectué dans le tableau 3.1 pour le revenu des familles au Canada en 1985. Comme on peut le vérifier dans cet exemple, il existe une formule pour l'écart-type qui se révèle très utile, à savoir,

$$s_v = \sqrt{\overline{v^2} - \overline{v}^2} \,,$$

où $\overline{v}$ est la moyenne des valeurs $v_1, \ldots, v_r$ de fréquences $f_1, \ldots, f_r$, et $\overline{v^2}$ la moyenne des valeurs $v_1^2, \ldots, v_r^2$ de fréquences $f_1, \ldots, f_r$, c'est-à-dire,

$$\overline{v^2} = f_1 v_1^2 + f_2 v_2^2 + \ldots + f_r v_r^2 \,.$$

Cette formule découle du développement de la variance s_v^2 suivant :

$$
\begin{aligned}
s_v^2 &= f_1 (v_1 - \overline{v})^2 + \ldots + f_r (v_r - \overline{v})^2 \\
&= f_1 (v_1^2 - 2 v_1 \overline{v} + \overline{v}^2) + \ldots + f_r (v_r^2 - 2 v_r \overline{v} + \overline{v}^2) \\
&= (f_1 v_1^2 + \ldots + f_r v_r^2) - 2(f_1 v_1 + \ldots + f_r v_r)\overline{v} + (f_1 + \ldots + f_r)\overline{v}^2 \\
&= \overline{v^2} - 2\overline{v}^2 + \overline{v}^2 \\
&= \overline{v^2} - \overline{v}^2 \,.
\end{aligned}
$$

Dans le cas de données regroupées en classes, on prend pour valeurs les valeurs centrales des classes. Dans le cas de données non groupées $x_1, \ldots, x_n$, on prend la même fréquence $1/n$ pour chaque donnée de telle sorte qu'on a

$$s_x = \sqrt{\overline{x^2} - \overline{x}^2} \,,$$

où

$$\overline{x^2} = \frac{x_1^2 + x_2^2 + \ldots + x_n^2}{n} \,,$$

et $\overline{x}$ est la moyenne des données.

Considérons par exemple les données brutes fictives ci-dessous :

$$10, 6, 7, 13.$$

On a

$$\overline{x} = \frac{10 + 6 + 7 + 13}{4} = 9 \,,$$

$$\overline{x^2} = \frac{10^2 + 6^2 + 7^2 + 13^2}{4} = 88{,}5 \,.$$

Le calcul de l'écart-type donne

$$s_x = \sqrt{88{,}5 - 9^2} = \sqrt{7{,}5} = 2{,}74 \,.$$

D'après la définition originale de l'écart-type, on a aussi

$$s_x = \sqrt{\frac{(10-9)^2 + (6-9)^2 + (7-9)^2 + (13-9)^2}{4}} = \sqrt{\frac{30}{4}} = 2{,}74 \ .$$

3.4. CHANGEMENTS D'ORIGINE ET D'ÉCHELLE

EFFET SUR LA MOYENNE ET L'ÉCART-TYPE

La signification de la moyenne et de l'écart-type d'un ensemble de données se précise encore davantage lorsqu'on regarde les effets que peut avoir une transformation affine (c'est-à-dire, une multiplication par une constante et/ou une addition d'une constante) sur les données.

Reprenons pour illustrer l'exemple du début de la section 3.2 (figure 3.1) sur les salaires de 13 employés dans une petite entreprise en construction et rénovation. Supposons que tous les salaires soient augmentés d'un montant forfaitaire de 3030 $. Alors les employés auraient ensemble 39 390 $ de plus à se partager s'ils se partageaient également les salaires. Dans ce cas, chacun d'eux recevrait 3030 $ de plus. Donc le salaire moyen augmente de 3030 $ et s'établit dorénavant à 33 330 $. Mais l'écart-type ne change pas, car les écarts entre les salaires et le salaire moyen ne changent pas. En effet, le calcul de l'écart-type donne 8346 $ avec ou sans l'augmentation forfaitaire de 3030 $. Par un raisonnement analogue, une diminution de tous les salaires de 1000 $, par exemple, diminue le salaire moyen de 1000 $ sans modifier l'écart-type.

Si, par contre, les salaires sont augmentés en proportion égale au taux d'inflation qui est, disons, de 10 %, alors chaque employé reçoit 10 % de plus, c'est-à-dire 110 % du salaire qu'il touchait auparavant. Dans ce cas, les employés auraient donc en tout 10 % de plus à se partager s'ils se partageaient également les salaires. Par conséquent, chacun d'eux recevrait 10 % de plus dans le partage, ce qui signifie que le salaire moyen s'établit désormais à 110 % de ce qu'il était, c'est-à-dire 33 330 $. L'écart-type aussi augmente de 10 % dans ce cas, car les écarts entre les salaires individuels et le salaire moyen valent alors 110 % de ce qu'ils étaient. En effet, on calcule un écart-type de 8800 $ après l'augmentation de 10 %, comparativement à 8346 $ avant cette augmentation. On peut raisonner de la même façon pour montrer qu'une diminution de salaire, disons, de 5 % (ce qui est possible en temps de récession) diminue la moyenne et l'écart-type de 5 %. À noter qu'une augmentation de 10 % a le même effet sur le salaire moyen, donc le même effet sur la masse salariale, qu'une augmentation forfaitaire de 3030 $. Mais, dans ce premier cas, l'augmentation correspond à une somme inférieure ou supérieure à 3030 $ selon que le salaire est inférieur ou supérieur à la moyenne. En fait, plus le salaire est éloigné de la moyenne, plus l'écart entre l'augmentation de 10 % et 3030 $ est grand. Ainsi, un salaire de 20 400 $ est augmenté de seulement 2040 $, alors qu'un salaire de 50 700 $ est augmenté de 5070 $. Cela a pour effet d'accroître la dispersion des salaires, ce qui explique l'accroissement de l'écart-type dans ce cas.

Finalement, du point de vue de l'employeur, un salaire apparaît plutôt comme un débit (signe négatif) que comme un crédit (signe positif). Si tous les salaires sont affectés d'un signe négatif, alors le salaire moyen est aussi affecté d'un signe négatif (le salaire moyen payé est évidemment identique au salaire moyen perçu si ce n'est de la différence de point de vue qui s'exprime par une différence de signe), mais l'écart-type reste exactement le même, car les écarts à la moyenne sont inchangés. Dans l'exemple ci-dessus des salaires augmentés de 10 %, l'introduction d'un signe négatif pour les salaires conduit à une moyenne de $-33\,330$ $ et un écart-type de 8800 $.

En conclusion et de façon générale, avec des données numériques de la forme

$$ax_1 + b, ax_2 + b, \ldots, ax_n + b,$$

où a et b sont des constantes, la moyenne et l'écart-type, notés $\overline{ax + b}$ et $s_{ax + b}$ respectivement, satisfont les égalités

$$\overline{ax + b} = a\bar{x} + b \,,$$

$$s_{ax + b} = |a| s_x \,,$$

où $|a|$ représente la valeur absolue de a ($-a$ si a est négatif et $+a$ si a est positif), alors que $\bar{x}$ et s_x sont respectivement la moyenne et l'écart-type des données

$$x_1, x_2, \ldots, x_n \,.$$

On a des relations analogues avec des données groupées dont les valeurs ou valeurs centrales des classes prennent la forme

$$av_1 + b, av_2 + b, \ldots, av_r + b \,.$$

En effet, quelles que soient les fréquences $f_1, f_2, \ldots, f_r$ correspondantes, on a toujours

$$\overline{av + b} = a\bar{v} + b \,,$$

$$s_{av + b} = |a| s_v \,.$$

Ces relations peuvent être vérifiées directement à partir des expressions pour la moyenne et l'écart-type.

Remarque.   Dans l'exemple des salaires, on a les correspondances suivantes entre les situations décrites et les valeurs de a et b :

augmentation forfaitaire de 3030 $	$a = 1$
	$b = 3030$
diminution forfaitaire de 1000 $	$a = 1$
	$b = -1000$

augmentation de 10 %	$a = 1,1$
	$b = 0$
diminution de 5 %	$a = 0,95$
	$b = 0$
salaires affectés d'un signe négatif	$a = -1$
	$b = 0$

Pour terminer, mentionnons que lorsqu'on additionne une constante b, on fait une translation vers la gauche si $b < 0$ ou vers la droite si $b > 0$ et on parle alors d'un **changement d'origine**. Lorsqu'on multiplie par une constante a, on fait une contraction si $|a| < 1$ ou une dilatation si $|a| > 1$ et on parle alors d'un **changement d'échelle**. Lorsque la constante multiplicative est négative ($a < 0$), l'échelle est inversée.

STANDARDISATION DES DONNÉES

Un changement d'échelle particulier présente un grand intérêt. C'est celui qui transforme l'écart-type en unité de mesure. Les données exprimées dans cette unité sont dites **réduites**. Si, de plus, un changement d'origine est effectué pour rendre la moyenne égale à 0, on dit que les données sont **centrées.**

Étant donné un ensemble de données brutes

$$x_1, x_2, \ldots, x_n,$$

dont la moyenne est notée $\bar{x}$ et l'écart-type s_x, l'ensemble des **données centrées réduites** correspondant est exprimé par

$$\frac{x_1 - \bar{x}}{s_x}, \frac{x_2 - \bar{x}}{s_x}, \ldots, \frac{x_n - \bar{x}}{s_x}.$$

D'après les propriétés des changements d'origine et d'échelle, la moyenne de ces données est

$$\frac{\overline{x - \bar{x}}}{s_x} = \frac{\bar{x} - \bar{x}}{s_x} = 0,$$

alors que l'écart-type est

$$\frac{s_{x - \bar{x}}}{s_x} = \frac{s_x}{s_x} = 1.$$

On a les mêmes propriétés pour un ensemble de valeurs $v_1, v_2, \ldots, v_r$ de fréquences $f_1, f_2, \ldots, f_r$ si on soustrait la moyenne $\bar{v}$ et si on divise par l'écart-type s_v pour obtenir les **valeurs centrées réduites**

$$\frac{v_1 - \bar{v}}{s_v}, \frac{v_2 - \bar{v}}{s_v}, \ldots, \frac{v_r - \bar{v}}{s_v}$$

de fréquences $f_1, f_2, \ldots, f_r$, respectivement.

Les données ou les valeurs centrées réduites sont dites **standardisées**. L'intérêt de la standardisation est qu'elle permet de situer une donnée ou une valeur par rapport à la moyenne en unités d'écart-type, quelle que soit la grandeur ou la nature des données ou des valeurs.

Exemple.   Un étudiant A obtient une note de 85 en mathématiques et une note de 75 en français. Dans la classe de A, la moyenne et l'écart-type des notes en mathématiques sont 70 et 10, respectivement, alors que la moyenne et l'écart-type des notes en français sont 65 et 5, respectivement. Dans laquelle des deux matières l'étudiant A est-il relativement le plus fort ?

Pour répondre à cette question, on considère les notes standardisées. La note standardisée de A en mathématiques est

$$\frac{85-70}{10} = 1{,}5\,,$$

alors que celle en français est

$$\frac{75-65}{5} = 2\,.$$

Cela signifie que la note de A en mathématiques se situe à 1,5 écart-type au-dessus de la moyenne alors que celle en français est à 2 écarts-types au-dessus de la moyenne. On en conclut que l'étudiant A est relativement plus fort en français qu'en mathématiques.

*COEFFICIENT DE VARIATION

Lorsqu'on compare les écarts-types et les moyennes de plusieurs ensembles de données, on constate généralement que l'écart-type a tendance à être plus grand lorsque la moyenne est plus grande. Mais bien que des écarts par rapport à une moyenne peuvent être plus grands que d'autres en grandeur absolue, ils ne le sont pas nécessairement en grandeur relative par rapport à la grandeur de la moyenne. C'est pourquoi on se sert du **coefficient de variation** qui est une mesure de dispersion utilisant la moyenne comme unité de mesure et qui est défini par le rapport

$$\frac{s_x}{\bar{x}} \ \text{ou} \ \frac{s_v}{\bar{v}}\,,$$

selon que les données sont brutes ou groupées. À remarquer que le coefficient de variation ne dépend pas des unités de mesure des données et peut donc servir pour comparer la dispersion de deux ou plusieurs ensembles de données dont les valeurs ont des ordres de grandeur différents. Ainsi un écart-type de 1 million de dollars sur une valeur moyenne de 10 millions de dollars donne le même coefficient de variation de 1/10 ou 10 % qu'un écart-type de 1 millier de dollars sur une valeur moyenne de 10 milliers de dollars. Il faut voir cependant que le coefficient de variation n'est pas défini lorsque la moyenne est nulle ($\bar{x}$ ou $\bar{v} = 0$) et qu'il n'a pas beaucoup de sens lorsque la moyenne est petite (car il gonfle exagérément de petites différences de dispersion).

Le coefficient de variation peut aussi être interprété à un signe près comme l'écart-type des données avec la moyenne comme unité de mesure. Considérons par exemple un ensemble de données brutes $x_1, \ldots, x_n$ et divisons chacune de ces données par la moyenne $\bar{x}$. On obtient alors un nouvel ensemble de données

$$\frac{x_1}{\bar{x}}, \frac{x_2}{\bar{x}}, \ldots, \frac{x_n}{\bar{x}},$$

dont la moyenne est $\bar{x}/\bar{x}$, c'est-à-dire 1, et l'écart-type $s_x/|\bar{x}|$, c'est-à-dire plus $(+)$ ou moins $(-)$ le coefficient de variation selon que $\bar{x}$ est positif ($\bar{x} > 0$) ou négatif ($\bar{x} < 0$), en appliquant les formules pour un changement d'échelle (avec facteur multiplicatif $1/\bar{x}$).

Il est intéressant de remarquer qu'on obtient les mêmes résultats que ci-dessus si on multiplie au préalable les données originales $x_1, \ldots, x_n$ par n'importe quelle constante non nulle a, car alors

$$\frac{ax_i}{\overline{ax}} = \frac{ax_i}{a\bar{x}} = \frac{x_i}{\bar{x}}$$

pour chaque donnée x_i. Peu importe l'échelle, on obtient donc le même coefficient de variation. On a la même propriété pour des données groupées. Cette propriété justifie l'utilisation du coefficient de variation.

Exemple. Le tableau 3.4 donne les arrivées mensuelles de visiteurs en Nouvelle-Zélande en 1960 et 1980. Entre 1960 et 1980, on observe une augmentation considérable de visiteurs (de plus de 1000 %). On observe aussi des variations importantes d'un mois à un autre. Ces variations sont évidemment plus importantes en nombres absolus en 1980 qu'en 1960, mais qu'en est-il relativement au nombre mensuel moyen de visiteurs pour les deux années ?

Pour l'année 1960, on trouve que

$$\bar{x} = 3\,261 \text{ et } s_x = 1389,$$

de telle sorte que le coefficient de variation est

$$\frac{s_x}{\bar{x}} = 0,426\,.$$

Pour l'année 1980, on obtient que

$$\frac{s_x}{\bar{x}} = 0,347\,,$$

avec

$$\bar{x} = 38\,764 \text{ et } s_x = 13\,466\,.$$

Le coefficient de variation est donc plus petit en 1980 qu'en 1960. On en conclut que les arrivées de visiteurs en 1980 sont moins affectées par des facteurs saisonniers.

TABLEAU 3.4.

Arrivées de visiteurs en Nouvelle-Zélande en 1960 et 1980

	janv.	févr.	mars	avril	mai	juin	juil.	août	sept.	oct.	nov.	déc.
1960	4 391	4 598	3 951	2 453	1 783	1 568	1 599	1 944	2 874	3 862	3 952	6 159
1980	48 224	51 353	46 784	31 284	26 681	22 817	26 944	32 902	25 567	37 113	44 788	70 706

Source : P. J. Thomson, « Forecasting visitor arrivals to New Zealand : An elementary analysis », dans *The Fascination of Statistics*, New York, Marcel Dekker, 1986, p. 351-373.

3.5. MESURES DE POSITION

INTRODUCTION

Une **mesure de position** par rapport à un ensemble de données est en général une valeur qui sépare les données en deux groupes distincts et ordonnés : un groupe dont les valeurs sont inférieures ou égales à la valeur servant de mesure de position et un autre dont les valeurs sont supérieures ou égales à cette valeur. Pour déterminer une mesure de position, il faut au préalable disposer les données en ordre croissant ou décroissant et, pour que cela soit toujours possible sans aucune ambiguïté, il faut que les données soient des résultats d'observations d'une variable quantitative, donc des données numériques. De plus, la valeur servant de mesure de position doit être choisie selon la position exacte que l'on veut indiquer dans l'ensemble des données. Si, par exemple, on étudie le revenu des individus dans une population, on peut s'intéresser au plus petit revenu tel que 20 % ou moins des individus ont un revenu supérieur. Un tel revenu sera appelé un 80e centile ou un 8e décile ou un 4e quintile, car 80 % ou plus des individus ont un revenu inférieur ou égal et c'est le plus petit revenu qui possède cette propriété. De façon analogue, le plus petit revenu tel qu'on retrouve 25 % ou plus de la population ayant un revenu inférieur ou égal sera appelé un 25e centile ou un 1er quartile.

Une mesure de position particulièrement importante est la **médiane**. La médiane est définie généralement comme la « valeur centrale » et correspond au 50e centile. Dans l'exemple du revenu, il y a 50 % ou plus des individus dont le revenu est inférieur ou égal au revenu médian, mais aussi 50 % ou plus dont le revenu est supérieur ou égal. Un individu dont le revenu correspond à la médiane peut dire qu'il y a autant d'individus qui ont un plus petit revenu que le sien qu'il y en a qui ont un revenu supérieur au sien.

Une mesure de position est intimement liée au rang. Déterminer le rang d'une donnée revient à déterminer combien de données en nombre absolu ou en pourcentage lui sont inférieures ou égales en valeur. Inversement, déterminer une mesure de position revient à déterminer la valeur correspondant à un rang donné. Ainsi, on peut trouver que le « seuil de revenu faible » établi à partir du coût des besoins essentiels correspond au 25e centile dans une population donnée et que le « seuil de revenu élevé » établi à partir du coût des biens de luxe correspond au 80e centile. Inversement, on peut vouloir déterminer à quels revenus correspondent les 25e et 80e centiles dans une population donnée sans autre critère que la position.

Les mesures de position de base sont les **centiles**. Toutes les autres mesures de position (par exemple, la médiane, les déciles, les quartiles et les quintiles) sont en fait des cas particuliers de centiles.

Les méthodes de détermination des mesures de position sont différentes selon qu'il s'agit de position par rapport à des données brutes ou de position par rapport à des données groupées. Dans le cas de données brutes, les mesures de position ne sont pas toujours définies de façon unique, à moins que des conventions aient été adoptées. Dans le cas de données groupées, on émet généralement l'hypothèse que les données à l'intérieur d'une même classe sont uniformément réparties dans la classe. Nous traiterons séparément ces deux cas.

MÉDIANE POUR DES DONNÉES BRUTES

La médiane joue un rôle primordial, car elle désigne le « milieu » des données lorsque celles-ci sont placées en ordre croissant ou décroissant. L'interprétation et le calcul de la médiane pour des données brutes seront illustrés par deux exemples.

Exemple 1. D'après les statistiques de la Ligue nationale de baseball publiées dans les quotidiens montréalais du 27 juin 1988, les moyennes au bâton des joueurs des Expos de Montréal pour la saison 1988 jusqu'à cette date étaient celles données dans le tableau 3.5.

En dressant la liste des moyennes au bâton en ordre décroissant, on obtient :

0,314	0,306	0,280	0,274	0,274	0,256	0,255
0,250	0,235	0,235	0,220	0,215	0,200	0,167
0,159						

Les joueurs se voient ainsi placer en rang selon leur moyenne au bâton, du meilleur frappeur qui a la moyenne la plus élevée et qui occupe le premier rang au moins bon frappeur qui a la moyenne la plus basse et qui occupe le dernier rang. Comme il y a 15 joueurs en tout, celui qui occupe le 8e rang frappe moins bien que les 7 premiers qui ont une meilleure moyenne que lui, mais mieux que les 7 derniers qui en ont une moins bonne. La moyenne au bâton de ce joueur est 0,250 et correspond à la médiane notée M. On peut écrire alors M = 0,250.

La procédure pour déterminer la médiane est toujours la même lorsque le nombre de données est impair comme dans l'exemple ci-dessus. La procédure peut se décrire généralement comme suit :

Avec un nombre impair $2k + 1$ de données disposées en ordre croissant ou décroissant, la médiane M correspond à la valeur de la $(k + 1)^e$ donnée.

TABLEAU 3.5.

Moyennes au bâton des joueurs des Expos de Montréal de la Ligue nationale
de baseball au 27 juin de la saison 1988

Joueur	Nombre de présences au bâton	Nombre de coups sûrs	Moyenne[†]
Brooks, Hubie	289	81	0,280
Engle, Dave	34	8	0,235
Foley, Tom	149	35	0,235
Galarraga, Andrès	290	91	0,314
Hudler, Rex	8	2	0,200
Johnson, Wallace	36	11	0,306
Nettles, Graig	44	7	0,159
Nixon, Otis	24	4	0,167
Raines, Tim	277	76	0,274
Reed, Jeff	123	27	0,220
Rivera, Luis	186	40	0,215
Santovenia, Nelson	73	20	0,274
Tejeda, Wilfredo	8	2	0,250
Wallach, Tim	275	70	0,255
Webster, Mitch	219	56	0,256
TOTAL	2035	530	0,260

[†] Moyenne = $\dfrac{\text{nombre de coups sûrs}}{\text{nombre de présences au bâton}}$.

Source : *La Presse*, Montréal, 27 juin 1988.

Il y a alors k données avant la médiane et k données après la médiane. Pour déterminer k, on utilise la formule

$$k = \frac{n-1}{2},$$

où n est le nombre de données qui est impair. Dans ce cas, une seule valeur est admissible comme médiane, celle de la $(k+1)^{\text{e}}$ donnée.

Exemple 2. L'enregistrement des températures mensuelles normales à un endroit précis fournit 12 données, une donnée pour chaque mois. Si on ordonne les températures mensuelles normales de la plus basse à la plus haute, on peut considérer autant la 6e que la 7e comme se situant à mi-chemin. Chacune des deux températures correspondantes constitue une possibilité pour la médiane. En fait, toute température se situant entre ces deux températures mensuelles normales peut tenir lieu de médiane. La médiane n'est donc pas déterminée de façon unique, à moins qu'on utilise une convention. Alors, pour lever toute ambiguïté, on convient de choisir pour médiane la température qui est à mi-chemin exactement entre la 6e et la 7e température mensuelle normale. Pour l'obtenir, il suffit de faire la somme de ces deux températures et de diviser par 2.

Pour être plus précis, considérons les températures mensuelles normales à San Francisco en degrés Fahrenheit (°F) (voir le tableau 3.6). La liste de ces températures en ordre croissant est

49	49	52	53	55	55
58	61	61	62	63	64

La médiane M pourrait être n'importe quelle température comprise entre 55 et 58, mais on convient que

$$M = \frac{55 + 58}{2} = 56,5 \;.$$

Cette mesure signifie qu'il y a autant de mois à San Francisco où la température normale est inférieure ou égale à 56,5 qu'il y en a où la température normale est supérieure ou égale à 56,5. Mais elle ne donne aucune information sur les écarts de température normale d'un mois à un autre et d'une saison à une autre. Ainsi, la médiane des températures mensuelles normales à New York est, d'après un calcul analogue au précédent, égale à 55,5, ce qui n'est pas très éloigné de la médiane à San Francisco. Cependant, les mois d'hiver sont nettement plus froids à New York qu'à San Francisco et les mois d'été nettement plus chauds (voir le tableau 3.6).

TABLEAU 3.6.

Températures (en °F) et précipitations (en po) mensuelles normales[†] dans certaines villes américaines

	New York		San Francisco		Honolulu		Miami	
	T.	P.	T.	P.	T.	P.	T.	P.
Janv.	32	3,2	49	4,7	73	3,8	67	2,1
Févr.	33	3,1	52	3,2	73	2,7	68	2,1
Mars	41	4,2	53	2,6	74	3,5	72	1,9
Avril	53	3,8	55	1,5	76	1,5	75	3,1
Mai	62	3,8	58	0,3	78	1,2	79	6,5
Juin	71	3,2	61	0,1 moins de 0,05	79	0,5	81	9,2
Juil.	77	3,8	62		80	0,4	83	6,0
Août	75	4,0	63	0,1	81	0,6	83	7,0
Sept.	68	3,7	64	0,2	81	0,6	82	8,1
Oct.	58	3,4	61	1,1	80	1,9	78	7,1
Nov.	47	4,1	55	2,4	77	3,2	73	2,7
Déc.	36	3,8	49	3,6	74	3,4	69	1,9

[†] Moyennes sur une période de 30 ans (de 1951 à 1980) des valeurs mensuelles. Pour la précipitation, une valeur mensuelle est la somme des précipitations journalières dans un mois. Pour la température, c'est la moyenne mensuelle des minima journaliers et la moyenne mensuelle des maxima journaliers divisées par 2.

Source : Reproduit avec la permission de *The World Almanac and Book of Facts 1986. The World Almanac* est un produit de Funk & Wagnalls, 1985. Tous droits réservés.

Une autre caractéristique de la médiane est qu'il n'est pas nécessaire de connaître les valeurs exactes de toutes les données pour en faire le calcul exact. Dans le cas des précipitations mensuelles normales à San Francisco, par exemple, on peut trouver la médiane exacte (1,3 po) en ne connaissant pas la précipitation normale en juillet sinon qu'elle est en deçà de 0,05 po.

En général, on calcule la médiane pour un nombre pair de données de la façon suivante :

Pour 2k données disposées en ordre croissant ou décroissant, la médiane M *est définie par :*

$$M = \frac{k^{\text{e}} \text{ donnée} + (k+1)^{\text{e}} \text{ donnée}}{2}.$$

La valeur de k est déterminée par

$$k = \frac{n}{2},$$

où n représente le nombre de données qui est pair.

CARACTÉRISTIQUES DE LA MÉDIANE

La médiane, comme la moyenne, est une mesure de tendance centrale. Mais à ce titre, la médiane est dans certains cas préférable à la moyenne, et ce pour deux raisons.

En premier lieu, la médiane n'est pas du tout affectée par les valeurs extrêmes, contrairement à la moyenne. Cela joue souvent en faveur de la médiane, car les valeurs extrêmes sont rarement représentatives de ce qu'on observe en général. Dans le cas des précipitations mensuelles normales à San Francisco par exemple (tableau 3.6), la moyenne s'élève à 1,7 po, soit nettement au-delà de la médiane qui est de 1,3 po, principalement à cause des précipitations normales très élevées en décembre, janvier et février. Or, pendant 7 mois sur 12, on enregistre des précipitations normales inférieures à 1,7 po et, pour 5 d'entre eux, elles sont même inférieures ou égales à 0,3 po. Dans ce cas précis, la médiane représente donc mieux l'ensemble des données, bien que la moyenne ait encore un rôle important à jouer, celui de servir à mesurer la précipitation annuelle normale pour savoir s'il pleut plus ou moins qu'ailleurs.

En deuxième lieu, la médiane est parfois plus significative que la moyenne. Par exemple, il est pleinement pertinent de déterminer la médiane des moyennes au bâton de joueurs de baseball (tableau 3.5) pour séparer les bons frappeurs des moins bons, alors que la moyenne de ces moyennes n'exprime pas grand-chose, à moins qu'elles ne soient pondérées par les nombres de présences au bâton des joueurs, auquel cas on obtient la moyenne au bâton de l'équipe. Avec les données du tableau 3.5, cette moyenne est 0,260.

CENTILES POUR DES DONNÉES BRUTES

La médiane est un cas particulier de centile ; en fait, elle représente le 50e centile. Par définition, le ve **centile** est la valeur notée C_v telle que le pourcentage des données supérieures ou égales à C_v est supérieur ou égal à $(100 - v)\%$, et le pourcentage des données inférieures ou égales à C_v est supérieur ou égal à $v\%$. En particulier pour C_{25}, le 25e centile, on doit avoir

$$(\text{pourcentage des données} \geqslant C_{25}) \geqslant 75\% \text{ et}$$
$$(\text{pourcentage des données} \leqslant C_{25}) \geqslant 25\%.$$

Puisque

$$(\text{pourcentage des données} \geqslant C_{25})$$
$$= 100\% - (\text{pourcentage des données} \leqslant C_{25}),$$

une condition équivalente est que

$$(\text{pourcentage des données} < C_{25}) \leqslant 25\% \leqslant (\text{pourcentage des données} \leqslant C_{25}).$$

Il existe une façon simple de déterminer un centile comme C_{25}. Par exemple, le 25e centile des moyennes au bâton des 15 joueurs des Expos de Montréal au 27 juin 1988 (tableau 3.5) se calcule de la façon suivante : on a 15 données, et 25% de 15 égale $25\% \times 15$, soit 3,75. Donc, théoriquement, le 25e centile devrait correspondre à la $3,75^e$ donnée en ordre croissant. Celle-ci n'existant pas, on prend alors la 4e donnée (celle qui suit immédiatement). Dans ce cas, on trouve

$$C_{25} = 0,215.$$

Vérifions que les deux conditions énoncées ci-dessus sont bien satisfaites avec C_{25} égal à 0,215. On a

$$(\text{pourcentage des données} \geqslant 0,215) = \frac{12}{15} \times 100 = 80\% \geqslant 75\% \text{ et}$$
$$(\text{pourcentage des données} \leqslant 0,215) = \frac{4}{15} \times 100 \approx 26,66\% \geqslant 25\%.$$

De plus, dans ce cas, le 25e centile est unique. En effet, toute valeur inférieure à 0,215 est supérieure à au plus 3 données sur 15, c'est-à-dire un pourcentage de données inférieur ou égal à 20%, alors que toute valeur supérieure à 0,215 est inférieure à au plus 11 données sur 15, c'est-à-dire un pourcentage de données inférieur ou égal à 73,34%. Donc, dans un cas comme dans l'autre, l'une des deux conditions de la définition de C_{25} n'est pas satisfaite.

Il peut aussi arriver, avec la définition donnée ci-dessus, que le 25e centile ne soit pas unique. Pour illustrer cette situation, nous allons calculer le 25e centile des températures mensuelles normales à San Francisco (tableau 3.6). En procédant comme précédemment, on obtient que $25\% \times 12$ égale 3. Le 25e centile devrait donc être la 3e donnée en ordre croissant, c'est-à-dire 52.

Cependant, comme on peut le vérifier directement, la donnée suivante qui est 53 satisfait aussi aux deux conditions qui définissent C_{25}. En effet, on a

$$(\text{pourcentage des données} \geq 53) = \frac{9}{12} \times 100 = 75\% \text{ et}$$

$$(\text{pourcentage des données} \leq 53) = \frac{4}{12} \times 100 \approx 33{,}33\% \geq 25\%.$$

En fait, tout nombre compris entre 52 et 53 remplit ces conditions et est donc un 25e centile ; mais, par convention, c'est la valeur située au milieu de l'intervalle qui est choisie, c'est-à-dire,

$$C_{25} = \frac{52 + 53}{2} = 52{,}5 \ .$$

Une situation semblable se produit chaque fois que l'opération décrite ci-dessus, qui consiste à déterminer le rang théorique d'un centile, donne exactement un entier.

MÉDIANE ET CENTILES POUR DES DONNÉES GROUPÉES

Pour des données groupées, nous nous intéresserons exclusivement au cas où les données proviennent de variables quantitatives continues, puisque c'est dans ce cas seulement qu'il y a perte d'information à la suite du regroupement. En effet, pour les variables quantitatives discrètes, on peut toujours appliquer les méthodes proposées pour les données brutes même lorsque les données sont déjà groupées selon leur valeur. Il suffit de retrouver les données brutes en énumérant autant de fois que son effectif chaque valeur prise par la variable.

Nous supposerons donc une variable quantitative continue et des données déjà regroupées en classes, c'est-à-dire une distribution de fréquences selon un regroupement.

La médiane et les centiles déterminés à partir des données groupées seront des approximations de la médiane et des centiles qui seraient déterminés à partir des données brutes. Ces approximations seront d'autant plus justes que le regroupement en classes sera fin, c'est-à-dire que la longueur des classes sera petite.

Nous nous référons au tableau 3.1 et à la figure 3.2 sur la distribution du revenu des familles au Canada en 1985 pour illustrer la méthode de calcul de la médiane avec des données groupées. Le calcul de la médiane dans un tel cas fait appel à l'histogramme :

La médiane est la valeur telle que l'aire circonscrite par l'histogramme à gauche de cette valeur est exactement égale à l'aire qui est située à droite.

Une aire dans un histogramme correspondant à une fréquence, cela signifie qu'on a 50 % de fréquence à gauche de la médiane et 50 % à droite. Si, en conformité avec l'histogramme, les données à l'intérieur d'une classe sont uniformément réparties à l'intérieur de la classe, on devrait alors avoir 50% ou plus des données du côté gauche de la médiane et 50% ou plus du côté droit, comme pour des données brutes, et ce quel que soit le nombre de données. À remarquer que la méthode de calcul de la médiane pour des données groupées ne nous laisse aucun choix quant à sa valeur, mais cela est davantage le résultat d'une convention sur la méthode de calcul que d'autre chose.

Appliquons maintenant cette méthode pour déterminer le revenu médian des familles au Canada en 1985. On inscrit d'abord les aires de chaque rectangle de l'histogramme (c'est-à-dire les fréquences en pourcentage de chaque classe ; voir la figure 3.6), puis on les additionne une à une de gauche à droite pour obtenir successivement 5,8%, 14,5%, 24,0%, 32,9%, 42,2%, 51,8% jusqu'à ce qu'on excède 50% pour la première fois. On sait alors que la médiane est dans la classe correspondant au dernier rectangle dont l'aire a été additionnée, ici la classe 30 000 - 35 000. Pour déterminer sa valeur exacte, on trouve le pourcentage de fréquence qui excède 50%, ici 1,8%, et on calcule la longueur de la base d'un rectangle de même hauteur que celui de la classe 30 000 - 35 000 dont l'aire correspond à ce pourcentage. On procède alors à une règle de trois. Dans le cas qui nous occupe, la base de longueur 5000 correspond à une aire rectangulaire de 9,6%, donc une base de longueur

$$\frac{5000}{9,6} \times 1,8 \approx 938$$

correspond à une aire rectangulaire de 1,8%. Il suffit alors de soustraire cette longueur de l'extrémité droite de la classe 30 000 - 35 000 pour obtenir la médiane. Donc,

$$M = 35\,000 - 938 = 34\,062.$$

On aurait pu aussi calculer la longueur de la base correspondant à un rectangle d'aire 7,8% (qui est 50% − 42,2%) dans la classe 30 000 - 35 000, ce qui donne 4062, et l'ajouter à 30 000, en deçà duquel on trouve 42,2% de fréquence, pour obtenir

$$M = 30\,000 + 4\,062 = 34\,062.$$

(Avec un peu de pratique, on peut calculer la médiane directement à partir du tableau de fréquences, sans passer par l'histogramme, car le tableau de fréquences contient déjà toute l'information nécessaire pour effectuer les calculs.) D'après Statistique Canada, la médiane exacte calculée à partir des données brutes est 34 076, ce qui n'est pas très loin de la médiane approximative 34 062 calculée ci-dessus à partir des données groupées du tableau 3.1. Le revenu médian est cependant bien en deçà du revenu moyen de 38 059 (voir la section 3.2), ce qui s'explique par la présence de revenus très élevés qui gonflent substantiellement la moyenne, mais qui n'ont aucune influence sur la médiane.

Tous les centiles peuvent être calculés de la même façon que la médiane à partir de l'histogramme :

FIGURE 3.6.

Détermination de la médiane et du 25ᵉ centile du revenu des familles
au Canada en 1985 selon la distribution du tableau 3.1

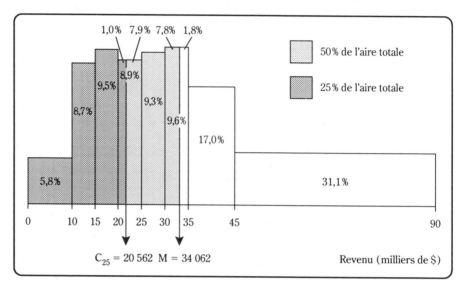

*Le vᵉ centile est la valeur telle que l'aire circonscrite par l'histogramme à
gauche de cette valeur égale v % de l'aire totale ou, ce qui est équivalent,
l'aire à droite de cette valeur égale (100 − v) % de l'aire totale.*

Ainsi, on trouve que le 25ᵉ centile pour le revenu des familles au Canada en
1985 se situe dans la classe 20 000 - 25 000 et plus précisément :

$$C_{25} = 20\ 000 + \frac{5000}{8,9} \times 1,0 = 20\ 562 \,,$$

ou, ce qui est équivalent,

$$C_{25} = 25\ 000 - \frac{5000}{8,9} \times 7,9 = 20\ 562 \,.$$

Les centiles approximatifs calculés à l'aide de cette méthode à partir de l'histogramme sont uniques.

QUELQUES CENTILES ET DIFFÉRENCES DE CENTILES PARTICULIERS

Les centiles les plus utilisés sont C_{25}, C_{50} et C_{75}. On les note aussi parfois Q_1, Q_2
et Q_3, respectivement, et on les appelle alors 1ᵉʳ, 2ᵉ et 3ᵉ **quartiles**. Le 2ᵉ quartile correspond à la médiane. Les quartiles divisent les données en « 4 parties
égales » pour ainsi dire, puisqu'il y a 25 % ou plus des données jusqu'à Q_1, 25 %
ou plus de Q_1 à Q_2, 25 % ou plus de Q_2 à Q_3 et 25 % ou plus à partir de Q_3. Il y a
donc 50 % ou plus des données dans l'intervalle délimité par Q_1 et Q_3. L'écart

interquartile, noté I, est défini comme la longueur de cet intervalle, c'est-à-dire,

$$I = Q_3 - Q_1.$$

Les centiles C_{10}, ... , C_{90} qui divisent les données en « 10 parties égales » sont parfois appelés **déciles** et sont notés alors D_1, ... , D_9. Les **quintiles**, numérotés de 1 à 4, qui divisent les données en « 5 parties égales » et qui sont très souvent utilisés en pratique correspondent aux centiles C_{20}, C_{40}, C_{60} et C_{80}. On peut aussi dire que les **centiles** C_1, ... , C_{99} partagent les données en « 100 parties égales », mais il faut alors avoir un grand nombre de données pour les utiliser tous. Si le nombre de données est très grand, on peut même considérer des divisions encore plus fines basées sur les **milliles**. Le 270e millile, par exemple, correspondrait à C_{27}.

Finalement, si on définit C_0 comme la valeur de la plus petite donnée et C_{100} comme la valeur de la plus grande, l'intervalle délimité par C_0 et C_{100} est le plus petit intervalle contenant toutes les données. Sa longueur est appelée l'**étendue** et est notée E. On a donc

$$E = C_{100} - C_0.$$

Par exemple, pour les températures mensuelles normales à San Francisco (voir le tableau 3.6), l'étendue est

$$E = 64 - 49 = 15.$$

*3.6. REPRÉSENTATIONS GRAPHIQUES AU MOYEN DES MESURES DE POSITION

REPRÉSENTATION ARBORESCENTE

Les mesures de position peuvent être déterminées une fois que les données ont été classées ou ordonnées. Une des procédures les plus simples et les plus efficaces pour classer et ordonner des données brutes est la **représentation arborescente** (*stem-and-leaf*). Elle a été introduite par John W. Tukey en 1977 et est très bien adaptée au traitement de données par ordinateur. Nous allons décrire la procédure à l'aide d'un exemple.

Le tableau 3.7 contient la liste des 75 taux d'escompte officiels de la Banque du Canada le dernier mercredi du mois entre le 27 août 1980 et le 29 octobre 1986. (Le taux d'escompte est le taux minimal auquel la Banque du Canada est disposée à consentir des prêts ou des avances.) La représentation arborescente correspondante est présentée dans le tableau 3.8. Pour concevoir ce tableau, on repère d'abord l'intervalle de valeurs dans lequel se situent les données : ici, elles varient entre 8,62 le 29 octobre 1986 et 21,03 le 26 août 1981. Les *stems* ou « branches » regroupent les données selon leur partie entière ; on inscrit ces parties entières en ordre croissant ou décroissant dans une colonne, de 8 à 21 dans le cas des taux d'escompte, à gauche dans le tableau. Quant aux *leaves* ou «feuilles», elles correspondent aux parties décimales des données qu'on inscrit sur des lignes à la droite des parties entières correspondantes.

TABLEAU 3.7.

Taux d'escompte officiels au Canada le dernier mercredi du mois,
du 27 août 1980 au 29 octobre 1986

Date de modification	% par an	Date de modification	% par an	Date de modification	% par an
Août 27, 1980	10,45	Sept. 29, 1982	13,18	Oct. 31, 1984	11,71
Sept. 24, 1980	11,02	Oct. 27, 1982	11,53	Nov. 28, 1984	10,78
Oct. 29, 1980	11,76	Nov. 24, 1982	10,87	Déc. 26, 1984	10,16
Nov. 26, 1980	13,06	Déc. 29, 1982	10,26	Janv. 30, 1985	9,66
Déc. 31, 1980	17,26	Janv. 26, 1983	9,81	Févr. 27, 1985	10,95
Janv. 28, 1981	17,00	Févr. 23, 1983	9,43	Mars 27, 1985	11,18
Févr. 25, 1981	17,14	Mars 30, 1983	9,42	Avril 24, 1985	9,75
Mars 25, 1981	16,59	Avril 27, 1983	9,46	Mai 29, 1985	9,59
Avril 29, 1981	17,40	Mai 25, 1983	9,38	Juin 26, 1985	9,57
Mai 27, 1981	19,06	Juin 29, 1983	9,42	Juil. 31, 1985	9,31
Juin 24, 1981	19,07	Juil. 27, 1983	9,51	Août 28, 1985	9,20
Juil. 29, 1981	19,89	Août 31, 1983	9.57	Sept. 25, 1985	9,31
Août 26, 1981	21,03	Sept. 28, 1983	9,52	Oct. 30, 1985	8,77
Sept. 30, 1981	19,63	Oct. 26, 1983	9,45	Nov. 27, 1985	8,98
Oct. 28, 1981	18,30	Nov. 30, 1983	9,63	Déc. 25, 1985	9,49
Nov. 25, 1981	15,40	Déc. 28, 1983	10,04	Janv. 29, 1986	10,33
Déc. 30, 1981	14,66	Janv. 25, 1984	9,98	Févr. 26, 1986	11,84
Janv. 27, 1982	14,72	Févr. 29, 1984	10,04	Mars 26, 1986	10,44
Févr. 24, 1982	14,74	Mars 28, 1984	10,76	Avril 30, 1986	9,27
Mars 31, 1982	15,11	Avril 25, 1984	10,82	Mai 28, 1986	8,43
Avril 28, 1982	15,32	Mai 30, 1984	11,60	Juin 25, 1986	8,84
Mai 26, 1982	15,32	Juin 27, 1984	11,98	Juil. 30, 1986	8,63
Juin 30, 1982	16,58	Juil. 25, 1984	13,24	Août 27, 1986	8,58
Juil. 28, 1982	15,60	Août 29, 1984	12,39	Sept. 24, 1986	8,63
Août 25, 1982	14,26	Sept. 26, 1984	12,28	Oct. 29, 1986	8,62

Source : Statistique Canada, *Annuaire du Canada 1988*.

Par exemple 10,45 %, le taux d'escompte du 27 août 1980, devient 10,5 %, et on inscrit un 5 à la droite de 10, etc. On obtient ainsi une représentation arborescente. Pour une classification plus ordonnée, on dispose les décimales en ordre croissant sur chaque ligne. On obtient alors le tableau 3.9 qui constitue une **représentation arborescente ordonnée**. On peut aussi indiquer entre parenthèses à la droite de chaque ligne l'effectif de la branche correspondante en nombre de feuilles.

Une représentation arborescente pour représenter des données brutes comporte plusieurs avantages. D'abord, elle permet de repérer presque instantanément les mesures de position, et en particulier la médiane. Dans notre exemple, la médiane est la 38e donnée en ordre croissant et on trouve alors facilement M = 10,8 %. En outre, grâce à ses qualités sur le plan visuel, elle peut servir elle-même de représentation graphique en plus de permettre la conception d'une représentation graphique plus conventionnelle, comme un gra-

TABLEAU 3.8.

Représentation arborescente des données du tableau 3.7

Branche	Feuilles
8	8 4 8 6 6 6 6
9	8 4 4 5 4 4 5 6 5 5 6 7 8 6 6 3 2 3 0 5 3
10	5 9 3 0 0 0 8 8 8 2 3 4
11	0 8 5 6 7 0 2 8
12	0 4 3
13	1 2 2
14	7 7 7 3
15	4 1 3 3 6
16	6 7
17	3 0 1 4
18	3
19	1 1 9 6
20	
21	0

phique à colonnes ou un histogramme. Il suffit de créer une classe avec chaque branche et de construire un tableau de fréquences en utilisant les effectifs des branches en feuilles. Il existe aussi des programmes informatiques qui permettent de produire rapidement une représentation arborescente à partir de données brutes.

TABLEAU 3.9.

Représentation arborescente ordonnée des données du tableau 3.7

Branche	Feuilles	(Effectif)
8	4 6 6 6 6 8 8	(7)
9	0 2 3 3 3 4 4 4 4 5 5 5 5 6 6 6 6 7 8 8	(21)
10	0 0 0 2 3 3 4 5 8 8 8 9	(12)
11	0 0 2 5 6 7 8 8	(8)
12	0 3 4	(3)
13	1 2 2	(3)
14	3 7 7 7	(4)
15	1 3 3 4 6	(5)
16	6 7	(2)
17	0 1 3 4	(4)
18	3	(1)
19	1 1 6 9	(4)
20		(0)
21	0	(1)
Total		(75)

Les règles énoncées dans la section 2.1 au sujet du choix des classes s'appliquent à l'élaboration d'une représentation arborescente dans laquelle les classes correspondent aux branches, sauf que la longueur des classes est alors habituellement de la forme 10^k, où k est un entier positif, négatif ou nul, c'est-à-dire, par exemple, 1/100, 1/10, 1, 10 ou 100. On prend alors cette longueur comme unité de mesure. Lorsque des classes de telle longueur regroupent trop de données, on peut scinder chaque classe en deux sous-classes de même longueur. Chacune des deux sous-classes occupe alors une ligne dans la représentation arborescente, désignée à gauche par le même nombre. Si on décidait de procéder ainsi pour la classe 9 du taux d'escompte, on aurait alors, dans la représentation arborescente ordonnée :

9	0 2 3 3 3 4 4 4
9	5 5 5 5 5 6 6 6 7 8 8

Lorsqu'on veut comparer deux ensembles de données, on peut placer les **représentations arborescentes dos à dos**. Les branches occupent alors le centre du tableau, et les feuilles sont distribuées de part et d'autre. Les représentations arborescentes dos à dos du tableau 3.10 servent à comparer la hauteur des volcans actifs en Asie-Océanie et en Amérique. Dans cet exemple, on a inscrit les branches en ordre décroissant.

L'unité de mesure dans une telle représentation a de l'importance pour retrouver l'ordre de grandeur des données. On convient que les nombres représentant les branches correspondent à des unités et ceux représentant les feuilles à des décimales. À partir de la représentation arborescente du tableau 3.10, on peut déduire par exemple que la hauteur du volcan actif le plus élevé en Amérique est de 6100 mètres à 50 mètres près. (Il s'agit du volcan

TABLEAU 3.10.

Représentation arborescente dos à dos pour la hauteur des volcans actifs les plus élevés en Asie-Océanie et en Amérique

Asie-Océanie Feuilles	Branche (en milliers de mètres)	Amérique Feuilles
	6	0 1
	5	6 9
	5	2
8	4	8 8
	4	0 3
8 7 7	3	8 8 8
4 3 3 1 1 0	3	1 1 1 4
9 9 9 8 5 5 5	2	5 5 5 5 6 7 8 9
3 3 3 2 2 1 0 0	2	0 0 1 2 4
9 9 8 8 8 8 8 7 7 7 7 7 7 6 6 6 6 5 5 5 5 5	1	5 6 6 6 7 7 8 8 9
4 3 3 1 1 1	1	0 1 1 1 2 2 3 3 3

Source : *The Canadian World Almanac and Book of Facts 1990*, Toronto, Global Press.

Guallatiri, au Chili.) On ne peut en tirer plus de précision, car les feuilles sont ici constituées d'une seule décimale, celle qui est la plus près de la valeur exacte. Dans certains cas, on utilise des feuilles de deux décimales séparées par des virgules, et plus de précision peut alors être obtenue. Dans l'exemple de la hauteur de volcans actifs, on pourrait alors être précis à plus ou moins 5 mètres (et obtenir la hauteur exacte du volcan Guallatiri qui est de 6060 mètres).

DIAGRAMME EN BOÎTE

Une façon originale et efficace de représenter graphiquement des données brutes avec les principales mesures de position est le **diagramme en boîte** (*box plot*).

Pour réaliser un diagramme en boîte, on commence par déterminer les 1er et 3e quartiles de l'ensemble des données. Dans l'exemple du taux d'escompte du tableau 3.7, le 1er quartile correspond à la 19e donnée lorsque les données sont rangées par ordre croissant. On trouve $Q_1 = 9,5\%$. De la même façon, on trouve $Q_3 = 14,7\%$. L'étape suivante consiste à construire un rectangle (voir la figure 3.7) dont les côtés verticaux coupent l'axe des valeurs aux 1er et 3e quartiles. On calcule ensuite la médiane ($M = 10,8\%$) et on indique sa position par une barre verticale à l'intérieur du rectangle. Il est à remarquer que la longueur du rectangle dans le sens de l'axe des valeurs est égale à l'écart interquartile, $Q_3 - Q_1 = I$, qui vaut ici $5,2\%$, tandis que sa largeur est arbitraire. Devant et derrière le rectangle, dans la direction de l'axe des valeurs, on trace une barre verticale à une distance du rectangle égale à la longueur du rectangle. On déplace par la suite ces deux barres vers le rectangle jusqu'à ce qu'elles coïncident chacune avec une donnée. En pratique, presque toutes les données se trouvent dans l'intervalle délimité par ces barres verticales situées ici à $8,4\%$ et $19,9\%$. On marque d'un cercle plein ($\bullet$) toute donnée qui se situe à l'extérieur de cet intervalle; dans un cas, on a alors un point dit aberrant. La donnée correspondante est dite aussi aberrante. Dans notre exemple, on a un seul **point aberrant**, en l'occurrence $21,0\%$.

En plus de situer les quartiles et les données aberrantes d'un ensemble de données, les diagrammes en boîte servent à comparer deux ou plusieurs ensembles de données de même nature. À partir du tableau 3.11 sur l'âge au

FIGURE 3.7.

Diagramme en boîte des données du tableau 3.7

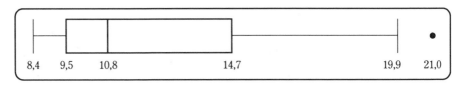

TABLEAU 3.11.

Âge au décès de 92 Canadiens et de 88 Canadiennes en 1988

Hommes														
25,	65,	79,	59,	58,	77,	73,	33,	75,	68,	66,	75,	71,	63,	89,
66,	77,	84,	84,	79,	77,	59,	60,	81,	45,	65,	84,	31,	67,	82,
74,	78,	86,	76,	56,	59,	56,	78,	84,	62,	48,	79,	41,	60,	41,
79,	71,	72,	34,	43,	59,	53,	68,	65,	89,	54,	59,	83,	77,	77,
75,	61,	73,	76,	52,	68,	87,	62,	72,	52,	71,	79,	81,	80,	58,
86,	75,	83,	63,	63,	80,	59,	84,	64,	64,	79,	79,	63,	75,	63,
68,	63.													

Femmes														
94,	82,	63,	56,	90,	88,	72,	76,	94,	89,	67,	88,	82,	82,	61,
97,	88,	68,	89,	91,	56,	85,	77,	68,	81,	88,	45,	73,	97,	78,
83,	74,	91,	80,	76,	80,	95,	62,	98,	73,	66,	90,	71,	73,	66,
55,	53,	94,	57,	69,	62,	81,	80,	90,	81,	43,	76,	91,	88,	87,
73,	80,	87,	87,	84,	64,	78,	77,	64,	54,	81,	88,	84,	85,	74,
44,	84,	97,	54,	76,	87,	59,	80,	72,	90,	90,	70,	87.		

Source : *La Presse*, Montréal, 27 juin au 9 juillet 1988.

décès de 88 Canadiennes et de 92 Canadiens en 1988 d'après une compilation des nécrologies d'un quotidien montréalais, on peut construire les diagrammes en boîte correspondants qui permettent de voir rapidement les différences qui existent entre les hommes et les femmes.

Les principales caractéristiques de position des âges au décès pour les femmes sont :

$$M = \frac{80 + 80}{2} = 80; \quad Q_1 = \frac{68 + 69}{2} = 68,5; \quad Q_3 = \frac{88 + 88}{2} = 88; \quad I = 19,5;$$

$$C_{100} = 98; \quad C_0 = 43; \quad E = 55,$$

et pour les hommes :

$$M = \frac{68 + 71}{2} = 69,5; \quad Q_1 = \frac{59 + 60}{2} = 59,5; \quad Q_3 = \frac{79 + 79}{2} = 79; \quad I = 19,5;$$

$$C_{100} = 89; \quad C_0 = 25; \quad E = 64.$$

De là, on trace les diagrammes en boîte de la figure 3.8, placés ici horizontalement l'un au-dessus de l'autre, une telle disposition étant fréquente lorsqu'il s'agit de comparer deux ou plusieurs ensembles de données. On parle alors de **diagrammes en boîte superposés**. Dans le cas où les diagrammes sont placés verticalement l'un à côté de l'autre, on parle de **diagrammes en boîte côte à côte**.

On observe immédiatement à partir des diagrammes de la figure 3.8 que l'âge au décès des femmes est supérieur d'une dizaine d'années environ à celui des hommes. Le même phénomène avec de petites variations peut être

FIGURE 3.8.

Diagrammes en boîte des âges au décès du tableau 3.10, selon le sexe

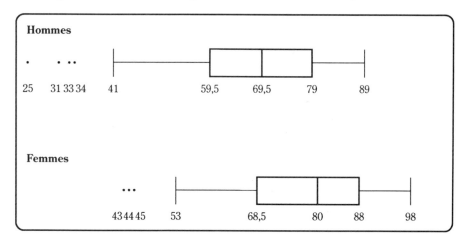

observé dans tous les pays. En fait, la mortalité est généralement plus élevée chez les hommes que chez les femmes à tout âge de la vie dès la naissance et même dès la conception.

*3.7. SÉRIES CHRONOLOGIQUES

INTRODUCTION

On appelle **série chronologique**, ou **série temporelle**, les données recueillies à la suite de plusieurs observations d'une variable qui sont ordonnées dans le temps. Dans la pratique, les observations sont souvent effectuées à intervalles réguliers.

La température d'heure en heure à une station météorologique, le cours de fermeture journalier d'un indice boursier, le taux d'intérêt fixé de semaine en semaine sur des bons du Trésor, la production mensuelle d'un produit de consommation, le nombre annuel de touristes visitant un pays sont autant d'exemples de séries chronologiques.

Les séries chronologiques sont habituellement sujettes à beaucoup de variations. Ces variations sont de plusieurs types, selon leur mode de répétition dans le temps. On distingue les **variations irrégulières**, souvent microscopiques, qui surviennent au hasard, les **variations cycliques** qui se répètent dans le temps à intervalles réguliers et, enfin, les **variations séculaires** qui déterminent la **tendance** à long terme. Dans les variations cycliques, on inclut les **variations saisonnières** qui se produisent aux mêmes dates ou au même mois chaque année.

Les variations cycliques ont une période qui correspond à la longueur de l'intervalle de temps pour la répétition de ces variations. Ainsi, la température d'heure en heure à un endroit donné suit un cycle d'une journée, alors que la production mensuelle d'une denrée suit un cycle d'une année. À remarquer que la température mensuelle moyenne suit un cycle d'une année et que la production annuelle d'une denrée suit des cycles économiques d'expansion et de récession de plusieurs années. La tendance à long terme est souvent associée à un mouvement de croissance ou de décroissance. Ainsi, le nombre de touristes pour une destination donnée a tendance à croître, ne serait-ce qu'à cause de l'augmentation de la population mondiale. Les variations irrégulières ne semblent suivre aucune règle, sinon que leurs effets ont tendance à s'annuler à plus ou moins court terme. Par exemple, un indice boursier suit les aléas des décisions d'achat et de vente selon les « bonnes et mauvaises nouvelles » qui se succèdent de façon désordonnée.

MOYENNES MOBILES

Faire l'analyse d'une série chronologique consiste à décrire précisément chaque type de variations qui l'affecte. L'une des méthodes descriptives les plus utilisées pour effectuer une telle analyse pour une variable quantitative est la méthode des moyennes mobiles. Il s'agit d'une méthode qui permet de lisser une série chronologique en éliminant les variations les plus petites.

Soit une série chronologique

$$x_1, x_2, \ldots, x_n,$$

qui constitue les résultats d'observations d'une variable quantitative à des instants successifs représentés par $1, 2, \ldots, n$. La **moyenne mobile** d'ordre N est définie alors par la suite des moyennes calculées sur N instants successifs

$$\frac{x_1 + \ldots + x_N}{N}, \frac{x_2 + \ldots + x_{N+1}}{N}, \ldots, \frac{x_{n-N+1} + \ldots + x_n}{N},$$

notées

$$\bar{x}_{1,N}, \bar{x}_{2,N+1}, \ldots, \bar{x}_{n-N+1,n},$$

et associées aux instants

$$\frac{N+1}{2}, \frac{N+1}{2} + 1, \ldots, \frac{N+1}{2} + (n-N).$$

La moyenne mobile d'ordre N est associée à des instants entiers seulement lorsque N est impair. Lorsque N est pair, il est courant de considérer la moyenne mobile d'ordre 2 de la moyenne mobile d'ordre N, c'est-à-dire la suite des quantités

$$\frac{\bar{x}_{1,N} + \bar{x}_{2,N+1}}{2}, \frac{\bar{x}_{2,N+1} + \bar{x}_{3,N+2}}{2}, \ldots, \frac{\bar{x}_{n-N,n-1} + \bar{x}_{n-M+1,n}}{2},$$

associées aux instants entiers

$$\frac{N}{2} + 1, \frac{N}{2} + 2, \ldots, \frac{N}{2} + (n-N).$$

La **moyenne mobile centrée** d'ordre N est, par définition, la moyenne mobile d'ordre N lorsque N est impair et la moyenne mobile d'ordre 2 de la moyenne mobile d'ordre N lorsque N est pair.

Lorsque les N instants successifs d'une moyenne mobile d'ordre N couvrent une période d'une semaine, d'un mois, d'une année, etc., on parle de moyenne mobile sur une semaine, un mois, une année, etc. Selon l'ordre choisi pour la moyenne mobile, du plus petit au plus grand, il est possible d'éliminer les fluctuations dues aux variations irrégulières, puis aux variations cycliques s'il y a lieu, pour ne conserver que la tendance à long terme.

Le choix de l'ordre de la moyenne mobile a donc beaucoup d'importance. Habituellement, on choisit le plus petit ordre qui élimine les variations irrégulières et les variations cycliques. Cet ordre correspond à la période des variations cycliques lorsque de telles variations sont présentes. Il peut être déterminé à partir d'un graphique de la série chronologique : les données sont représentées par des points dans un plan cartésien avec le temps en abscisse et la valeur de la variable en ordonnée, et les points correspondant à des instants successifs sont joints par des segments de droite de façon à former une courbe continue.

La figure 3.9 illustre le nombre de morts accidentelles par mois aux États-Unis de 1973 à 1977. On relève un cycle de 12 mois avec un maximum en juillet et un minimum en février. Le calcul de la moyenne mobile centrée sur 12 mois est effectué dans le tableau 3.11. La courbe de la tendance à long terme

FIGURE 3.9.
Variation du nombre de morts accidentelles aux États-Unis,
par mois, 1973–1977

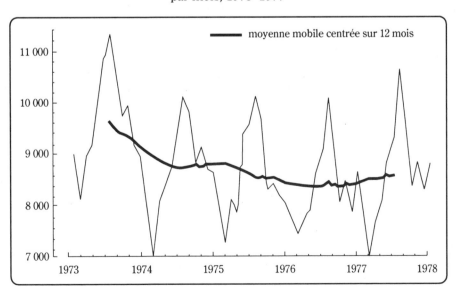

obtenue en joignant les points de cette moyenne mobile est représentée dans la figure 3.9.

TABLEAU 3.12.

Calcul de la moyenne mobile centrée sur 12 mois pour le nombre de morts accidentelles par mois aux États-Unis, 1973-1977

Année	Mois	Nombre	Moyenne mobile sur 12 mois	Moyenne mobile centrée sur 12 mois	Année	Mois	Nombre	Moyenne mobile sur 12 mois	Moyenne mobile centrée sur 12 mois
1973	janv.	9 007			1975	juil.	10 093		8 567
	févr.	8 106				août	9 620	8 549	8 555
	mars	8 928				sept.	8 285	8 562	8 547
	avril	9 137				oct.	8 433	8 533	8 535
	mai	10 017				nov.	8 160	8 537	8 506
	juin	10 826				déc.	8 034	8 475	8 449
	juil.	11 317	9 652	9 599	1976	janv.	7 717	8 424	8 423
	août	10 744	9 547	9 500		févr.	7 461	8 422	8 404
	sept.	9 713	9 453	9 416		mars	7 776	8 386	8 375
	oct.	9 938	9 379	9 349		avril	7 925	8 365	8 367
	nov.	9 161	9 320	9 265		mai	8 634	8 370	8 358
	déc.	8 927	9 211	9 156		juin	8 945	8 346	8 371
1974	janv.	7 750	9 101	9 052		juil.	10 078	8 397	8 400
	févr.	6 981	9 002	8 963		août	9 179	8 403	8 382
	mars	8 038	8 925	8 885		sept.	8 037	8 361	8 359
	avril	8 422	8 844	8 810		oct.	8 488	8 357	8 364
	mai	8 714	8 777	8 758		nov.	7 874	8 372	8 383
	juin	9 512	8 739	8 729		déc.	8 647	8 393	8 408
	juil.	10 120	8 719	8 736	1977	janv.	7 792	8 423	8 446
	août	9 823	8 753	8 766		févr.	6 957	8 468	8 473
	sept.	8 743	8 780	8 784		mars	7 726	8 479	8 490
	oct.	9 129	8 787	8 764		avril	8 106	8 502	8 517
	nov.	8 710	8 741	8 769		mai	8 890	8 532	8 548
	déc.	8 680	8 797	8 799		juin	9 299	8 564	8 571
1975	janv.	8 162	8 801	8 800		juil.	10 625	8 577	
	févr.	7 306	8 799	8 790		août	9 302		
	mars	8 1244	8 782	8 763		sept.	8 314		
	avril	7 870	8 744	8 715		oct.	8 850		
	mai	9 387	8 686	8 663		nov.	8 265		
	juin	9 556	8 640	8 613		déc.	8 796		
			8 586						

Source : P. J. Brockwell et R. A. Davis, *Time Series: Theory and Methods*, Springer-Verlag, 1987.

PROBLÈMES

3.1. Soit 2 équipes professionnelles de soccer, A et B, ayant un nombre égal de joueurs. Que signifient par rapport à la masse salariale des 2 équipes les énoncés suivants :

   a) La moyenne des salaires des joueurs de l'équipe A est plus grande que celle des joueurs de l'équipe B.

   b) L'écart-type des salaires des joueurs de l'équipe A est plus grand que celui des joueurs de l'équipe B.

3.2. On a une liste de 100 nombres. Chaque nombre est 1 ou 2 ou 3. (Certains chiffres peuvent ne pas être représentés.)

   a) Si la moyenne est 1, quelle est la liste ?

   b) Si la moyenne est la plus grande possible, quelle est la liste ?

   c) Si la moyenne est 2, quelle est la relation entre le nombre de 1 et le nombre de 3 ?

   d) Si la moyenne est 2 et l'écart-type 0, quelle est la liste ?

   e) Si l'écart-type est le plus grand possible, quelle est la liste ? Dans ce cas, quelle est la moyenne et quel est l'écart-type ?

3.3. Calculez la moyenne et l'écart-type des précipitations mensuelles normales à Honolulu et Miami données dans le tableau 3.6.

3.4. Un biologiste a obtenu les données suivantes sur le nombre de vertèbres de poissons d'une certaine espèce capturés dans un fjord danois.

Nombre de vertèbres	104	105	106	107	108	109	110	111	112	113	114	115
Nombre de poissons	1	2	10	12	25	40	35	32	11	5	2	2

Source : J. Schmidt, « Racial investigations I. *Zoarces viviparus L.* and local races of the same », *C.R. Trav. Lab. Carlsberg*, vol. 13, n° 3, 1917, p. 277-397.

   a) Calculez la moyenne du nombre de vertèbres.

   b) Calculez la variance et l'écart-type de ce nombre.

3.5. Les données du tableau ci-dessous représentent les taux de criminalité pour 1000 habitants dans les 50 États des États-Unis en 1983 selon le FBI.

Alabama	41	Hawaii	58	Massachusetts	50	Nouveau-Mexique 63	Dakota du Sud	25
Alaska	60	Idaho	39	Michigan	65	New York	59 Tennessee	40
Arizona	64	Illinois	52	Minnesota	40	Caroline du Nord 42	Texas	59
Arkansas	35	Indiana	41	Mississipi	32	Dakota du Nord	27 Utah	51
Californie	67	Iowa	39	Missouri	45	Ohio	45 Vermont	41
Colorado	66	Kansas	45	Montana	46	Oklahoma	49 Virginie	40
Connecticut 50	Kentucky	34	Nebraska	38	Oregon	63 Washington	61
Delaware	55	Louisiane	50	Nevada	67	Pennsylvanie	32 Virginie occ.	24
Floride	68	Maine	37	New Hampshire 34	Rhode Island	50 Wisconsin	43
Georgie	45	Maryland	54	New Jersey	52	Caroline du Sud	48 Wyoming	40

   a) Calculez la moyenne et l'écart-type des taux bruts.

   b) Calculez la moyenne et l'écart-type des taux regroupés en classes de longueur 5 en commençant par la classe 20 - 25.

3.6. Voici 3 histogrammes :

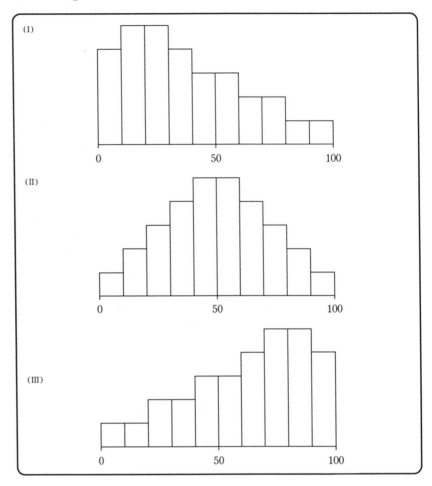

a) Quelle est la position de la moyenne par rapport à la valeur centrale 50 dans chaque histogramme ?

b) Comparez les écarts-types dans les 3 histogrammes les uns par rapport aux autres.

c) La grandeur des écarts-types dans les 3 histogrammes est-elle plus près de 1, de 25 ou de 100 ?

3.7. Une étude démographique a permis d'obtenir la distribution suivante pour l'âge au mariage de femmes nées entre 1935 et 1944 au Guatemala.

Âge au mariage	9 - 11	11 - 13	13 - 15	15 - 17	17 - 19	19 - 21	21 - 23	23 - 25	25 - 27	27 - 29	29 - 30	30 et plus
% des femmes	5,6	12,4	20,2	30,3	9,0	7,9	4,5	5,6	2,2	0,0	1,1	1,2

Source : T. O. Scholl, M. E. Odell et F. E. Johnston, *Ann. Hum. Biol.*, vol. 3, 1976, p. 1-83.

a) Calculez l'âge moyen au mariage. (Utilisez 40 comme borne supérieure de la classe « 30 et plus ».)

b) Calculez la variance et l'écart-type de l'âge au mariage.

3.8. Voici les distributions de fréquences du revenu annuel chez les hommes et chez les femmes possédant un diplôme universitaire au Canada en 1987.

Revenu annuel ($ CAN)	Hommes (%)	Femmes (%)
0 - 2 000	1,3	4,0
2 000 - 5 000	3,6	5,7
5 000 - 10 000	6,1	11,4
10 000 - 15 000	6,7	12,1
15 000 - 20 000	6,5	10,8
20 000 - 25 000	7,1	9,4
25 000 - 30 000	6,5	9,9
30 000 - 40 000	17,2	19,5
40 000 - 50 000	17,4	10,4
50 000 et plus	27,5	6,7

Source : *The Canadian World Almanac and Book of Facts 1990*, Toronto, Global Press. (Extrait de Statistique Canada.)

a) Déterminez le revenu moyen chez les hommes et chez les femmes. (Utilisez 100 000 comme borne supérieure de la classe « 50 000 et plus ».)

b) Déterminez le revenu moyen chez les hommes et les femmes réunis en sachant que le nombre de femmes est 936 000 et le nombre d'hommes 1 284 000.

c) Calculez l'écart-type du revenu chez les hommes et chez les femmes pris séparément, puis pris ensemble.

3.9. Les nombres de candidats selon le sexe et les proportions de ces candidats admis aux programmes d'études supérieures des 6 plus grands départements de l'Université de Californie à Berkeley pour l'automne 1973 ont été les suivants :

Département	Nombre de candidats de sexe masculin	Proportion de candidats admis	Nombre de candidats de sexe féminin	Proportion de candidats admis
A	825	0,62	108	0,82
B	560	0,63	25	0,68
C	325	0,37	593	0,34
D	417	0,33	375	0,35
E	191	0,28	393	0,24
F	373	0,06	341	0,07

Source : D. Freedman, R. Pisani et R. Purves, *Statistics*, New York, Norton, 1980. (Extrait de The Graduate Division, University of California, Berkeley.)

a) Calculez la proportion des candidats sans distinction de sexe admis au département A.

b) Calculez la proportion des candidats selon le sexe admis dans l'ensemble des 6 départements.

c) Quelle est la proportion des candidats sans distinction de sexe admis dans l'ensemble des 6 départements confondus ?

3.10. (Paradoxe de Simpson) Le tableau ci-dessous donne le nombre de présences au bâton (AB) et le nombre de coups sûrs (CS) de deux joueurs de baseball A et B contre les lanceurs droitiers et les lanceurs gauchers.

	Joueur A		Joueur B	
	AB	**CS**	**AB**	**CS**
Lanceurs droitiers	202	45	250	58
Lanceurs gauchers	250	71	108	32

Source : T. R. Knapp, « Instances of Simpson's Paradox », *The College Mathematics Journal*, vol. 16, 1985, p. 209-211.

a) Calculez la moyenne au bâton de chacun des 2 joueurs contre les lanceurs droitiers, puis contre les lanceurs gauchers. Comparez les moyennes des 2 joueurs contre les 2 types de lanceurs.

b) Calculez la moyenne au bâton de chacun des 2 joueurs contre les lanceurs droitiers et gauchers confondus. Comparez les moyennes des 2 joueurs.

Remarque. Moyenne au bâton $= \dfrac{\text{nombre de coups sûrs}}{\text{nombre de présences au bâton}}$.

3.11. La moyenne et l'écart-type des notes obtenues par des étudiants de 2 groupes distincts dans un cours de statistique sont donnés ci-dessous. La taille des 2 groupes est aussi donnée.

Groupe	Moyenne	Écart-type	Taille
A	75	10,3	30
B	60	7,2	36

a) Calculez la moyenne pour les 2 groupes réunis.

b) Calculez l'écart-type pour les 2 groupes réunis.

3.12. En vous servant des données du problème précédent, comparez un étudiant ayant obtenu 80 dans le groupe A à un étudiant ayant obtenu 76 dans le groupe B en déterminant les notes standardisées de ces étudiants dans leurs groupes respectifs.

3.13. Dans une classe de 64 étudiants, la moyenne des résultats à un test est 40 avec un écart-type égal à 10. Quel changement d'origine et d'échelle doit-on apporter aux résultats pour obtenir une moyenne de 60 et un écart-type de 15 ?

3.14. Déterminez la moyenne et l'écart-type des températures mensuelles normales en °C à Honolulu et à Miami à partir des températures de ces villes données en °F dans le tableau 3.6 et de la relation

$$\text{température en } °F = 32 + \frac{9}{5} \times \text{température en } °C.$$

3.15. Dans sa grille tarifaire du 1er septembre 1988, la compagnie de téléphone Bell Canada donne le tarif super-économique d'une communication interurbaine entre la France et le Canada.

Minute initiale	Chaque minute supplémentaire
1,38 $ CAN	0,92 $ CAN

Le mois dernier, les nombres de minutes des communications de ce type faites par un usager ont été

| 5 | 4 | 1 | 12 | 3 | 15 | 6 | 5 | 8 | 11 |

Déterminez la moyenne et l'écart-type des montants dus pour ces communications.

*3.16. Aux Jeux olympiques d'hiver d'Albertville de 1992, les 10 meilleurs temps dans la finale du 500 m de patinage de vitesse sur longue piste chez les femmes ont été

| 40,33 | 40,51 | 40,57 | 40,63 | 40,66 | 40,83 | 40,98 | 41,10 | 41,28 | 41,30 |

alors que ceux dans la finale du 1000 m ont été

| 1 : 21,90 | 1 : 21,92 | 1 : 22,10 | 1 : 22,60 | 1 : 22,63 | 1 : 22,85 | 1 : 22,97 | 1 : 23,06 | 1 : 23,31 | 1 : 23,40 |

Calculez les coefficients de variation pour les 10 meilleurs temps aux 2 compétitions.

3.17. Calculez la médiane, l'écart interquartile et l'étendue des précipitations mensuelles normales à Honolulu et à Miami données dans le tableau 3.6.

3.18. En vous servant des données du problème 3.4 sur le nombre de vertèbres de certains poissons, calculez la médiane et l'écart interquartile.

3.19. En vous servant des données brutes et des données groupées du problème 3.5, calculez :
   a) le 1er quartile ; b) le 2e quintile ; c) le 6e décile ; d) le 85e centile.

3.20. D'après la distribution du revenu des familles au Canada en 1985 donnée par l'histogramme de la figure 3.6, déterminez :
   a) le 3e quartile ; b) le 3e quintile ; c) le 3e décile ; d) le pourcentage des familles dont le revenu est inférieur à 18 000 ; e) le pourcentage des individus dont le revenu est supérieur à 40 000 ; f) le pourcentage des individus dont le revenu est entre 18 000 et 40 000.

*3.21. Voici des données sur les principaux tremblements de terre dans le monde de 1906 à 1988. On y retrouve la date, le lieu, le nombre de morts et la magnitude (selon l'échelle de Richter).

Date	Lieu	Nombre de morts	Magnitude	Date	Lieu	Nombre de morts	Magnitude
06-04-18, 19	San Francisco	503	8,3	70-05-31	Pérou	66 794	7,7
06-08-16	Chili	20 000	8,6	71-02-09	San Fernando, CA	65	6,6
08-12-28	Italie	83 000	7,5	72-04-10	Iran	5 057	6,9
15-01-13	Italie	29 980	7,5	72-12-23	Nicaragua	5 000	6,2
20-12-16	Chine	100 000	8,6	74-12-28	Pakistan	5 200	6,3
23-09-01	Japon	200 000	8,3	75-09-06	Turquie	2 312	6,8
27-05-22	Chine	200 000	8,3	76-02-04	Guatemala	22 778	7,5
32-12-26	Chine	70 000	7,6	76-05-06	Italie	946	6,5
33-03-02	Japon	2 990	8,9	76-06-26	Nouvelle-Guinée	443	7,1
33-03-10	Long Beach, CA	115	6,2	76-07-28	Chine	242 000	8,2
34-01-15	Inde	10 700	8,4	76-08-17	Philippines	8 000	7,8
35-05-31	Inde	50 000	7,5	76-11-24	Turquie	4 000	7,9

Date	Lieu	Nombre de morts	Magnitude	Date	Lieu	Nombre de morts	Magnitude
39-01-24	Chili	28 000	8,3	77-03-04	Roumanie	1 541	7,5
39-12-26	Turquie	30 000	7,9	77-08-19	Indonésie	200	8,0
46-12-21	Japon	2 000	8,4	77-11-23	Argentine	100	8,2
48-06-28	Japon	5 131	7,3	78-06-12	Japon	21	7,5
49-08-05	Équateur	6 000	6,8	78-09-16	Iran	25 000	7,7
50-08-15	Inde	1 530	8,7	79-09-12	Indonésie	100	8,1
53-03-18	Turquie	1 200	7,2	79-12-12	Colombie-Équateur	800	7,9
56-06-10, 17	Afghanistan	2 000	7,7	80-10-10	Algérie	4 500	7,3
57-07-02	Iran	2 500	7,4	80-11-23	Italie	4 800	7,2
57-12-13	Iran	2 000	7,1	82-12-13	Yémen du Nord	2 800	6,0
60-02-29	Maroc	12 000	5,8	83-03-31	Colombie	250	5,5
60-05-21, 30	Chili	5 000	8,3	83-05-26	Japon	81	7,7
62-09-01	Iran	12 230	7,1	83-10-30	Turquie	1 300	7,1
63-07-26	Yougoslavie	1 100	6,0	85-03-03	Chili	146	7,8
64-03-27	Alaska	131	8,4	85-09-19, 21	Mexique	4 200	8,1
66-08-19	Turquie	2 520	6,9	87-03-05, 06	Équateur	4 000	7,3
68-08-31	Iran	12 000	7,4	88-08-20	Inde-Népal	1 000	6,5
70-01-05	Chine	10 000	7,7	88-11-06	Chine-Birmanie	1 000	7,3
70-03-28	Turquie	1 086	7,4	88-12-07	Arménie	55 500	6,8

Source : *The Canadian World Almanac and Book of Facts 1990*, Toronto, Global Press.

a) Organisez ces données selon la magnitude sous la forme d'une représentation arborescente ordonnée.

b) Organisez ces données selon le nombre de morts sous la forme d'une représentation arborescente ordonnée.

*3.22. Le tableau suivant donne la liste exhaustive des sommets de plus de 6000 mètres du continent asiatique.

Sommet	Lieu	Altitude (m)	Sommet	Lieu	Altitude (m)
Everest	Népal-Tibet	8848[†]	Haramosh (pic)	Pakistan	7397
K2	Cachemire	8851[†]	Istoro Nal	Pakistan	7388
Kanchenjunga	Inde-Népal	8598	Tent (pic)	Inde-Népal	7365
Lhotse I	Népal-Tibet	8512	Chomo Lhari	Bhutan-Tibet	7327
Makalu I	Népal-Tibet	8481	Chamlang	Népal	7319
Lhotse II	Népal-Tibet	8400	Kabru	Inde-Népal	7316
Dhaulagiri	Népal	8172	Alung Gangri	Tibet	7315
Manaslu I	Népal	8156	Baltoro Kangri	Cachemire	7312
Cho Oyu	Népal-Tibet	8153	Mussu Shan	Xinjiang	7282
Nanga Parbat	Cachemire	8126	Mana	Inde	7273
Annapurna I	Népal	8078	Baruntse	Népal	7220
Gasherbrum	Cachemire	8068	Népal (pic)	Inde-Népal	7163
Broad	Cachemire	8047	Amme Machin	Chine	7160
Gosainthan	Tibet	8012	Gauri Sankar	Népal-Tibet	7145
Annapurna II	Népal	7937	Badrinath	Inde	7138
Gyachung Kang	Népal-Tibet	7897	Nunkun	Cachemire	7135
Disteghil Sar	Cachemire	7885	Lenine (pic)	Tadjikistan-Kirghzistan	7134
Himalchuli	Népal	7864	Pyramid	Inde-Népal	7132
Nuptse	Népal-Tibet	7841	Api	Népal	7132
Masherbrum	Cachemire	7821	Pauhunri	Inde-Tibet	7128

Sommet	Lieu	Altitude (m)	Sommet	Lieu	Altitude (m)
Nanda Devi	Inde	7817	Trisul	Inde	7120
Rakaposhi	Cachemire	7788	Kangto	Inde-Tibet	7090
Kamet	Inde-Tibet	7756	Nyenchhen-Thanglha	Tibet	7088
Namcha Barwa	Tibet	7756	Trisuli	Inde	7074
Gurla Mandhata	Tibet	7728	Pumori	Népal-Tibet	7068
Ulugh Muz Tagh	Xinjiang-Tibet	7724	Dunagiri	Inde	7066
Kungur	Xinjiang	7719	Lombo Kangra	Tibet	7060
Tirich Mir	Pakistan	7690	Saipal	Népal	7041
Makalu II	Népal-Tibet	7657	Macha Pucchare	Népal	6998
Minya Konka	Chine	7590	Numbar	Népal	6955
Kula Gangri	Bhutan-Tibet	7554	Kanjiroba	Népal	6882
Changtzu	Népal-Tibet	7553	Ama Dablam	Népal	6812
Muz Tagh Ata	Xinjiang	7546	Cho Polu	Népal	6734
Skyang Kangri	Cachemire	7544	Lingtren	Népal-Tibet	6697
Communisme (pic du)	Tadjikistan	7495	Khumbutse	Népal-Tibet	6640
Jongsang (pic)	Inde-Népal	7459	Hlako Gangri	Tibet	6482
Pobedy (pic)	Xinjiang-Kirghizistan	7439	Mt Grosvenor	Chine	6459
Sia Kangri	Cachemire	7422	Thagchhab Gangri	Tibet	6392

† L'altitude de l'Everest a été évaluée en 1954 par les services du cadastre de l'Inde à 8848 m plus ou moins 3 m à cause de la neige. L'évaluation de l'altitude du K2 date de 1987 et repose sur des méthodes plus modernes utilisant les satellites.

Source : *The Canadian World Almanac and Book of Facts 1990*, Toronto, Global Press. (Extrait de The National Geographic Society, Washington, D.C.)

a) Élaborez une représentation arborescente ordonnée de ces sommets selon leur altitude.

b) Tracez un diagramme en boîte de ces sommets selon leur altitude.

*3.23. Utilisez la représentation arborescente du tableau 3.10 pour tracer des diagrammes en boîte côte à côte des hauteurs des volcans actifs les plus élevés en Amérique et en Asie-Océanie.

*3.24. Les données ci-dessous portent sur la consommation de modèles d'automobiles sur le marché canadien en 1990. On y trouve la capacité du moteur (CM), le nombre de cylindres (C), la consommation en litres par 100 km en circuit urbain (CU) et sur l'autoroute (CA).

Modèle	CM	C	CU	CA	Modèle	CM	C	CU	CA
Acura Integra	1,8	4	9,6	7,4	Grand Marquis	5,0	8	14,1	9,3
Audi 100	2,3	5	13,1	9,2	Mercury Sable	3,0	6	11,7	7,6
Buick Century	3,3	6	11,8	7,4	Mercury Topaz	2,3	4	10,7	8,3
Buick Lesabre	3,8	6	12,8	7,9	Nissan Axxess	2,4	4	11,0	8,2
Buick Regal	3,8	6	12,3	7,2	Nissan Maxima	3,0	6	12,0	8,3
Buick Skylark	2,3	4	10,4	7,1	Nissan Micra	1,2	4	6,6	4,8
Cadillac Seville	4,5	8	14,5	8,8	Nissan Pulsar	1,6	4	9,1	6,3
Chevrolet Beretta	2,2	4	10,5	6,4	Nissan Sentra	1,6	4	8,5	5,9
Chevrolet Camaro	3,1	6	13,1	8,0	Nissan 240SX	2,4	4	11,5	8,3
Chevrolet Camaro	5,0	8	13,6	8,3	Nissan 300ZX	3,0	6	13,3	9,1
Chevrolet Caprice	5,0	8	14,3	8,5	Oldsmobile Calais	2,3	4	11,0	7,0
Chevrolet Cavalier	3,1	6	12,1	8,0	Oldsmobile Cutlass	3,3	6	11,7	7,4
Chevrolet Celebrity	2,5	4	10,7	7,1	Peugeot 405	1,9	4	11,6	8,0
Chevrolet Corsica	2,2	4	10,5	6,4	Plymouth Acclaim	2,5	4	10,8	7,2

Modèle	CM	C	CU	CA	Modèle	CM	C	CU	CA
Chevrolet Corvette	5,7	8	15,7	10,5	Plymouth Colt	1,5	4	7,8	5,7
Chevrolet Sprint	1,0	3	5,5	4,4	Plymouth Horizon	2,2	4	9,0	6,1
Chrysler Daytona	2,2	4	11,8	7,9	Plymouth Laser	1,8	4	10,2	6,9
Chrysler 5th Ave.	3,3	6	12,9	8,5	Plymouth Sundance	2,2	4	9,4	6,7
Chrysler Le Baron	3,0	6	12,1	8,2	Pontiac Firebird	3,1	6	13,1	8,0
New Yorker	3,0	6	12,4	8,6	Pontiac Firebird	5,0	8	13,6	8,3
Dodge Colt	1,5	4	7,8	5,7	Pontiac Grand Am	2,3	4	10,4	7,1
Dodge Daytona	2,5	4	10,0	6,5	Pontiac Grand Prix	3,1	6	12,3	7,2
Dodge Omni	2,2	4	9,0	6,1	Pontiac Sunbird	2,0	4	10,0	6,7
Dodge Shadow	2,2	4	9,4	6,7	Pontiac Tempest	2,2	4	10,5	6,4
Dodge Spirit	2,5	4	10,8	7,2	Pontiac 6000	2,5	4	10,7	7,1
Eagle Premier	2,5	4	10,8	7,0	Porsche 911	3,6	6	14,9	9,1
Eagle Vista	1,5	4	7,8	5,7	Porsche 944	2,5	4	12,6	8,0
Crown Victoria	5,0	8	14,1	9,3	Rolls-Royce	6,7	8	22,7	17,0
Ford Escort	1,9	4	8,6	6,0	Saab 900	2,0	4	11,6	7,7
Ford Mustang	2,3	4	11,7	8,0	Saab 9000	2,0	4	11,7	7,8
Ford Mustang	5,0	8	13,8	8,9	Subaru Legacy	2,2	4	10,3	7,2
Ford Probe	2,2	4	9,8	6,9	Suzuki Swift	1,3	4	6,2	4,9
Ford Taurus	2,5	4	11,6	8,4	Toyota Camry	2,0	4	9,1	6,5
Ford Tempo	2,3	4	11,4	7,7	Toyota Celica	1,6	4	8,9	6,4
Ford Thunderbird	3,8	6	12,2	8,1	Toyota Corolla	1,6	4	8,4	6,4
Honda Accord	2,2	4	10,1	7,4	Toyota Supra	3,0	6	13,1	9,4
Honda Civic	1,5	4	7,7	6,1	Toyota Tercel	1,5	4	7,8	6,0
Hyundai Excel	1,5	4	8,2	6,0	Volkswagen Cab.	1,8	4	9,8	7,2
Hyundai Sonata	2,4	4	11,3	7,7	Volkswagen Fox	1,8	4	9,6	7,2
Jaguar XJ-S	5,3	12	17,8	11,9	Volkswagen Golf	1,8	4	9,6	6,7
Lincoln Continental	3,8	6	13,3	8,5	Volkswagen Jetta	1,8	4	9,6	6,7
Mercury Cougar	3,8	6	12,2	8,1	Volvo 240	2,3	4	11,3	7,8
Mercury Festiva	1,3	4	6,6	5,1	Volvo 760	2,3	4	12,6	10,2

Source : *The Canadian World Almanac and Book of Facts 1990*, Toronto, Global Press. (Extrait de *1990 Fuel Consumption Guide*, Transport Canada.)

a) Élaborez des représentations arborescentes dos à dos pour la consommation en circuit urbain et la consommation sur l'autoroute.

b) Tracez des diagrammes en boîte superposés pour les distributions obtenues en *a*).

*3.25. Voici le nombre de «taches solaires» calculé selon la méthode de Wölfer pour la période 1770 à 1869.

Année	Nombre de taches	Année	Nombre de taches	Année	Nombre de taches	Année	Nombre de taches
1770	101	1795	21	1820	16	1845	40
1771	82	1796	16	1821	7	1846	62
1772	66	1797	6	1822	4	1847	98
1773	35	1798	4	1823	2	1848	124
1774	31	1799	7	1824	8	1849	96
1775	7	1800	14	1825	17	1850	66
1776	20	1801	34	1826	36	1851	64
1777	92	1802	45	1827	50	1852	54
1778	154	1803	43	1828	62	1853	39
1779	125	1804	48	1829	67	1854	21
1780	85	1805	42	1830	71	1855	7

Année	Nombre de taches	Année	Nombre de taches	Année	Nombre de taches	Année	Nombre de taches
1781	68	1806	28	1831	48	1856	4
1782	38	1807	10	1832	28	1857	23
1783	23	1808	8	1833	8	1858	55
1784	10	1809	2	1834	13	1859	94
1785	24	1810	0	1835	57	1860	96
1786	83	1811	1	1836	122	1861	77
1787	132	1812	5	1837	138	1862	59
1788	131	1813	12	1838	103	1863	44
1789	118	1814	14	1839	86	1864	47
1790	90	1815	35	1840	63	1865	30
1791	67	1816	46	1841	37	1866	16
1792	60	1817	41	1842	24	1867	7
1793	47	1818	30	1843	11	1868	37
1794	41	1819	24	1844	15	1869	74

Source : P. J. Brockwell et R. A. Davis, *Time Series : Theory and Methods*, Springer-Verlag, 1987.

a) Tracez le graphique de cette série chronologique.

b) Calculez la moyenne mobile sur 11 ans.

c) Tracez sur le graphique obtenu en *a*) la courbe de la moyenne mobile sur 11 ans.

*3.26. Le tableau ci-dessous indique les ventes estimées (en millions de francs) de tous les magasins de détail en France pendant les années 1951-1958.

	Janv.	Févr.	Mars	Avril	Mai	Juin	Juil.	Août	Sept.	Oct.	Nov.	Déc.
1951	12,63	11,72	13,43	12,53	13,29	13,27	12,36	13,27	13,10	13,86	13,39	15,38
1952	11,84	11,74	12,74	13,40	14,85	13,81	13,40	13,45	13,62	14,82	14,01	16,91
1953	13,05	12,33	13,96	14,17	14,66	14,58	14,38	14,18	14,08	14,95	13,96	16,44
1954	12,34	12,06	13,54	14,32	14,25	14,66	14,39	13,90	14,14	14,66	14,53	17,87
1955	13,15	12,64	14,57	15,49	15,33	15,60	15,26	15,48	15,76	15,68	15,75	19,12
1956	13,73	13,55	15,72	14,89	16,11	16,58	15,38	16,19	15,58	16,13	16,49	19,38
1957	14,74	14,06	15,79	16,44	17,20	17,11	16,86	17,49	16,37	16,95	17,13	19,84
1958	15,29	13,78	15,55	16,27	17,36	16,60	16,60	17,00	16,33	17,36	17,04	21,17

Source : M.R. Spiegel, *Théorie et applications de la statistique*, McGraw-Hill, 1982. (Extrait de Survey of Current Business.)

a) Calculez la moyenne mobile centrée sur 12 mois.

b) Faites le graphique de la moyenne mobile centrée sur 12 mois.

*3.27. Voici les valeurs journalières de clôture de l'indice Dow Jones du 8 juillet au 30 août 1991 :

Date	Dow Jones	Date	Dow Jones	Date	Dow Jones	Date	Dow Jones
8 juil.	2962	22 juil.	3013	5 août	2989	19 août	2898
9 juil.	2947	23 juil.	2983	6 août	3027	20 août	2914
10 juil.	2945	24 juil.	2966	7 août	3027	21 août	3002
11 juil.	2960	25 juil.	2980	8 août	3014	22 août	3007
12 juil.	2980	26 juil.	2 973	9 août	2996	23 août	3040

Date	Dow Jones	Date	Dow Jones	Date	Dow Jones	Date	Dow Jones
15 juil.	2991	29 juil.	2985	12 août	3001	26 août	3039
16 juil.	2984	30 juil.	3016	13 août	3009	27 août	3026
17 juil.	2979	31 juil.	3025	14 août	3005	28 août	3055
18 juil.	3016	1er août	3018	15 août	2999	29 août	3050
19 juil.	3016	2 août	3006	16 août	2968	30 août	3044

Source : *La Presse*, Montréal. (Extrait de Info-Bourse inc.)

a) Tracez le graphique de cette série chronologique. (À quel événement historique correspond la baisse du 19 août?)

b) Déterminez la moyenne mobile centrée sur 10 jours et tracez-la. (Quelle est la valeur de cette moyenne le 19 août?)

4

CARACTÉRISTIQUES STATISTIQUES D'UNE POPULATION

4.1. DÉFINITION D'UNE PROBABILITÉ

TIRAGES À PILE OU FACE

Jet d'une pièce de monnaie.   Lorsqu'on lance une pièce de monnaie pour faire un tirage au sort, le résultat peut être pile (P) ou face (F). Bien qu'on ne puisse prévoir lequel de ces deux résultats surviendra, on s'attend par pure symétrie à ce qu'il y ait autant de chances *a priori* d'obtenir P que F, en d'autres mots, qu'il y ait 1 chance sur 2 d'obtenir P et 1 chance sur 2 d'obtenir F. On dirait alors que la pièce est «non pipée». Mais qu'est-ce que cela signifie au juste? Si on lance effectivement la pièce une fois on peut obtenir ou bien P ou bien F. Si on la lance plusieurs fois, on peut obtenir un certain nombre de P et un certain nombre de F, mais pas nécessairement un même nombre égal. Cependant, si on lance la pièce un grand nombre de fois, on s'attend par simple intuition à obtenir P dans environ 50 % des cas et F dans environ 50 % des cas. En fait, notre confiance d'observer des fréquences de P et de F près de 1/2 a tendance à augmenter avec le nombre de fois qu'on lance la pièce.

Pour vérifier notre intuition, nous avons lancé 1100 fois une pièce de 1 $ et calculé la proportion de P (le nombre de P sur le nombre de jets) à partir du premier jet, et ce après chaque jet. (Voir la figure 4.1.) Cette proportion varie beaucoup au début (pour les quelque cent premiers jets), puis les variations se font de plus en plus petites. Après 1100 jets, la proportion de P est 0,505, ce qui est très près de 1/2. Si nous avions effectué un plus grand nombre de jets, nous

FIGURE 4.1.

Proportion de piles (P) en 1100 jets d'une pièce de monnaie

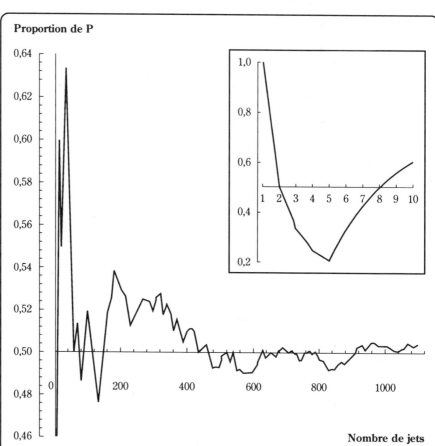

aurions pu observer une proportion de P encore plus près de 1/2, bien que la différence entre le nombre de P et le nombre de F ait pu rester la même ou encore augmenter. De plus, si nous avions répété l'expérience en entier une autre fois, nous aurions sans doute obtenu un graphique très différent quant à la proportion de P, mais possédant les mêmes propriétés générales. En résumé, on considère comme plausible que la « probabilité » de P soit 1/2.

Mais la valeur 1/2 pour la probabilité de P demeure fondamentalement le résultat d'une hypothèse, l'hypothèse de symétrie. Or une pièce de monnaie n'est jamais parfaitement symétrique et il n'est jamais certain qu'elle n'ait pas tendance à tomber plus souvent d'un côté que de l'autre, tout comme il n'est pas assuré que la proportion de P se serait rapprochée davantage de 0,50 que de 0,51, par exemple, si on avait continué à lancer la pièce indéfiniment. Le second cas peut survenir si la pièce est « pipée » en faveur de P.

De plus, dans l'expérience qui consiste à lancer plusieurs fois une pièce de monnaie, on suppose implicitement que les différents jets de la pièce se font de façon indépendante et dans les mêmes conditions, sans que soit favorisée *a priori* une face plutôt qu'une autre à chaque jet. Cette hypothèse n'est jamais parfaitement satisfaite dans la réalité. Plusieurs facteurs liés à la personne qui lance la pièce sont susceptibles d'influencer les résultats dans un sens ou dans l'autre, par exemple la façon de prendre la pièce d'un jet au suivant, la hauteur du jet, la vitesse de rotation de la pièce, etc. Ces difficultés peuvent être contournées en partie si l'on procède au jet d'une pièce aussi symétrique que possible (ayant par exemple deux faces planes de couleurs distinctes) à l'aide d'un appareil qui répète mécaniquement les jets et qui laisse au hasard des chocs moléculaires le choix des résultats. Mais cela reste encore très hypothétique.

Sexe de nouveau-nés. Le sexe de nouveau-nés fournit un exemple intéressant de prévisions erronées si on se base uniquement sur des arguments de symétrie. On peut penser avec raison que le sexe est déterminé par un tirage au sort équivalant au jet d'une pièce de monnaie. Ces prévisions découlent des lois génétiques de Mendel appliquées aux chromosomes sexuels : les femmes ayant deux chromosomes X (XX) et les hommes un chromosome X et un chromosone Y (XY), un nouveau-né qui reçoit un chromosome de chacun de ses parents sera de sexe féminin (XX) ou de sexe masculin (XY) selon qu'il reçoit de son père un chromosome X ou un chromosome Y. Si un type de chromosome paternel n'est pas plus favorisé *a priori* qu'un autre, la probabilité pour qu'un nouveau-né soit de sexe féminin est 1/2 et de sexe masculin 1/2. Or les relevés de naissances au Québec en 1986, par exemple, compilés par le Bureau de la statistique du gouvernement du Québec, révèlent une proportion de garçons de 0,511 sur un total de 84 579 naissances. Cependant, d'après des relevés partiels dans les villes de Chicoutimi et de Trois-Rivières, qui donnent une proportion de garçons de 0,504 sur 1431 naissances, on aurait pu croire à des proportions égales de garçons et de filles avec un nombre toujours plus grand de naissances. Toutefois, les relevés dans l'ensemble du Québec ne confirment pas cette hypothèse. En fait, des relevés effectués dans plusieurs pays et depuis fort longtemps indiquent régulièrement un excédent de garçons à la naissance (environ 104 garçons pour 100 filles). Mentionnons cependant que la mortalité est plus élevée chez ces premiers que chez les filles, et ce phénomène est observé tout au cours de la vie de telle sorte que l'espérance de vie à la naissance d'une fille est plus longue que celle d'un garçon, c'est-à-dire que les filles vivent en moyenne plus longtemps que les garçons.

PROBABILITÉ *A PRIORI* ET PROBABILITÉ STATISTIQUE

La discussion qui précède nous amène à distinguer deux types de probabilité : la **probabilité *a priori***, fondée le plus souvent sur des arguments de symétrie, et la **probabilité statistique**, fondée sur un grand nombre d'observations. Dans les deux cas, il s'agit d'une évaluation de chances de réalisation. La justification de la probabilité *a priori* repose principalement sur le **principe d'indifférence** tel que Laplace l'a énoncé en 1814 dans *Essai philosophique sur les* *probabilités* et qui dit qu'« en cas d'incertitude de même degré sur la survenance d'un certain nombre de résultats possibles les probabilités de ces résultats sont égales ». Le principe d'indifférence exprime en quelque sorte une absence de préférence. Mais plus généralement, la probabilité *a priori* peut reposer sur des convictions personnelles quant à des chances de réalisation et exprimer un degré de certitude subjective. C'est pourquoi elle est parfois appelée **probabilité subjective**. Quant à la probabilité statistique, elle trouve sa justification dans la **loi des grands nombres pour les proportions**, démontrée dans sa version la plus faible par Jacques Bernoulli en 1713 dans *Ars conjectandi*, et qui assure que « la fréquence de réalisation observée d'un résultat se rapproche avec toujours plus de certitude d'une fréquence théorique qui est la probabilité de ce résultat à mesure que le nombre d'observations croît » à la condition cependant que les observations soient réalisées de façon indépendante et dans les mêmes conditions. La probabilité statistique est aussi appelée **probabilité empirique**.

L'avantage de la probabilité *a priori* est que sa valeur est connue exactement. Son défaut est que cette valeur ne correspond pas nécessairement à la valeur réelle, car elle découle de convictions subjectives de plausibilité ou de conditions idéales de symétrie. La probabilité statistique ne présente pas cet inconvénient, car elle est définie à partir d'observations dans la réalité. Il n'est par contre jamais possible de faire suffisamment d'observations de façon indépendante et dans les mêmes conditions pour en connaître la valeur exacte avec certitude. Un autre avantage de la probabilité statistique est qu'elle peut être définie objectivement pour n'importe quel événement observable.

Un **événement** est une affirmation sur le résultat d'une observation qui se réalise ou qui ne se réalise pas. Si on fait n observations de façon indépendante et dans les mêmes conditions et qu'un événement représenté par A se réalise $n(A)$ fois, alors la **fréquence observée** de A, notée fr(A), est la proportion des observations pour lesquelles A se réalise, c'est-à-dire,

$$\text{fr}(A) = \frac{n(A)}{n}.$$

Or cette fréquence a tendance à se rapprocher d'une quantité théorique, appelée la **probabilité** de A et notée Pr(A), lorsque n devient grand. C'est la loi des grands nombres pour les proportions, et la probabilité ainsi définie est la probabilité statistique. La principale difficulté dans l'évaluation de Pr(A) est alors de s'assurer que les observations sont faites de façon indépendante et dans les mêmes conditions, ce qui n'est pas toujours facile ni même possible.

À la lumière de ce qui précède, la probabilité statistique d'un événement représente en quelque sorte la fréquence de réalisation de cet événement observée à long terme si on fait toujours plus d'observations. Quant à la probabilité *a priori* d'un événement, elle peut être considérée comme une valeur intuitivement plausible pour la probabilité statistique de cet événement avant même de faire des observations. On obtient ainsi une évaluation des chances de réalisation de cet événement si on fait une observation.

On peut aussi donner une interprétation de la probabilité statistique en utilisant la définition d'une probabilité *a priori*. En effet, si tous les individus d'une population ont *a priori* des chances égales d'être observés, et si on fait une observation, alors les chances d'observer un individu pour lequel un événement A se réalise correspondent à la proportion des individus dans la population pour lesquels l'événement A se réalise. Cette proportion est une probabilité *a priori* à laquelle on peut associer une probabilité statistique. Résumons :

> *La probabilité d'observer la réalisation d'un événement* A, $\Pr(A)$, *correspond à la proportion des individus dans la population pour lesquels l'événement* A *se réalise si les individus dans la population ont* a priori *des chances égales d'être observés.*

La détermination d'une telle population revêt donc beaucoup d'importance. Or c'est justement de cette façon qu'a été définie la population dans laquelle on fait des observations. Un autre avantage de cette approche est qu'un événement A peut alors être considéré comme une sous-population d'une population (voir la figure 4.2).

PROPRIÉTÉS D'UNE PROBABILITÉ

Une probabilité possède toutes les propriétés d'une fréquence, entre autres :

Propriété 1.
$$0 \leqslant \Pr(A) \leqslant 1$$
pour tout événement A.

Si un événement A ne se réalise jamais — on dit que A est un **événement impossible** — alors $\Pr(A) = 0$. Au contraire, si un événement A se réalise toujours — on dit que A est un **événement certain** — alors $\Pr(A) = 1$. Mais on peut avoir $\Pr(A) = 0$ pour un événement A qui ne soit pas impossible et $\Pr(A) = 1$ pour un événement A qui ne soit pas certain. En effet, si $\Pr(A) = 0$, alors l'événement A n'a aucune chance de se réaliser, bien que A puisse se réaliser, mais alors un pourcentage de fois de plus en plus négligeable à mesure qu'augmente le nombre d'observations. Par exemple, lorsqu'on lance une pièce de monnaie, il peut arriver, par un concours de circonstances fortuit, que la pièce tombe et reste sur la tranche (événement A). Mais cela peut ne jamais se reproduire par la suite de telle sorte que la fréquence de réalisation de A se rapproche de plus en plus de 0 avec l'augmentation du nombre de jets. Dans ce cas, on pourrait avoir $\Pr(A) = 0$. On dit alors que A est un **événement presque impossible**. Au contraire, si $\Pr(A) = 1$, alors l'événement A a toutes les chances de se réaliser, bien que A puisse ne pas se réaliser mais alors un pourcentage de fois de plus en plus négligeable à mesure qu'augmente le nombre d'observations. On dit alors que A est un **événement presque certain** ou **presque sûr**.

FIGURE 4.2.

Représentation d'un événement comme sous-population

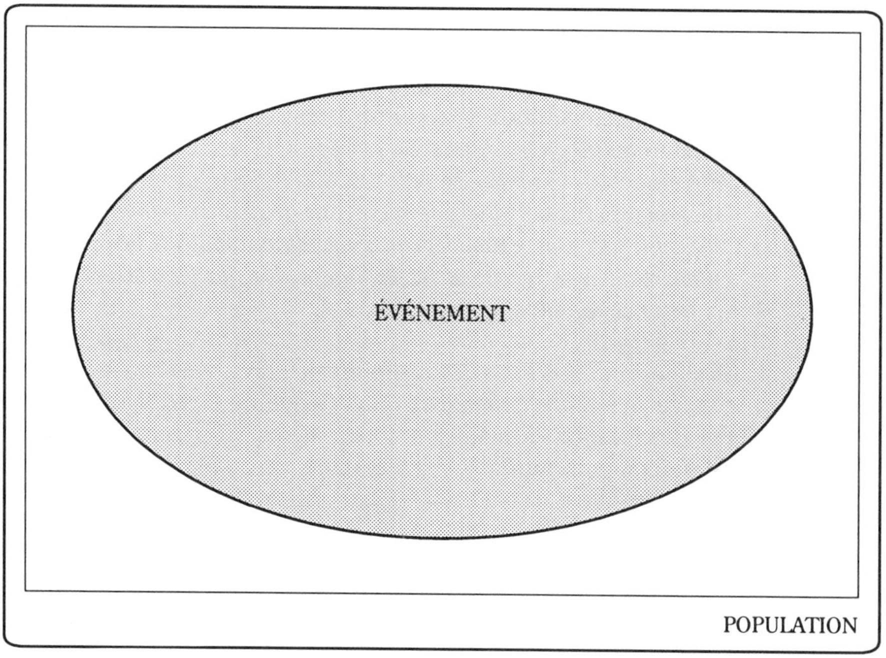

ÉVÉNEMENT

POPULATION

On peut maintenant énoncer de façon plus précise la **loi des grands nombres pour les proportions** lorsque des observations sont faites de façon indépendante et dans les mêmes conditions :

La fréquence de réalisation observée d'un événement A, fr(A), se rapproche à long terme, avec l'accroissement du nombre d'observations, de la probabilité de A, Pr(A), avec probabilité égale à 1.

Il est donc presque sûr qu'à long terme l'événement A se réalisera 1 fois sur $1/\Pr(A)$. Si, par exemple, $\Pr(A) = 1/4$, alors A se réalisera sans doute à long terme 1 fois sur 4. On dit aussi que A est un événement qui a 1 chance sur 4 de se réaliser.

* Remarque. La loi des grands nombres énoncée ci-dessus est la *loi forte des grands nombres* telle que F. P. Cantelli l'a formulée en 1917. Selon cette loi, la probabilité que la fréquence observée d'un événement tende vers la probabilité que cet événement se réalise lorsque le nombre d'observations tend vers l'infini est 1. En d'autres termes, avec une probabilité égale à 1, il suffit de faire suffisamment d'observations pour que la fréquence observée soit aussi près que l'on veut de la probabilité. En général, la fréquence observée n'est ni croissante ni décroissante lorsque le nombre d'observations croît, mais elle oscille de façon irrégulière autour de la probabilité. Les amplitudes des oscillations ont

cependant tendance à devenir de plus en plus petites de telle sorte que la « fréquence limite » coïncide avec la probabilité. La première loi des grands nombres démontrée par Jacques Bernoulli en 1713 est la *loi faible des grands nombres*. Elle dit que la probabilité que la fréquence observée soit aussi près que l'on veut de la probabilité correspondante tend vers 1 lorsque le nombre d'observations tend vers l'infini. Autrement dit, pour n'importe quelle petite quantité positive donnée, il suffit de faire suffisamment d'observations pour que la fréquence observée d'un événement ne s'écarte pas de la probabilité de cet événement par plus de cette quantité avec une probabilité aussi près que l'on veut de 1. Cette propriété n'élimine cependant pas la possibilité avec probabilité non nulle d'oscillations de grandes amplitudes de la fréquence observée autour de la probabilité lorsque le nombre d'observations croît. La loi forte implique la loi faible, mais l'inverse n'est pas vrai. En fait, la loi forte constitue un résultat qui va beaucoup plus loin que la loi faible. Mais déjà la loi faible justifie l'interprétation intuitive de la probabilité à l'aide de la fréquence de réalisation, car les chances que ces deux quantités soient près l'une de l'autre sont grandes lorsque le nombre d'observations est grand. Cette interprétation statistique ou empirique de la probabilité a été défendue et étendue au début du XXe siècle, entre autres par l'Allemand R. von Mises. Elle est aujourd'hui généralement acceptée.

L'**événement contraire** d'un événement A, noté A^c, est un événement qui se réalise si et seulement si l'événement A ne se réalise pas (voir la figure 4.3). Dans un jeu de pile ou face, « obtenir pile » est le contraire de l'événement « obtenir face » et, dans la détermination du sexe, « être de sexe masculin » est le contraire de l'événement « être de sexe féminin ».

Comme pour tout événement A, ou bien A se réalise ou bien A^c se réalise, l'événement contraire A^c est aussi appelé **événement complémentaire** de A. De plus, on a :

Propriété 2.

$$\Pr(A^c) = 1 - \Pr(A), \text{ c'est-à-dire } \Pr(A) + \Pr(A^c) = 1.$$

La formule permettant de calculer la probabilité de l'événement contraire est très utile parce qu'il est parfois plus facile de connaître directement la probabilité d'un événement que celle de son contraire, ou l'inverse. Par exemple, si on lance 3 pièces de monnaie non pipées (un 25 ¢, un 10 ¢, un 5 ¢), 8 résultats sont possibles *a priori* et équiprobables par symétrie (de même probabilité 1/8 ; voir le tableau 4.1), dont un seul ne comporte aucune face. Si A est l'événement « obtenir au moins une face », alors A^c est l'événement « obtenir aucune face » et

$$\Pr(A) = 1 - \Pr(A^c) = 1 - \frac{1}{8} = \frac{7}{8}.$$

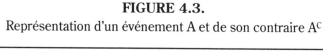

FIGURE 4.3.

Représentation d'un événement A et de son contraire A^C

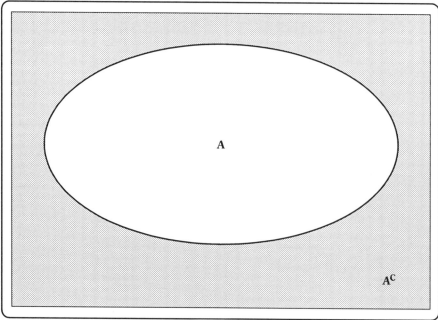

Une propriété plus générale que la propriété 2 est la propriété d'addition qui s'énonce comme suit : si des événements sont **incompatibles** (ou **mutuellement exclusifs** – on dit aussi **disjoints**), c'est-à-dire qu'aucun d'entre eux ne peut se réaliser en même temps qu'un autre (voir la figure 4.4), alors la probabilité de réalisation de n'importe quel d'entre eux indistinctement est la somme des probabilités de réalisation de ces événements. Pour deux événements incompatibles A et B, on a

$$Pr(A \text{ ou } B) = Pr(A) + Pr(B).$$

TABLEAU 4.1.

Résultats possibles du jet de 3 pièces de monnaie non pipées et leur probabilité

25 ¢	10 ¢	5 ¢	Probabilité
P	P	P	1/8
P	P	F	1/8
P	F	P	1/8
P	F	F	1/8
F	P	P	1/8
F	P	F	1/8
F	F	P	1/8
F	F	F	1/8

FIGURE 4.4.

Représentation d'événements incompatibles

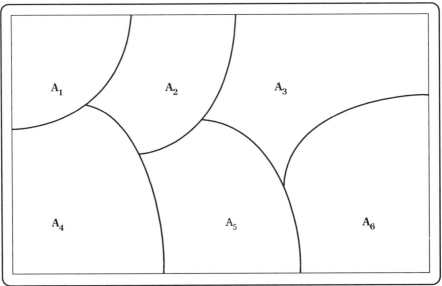

Cela se généralise pour n'importe quel nombre fini ou infini dénombrable d'événements. Dans ce dernier cas, bien que le nombre d'événements soit infini, chacun des événements peut être associé à un entier naturel.

Propriété 3. (Propriété d'addition)

$$\Pr(A_1 \text{ ou } A_2 \text{ ou } ... \text{ ou } A_k) = \Pr(A_1) + \Pr(A_2) + ... + \Pr(A_k)$$

pour toute suite finie $A_1, A_2, ... , A_k$ d'événements incompatibles, et

$$\Pr(A_1 \text{ ou } A_2 \text{ ou } ...) = \Pr(A_1) + \Pr(A_2) + ...$$

pour toute suite infinie dénombrable $A_1, A_2, ...$ d'événements incompatibles. La seconde notation est aussi utilisée pour une suite finie.

Lorsque deux événements A et B ne sont pas incompatibles (voir la figure 4.5), la probabilité que l'un ou l'autre se réalise est donnée par :

Propriété 4.

$$\Pr(A \text{ ou } B) = \Pr(A) + \Pr(B) - \Pr(A \text{ et } B),$$

où « A et B » désigne la réalisation simultanée des deux événements et « A ou B », la réalisation de l'un ou de l'autre indistinctement.

FIGURE 4.5.

Représentation de deux événements quelconques A et B

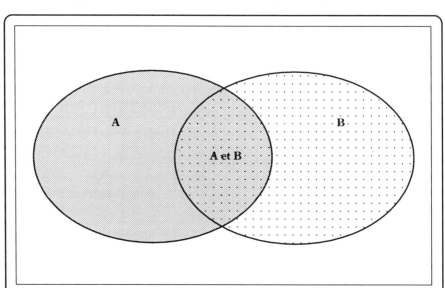

La propriété 4 découle de la propriété d'addition. En effet, d'après cette dernière et la figure 4.5, on a

$$Pr(A) = Pr(A \text{ et } B^c) + Pr(A \text{ et } B),$$
$$Pr(B) = Pr(B \text{ et } A^c) + Pr(B \text{ et } A),$$

d'où

$$Pr(A) + Pr(B) = [Pr(A \text{ et } B^c) + Pr(A \text{ et } B) + Pr(B \text{ et } A^c)] + Pr(B \text{ et } A)$$
$$= Pr(A \text{ ou } B) + Pr(A \text{ et } B).$$

Un exemple d'application de la propriété 4 est que, si on sait qu'il y a une probabilité 0,49 pour qu'un enfant soit de sexe féminin, quel que soit son rang dans une famille, et $0,49^2$ pour que les deux premiers enfants d'un couple soient tous deux de sexe féminin, alors on peut trouver la probabilité pour qu'au moins un enfant sur les deux premiers enfants d'un couple soit de sexe féminin. Celle-ci est de

$$0,49 + 0,49 - 0,49^2 \approx 0,74.$$

L'événement A est alors que le premier enfant soit de sexe féminin et l'événement B que le deuxième enfant soit de sexe féminin.

La propriété 4 peut être généralisée pour n'importe quel nombre d'événements. En particulier, pour trois événements quelconques A, B, C (voir la figure 4.6), on a :

FIGURE 4.6.

Représentation de trois événements quelconques A, B et C

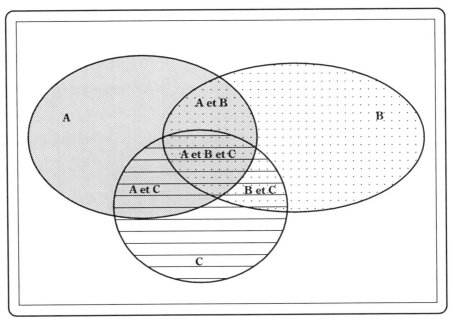

Propriété 5.

$$Pr(A \text{ ou } B \text{ ou } C) = Pr(A) + Pr(B) + Pr(C) - Pr(A \text{ et } B) - Pr(A \text{ et } C)$$
$$- Pr(B \text{ et } C) + Pr(A \text{ et } B \text{ et } C).$$

En reprenant l'exemple des 3 pièces de monnaie non pipées et en définissant les événements

A : obtenir face sur le 25 ¢ ;
B : obtenir face sur le 10 ¢ ;
C : obtenir face sur le 5 ¢,

la probabilité d'obtenir au moins une face est

$$Pr(A \text{ ou } B \text{ ou } C) = \frac{1}{2} + \frac{1}{2} + \frac{1}{2} - \frac{1}{4} - \frac{1}{4} - \frac{1}{4} + \frac{1}{8} = \frac{7}{8},$$

en accord avec la propriété 5. Les probabilités qui interviennent ici sont calculées à partir des probabilités des résultats possibles de l'expérience données dans le tableau 4.1, et de la propriété d'addition. À remarquer qu'on aurait pu décomposer directement l'événement « obtenir au moins une face » en 7 événements incompatibles (les 7 derniers résultats possibles dans le tableau 4.1) de probabilité 1/8 chacun, pour obtenir la même probabilité totale $7 \times 1/8 = 7/8$ par la propriété d'addition.

Enfin, les lois de De Morgan donnent des formules pour la probabilité du contraire de « A ou B » et pour la probabilité du contraire de « A et B », où A et B sont deux événements quelconques.

Propriété 6. (Lois de De Morgan)

$$\Pr((A \text{ ou } B)^c) = \Pr(A^c \text{ et } B^c),$$
$$\Pr((A \text{ et } B)^c) = \Pr(A^c \text{ ou } B^c).$$

Les lois de De Morgan peuvent être vérifiées directement à l'aide de la figure 4.5.

Avec les événements A « le premier enfant est de sexe féminin » et B « le deuxième enfant est de sexe féminin », il est clair que $(A \text{ ou } B)^c$ est l'événement « les deux premiers enfants sont de sexe masculin », c'est-à-dire « A^c et B^c », et que $(A \text{ et } B)^c$ est l'événement « au moins un des deux premiers enfants est de sexe masculin », c'est-à-dire « A^c ou B^c ». Si

$$\Pr(A) = \Pr(B) = 0{,}49 \text{ et } \Pr(A \text{ et } B) = 0{,}49^2,$$

alors

$$\Pr(A^c) = \Pr(B^c) = 1 - 0{,}49 = 0{,}51,$$
$$\Pr((A \text{ et } B)^c) = 1 - 0{,}49^2 = 0{,}76,$$

d'où

$$\begin{aligned} 0{,}76 &= \Pr(A^c \text{ ou } B^c) \\ &= \Pr(A^c) + \Pr(B^c) - \Pr(A^c \text{ et } B^c) \\ &= 1{,}02 - \Pr(A^c \text{ et } B^c), \end{aligned}$$

et

$$\begin{aligned} \Pr((A \text{ ou } B)^c) &= \Pr(A^c \text{ et } B^c) \\ &= 1{,}02 - 0{,}76 \\ &= 0{,}26. \end{aligned}$$

4.2. DISTRIBUTIONS DE PROBABILITÉ

DISTRIBUTION UNIFORME DISCRÈTE

Lorsqu'une variable statistique, soit qualitative, soit quantitative discrète, peut prendre r valeurs distinctes, elle peut en fait prendre chacune de ces valeurs avec une certaine probabilité lors d'une observation, probabilité qui correspond à une proportion dans une population. Dans certains cas, on peut s'attendre par simple symétrie à ce que toutes les valeurs possibles soient **équiprobables**, c'est-à-dire que la variable statistique prenne chacune de ces valeurs selon la même probabilité. Cela est le cas lorsqu'on n'a pas de raison *a priori* de croire qu'une valeur est plus favorisée qu'une autre et qu'on décide d'appliquer le principe d'indifférence. Chacune des r valeurs possibles a alors comme probabilité $1/r$, et on dit que la variable a une **distribution uniforme discrète** ou qu'elle suit une **loi uniforme discrète**. Dans ce cas, la probabilité d'un événement quelconque A portant exclusivement sur la valeur de la variable est donnée par

$$\Pr(A) = \frac{\text{nombre de valeurs de sorte que l'événement A se réalise}}{\text{nombre total de valeurs possibles}}.$$

Ainsi, lorsqu'on lance un dé qu'on n'a aucune raison *a priori* de croire pipé, on attribue une probabilité 1/6 à chacune des 6 faces du dé. La variable statistique « nombre de points sur la face supérieure du dé » est alors une variable ayant une distribution uniforme sur les valeurs 1, 2, 3, 4, 5, 6. De plus, on obtient un nombre pair de points lorsque, sur la face supérieure du dé, on a 2, 4, ou 6 points, d'où

$$\mathrm{Pr}\,(\text{obtenir un nombre pair}) = \mathrm{Pr}\,(\text{obtenir } 2) + \mathrm{Pr}\,(\text{obtenir } 4) + \mathrm{Pr}\,(\text{obtenir } 6)$$

$$= 3 \times \frac{1}{6}$$

$$= \frac{1}{2}\,.$$

Dans le cas où le dé est pipé de telle façon que les faces marquées de 1, 2, 3, 4 et 5 points ont des chances égales d'être obtenues, alors que la face ayant 6 points a 1 1/2 fois plus de chances d'être obtenue que les autres, la variable statistique « nombre de points sur la face supérieure du dé » est une variable possédant une distribution uniforme sur les valeurs hypothétiques suivantes :

1_a	1_b	2_a	2_b	3_a	3_b	4_a	4_b	5_a	5_b	6_a	6_b	6_c

Chacune a une probabilité 1/13. Dans ce cas on a

$$\mathrm{Pr}\,(\text{obtenir un nombre pair}) = \mathrm{Pr}\,(\text{obtenir } 2) + \mathrm{Pr}\,(\text{obtenir } 4) + \mathrm{Pr}\,(\text{obtenir } 6)$$

$$= \frac{2}{13} + \frac{2}{13} + \frac{3}{13}$$

$$= \frac{7}{13}\,.$$

Une façon générale de se représenter une distribution uniforme sur r valeurs est d'imaginer une urne contenant r boules dans laquelle on tire une boule **au hasard** (de l'arabe *az-zahr*, « le dé »). Chaque boule a *a priori* 1 chance sur r d'être tirée et s'il y a, par exemple, k boules blanches dans l'urne, alors la probabilité de tirer une boule blanche est k/r. Si on fait un grand nombre de tirages avec remise, alors on s'attend à ce que la proportion de boules blanches tirées corresponde à la proportion de boules blanches dans l'urne, c'est-à-dire, k/r.

Si les r valeurs représentent les différents résultats d'une expérience et sont appelées « cas possibles », on obtient le **modèle uniforme** et la **définition classique de la probabilité** comme l'a énoncée Laplace en 1812 dans sa *Théorie analytique des probabilités* :

> *La probabilité d'un événement est le rapport du nombre de cas favorables à cet événement sur le nombre total des cas possibles.*

Un cas favorable à un événement est un cas possible pour lequel l'événement se réalise. L'identification et le dénombrement des cas possibles et des cas favorables figurent parmi les points les plus délicats de ce qu'on appelle le calcul des probabilités.

Problème des partis. Voici un problème qui remonte aux débuts du calcul des probabilités et qui, avec d'autres, a été le sujet d'une correspondance fructueuse entre Blaise Pascal (1623-1662) et Pierre de Fermat (1601-1665) :

> *De quelle façon doit-on répartir les mises au jeu entre deux joueurs de force égale qui avaient convenu de déclarer vainqueur le premier qui gagnerait un nombre donné de parties de pur hasard et qui décident de mettre fin à la série de parties avant que le vainqueur ne soit déclaré ?*

Par exemple, comment une mise de 100 $ sur l'issue d'une série de « 4 dans 7 » doit-elle être répartie entre deux joueurs A et B de force égale alors que la série est interrompue à 2 contre 1 en faveur de A ? La répartition de la mise doit se faire selon les probabilités qu'a à partir de ce moment-là chacun des joueurs d'être déclaré vainqueur. Pour effectuer le calcul de ces probabilités, on détermine tous les résultats possibles des 4 parties suivantes s'il n'y avait pas eu d'interruption à 2 contre 1 et s'il n'y avait pas eu d'arrêt dès la déclaration d'un vainqueur. On obtient le tableau 4.2. On relève 16 résultats possibles et on les suppose équiprobables par symétrie. La probabilité de chacun d'eux est donc 1/16. Dans chaque cas, un et un seul vainqueur peut être déclaré : le joueur A si A gagne 2 parties ou plus sur les 4, le joueur B si B gagne 3 parties ou plus sur les 4. Dans 11 cas sur 16, le vainqueur est A, et dans les autres, 5 cas sur 16, le vainqueur est B. Donc,

$$\text{Pr}(\text{A être vainqueur au moment de l'interruption}) = \frac{11}{16},$$

$$\text{Pr}(\text{B être vainqueur au moment de l'interruption}) = \frac{5}{16}.$$

Au moment de l'interruption, le joueur A devrait donc recevoir 11/16 de la mise, c'est-à-dire 11/16 × 100 $ = 68,75 $, et le joueur B le reste de la mise, c'est-à-dire 31,25 $.

*Problème du dépouillement d'un scrutin. Un autre problème célèbre est celui du dépouillement d'un scrutin formulé par Joseph Bertrand en 1887 :

> *Si deux candidats A et B reçoivent respectivement a et b votes ($a > b$) lors d'un scrutin, quelle est la probabilité que A mène tout au long du dépouillement du scrutin ?*

Pour résoudre ce problème, on imagine que tous les votes sont disposés au hasard sur un cercle et qu'ils sont dépouillés dans le sens des aiguilles d'une montre à partir d'un point de départ choisi au hasard. On obtient ainsi des dépouillements équiprobables. Or, pour chaque disposition des votes sur le cercle, il y a $(a + b)$ points de départ possibles pour le dépouillement. Les points de départ qui sont tels que le nombre de votes pour A excède le nombre de votes pour B tout au long du dépouillement peuvent être obtenus lorsqu'on retire successivement tous les couples de votes AB dans le sens du dépouillement (c'est-à-dire les paires de votes consécutifs pour A et B; voir la figure 4.7). On retire ainsi b couples de votes AB et les positions des $(a - b)$

TABLEAU 4.2.

Résultats de 4 parties entre 2 joueurs A et B de force égale et leur probabilité

1re partie	2e partie	3e partie	4e partie	Vainqueur[†]	Probabilité
A	A	A	A	A	1/16
A	A	A	B	A	1/16
A	A	B	A	A	1/16
A	A	B	B	A	1/16
A	B	A	A	A	1/16
A	B	A	B	A	1/16
A	B	B	A	A	1/16
A	B	B	B	B	1/16
B	A	A	A	A	1/16
B	A	A	B	A	1/16
B	A	B	A	A	1/16
B	A	B	B	B	1/16
B	B	A	A	A	1/16
B	B	A	B	B	1/16
B	B	B	A	B	1/16
B	B	B	B	B	1/16

[†] A si deux A ou plus, B si trois B ou plus.

votes pour A qui restent sont les points de départ cherchés. La probabilité que A mène tout au long du dépouillement est donc $(a - b)/(a + b)$.

*Modèles en mécanique statistique.   En mécanique statistique, on étudie la distribution de particules dans l'espace. Il est pratique de considérer que l'espace est subdivisé en petites cellules. Trois modèles uniformes différents ont été proposés selon que les particules sont distinguables ou non et selon que les cellules ont une capacité en particules limitée ou non : le modèle de Maxwell-Boltzmann (M-B) pour des particules distinguables sans limitation de particules par cellule, le modèle de Bose-Einstein (B-E) pour des particules non distinguables sans limitation de particules par cellule et le modèle de Fermi-Dirac (F-D) pour des particules non distinguables avec au plus une particule par cellule. Le modèle M-B peut paraître à première vue plus acceptable que les autres, mais il ne convient pas à toutes les particules connues. Le modèle B-E a été appliqué entre autres à des photons et le modèle F-D à des électrons. Les trois modèles n'admettent pas le même nombre de cas possibles. Tous les cas possibles étant équiprobables, il est important de les dénombrer. Par exemple, avec 3 particules et 3 cellules, il y a

$$3 \times 3 \times 3 = 27$$

cas possibles dans le modèle M-B (car chacune des 3 particules peut être dans n'importe laquelle des 3 cellules). Par contre, dans le modèle B-E, il y a

$$1 + 3 + 6 = 10$$

cas possibles (car il y a 1 cas avec toutes les cellules occupées par une particule, 3 cas avec l'une des 3 cellules occupée par 3 particules et 3×2 cas avec

FIGURE 4.7.

Exemple de dépouillement d'un scrutin avec
$a = 5$ votes pour A et $b = 3$ votes pour B

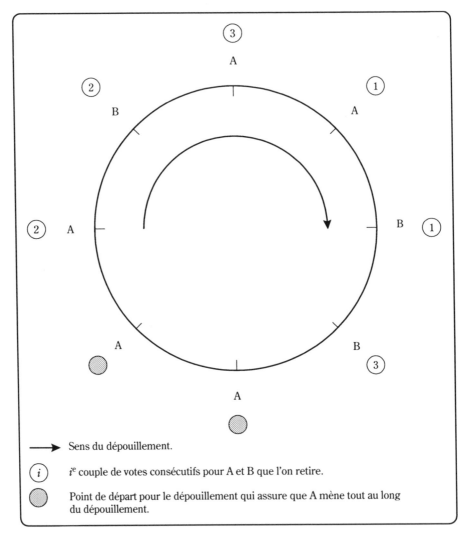

l'une des 3 cellules occupée par 2 particules et l'une des 2 autres cellules occupée par 1 particule), et dans le modèle F-D, il y a 1 seul cas possible (avec une particule dans chaque cellule). En général, avec r particules et n cellules, on a recours à ce qu'on appelle l'analyse combinatoire pour dénombrer les cas possibles[1].

---

1. Voir, par exemple, W. Feller, *An Introduction to Probability Theory and its Applications*, New York, John Wiley and Sons, 1968, chap. II).

DISTRIBUTION UNIFORME CONTINUE

Une variable quantitative continue peut aussi avoir une **distribution uniforme** dite **continue**. Supposons par exemple qu'une rame de métro passe dans une station toutes les 10 minutes. On arrive à la station pour prendre le métro à un instant quelconque (on dit « au hasard ») sans rien savoir de l'horaire des rames ou sans faire attention à l'heure qu'il est. Le temps d'attente possible jusqu'au passage de la prochaine rame varie de 0 à 10 minutes. En subdivisant cet intervalle de 10 minutes en 10 sous-intervalles de 1 minute, il y a *a priori* 1 chance sur 10 que le temps d'attente tombe dans chacun de ces sous-intervalles. De même, en subdivisant l'intervalle de 10 minutes en 20 sous-intervalles de 1/2 minute, il y a 1 chance sur 20 pour chacun de ces sous-intervalles, et ainsi de suite. Alors la probabilité d'attendre entre 2 1/2 minutes et 5 1/2 minutes est la probabilité que le temps d'attente tombe dans l'un des 6 sous-intervalles de longueur 1/2 minute compris entre 2 1/2 et 5 1/2 minutes, soit

Pr (attendre entre 2 1/2 et 5 1/2 min)

$$= \text{Pr (attendre entre 2 1/2 et 3 min)} + ... + \text{Pr (attendre entre 5 et 5 1/2 min)}$$

$$= 6 \times \frac{1}{20}$$

$$= \frac{3}{10} \, .$$

On remarque que $3 = 5 \, 1/2 - 2 \, 1/2$, alors que 10 est la longueur de l'intervalle de toutes les valeurs possibles pour le temps d'attente.

En général, une **loi uniforme sur un intervalle** $[a, b]$ avec $a < b$ décrit le phénomène qui consiste à prendre une valeur au hasard dans $[a, b]$, ce qui équivaut à l'expérience de choisir un nombre au hasard dans $[a, b]$. Cette loi est caractérisée par la propriété

$$\text{Pr (prendre une valeur dans un sous-intervalle fixé de } [a, b])$$
$$= \frac{\text{longueur du sous-intervalle}}{b - a} \, .$$

En particulier, bien que la probabilité de prendre une valeur dans l'intervalle $[a, b]$ soit 1, la probabilité de prendre n'importe quelle valeur fixée entre a et b est nulle. La probabilité d'attendre exactement 3 minutes, disons, dans l'exemple du métro est égale à 0, car ce point constitue un intervalle de longueur nulle.

L'un des domaines d'application les plus importants de la loi uniforme est celui des *erreurs d'arrondissement*. En effet, lorsque des nombres sont arrondis à l'entier le plus près, par exemple, on peut souvent considérer que la différence entre le nombre original et le nombre arrondi suit une loi uniforme sur $[-1/2, 1/2]$.

Il existe plusieurs façons de simuler une loi uniforme sur un intervalle $[a, b]$. Une première façon consiste à faire tourner au hasard une aiguille autour d'un axe et de noter la position d'arrêt par rapport à la position de départ en fraction de tour. Supposons que cette fraction soit q. Le point correspondant sur $[a, b]$ est alors

$$a + q(b - a).$$

Une deuxième façon est de choisir un nombre au hasard parmi 0, 1, ... , 9 et de répéter l'expérience indéfiniment pour obtenir les décimales successives d'un nombre q compris entre 0 et 1. Le point correspondant sur $[a, b]$ est obtenu comme précédemment.

FONCTION DE MASSE

En général, on ne connaît pas d'avance la probabilité des valeurs d'une variable qualitative ou d'une variable quantitative discrète. On sait cependant par la loi des grands nombres pour les proportions que, si on fait suffisamment d'observations de façon indépendante et dans les mêmes conditions, alors la fréquence observée de toute valeur approchera la probabilité de cette valeur, et cette probabilité correspondra à une proportion dans une population. La distribution de fréquences dans l'échantillon ainsi obtenu se rapprochera alors d'une **distribution théorique** ou **distribution de probabilité** qui coïncidera avec la distribution dans la population.

Dans le cas d'une variable représentée par X qui peut prendre un nombre fini ou infini dénombrable de valeurs distinctes v_1, v_2, ... , la probabilité que X prenne la valeur v_i sera notée

$$p(v_i) = \Pr(X = v_i) \text{ pour } i = 1, 2, \dots$$

Cette fonction p est appelée la **fonction de masse** de X. Elle détermine la distribution de probabilité de X.

Une fonction de masse p possède les deux propriétés suivantes :

(1) $0 \leq p(v_i) \leq 1$ pour $i = 1, 2, \dots$,

(2) $p(v_1) + p(v_2) + \dots = 1,$

que l'on écrit sous la forme $\displaystyle\sum_{i \geq 1} p(v_i) = 1.$

Remarque.   Le symbole Σ, qui est la lettre grecque sigma majuscule, est utilisé pour la **sommation**.

La propriété (1) découle du fait que $p(v_i)$ est une probabilité. La propriété (2) signifie que la somme des probabilités de toutes les valeurs possibles égale 1. La propriété (2) est déduite de la propriété plus générale pour une probabilité connue sous le nom de propriété d'addition selon laquelle la probabilité qu'une variable prenne des valeurs dans un ensemble de valeurs fini ou infini dénombrable est la somme des probabilités que cette variable prenne chacune des valeurs de l'ensemble. En particulier, pour une variable X qui peut prendre des valeurs distinctes v_1, v_2, ... , on a alors

$$p(v_1) + p(v_2) + \dots = \Pr(X = v_1) + \Pr(X = v_2) + \dots$$
$$= \Pr(X = v_1 \text{ ou } v_2 \text{ ou } \dots)$$
$$= 1.$$

Pour deux valeurs distinctes quelconques v_i et v_j $(i \neq j)$, on a aussi

$$p(v_i) + p(v_j) = \Pr(X = v_i \text{ ou } v_j),$$

et de même toute quantité de valeurs distinctes.

Pour une variable de **loi uniforme sur r valeurs** $v_1, \dots, v_r$, la fonction de masse est

$$p(v_i) = \frac{1}{r} \text{ pour } i = 1, 2, \dots, r.$$

Remarque. La propriété d'addition appliquée à une variable de loi uniforme sur r valeurs donne la définition classique de la probabilité. En effet, si un événement A est réalisé pour exactement k des r valeurs, alors $\Pr(A)$ est la somme des probabilités de ces k valeurs, c'est-à-dire $1/r$ additionné k fois, donc k/r.

FONCTION DE DENSITÉ

Pour une variable quantitative continue X dans une population donnée, on doit pouvoir déterminer la probabilité pour X de prendre une valeur dans n'importe quel intervalle. Une courbe f non négative, c'est-à-dire satisfaisant

$$f(x) \geq 0 \text{ pour tout } x,$$

telle que (voir la figure 4.8)

$$\Pr(c \leq X \leq d) = \text{aire sous la courbe } f \text{ de } c \text{ à } d,$$

que l'on écrit $\int_c^d f(x)\,dx$,

pour tout $c \leq d$, est appelée **fonction de densité** pour X. Celle-ci détermine une **distribution de probabilité** qui est la distribution de X dans la population. L'évaluation d'aires sous certaines fonctions de densité f peut être faite à l'aide du tableau 4.3.

Remarque. Le symbole $\int$, qui est un S allongé, est le symbole d'**intégration**. Pour une courbe f quelconque avec une partie non négative ($f(x) \geq 0$ pour certains x) et une partie négative ($f(x) < 0$ pour certains x), l'**intégrale** de f de c à d est définie par

$$\int_c^d f(x)\,dx = \text{aire sous la partie non négative de } f \text{ de } c \text{ à } d$$

$$- \text{ aire au-dessus de la partie négative de } f \text{ de } c \text{ à } d.$$

TABLEAU 4.3.

Intégrale de certaines courbes f de c à d

$f(x)$	$\displaystyle\int_c^d f(x)\,dx$
a	$a(d-c)$
ax	$\dfrac{a}{2}(d^2 - c^2)$
ax^n, pour $n = 0, 1, 2, \ldots$	$\dfrac{a}{n+1}(d^{n+1} - c^{n+1})$
$ax^{\frac{n}{m}}$, pour $n, m = 0, \pm 1, \pm 2, \ldots$	$\dfrac{ma}{n+m}\left(d^{\frac{n+m}{m}} - c^{\frac{n+m}{m}}\right)$, pour $n + m \neq 0$
$ax^{-1} = \dfrac{a}{x}$	$a(\operatorname{Log} d - \operatorname{Log} c)$, pour $d \geqslant c > 0$
be^{ax}, pour $a \neq 0$	$\dfrac{b}{a}(e^{ad} - e^{ac})$
$b \sin ax$	$\dfrac{b}{a}(\cos ac - \cos ad)$
$b \cos ax$	$\dfrac{b}{a}(\sin ad - \sin ac)$

Remarques. (I) a et b sont des constantes réelles, m et n des entiers.

(II) $\displaystyle\int_c^d af(x)\,dx = a\int_c^d f(x)\,dx$, en particulier $\displaystyle\int_c^d [-f(x)]\,dx = -\int_c^d f(x)\,dx$.

(III) Si $f(x) = f_1(x) + \ldots + f_k(x)$, alors $\displaystyle\int_c^d f(x)\,dx = \int_c^d f_1(x)\,dx + \ldots + \int_c^d f_k(x)\,dx$.

(IV) Si $c < b < d$, alors $\displaystyle\int_c^d f(x)\,dx = \int_c^b f(x)\,dx + \int_b^d f(x)\,dx$.

(V) De plus

$$\int_c^d bx^n e^{ax}\,dx = \frac{b}{a}(d^n e^{ad} - c^n e^{ac}) - \frac{n}{a}\int_c^d bx^{n-1} e^{ax}\,dx,$$

$$\int_c^d bx^n \cos ax\,dx = \frac{b}{a}(d^n \sin ad - c^n \sin ac) - \frac{n}{a}\int_c^d bx^{n-1}\cos ax\,dx,$$

$$\int_c^d bx^n \sin ax\,dx = \frac{b}{a}(c^n \cos ac - d^n \cos ad) + \frac{n}{a}\int_c^d bx^{n-1}\sin ax\,dx.$$

Une variable X de loi uniforme sur un intervalle $[a, b]$ avec $a < b$, par exemple, a une fonction de densité

$$f(x) = \frac{1}{b-a} \text{ pour } a \leqslant x \leqslant b.$$

Il est sous-entendu que la valeur de $f(x)$ est 0 pour x à l'extérieur de l'intervalle $[a, b]$. Alors, on obtient

$$\Pr(c \leqslant X \leqslant d) = \int_c^d \frac{1}{b-a}\,dx = \frac{d-c}{b-a}$$

FIGURE 4.8.

Représentation d'une probabilité pour une variable X
avec fonction de densité f

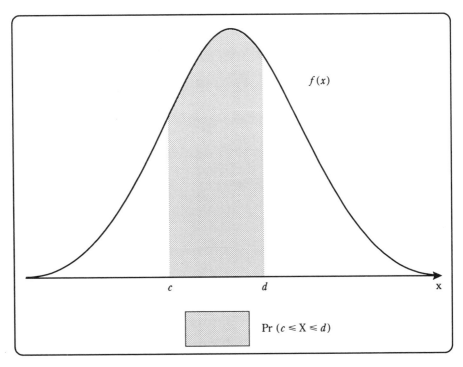

dès que $a \leqslant c \leqslant d \leqslant b$ (voir la figure 4.9). Cette probabilité est l'aire d'un rectangle de base $d - c$ et de hauteur $1/(b - a)$.

Pour toute variable quantitative continue X, on a

$$\Pr(X = c) = 0 \text{ pour tout } c,$$

car l'aire de tout segment de droite est nulle. Donc, on a aussi

$$\begin{aligned}
\Pr(c \leqslant X \leqslant d) &= \Pr(c < X \leqslant d) \\
&= \Pr(c < X < d) \\
&= \Pr(c \leqslant X < d),
\end{aligned}$$

pour tout $c < d$. Dans le cas d'intervalles semi-ouverts, c'est-à-dire sans borne inférieure ou sans borne supérieure, on obtient aussi

$$\begin{aligned}
\Pr(X > c) = \Pr(X \geqslant c) &= \Pr(c \leqslant X < +\infty) \\
&= \text{aire sous la fonction de densité } f \text{ de } c \text{ à } +\infty,
\end{aligned}$$

que l'on note $\displaystyle\int_{c}^{+\infty} f(x)\, dx$,

FIGURE 4.9.

Représentation d'une probabilité pour une variable X
de loi uniforme sur $[a, b]$

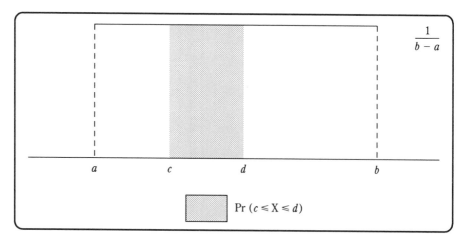

et

$$\Pr(X < d) = \Pr(X \leq d) = \Pr(-\infty < X \leq d)$$
$$= \text{aire sous la fonction de densité f de } -\infty \text{ à } d,$$

que l'on note $\int_{-\infty}^{d} f(x)\, dx$,

alors qu'en considérant tout l'intervalle sans borne inférieure ni borne supérieure, on a

$$1 = \Pr(-\infty < X < +\infty) = \text{aire totale sous la fonction de densité } f \text{ de} -\infty \text{ à } +\infty,$$

que l'on note $\int_{-\infty}^{+\infty} f(x)\, dx$.

On peut utiliser la propriété d'addition d'une probabilité pour déterminer la probabilité qu'une variable continue prenne des valeurs dans deux intervalles disjoints. Si, par exemple, $c_1 \leq d_1 < c_2 \leq d_2$, on a

$$\Pr(c_1 \leq X \leq d_1 \text{ ou } c_2 \leq X \leq d_2) = \Pr(c_1 \leq X \leq d_1) + \Pr(c_2 \leq X \leq d_2).$$

Ce résultat peut être généralisé, peu importe combien il y a d'intervalles disjoints. Les propriétés d'une probabilité permettent aussi d'obtenir les égalités

$$\Pr(|X| \leq c) = 1 - \Pr(|X| > c)$$

et

$$\Pr(|X| > c) = \Pr(X > c) + \Pr(X < -c),$$

pour tout $c > 0$. (Voir la figure 4.10.)

FIGURE 4.10.

Illustration de la propriété d'addition pour une variable X
de fonction de densité f

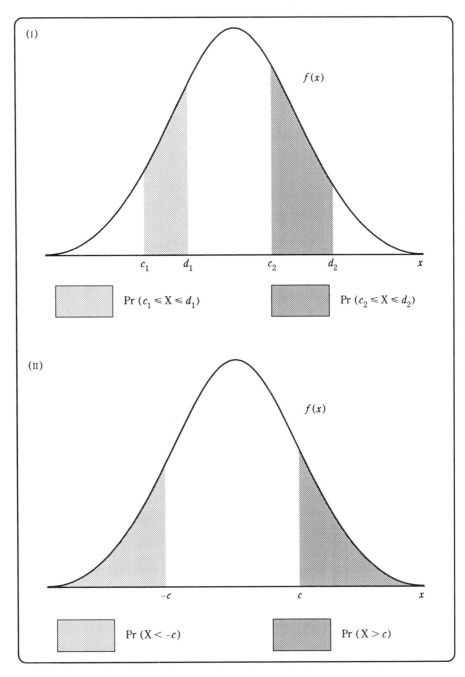

Remarque. Une fonction de densité détermine une distribution théorique qui correspond à une distribution dans une population. La région délimitée par la fonction de densité pour une population est l'équivalent de l'histogramme pour un échantillon. Comme un histogramme, une fonction de densité répartit une aire totale égale à 1 sur un axe de valeurs. De plus, si l'on fait de plus en plus d'observations de façon indépendante et dans les mêmes conditions dans la population et si l'on regroupe les données selon des intervalles de valeurs de longueur de plus en plus petite, l'histogramme devrait se rapprocher avec toujours plus de certitude et d'exactitude de la région délimitée par la fonction de densité et l'axe des valeurs. Cela est l'un des résultats les plus fondamentaux en statistique et découle d'une version plus forte de la loi des grands nombres pour les proportions, loi qui date de 1933 et qui est connue sous le nom de *théorème de Glivenko*. À noter que la loi des grands nombres pour les proportions garantit seulement que l'aire d'un rectangle de l'histogramme pour un intervalle de valeurs de longueur fixée va approcher, avec l'augmentation du nombre d'observations, l'aire de la région comprise entre la fonction de densité et le même intervalle de valeurs. En effet, la première aire correspond à la fréquence des données dans l'intervalle de valeurs et la seconde, à la probabilité que la variable qu'on observe prenne une valeur dans cet intervalle.

4.3. FONCTION DE RÉPARTITION ET QUANTILES

INTRODUCTION

Les mesures de position pour une variable quantitative dans une population se définissent de la même façon que les mesures de position dans un échantillon si l'on prend soin de remplacer les fréquences par les probabilités dans le cas d'une variable discrète et l'histogramme par le graphique de la fonction de densité dans le cas d'une variable continue. De plus, ces mesures auront tendance à se rapprocher de plus en plus si la taille de l'échantillon est augmentée et si l'échantillon est aléatoire.

Nous commencerons par définir les quantiles dans une population pour les deux grands types de variables quantitatives, les autres mesures de position étant essentiellement des quantiles particuliers. Nous verrons aussi qu'une mesure de position peut être déterminée par l'inverse d'une fonction de répartition.

CAS D'UNE VARIABLE DISCRÈTE

Un **quantile** d'ordre $100\gamma\%$ dans une population par rapport à une variable discrète X est une valeur c_γ telle que

$$\Pr(X \leq c_\gamma) \geq \gamma \text{ et } \Pr(X \geq c_\gamma) \geq 1 - \gamma$$

ou, ce qui est équivalent,

$$\Pr(X < c_\gamma) \leq \gamma \leq \Pr(X \leq c_\gamma).$$

Une façon de déterminer c_γ est de tracer le graphique de la fonction

$$F(c) = \Pr(X \le c),$$

qui est appelée la **fonction de répartition** de X. La fonction F croît de 0 à 1 et il suffit alors de déterminer une valeur c_γ en deçà de laquelle $F(c)$ n'excède pas γ, mais au-delà de laquelle $F(c)$ égale ou dépasse γ.

Pour une variable X distribuée uniformément sur 1, 2, 3, 4, 5, 6, on a

$$F(c) = \begin{cases} 0 \text{ si } c < 1 \\[2mm] \dfrac{1}{6} \text{ si } 1 \le c < 2 \\[2mm] \dfrac{2}{6} \text{ si } 2 \le c < 3 \\[2mm] \dfrac{3}{6} \text{ si } 3 \le c < 4 \\[2mm] \dfrac{4}{6} \text{ si } 4 \le c < 5 \\[2mm] \dfrac{5}{6} \text{ si } 5 \le c < 6 \\[2mm] 1 \text{ si } c \ge 6. \end{cases}$$

(Voir la figure 4.11.) On en déduit par exemple

$$c_{9/10} = 6$$

et

$$1 \le c_{1/6} < 2.$$

Dans ce dernier cas, on prend par convention

$$c_{1/6} = \frac{1+2}{2} = 1{,}5.$$

En général, la fonction de répartition d'une variable discrète X est toujours une fonction en escalier avec changement de marche à chaque valeur prise par X. Lorsque γ se trouve entre deux marches, alors c_γ est la valeur à laquelle il y a changement de marche. Lorsque γ correspond à une marche, alors c_γ est par convention la valeur située au centre de cette marche, soit la moyenne des valeurs situées au début et à la fin de la marche.

CAS D'UNE VARIABLE CONTINUE

Dans le cas d'une variable continue X, il suffit que

$$\Pr(X \le c_\gamma) = \gamma,$$

pour que c_γ soit un **quantile** d'ordre $100\gamma\,\%$, car alors nécessairement

$$\Pr(X \ge c_\gamma) = 1 - \Pr(X < c_\gamma) = 1 - \gamma.$$

FIGURE 4.11.

Fonction de répartition F pour une variable X
distribuée uniformément sur 1, 2, 3, 4, 5, 6

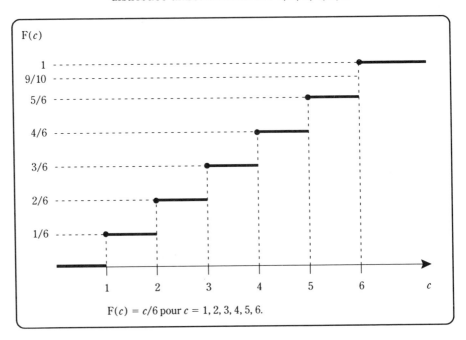

$F(c) = c/6$ pour $c = 1, 2, 3, 4, 5, 6$.

Les quantiles c_γ d'une variable continue X de fonction de densité f peuvent être déterminés à l'aide de la **fonction de répartition** de X définie par

$$F(c) = \int_{-\infty}^{c} f(x)\, dx \text{ pour } -\infty < c < +\infty.$$

La fonction F croît sans saut de 0 à 1 et il suffit alors de trouver c_γ tel que $F(c_\gamma) = \gamma$ puisque

$$F(c) = \Pr(X \leq c) \text{ pour } -\infty < c < +\infty.$$

Dans le cas d'une variable X de loi uniforme sur un intervalle $[a, b]$, on a

$$F(c) = \int_{a}^{c} \frac{1}{b-a}\, dx = \frac{c-a}{b-a} \text{ pour } a \leq c \leq b.$$

(Voir la figure 4.12). À l'aide de la relation

$$F(c_\gamma) = \frac{c_\gamma - a}{b - a} = \gamma,$$

on trouve

$$c_\gamma = \gamma\,(b - a) + a.$$

FIGURE 4.12.

Fonction de répartition F pour une variable X de loi uniforme sur $[a, b]$:
(I) valeurs représentées par des aires ; (II) courbe des valeurs

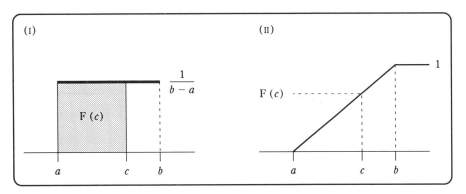

QUELQUES QUANTILES PARTICULIERS

Toutes les mesures de position dans une population par rapport à une variable peuvent être définies à partir des quantiles. Le tableau 4.4 présente les principales mesures de position avec leur notation et leur définition. À remarquer que la notation utilisée pour les principales mesures de position dans une population est la même que celle utilisée pour les mesures de position dans un échantillon. Seul le contexte permet de les distinguer.

Exemple. La surface d'un carré dont le côté est une variable de loi uniforme sur l'intervalle $[0, 1]$ a comme fonction de densité

$$f(x) = \frac{1}{2\sqrt{x}} = \frac{x^{-1/2}}{2} \text{ pour } 0 < x < 1.$$

Le quantile c_γ vérifie

$$\gamma = \int_0^{c_\gamma} \frac{x^{-1/2}}{2}\, dx = c_\gamma^{1/2},$$

TABLEAU 4.4.

Principales mesures de position dans une population

Mesure de position	Notation	Définition
Médiane	M	$c_{1/2}$
i^e quartile $(i = 1, 2, 3)$	Q_i	$c_{i/4}$
i^e quintile $(i = 1, 2, 3, 4)$	V_i	$c_{i/5}$
i^e décile $(i = 1, \ldots, 9)$	D_i	$c_{i/10}$
i^e centile $(i = 1, \ldots, 99)$	C_i	$c_{i/100}$
i^e millile $(i = 1, \ldots, 999)$	M_i	$c_{i/1000}$

d'où

$$c_\gamma = \gamma^2.$$

On obtient alors

$$
\begin{aligned}
M &= c_{1/2} = (1/2)^2 = 1/4, \\
Q_1 &= c_{1/4} = (1/4)^2 = 1/16, \\
V_2 &= c_{2/5} = (2/5)^2 = 4/25, \\
D_4 &= c_{4/10} = (4/10)^2 = 16/100, \\
C_{55} &= c_{55/100} = (55/100)^2 = 3\,025/10\,000, \\
M_{625} &= c_{625/1000} = (625/1000)^2 = 390\,625/1\,000\,000.
\end{aligned}
$$

4.4. MOYENNE ET VARIANCE

INTRODUCTION

Selon la loi des grands nombres pour les proportions, les fréquences des valeurs prises par une variable quantitative discrète lors d'observations se rapprochent, avec toujours plus de certitude, de fréquences théoriques qui sont des probabilités et qui correspondent à des proportions dans une population, pourvu que le nombre d'observations de la variable soit de plus en plus grand et que les observations se fassent de façon indépendante et dans les mêmes conditions.

Cette loi permet de donner une définition intuitive de la moyenne d'une variable quantitative discrète dans une population. Il suffit de s'imaginer que le nombre d'observations croît indéfiniment. En effet, avec des valeurs possibles v_1, v_2, ... , la moyenne d'une variable discrète X dans un échantillon obtenu à la suite d'un certain nombre d'observations sera

$$f_1 v_1 + f_2 v_2 + \ldots$$

où f_i est la fréquence de v_i dans l'échantillon pour $i = 1, 2, \ldots$ Or la fréquence f_i a tendance à se rapprocher d'une proportion dans une population, donnée par

$$p_i = \Pr(X = v_i),$$

pour $i = 1, 2, \ldots$, lorsqu'on augmente le nombre d'observations. On définit alors la moyenne dans la population par

$$p_1 v_1 + p_2 v_2 + \ldots,$$

qu'on appelle aussi espérance, car c'est ce qu'on s'attend à avoir dans un échantillon de grande taille.

Le même raisonnement peut être utilisé pour une transformation $g(X)$ de X (en remplaçant v_i par $g(v_i)$ pour $i = 1, 2, \ldots$ partout ci-dessus). En particulier, on peut déterminer l'expression pour la moyenne de X^2 (en remplaçant v_i par v_i^2 pour $i = 1, 2, \ldots$ partout ci-dessus), puis soustraire le carré de la moyenne de X, pour obtenir enfin l'expression de la variance de X. Il suffit alors de prendre la racine carrée de la variance pour obtenir l'expression de l'écart-type.

Les interprétations de la moyenne et de l'écart-type pour une variable dans une population sont essentiellement les mêmes que celles pour une variable dans un échantillon. Il suffit de remplacer les fréquences par des probabilités.

*Expression de la moyenne dans le cas d'une variable continue. Dans le cas d'une variable continue X, l'expression donnée plus haut représente la moyenne dans une population lorsque l'on regroupe les valeurs en intervalles dont les valeurs centrales sont v_1, v_2, ... et les longueurs $2\varepsilon_1$, $2\varepsilon_2$, ... de telle sorte que

$$p_i = \Pr(v_i - \varepsilon_i \leqslant X < v_i + \varepsilon_i)$$

pour un certain ε_i et pour $i = 1, 2, ...$ Si f est la fonction de densité de X, alors

$$p_i = \int_{v_i - \varepsilon_i}^{v_i + \varepsilon_i} f(x)\, dx \quad \text{pour} \quad i = 1, 2, ...$$

Si enfin les intervalles sont choisis de longueur suffisamment petite (ε_i suffisamment petit pour $i = 1, 2, ...$), alors

$$p_i v_i = \int_{v_i - \varepsilon_i}^{v_i + \varepsilon_i} v_i f(x)\, dx \approx \int_{v_i - \varepsilon_i}^{v_i + \varepsilon_i} x f(x)\, dx \quad \text{pour} \quad i = 1, 2, ...$$

(car $x f(x)$ est près de $v_i f(x)$ lorsque $v_i - \varepsilon_i \leqslant x \leqslant v_i + \varepsilon_i$ pour $i = 1, 2, ...$) de telle sorte que

$$p_1 v_1 + p_2 v_2 + ... \approx \sum_{i \geqslant 1} \int_{v_i - \varepsilon_i}^{v_i + \varepsilon_i} x f(x)\, dx$$

$$= \int_{-\infty}^{+\infty} x f(x)\, dx.$$

L'expression de droite représente la moyenne exacte dans la population (sans regroupement de valeurs). Celle-ci est approchée par la moyenne exacte dans l'échantillon (calculée à partir des données brutes) si la taille de l'échantillon est suffisamment grande. L'appellation d'espérance est donc justifiée aussi pour la moyenne d'une variable continue dans une population.

CAS D'UNE VARIABLE DISCRÈTE

Si X est une variable discrète pouvant prendre les valeurs v_1, v_2, ... avec les probabilités p_1, p_2, ... définissant sa fonction de masse dans une population, alors la **moyenne** de X, appelée aussi l'**espérance** de X et notée μ_X ou E(X), est donnée par

$$\mu_X = E(X) = \sum_{i \geqslant 1} p_i v_i$$

et la **variance** de X, notée σ_X^2 ou Var(X), est donnée par

$$\sigma_X^2 = \text{Var}(X) = \left(\sum_{i \geqslant 1} p_i v_i^2 \right) - \left(\sum_{i \geqslant 1} p_i v_i \right)^2.$$

Une expression équivalente pour la variance de X est

$$\sigma_X^2 = \sum_{i \geqslant 1} p_i(v_i - \mu_X)^2 .$$

En somme, la variance de X est la moyenne de $(X - \mu_X)^2$. En effet, on a

$$\sum_{i \geqslant 1} p_i(v_i - \mu_X)^2 = \sum_{i \geqslant 1} p_i(v_i^2 - 2v_i\mu_X + \mu_X^2)$$

$$= \sum_{i \geqslant 1} p_iv_i^2 - 2\mu_X \sum_{i \geqslant 1} p_iv_i + \mu_X^2 \sum_{i \geqslant 1} p_i$$

$$= \sum_{i \geqslant 1} p_iv_i^2 - 2\mu_X^2 + \mu_X^2$$

$$= \sum_{i \geqslant 1} p_iv_i^2 - \mu_X^2 .$$

En général, la **moyenne (espérance) d'une transformation** $g(X)$ de X est

$$\mu_{g(X)} = E[g(X)] = \sum_{i \geqslant 1} p_i g(v_i) .$$

La variance de X peut alors s'exprimer de la façon suivante :

$$\text{Var}(X) = E[(X - \mu_X)^2] = E(X^2) - [E(X)]^2 .$$

À remarquer que $\text{Var}(X)$ est toujours $\geqslant 0$, car c'est l'espérance d'une variable $\geqslant 0$. De plus, on a égalité à 0 si et seulement si X prend une seule valeur avec probabilité 1. La quantité

$$\sigma_X = \sqrt{\text{Var}(X)}$$

est appelée l'**écart-type** de X.

On obtient la variance d'une transformation $g(X)$, notée $\text{Var}[g(X)]$ ou $\sigma_{g(X)}^2$, en remplaçant X par $g(X)$ dans l'expression de la variance.

Dans le cas d'une **transformation affine** $(aX + b)$, où a et b sont des constantes, ce qui correspond à un changement d'origine et d'échelle, on obtient que

$$E(aX + b) = a\, E(X) + b,$$
$$\text{Var}(aX + b) = a^2\, \text{Var}(X).$$

On déduit les mêmes formules avec $g(X)$ à la place de X pour la transformation $(ag(X) + b)$.

Une variable X est dite **centrée** si $\mu_X = 0$ et **réduite** si $\sigma_X = 1$. Une variable centrée réduite est dite **standardisée**. Pour n'importe quelle variable X de moyenne μ_X et d'écart-type σ_X, la variable

$$Z = \frac{X - \mu_X}{\sigma_X}$$

est standardisée.

Exemple. Si on lance un dé non pipé et que X représente le nombre de points sur la face supérieure, alors X peut prendre les valeurs 1, 2, 3, 4, 5, 6 avec les probabilités égales 1/6, 1/6, 1/6, 1/6, 1/6, 1/6 de telle sorte que

$$E(X) = \frac{1}{6} \times 1 + \frac{1}{6} \times 2 + \dots + \frac{1}{6} \times 6$$

$$= \frac{1 + 2 + \dots + 6}{6}$$

$$= \frac{21}{6},$$

$$E(X^2) = \frac{1}{6} \times 1^2 + \frac{1}{6} \times 2^2 + \dots + \frac{1}{6} \times 6^2$$

$$= \frac{1^2 + 2^2 + \dots + 6^2}{6}$$

$$= \frac{91}{6},$$

$$\text{Var}(X) = \frac{91}{6} - \left(\frac{21}{6}\right)^2 = \frac{35}{12}.$$

Remarque. En général, on a

$$1 + 2 + \dots + r = \frac{r(r+1)}{2},$$

$$1^2 + 2^2 + \dots + r^2 = \frac{r(r+1)(2r+1)}{6}.$$

Maintenant, supposons qu'on reçoive 100$ si on obtient 1, rien si on obtient 2, 3 ou 4 et 40$ si on obtient 5 ou 6. Le montant qu'on recevra est une transformation de X, $g(X)$, avec

$$g(i) = \begin{cases} 100 & \text{si } i = 1 \\ 0 & \text{si } i = 2 \text{ ou } 3 \text{ ou } 4 \\ 40 & \text{si } i = 5 \text{ ou } 6. \end{cases}$$

On obtient alors que

$$E[g(X)] = 100 \times \frac{1}{6} + 0 \times \frac{1}{6} + 0 \times \frac{1}{6} + 0 \times \frac{1}{6} + 40 \times \frac{1}{6} + 40 \times \frac{1}{6}$$

$$= 30,$$

$$E[g(X)^2] = 100^2 \times \frac{1}{6} + 0^2 \times \frac{1}{6} + 0^2 \times \frac{1}{6} + 0^2 \times \frac{1}{6} + 40^2 \times \frac{1}{6} + 40^2 \times \frac{1}{6}$$

$$= 2200,$$

$$\text{Var}[g(X)] = 2200 - 30^2 = 1300.$$

La quantité $E[g(X)]$ représente le montant moyen par jet qu'on espère recevoir si on fait un grand nombre de jets. C'est donc le « prix honnête à payer » pour lancer le dé une fois. À remarquer que cette moyenne est la même si on reçoit 180$ pour un 1 et rien sinon. Mais dans ce cas la variance vaut

$$\frac{180^2}{6} - \left(\frac{180}{6}\right)^2 = 5400$$

comparativement à 1300 auparavant, ce qui traduit un risque plus élevé. En effet, on a plus de chances de ne rien recevoir dans le deuxième cas mais, par contre, si on reçoit quelque chose, on reçoit alors davantage. À l'opposé, le risque serait nul si on recevait 30 $ quel que soit le résultat du jet de dé, auquel cas la variance serait nulle.

Si on nous demande de payer 20 $ tout en diminuant les prix de moitié, alors le gain net est

$$-20 + \frac{1}{2}\, g(X)$$

de moyenne

$$-20 + \frac{1}{2}\, \mathrm{E}[\,g(X)\,] = -5$$

et de variance

$$\left(\frac{1}{2}\right)^{2} \mathrm{Var}[\,g(X)\,] = 325.$$

Il n'est cependant pas très avantageux de jouer à ce jeu, car on y perdra toujours de l'argent à long terme.

Remarque. La variable $g(X)$ prend les valeurs 0, 40 et 100 avec les probabilités 3/6, 2/6 et 1/6, respectivement. L'espérance d'une telle variable est

$$0 \times \frac{3}{6} + 40 \times \frac{2}{6} + 100 \times \frac{1}{6} = 30$$

et la variance

$$(0 - 30)^{2} \times \frac{3}{6} + (40 - 30)^{2} \times \frac{2}{6} + (100 - 30)^{2} \times \frac{1}{6} = 1300\,,$$

en accord avec les résultats précédents. Il y a toujours concordance entre les définitions d'espérance et de variance pour une transformation d'une variable et les définitions d'espérance et de variance pour une variable.

Espérance du nombre de frères et sœurs. Supposons que la distribution du nombre d'enfants dans une famille soit connue. On choisit un enfant au hasard et on se demande quelle est l'espérance du nombre de ses frères et sœurs. Il est tentant de donner comme réponse le nombre moyen d'enfants dans une famille moins 1. Or cette réponse est fausse.

Considérons pour illustrer les familles au Canada en 1986 (voir le tableau 4.5). Les familles ayant 2 enfants sont au nombre de 1 800 000 sur un total de 6 750 000 familles et comptent donc pour une proportion de 0,27 des familles. Mais les enfants qui proviennent de familles ayant 2 enfants sont au nombre de 3 600 000 sur un total de 8 550 000 enfants et comptent donc pour une proportion de 0,42 des enfants. La probabilité qu'un enfant choisi au hasard ait un frère ou une soeur est donc 0,42 et non pas 0,27. À partir de toutes les proportions calculées dans le tableau 4.5, on obtient que

E (nombre de frères et sœurs d'un enfant choisi au hasard)
= $0 \times 0,21 + 1 \times 0,42 + 2 \times 0,25 + 3 \times 0,09 + 4 \times 0,03$
= 1,31,

alors que

E (nombre d'enfants dans une famille choisie au hasard)
$$= 0 \times 0{,}33 + 1 \times 0{,}27 + 2 \times 0{,}27 + 3 \times 0{,}10 + 4 \times 0{,}03 + 5 \times 0{,}01$$
$$= 1{,}28$$

et que

$$1{,}28 - 1 = 0{,}28 < 1{,}31.$$

Remarque. L'espérance du nombre de frères et sœurs est un exemple type de ce qu'on appelle le *paradoxe de l'inspection*. Ce paradoxe est causé par des effets d'échantillonnage lorsqu'on est en présence de groupes d'individus. Il faut alors faire la distinction entre choisir un groupe au hasard et choisir un individu au hasard. En général, si la proportion des groupes de k individus est p_k pour $k = 0, 1, \ldots$, alors

Pr(appartenir à un groupe de k individus pour un individu choisi au hasard)

$$= \frac{k\, p_k}{\displaystyle\sum_{i \geq 0} i\, p_i} \text{ pour } k = 0, 1, \ldots \text{ et}$$

E (nombre d'individus dans le groupe d'un individu choisi au hasard)

$$= \sum_{k \geq 0} k \times \left(\frac{k\, p_k}{\displaystyle\sum_{i \geq 0} i\, p_i} \right)$$

$$= \frac{\displaystyle\sum_{k \geq 0} k^2\, p_k}{\displaystyle\sum_{i \geq 0} i\, p_i}$$

$$= \frac{\mu^2 + \sigma^2}{\mu}$$

$$= \mu + \frac{\sigma^2}{\mu},$$

où μ et σ^2 sont l'espérance et la variance du nombre d'individus dans un groupe choisi au hasard. Il est intéressant de remarquer qu'on a toujours

$$\mu + \frac{\sigma^2}{\mu} > \mu.$$

CAS D'UNE VARIABLE CONTINUE

Par analogie avec le cas discret, si X est une variable continue de fonction de densité f dans une certaine population, alors la **moyenne** ou **espérance** de X est donnée par

$$\mu_X = E(X) = \int_{-\infty}^{+\infty} x\, f(x)\, dx$$

TABLEAU 4.5.

Familles et nombre d'enfants au Canada, 1986

Nombre d'enfants dans une famille	Nombre de familles (en milliers)	Proportion des familles	Nombre d'enfants (en milliers)	Proportion des enfants
0	2200	0,33	0	0
1	1800	0,27	1800	0,21
2	1800	0,27	3600	0,42
3	700	0,10	2100	0,25
4	200	0,03	800	0,09
5	50	0,01	250	0,03
Total	6750	1,01	8550	1,00

Source : *The Canadian World Almanac and Book of Facts 1990*, Toronto, Global Press. (Extrait de Statistique Canada.)

et la **variance** de X, ou le carré de l'écart-type de X, par

$$\sigma_X^2 = \mathrm{Var}(X) = \int_{-\infty}^{+\infty} (x - \mu_X)^2 f(x)\, dx$$

$$= \left(\int_{-\infty}^{+\infty} x^2 f(x)\, dx \right) - \left(\int_{-\infty}^{+\infty} x f(x)\, dx \right)^2 .$$

À noter que la variance d'une variable continue est toujours supérieure à 0.

En général, la **moyenne (espérance) d'une transformation** $g(X)$ de X est

$$\mu_{g(X)} = E[g(X)] = \int_{-\infty}^{+\infty} g(x) f(x)\, dx$$

et sa **variance**

$$\sigma_{g(X)}^2 = \mathrm{Var}[g(X)] = E[g(X)^2] - E[g(X)]^2 .$$

Soulignons que les formules pour les changements d'origine et d'échelle et les définitions de variables centrées, réduites et standardisées définies dans le cas d'une variable discrète s'appliquent aussi au cas d'une variable continue.

Pour une variable X qui suit une loi uniforme sur un intervalle $[a, b]$, par exemple, on a

$$E(X) = \int_a^b \frac{x}{b-a}\, dx = \frac{(b^2 - a^2)}{2(b-a)} = \frac{b+a}{2} ,$$

$$E(X^2) = \int_a^b \frac{x^2}{b-a}\, dx = \frac{(b^3 - a^3)}{3(b-a)} = \frac{b^2 + ab + a^2}{3} ,$$

$$\mathrm{Var}(X) = \frac{b^2 + ab + a^2}{3} - \left(\frac{b+a}{2} \right)^2 = \frac{b^2 - 2ab + a^2}{12} = \frac{(b-a)^2}{12} .$$

Exemple. Si la distance entre deux stations-service consécutives le long d'une autoroute est de 50 km, alors la distance X parcourue par une automobile qui tombe en panne entre les deux stations-service depuis le passage devant la première est comprise entre 0 et 50 km. La distance entre le lieu de cette panne et la station-service la plus proche est alors $g(X)$ où

$$g(x) = \begin{cases} x & \text{si} \quad x \leq 25 \\ 50 - x & \text{si} \quad x > 25 \end{cases}$$

(voir la figure 4.13). Si la variable X suit une loi uniforme sur $[\,0, 50\,]$, alors

$$E[g(X)] = \int_0^{50} \frac{g(x)}{50}\, dx$$

$$= \int_0^{25} \frac{x}{50}\, dx + \int_{25}^{50} \frac{50 - x}{50}\, dx$$

$$= \int_0^{25} \frac{x}{50}\, dx + \int_{25}^{50} dx - \int_{25}^{50} \frac{x}{50}\, dx$$

$$= \frac{25^2}{2 \times 50} + (50 - 25) - \left(\frac{50^2 - 25^2}{2 \times 50} \right)$$

$$= 12{,}5\,,$$

$$E[g(X)^2] = \int_0^{50} \frac{g(x)^2}{50}\, dx$$

$$= \int_0^{25} \frac{x^2}{50}\, dx + \int_{25}^{50} \frac{(50 - x)^2}{50}\, dx$$

$$= \int_0^{25} \frac{x^2}{50}\, dx + \int_{25}^{50} \frac{50^2 - 100x + x^2}{50}\, dx$$

$$= \int_0^{25} \frac{x^2}{50}\, dx + \int_{25}^{50} 50\, dx - \int_{25}^{50} 2x\, dx + \int_{25}^{50} \frac{x^2}{50}\, dx$$

$$= \frac{25^3}{3 \times 50} + 50(50 - 25) - 2\frac{(50^2 - 25^2)}{2} + \frac{(50^3 - 25^3)}{3 \times 50}$$

$$= 208{,}33\,,$$

$$\text{Var}[g(X)] = 208{,}33 - (12{,}5)^2 = 52{,}08\,.$$

FIGURE 4.13.

Schéma de la situation d'une automobile en panne entre deux stations-service

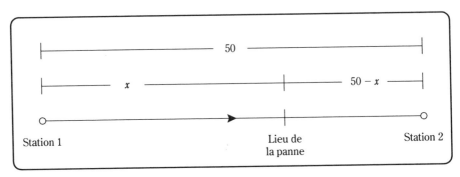

Si une station-service demande un prix fixe de 25 \$ plus 5 \$ par km à parcourir pour effectuer un dépannage, le coût moyen et la variance du coût pour se faire dépanner par la station-service la plus proche seront respectivement

$$25 + 5\, E[\,g(X)\,] = 87,5 \text{ et}$$
$$5^2\, \text{Var}\,[\,g(X)\,] = 1302.$$

* *Remarque.* $g(X)$ est une variable qui suit une loi uniforme sur $[\,0, 25\,]$, car

$$\Pr(c \leqslant g(X) \leqslant d) = \Pr(c \leqslant X \leqslant d) + \Pr(c \leqslant 50 - X \leqslant d)$$
$$= \Pr(c \leqslant X \leqslant d) + \Pr(50 - d \leqslant X \leqslant 50 - c)$$
$$= \frac{d - c}{50} + \frac{(50 - c) - (50 - d)}{50}$$
$$= \frac{d - c}{25}$$

dès que $0 \leqslant c \leqslant d \leqslant 25$. L'espérance et la variance d'une telle variable sont

$$\frac{25 + 0}{2} = 12,5 \text{ et } \frac{(25 - 0)^2}{12} = 52,08\,,$$

respectivement, en accord avec les résultats précédents. Dans le cas continu comme dans le cas discret, les définitions d'espérance et de variance pour une transformation d'une variable et pour une variable sont concordantes.

Exemple.   Le volume d'une sphère de rayon R est $(4/3)\pi R^3$. Supposons que R soit une variable de loi uniforme sur l'intervalle $[\,0, 1\,]$. Alors l'espérance du volume de la sphère est

$$\int_0^1 \frac{4}{3}\pi r^3\, dr = \frac{4\pi}{3 \times 4} = \frac{\pi}{3}$$

et sa variance

$$\int_0^1 \left(\frac{4}{3}\,\pi r^3\right)^2 dr - \left(\frac{\pi}{3}\right)^2 = \frac{16\,\pi^2}{9 \times 7} - \frac{\pi^2}{9}$$

$$= \frac{\pi^2}{7}\,.$$

PROBLÈMES

4.1. On extrait une carte au hasard d'un jeu standard de 52 cartes. Calculez :
   a) Pr(une dame) ;
   b) Pr(une dame et un cœur) ;
   c) Pr(une dame ou un cœur) ;
   d) Pr(une dame ou un roi ou un cœur) ;
   e) Pr(une dame ou un cœur ou un carreau).

4.2. Au poker, lorsqu'on reçoit 5 cartes au hasard, on a les probabilités suivantes :
   Pr(1 valeur représentée 4 fois et 1 autre représentée 1 fois) = 0,0002 ;
   Pr(1 valeur représentée 3 fois et 1 autre représentée 2 fois) = 0,0014 ;
   Pr(1 valeur représentée 3 fois et 2 autres représentées 1 fois) = 0,0211 ;
   Pr(1 valeur représentée 2 fois et 3 autres représentées 1 fois) = 0,4226 ;
   Pr(valeurs toutes différentes) = 0,5071.

   À partir de ces probabilités, calculez :
   a) Pr(1 valeur représentée au moins 3 fois) ;
   b) Pr(au moins 1 valeur représentée exactement 2 fois) ;
   c) Pr(2 valeurs représentées 2 fois et 1 autre représentée 1 fois).

   Remarque.   Les valeurs sont 2, ... , 10, valet, dame, roi, as.

4.3. Dans un hôpital, on soigne 400 malades pour 3 symptômes, A, B, C : 120 malades présentent le symptôme A seulement, 64 le symptôme B seulement, 72 le symptôme C seulement, 72 les symptômes A et B seulement, 20 les symptômes B et C seulement et 12 les symptômes A et C seulement. On rencontre un malade de cet hôpital au hasard. Déterminez la probabilité que ce malade
   a) présente les trois symptômes ; b) présente le symptôme A ; c) ne présente pas le symptôme B ; d) ne présente pas les deux symptômes A et B.

4.4. Un individu pris au hasard dans une population parle au moins une des trois langues suivantes : français (F), anglais (A) et espagnol (E). On sait que
   Pr(F) = 0,8,   Pr(A) = 0,6,   Pr(E) = 0,15,
   Pr(F et A) = 0,4,   Pr(F et E) = 0,1,   Pr(A et E) = 0,1.

   Calculez
   a) Pr(F et A et E) ; c) Pr(F ou A) ; e) Pr(F^c et A^c) ;
   b) Pr(E et A^c et F^c) ; d) Pr(F ou A ou E) ; f) Pr(F^c ou A^c).

4.5. Dans l'énoncé du problème 2.9, on donne les pourcentages des familles monoparentales et biparentales au Canada en 1986. Quelle est la probabilité qu'un parent pris au hasard parmi tous les parents soit le parent d'une famille monoparentale ?

4.6. On lance 3 dés non pipés (un blanc, un rouge et un noir). On note le nombre de points $(1, 2, 3, 4, 5$ ou $6)$ qui apparaît sur la face supérieure de chaque dé. Calculez :

   a) Pr(trois 3) ;

   b) Pr(deux 2 et un 5) ;

   c) Pr(un 1, un 3 et un 5) ;

   d) Pr(somme de points égale à 9) ;

   e) Pr(somme de points égale à 10).

   Remarque.   Ces calculs ont été effectués à l'origine par Galilée pour expliquer la différence entre *d*) et *e*).

4.7. Quelles fonctions parmi les suivantes sont acceptables comme fonction de masse d'une variable discrète dont les valeurs possibles sont $0, 1, 2, 3$:

   a) $p(0) = 1/4$, $p(1) = 3/8$, $p(2) = 1/16$, $p(3) = 3/16$;

   b) $p(0) = 0$, $p(1) = 1/3$, $p(2) = 1/6$, $p(3) = 1/2$;

   c) $p(0) = 1/5$, $p(1) = 1/4$, $p(2) = 1/3$, $p(3) = 1/2$;

   d) $p(0) = 1/4$, $p(1) = 1/2$, $p(2) = -1/4$, $p(3) = 1/2$.

4.8. Un dé à 6 faces est pipé de telle façon que la probabilité de la face à *i* points est proportionnnelle à *i* pour $i = 1,..., 6$. En d'autres termes, si X est la variable « nombre de points », la fonction de masse de X est

$$p(i) = ki \text{ pour } i = 1, \dots, 6,$$

   où *k* est une constante de proportionnalité.

   a) Déterminez la constante *k*.

   b) Calculez $\Pr(X \leqslant 2)$ et $\Pr(X \geqslant 4)$.

4.9. La boîte ci-dessous contient des jetons valant 1, 2, 3, 4 ou 5 dollars.

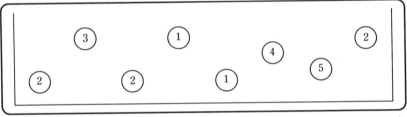

   a) Si on tire un jeton au hasard, quelle est la fonction de masse pour la valeur du jeton ?

   b) Si on tire deux jetons au hasard sans remise, quelle est la fonction de masse pour la valeur totale des deux jetons ?

4.10. Au restaurant, un individu a l'habitude de payer la note par le multiple de 10 \$ immédiatement supérieur au montant de la facture et de laisser la différence en pourboire. Le pourboire en dollars suit alors une loi uniforme continue de 0 à 10. Calculez :

   a) $\Pr(3 \leqslant \text{pourboire} \leqslant 7)$; *b*) $\Pr(\text{pourboire} < 2)$; *c*) $\Pr(\text{pourboire} \geqslant 7,5)$.

4.11. En arrondissant un nombre réel au nombre entier le plus près, on introduit une erreur comprise entre $-1/2$ et $+1/2$. En supposant une loi uniforme continue pour cette erreur, calculez :

   a) Pr(erreur = 0) ;

   b) Pr(erreur < 0) ;

   c) Pr(erreur > 0) ;

   d) Pr(erreur < 1/4) ;

   e) Pr(|erreur| > 1/4).

4.12. Quelles fonctions parmi les suivantes sont acceptables comme fonction de densité d'une variable continue :

   a) $f(x) = 2/x^3$ pour $1 \leqslant x \leqslant 2$;

   b) $f(x) = 2x^3$ pour $-1 \leqslant x \leqslant 1$;

c) $f(x) = 2\cos x$ pour $-\pi/2 \leqslant x \leqslant \pi/2$;
d) $f(x) = 2\sin x$ pour $-\pi/2 \leqslant x \leqslant \pi/2$.

4.13. Une variable continue X qui prend ses valeurs dans un intervalle $[\,1,\,b\,]$ a pour fonction de densité

$$f(x) = \frac{1}{x} \text{ pour } 1 \leqslant x \leqslant b\,.$$

a) Déterminez la valeur de b.
b) Calculez $\Pr(X < 2)$ et $\Pr(X > 2)$.

4.14. La fonction $f(x)$ illustrée ci-dessous est la fonction de densité d'une variable continue X.

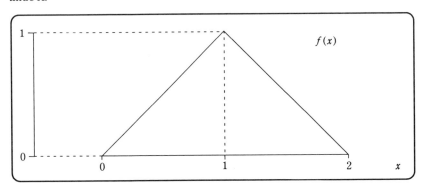

Déterminez :

a) $\Pr(X < 1)$; b) $\Pr(X > 3/2)$; c) $\Pr(1/2 \leqslant X \leqslant 3/2)$.

4.15. Une variable discrète a pour fonction de masse

v	-2	-1	5	10
$p(v)$	$1/3$	$1/4$	$1/4$	$1/6$

Déterminez :

a) la fonction de répartition ; c) la médiane M ;
b) les quantiles $c_{1/6}$ et $c_{5/6}$; d) les 1er et 3e quartiles Q_1 et Q_3.

4.16. On donne ci-dessous le graphique de la fonction de répartition d'une variable discrète.

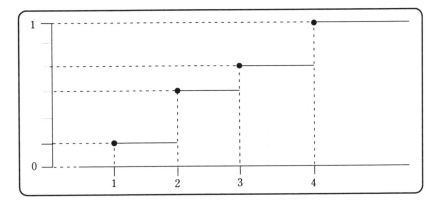

Déterminez :

a) la fonction de masse de la variable ;   *d*) le 3e décile D_3 ;

b) les quantiles $c_{1/3}$ et $c_{2/3}$;   *e*) le 45e centile C_{45}.

c) le 2e quintile V_2 ;

4.17. La longueur du côté d'un carré dont la surface est une variable de loi uniforme sur l'intervalle [0, 4] est une variable continue de fonction de densité

$$f(x) = \frac{x}{2} \quad \text{pour} \quad 0 \le x \le 2 \,.$$

Déterminez :

a) la fonction de répartition correspondante ; *b*) les quantiles c_γ d'ordre 100γ %, pour $0 \le \gamma \le 1$.

4.18. Soit une variable dont la fonction de densité est celle donnée dans l'énoncé du problème 4.14. Déterminez :

a) la médiane M ;   *d*) les 1er et 9e déciles D_1 et D_9 ;

b) les 1er et 3e quartiles Q_1 et Q_3 ;   *e*) les 1er et 99e centiles C_1 et C_{99} ;

c) les 1er et 4e quintiles V_1 et V_4 ;   *f*) les 1er et 999e milliles M_1 et M_{999}.

4.19. Les quantiles d'ordre 100γ % d'une variable continue sont donnés par

$$c_\gamma = 8\gamma^3 \text{ pour } 0 \le \gamma \le 1.$$

Déterminez :

a) le 2e quartile Q_2 ;   *e*) le 500e millile M_{500} ;

b) le 3e quintile V_3 ;   *f*) la fonction de répartition de la variable ;

c) le 5e décile D_5 ;   *g*) la fonction de densité de la variable.

d) le 60e centile C_{60} ;

4.20. Calculez l'espérance et la variance de la valeur d'un jeton tiré au hasard dans la boîte du problème 4.9. Quel est le prix honnête à payer pour prendre au hasard un jeton dans cette boîte ?

4.21. Calculez l'espérance et la variance de la variable discrète dont la fonction de masse est donnée dans l'énoncé du problème 4.15. Calculez les mêmes quantités dans le cas où toutes les valeurs sont augmentées de 2 et dans le cas où toutes les valeurs sont multipliées par 2. Faites de même dans le cas où toutes les valeurs sont diminuées de 10 et dans celui où toutes les valeurs sont divisées par 10.

4.22. À une loterie, il y a un seul gagnant qui reçoit 60 % de la somme totale en billets vendus. Chaque billet coûte 1 $ et N billets sont vendus. Calculez l'espérance et la variance du gain avec un billet.

4.23. Dans le jeu du *chuck-a-luck*, on lance 3 dés à 6 faces et on mise 1 $ sur une face. Si, par exemple, on mise sur le 4 (pour la face à 4 points), on remporte 1 $ pour chaque 4 obtenu. De plus, si au moins un 4 est obtenu, le dollar misé est récupéré. Le dollar misé est donc perdu si et seulement si on n'obtient aucun 4. Soit X le gain net du joueur. La variable X peut prendre les valeurs − 1, 1, 2 ou 3. Calculez l'espérance et l'écart-type de X.

4.24. Donnez un exemple de 2 fonctions de masse pour une variable discrète qui donnent la même espérance et la même variance. Donnez aussi un exemple d'une variable discrète dont la variance égale l'espérance.

4.25. Dans une population fictive, la moitié des familles a 1 garçon et pas de fille, et l'autre moitié a 1 garçon et 2 filles. Calculez :

a) E(proportion de garçons dans une famille) ;

b) Pr(un enfant pris au hasard parmi tous les garçons soit un garçon).

4.26. La longueur du côté d'un cube dont le volume est de loi uniforme sur l'intervalle [0, 1] est une variable continue X qui a pour fonction de densité

$$f(x) = 3x^2 \text{ pour } 0 \leqslant x \leqslant 1.$$

Calculez E(X) et Var(X).

4.27. Supposons que le rayon R d'un cercle soit une variable de loi uniforme sur l'intervalle [0, 1]. Déterminez :

a) E(circonférence du cercle) ;

b) Var(circonférence du cercle).

4.28. Supposons que le côté X d'un cube soit une variable de loi uniforme sur l'intervalle [0, 1]. Calculez :

a) E(volume du cube) ;

b) Var(volume du cube).

4.29. On a une ficelle de 1 m de longueur qu'on coupe en deux en un point déterminé au hasard. Un des bouts obtenus sert à construire un carré tandis que l'autre sert à construire un cercle. Calculez :

a) E(côté du carré) et E(aire du carré) ;

b) E(circonférence du cercle) et E(aire délimitée par le cercle) ;

c) Var(aire du carré).

4.30. À une foire, la grande roue tombe en panne et s'arrête à une position au hasard. L'angle Θ que fait le rayon de la grande roue aboutissant à votre siège par rapport à l'horizontale dans une direction donnée suit une loi uniforme sur l'intervalle $[0, 2\pi]$. Si le rayon de la grande roue est égal à 10 m, alors la hauteur de votre siège en mètres est $(10 + 10 \sin \Theta)$. Calculez l'espérance de cette hauteur. La réponse pourrait-elle être obtenue sans calcul ? Expliquez.

4.31. Soit X une variable de loi uniforme sur l'intervalle [0, 1]. On considère une transformation de X, $g(X)$, où

$$g(x) = \begin{cases} x & \text{si} & 0 \leqslant x \leqslant 1/2 \\ 1/2 & \text{si} & 1/2 < x \leqslant 1 . \end{cases}$$

Calculez $E[g(X)]$ et $Var[g(X)]$.

4.32. Une variable X a une espérance égale à 10 et un écart-type égal à 3. Déterminez $E(X^2)$.

5

DISTRIBUTION CONJOINTE DE VARIABLES SIMULTANÉES ET INDÉPENDANCE

*5.1. DEUX EXEMPLES HISTORIQUES

LOIS DE MENDEL POUR DEUX CARACTÈRES

Gregor Mendel (1822-1884) procéda à un grand nombre de croisements deve-nus aujourd'hui classiques pour étudier le phénomène de la transmission de caractères héréditaires. Il choisit le pois comestible comme objet de ses expé-riences et s'intéressa à sept caractères dont la couleur des graines (jaune ou verte) et leur forme (ronde ou ridée). En croisant des lignées pures de pois ayant des graines jaunes et rondes (obtenues par autofécondation répétée) avec des lignées pures de pois ayant des graines vertes et ridées, il constata que les pois hybrides ainsi créés avaient des graines jaunes et rondes. Il en con-clut que la couleur jaune devait être **dominante** sur la couleur verte et la forme ronde dominante sur la forme ridée tandis que la couleur verte et la forme ridée étaient des caractères **récessifs**. Cependant, en croisant les hybrides entre eux, il observa de nouveau les caractères récessifs, graines de couleur verte et de forme ridée, chez une fraction des pois de la descendance. Les résultats de ces croisements sont présentés dans le tableau 5.1. Il y a dans toute la descendance une proportion $140/556 = 0,25$ de pois de graines vertes et une proportion $133/556 = 0,24$ de pois de graines ridées. De plus, la proportion de pois de graines vertes est presque la même parmi les pois de graines rondes $(108/423 = 0,26)$ et de graines ridées $(32/133 = 0,24)$ et la proportion de pois de graines ridées presque la même parmi les pois de graines jaunes $(101/416 = 0,24)$ et de graines vertes $(32/140 = 0,23)$.

TABLEAU 5.1.

Résultats obtenus par Mendel à la suite de croisements de pois hybrides quant à la forme (ronde ou ridée) et la couleur (jaune ou verte) des graines

Graines	Jaunes	Vertes	Total
Rondes	315	108	423
Ridées	101	32	133
Total	416	140	556

Source : M. G. Bulmer, *Principles of Statistics*, Édimbourg, Oliver and Boyd, 1965. (Extrait de W. Bateson, *Mendel's Principles of Heredity*, Cambridge University Press, 1909.)

Mendel émit l'hypothèse, vérifiée depuis ce temps, que l'expression de chaque caractère devait être contrôlée par deux **gènes**, un issu de chaque parent. Il devait aussi y avoir deux types de gènes (gènes allélomorphes ou **allèles**) pour chaque caractère qu'il avait étudié avec un type dominant sur l'autre. Pour la forme de la graine, par exemple, on peut imaginer les allèles R et r de telle sorte que les pois de **génotypes** RR et Rr ont des graines de forme ronde (**phénotype** [R]) et les pois de génotype rr des graines de forme ridée (**phénotype** [r]). Une **lignée pure** de pois avec des graines rondes est de **génotype homozygote** RR et une lignée pure avec des graines ridées de génotype homozygote rr de telle sorte qu'un **hybride** est de **génotype hétérozygote** Rr. Un croisement entre deux hybrides peut alors donner des pois de génotype

    – RR   si les deux parents transmettent chacun un R ;

    – Rr   si l'un des parents transmet un R et l'autre un r ;

    – rr   si les deux parents transmettent chacun un r.

En supposant que les quatre possibilités de transmission de gènes par les parents sont équiprobables (ce qui est le cas si chacun des parents transmet R et r avec la même probabilité 1/2 — on parle alors de **ségrégation mendélienne** — indépendamment l'un de l'autre), on obtient une probabilité 1/4 pour rr (phénotype [r]) et 3/4 pour RR ou Rr (phénotype [R]). Ces probabilités sont approchées d'assez près expérimentalement. De plus, elles le sont quelle que soit la couleur des graines (jaune ou verte) pour laquelle on peut supposer aussi l'existence d'un allèle v pour vert et V pour jaune, V étant dominant sur v. Comme la ségrégation mendélienne le prévoit, on observe aussi dans ce cas, par des croisements d'hybrides Vv, une proportion de pois de graines vertes très près de 1/4 et ce quelle que soit la forme des graines (ronde ou ridée). On en conclut comme Mendel que les gènes des deux caractères doivent être transmis de façon indépendante.

Lorsque les lois de Mendel ont été redécouvertes au début du XXᵉ siècle, de nouvelles expériences ont révélé que certains caractères étaient « liés ». Bateson, par exemple, a rapporté en 1909 des résultats sur la couleur des fleurs (pourpre dominante sur rouge) et sur la forme du pollen (allongée dominante sur ronde) chez le pois de senteur qui montrent de façon convaincante que les gènes de ces caractères ne sont pas transmis indépendamment l'un de l'autre. En effet, dans la descendance de croisements d'hybrides pour les deux caractères, on observe que les fleurs pourpres sont davantage associées au pollen allongé et les fleurs rouges au pollen rond (voir le tableau 5.2). Si l'on désigne par S et s les allèles associés aux couleurs pourpre et rouge des fleurs, et par T et t ceux qui déterminent les formes allongées et rondes du pollen, les hybrides de lignées pures pour les deux caractères sont de génotype ST/st, ayant reçu une paire de gènes ST de l'un des parents et une paire de gènes st de l'autre. Ils peuvent donc transmettre par l'intermédiaire de cellules reproductrices, ou **gamètes**, quatre paires de gènes différentes à leurs descendants : les deux **paires parentales**, ST et st, et les deux **paires recombinées**, St et sT. Les résultats rapportés par Bateson peuvent alors s'expliquer par la transmission d'un plus grand nombre de paires parentales que de paires recombinées, ce qui conduit à une représentation plus grande de génotypes ST/ST, ST/st et st/st dans la descendance. C'est le cas si les gènes transmis sont liés d'une certaine façon (c'est-à-dire, comme on le sait aujourd'hui, qu'ils occupent deux **locus** sur le même **chromosome**). On parle alors de **liaison génétique**, aussi dite **linkage**. Des recombinaisons de gènes sont tout de même possibles par enjambement (*crossing-over*) de deux chromosomes lors de la formation de gamètes. La proportion attendue de paires recombinées transmises est appelée le **taux de recombinaison**. En supposant la ségrégation mendélienne à chaque locus et un taux de recombinaison τ entre les locus tel que $0 \leqslant \tau \leqslant 1/2$, on calcule qu'un hybride transmet à un descendant une paire de gènes

ST   avec probabilité $\dfrac{1-\tau}{2}$,

st   avec probabilité $\dfrac{1-\tau}{2}$,

St   avec probabilité $\dfrac{\tau}{2}$,

sT   avec probabilité $\dfrac{\tau}{2}$.

(Voir la figure 5.1.)

TABLEAU 5.2.

Résultats de croisements de pois hybrides quant à la couleur des fleurs (pourpre ou rouge) et la forme du pollen (allongée ou ronde)

		Couleur des fleurs		
		Pourpre	**Rouge**	**Total**
Forme du pollen	Allongée	1 528	117	1 645
	Ronde	106	381	487
	Total	1 634	498	2 132

Source : M. G. Bulmer, *Principles of Statistics*, Édimbourg, Oliver and Boyd, 1965. (Extrait de W. Bateson, *Mendel's Principles of Heredity*, Cambridge University Press, 1909.)

FIGURE 5.1.

Ségrégation mendélienne : (I) à un locus ;
(II) à deux locus avec taux de recombinaison τ

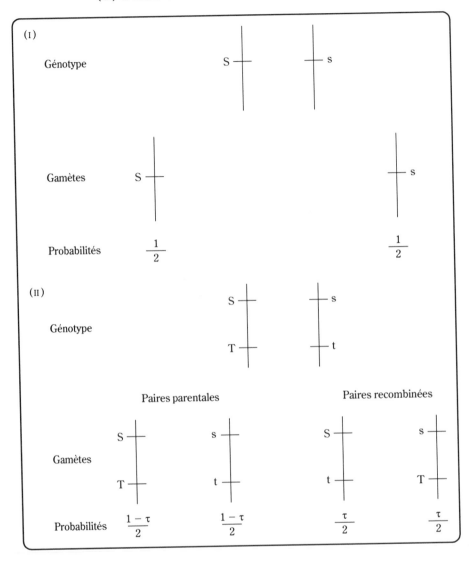

Un taux de recombinaison égal à 0 correspond à une situation dans laquelle la ségrégation des gènes se fait en tandem aux deux locus (comme s'il y avait un seul locus) alors qu'un taux de recombinaison égal à 1/2 correspond à une situation dans laquelle la ségrégation des gènes se fait de façon indépendante aux deux locus (ce qui est le cas lorsque les locus sont sur des chromosomes différents). Un croisement entre deux hybrides qui transmettent indépendamment l'un de l'autre une paire de gènes à un descendant donnera un génotype

$$\text{st/st} \quad \text{avec probabilité } \left(\frac{1-\tau}{2}\right)\left(\frac{1-\tau}{2}\right),$$

$$\text{St/St} \quad \text{avec probabilité } \left(\frac{\tau}{2}\right)\left(\frac{\tau}{2}\right),$$

$$\text{St/st} \quad \text{avec probabilité } \left(\frac{\tau}{2}\right)\left(\frac{1-\tau}{2}\right) + \left(\frac{1-\tau}{2}\right)\left(\frac{\tau}{2}\right),$$

$$\text{sT/sT} \quad \text{avec probabilité } \left(\frac{\tau}{2}\right)\left(\frac{\tau}{2}\right),$$

$$\text{sT/st} \quad \text{avec probabilité } \left(\frac{\tau}{2}\right)\left(\frac{1-\tau}{2}\right) + \left(\frac{1-\tau}{2}\right)\left(\frac{\tau}{2}\right),$$

et ainsi de suite. À remarquer qu'il existe deux façons d'obtenir les génotypes St/st et sT/st, car les deux paires de gènes sont différentes, et chacune d'elles peut provenir de l'un ou l'autre des deux parents, tandis qu'il y a une seule façon d'obtenir les génotypes st/st, St/St et sT/sT dont les paires de gènes sont identiques. De plus, les génotypes St/St, St/st ainsi que les génotypes sT/sT et sT/st sont indiscernables par le phénotype. Enfin, tous les autres génotypes présentent le même phénotype et ont ensemble une probabilité

$$1 - \left(\frac{1-\tau}{2}\right)^2 - 2\left(\frac{\tau}{2}\right)^2 - 4\left(\frac{\tau}{2}\right)\left(\frac{1-\tau}{2}\right) = \frac{4 - (1 - 2\tau + \tau^2) - 2\tau^2 - 4(\tau - \tau^2)}{4}$$

$$= \frac{3 - 2\tau + \tau^2}{4}.$$

On obtient ainsi le tableau 5.3 pour la distribution du phénotype dans la descendance. La distribution du caractère au deuxième locus dépend du caractère au premier locus à moins que $\tau = 1/2$. Ce cas correspond à la **recombinaison libre**.

PROBLÈME DE L'AIGUILLE DE BUFFON

Un problème sur les couples de variables continues qui remonte aux origines de la théorie des probabilités est celui de l'aiguille de Buffon (1707-1788) :

On laisse tomber au hasard une aiguille de longueur 2L *sur une surface plane sur laquelle sont tracées des lignes parallèles distantes de* 2L. *Quelle est la probabilité que l'aiguille croise l'une des lignes ?*

Supposons que L = 1, ce qui revient à prendre L comme unité de longueur. Pour décrire le résultat de l'expérience, on introduit deux variables : la distance D entre le centre de l'aiguille et la ligne la plus proche et l'angle Θ, dans le sens contraire des aiguilles d'une montre, que fait l'aiguille avec la ligne la plus proche (voir la figure 5.2 (I)). La variable D peut prendre n'importe quelle valeur

Tableau 5.3.

Résultats attendus de croisements entre hétérozygotes doubles ST/st avec S dominant sur s à un premier locus, T dominant sur t à un deuxième locus et un taux de recombinaison τ entre les deux locus

| | | **Premier locus** | | |
		SS ou Ss	**ss**	**Total**
Deuxième locus	TT ou Tt	$\dfrac{3 - 2\tau + \tau^2}{4}$ $[9/16]^\dagger$	$\dfrac{\tau(1-\tau)}{2} + \left(\dfrac{\tau}{2}\right)^2$ $[3/16]^\dagger$	$\dfrac{3}{4}$
	tt	$\dfrac{\tau(1-\tau)}{2} + \left(\dfrac{\tau}{2}\right)^2$ $[3/16]^\dagger$	$\left(\dfrac{1-\tau}{2}\right)^2$ $[1/16]^\dagger$	$\dfrac{1}{4}$
	Total	$\dfrac{3}{4}$	$\dfrac{1}{4}$	1

† Lorsque τ = 1/2.

entre 0 et 1 et la variable Θ n'importe quelle valeur entre 0 et π de telle sorte que le couple (Θ, D) peut prendre n'importe quelle valeur dans le rectangle $[0, \pi] \times [0, 1]$ d'aire totale égale à π. Dire qu'on laisse tomber l'aiguille « au hasard » revient à dire que

$$\Pr((\Theta, D) \text{ dans une région R de } [0, \pi] \times [0, 1]) = \frac{\text{aire de R}}{\pi}.$$

Dans ce cas, on dit que (Θ, D) suit une **loi uniforme sur le rectangle** $[0, \pi] \times [0, 1]$ et décrit l'expérience de choisir un point au hasard dans $[0, \pi] \times [0, 1]$. En particulier, on a (voir la figure 5.2 (II))

$$\Pr(\text{aiguille croise une ligne}) = \Pr(\sin \Theta \geq D)$$
$$= \frac{\text{aire sous sin } \theta \text{ pour } \theta \text{ de 0 à } \pi}{\pi}$$
$$= \frac{1}{\pi} \int_0^\pi \sin \theta \, d\theta$$
$$= \frac{-\cos \pi + \cos 0}{\pi}$$
$$= \frac{2}{\pi}.$$

Le résultat ci-dessus peut être utilisé de deux façons : 1) on peut laisser tomber l'aiguille un grand nombre de fois pour déterminer la valeur approximative de π ; 2) on peut laisser tomber l'aiguille un certain nombre de fois et utiliser la valeur exacte de π ($\approx 3{,}1416$) pour vérifier l'hypothèse que l'aiguille tombe effectivement au hasard.

Remarquons enfin que Θ suit une loi uniforme sur l'intervalle $[\,0, \pi\,]$ car

$$\Pr(\theta_1 \leq \Theta \leq \theta_2) = \Pr(\theta_1 \leq \Theta \leq \theta_2, 0 \leq D \leq 1)$$
$$= \Pr((\Theta, D) \text{ dans } [\theta_1, \theta_2] \times [0, 1])$$
$$= \frac{\theta_2 - \theta_1}{\pi}$$

FIGURE 5.2.

Problème de l'aiguille de Buffon : (I) variables de l'expérience ;
(II) valeurs des variables pour que l'aiguille croise une ligne

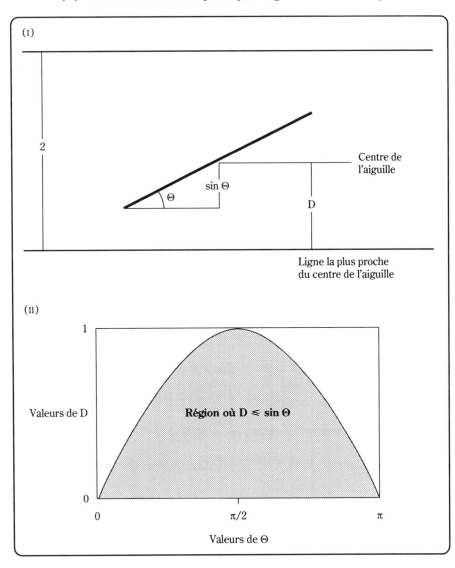

dès que $0 \leqslant \theta_1 \leqslant \theta_2 \leqslant \pi$. De plus, on peut intuitivement dire que, quelle que soit la valeur prise par D, Θ devrait toujours suivre une loi uniforme sur $[\,0, \pi\,]$. De même, D suit une loi uniforme sur l'intervalle $[\,0, 1\,]$ qu'on connaisse ou non la valeur prise par Θ.

5.2. PROBABILITÉ CONDITIONNELLE ET INDÉPENDANCE

DÉFINITIONS

Jusqu'à maintenant, nous avons défini la probabilité d'un événement en ignorant tous les autres. Or lorsqu'on considère deux ou plusieurs événements simultanément, ces événements peuvent avoir des liens entre eux de sorte que, par exemple, si l'un d'eux se réalise, les autres peuvent avoir plus de chances de se réaliser ou, au contraire, moins de chances de se réaliser. Ainsi, si on considère deux événements A et B, la probabilité que A se produise alors que B s'est produit, notée $\mathrm{Pr}(A\,|\,B)$, peut être différente de la probabilité que A se produise sans qu'on sache que B s'est produit ou non, notée $\mathrm{Pr}(A)$. Si l'on fait de plus en plus d'observations de façon indépendante et dans les mêmes conditions, $\mathrm{Pr}(A)$ se rapproche de la fréquence des observations où A se réalise parmi toutes les observations et, de la même manière, $\mathrm{Pr}(A\,|\,B)$ se rapproche de la fréquence des observations où A se réalise parmi toutes les observations où B se réalise. Soit n le nombre total d'observations, $n(B)$ le nombre d'observations avec réalisation de B et $n(A \text{ et } B)$ le nombre d'observations avec réalisation de A et de B, on obtient

$$\frac{n(A \text{ et } B)}{n(B)} = \frac{n(A \text{ et } B)/n}{n(B)/n}\,.$$

En prenant n de plus en plus grand et en faisant appel à la loi des grands nombres pour les proportions, on peut alors définir

$$\mathrm{Pr}(A\,|\,B) = \frac{\mathrm{Pr}(A \text{ et } B)}{\mathrm{Pr}(B)}\,.$$

La quantité $\mathrm{Pr}(A\,|\,B)$ possède toutes les propriétés d'une probabilité et est appelée **probabilité conditionnelle** de A étant donné B. En particulier, on a

$$0 \leqslant \mathrm{Pr}(A\,|\,B) \leqslant 1$$

avec la valeur 0 si A n'a aucune chance de se réaliser si B se réalise et la valeur 1 si A a toutes les chances de se réaliser si B se réalise. De plus, on a la propriété d'addition

$$\mathrm{Pr}(A\,|\,B) = \mathrm{Pr}(A_1\,|\,B) + \mathrm{Pr}(A_2\,|\,B) + \dots$$

si l'événement A peut être décomposé en un nombre fini ou infini dénombrable d'événements mutuellement exclusifs A_1, A_2, … de telle sorte que A se réalise si et seulement si A_1 ou A_2 ou… se réalise et A_i ne peut pas se réaliser en même temps que A_j pour tout $j \neq i$.

Lorsque

$$\mathrm{Pr}(A\,|\,B) = \mathrm{Pr}(A),$$

on dit que A et B sont **indépendants**. On a alors

$$Pr(A \text{ et } B) = Pr(A) \times Pr(B),$$

et donc on a aussi

$$Pr(B \,|\, A) = Pr(B).$$

Il est intéressant de remarquer que *si* A *et* B *sont indépendants, alors les événements* A^C *et* B, A *et* B^C, A^C *et* B^C *sont aussi indépendants.* En effet, dans ce cas

$$Pr(A^C \,|\, B) = 1 - Pr(A \,|\, B)$$

$$= 1 - Pr(A)$$

$$= Pr(A^C),$$

ce qui signifie que A^C et B sont indépendants. Par symétrie, A et B^C sont aussi indépendants. Il en est alors de même pour A^C et B^C par l'argument précédent.

La définition de la probabilité conditionnelle d'un événement A étant donné un événement B nous permet d'écrire

$$Pr(A \text{ et } B) = Pr(A \,|\, B) \times Pr(B).$$

C'est la **règle de multiplication**. Cette règle peut être généralisée par induction pour k événements $A_1, \ldots, A_k$ de telle sorte que

$$Pr(A_1 \text{ et } A_2 \text{ et } \ldots \text{ et } A_k) = Pr(A_1 \,|\, A_2 \text{ et } \ldots \text{ et } A_k) \times Pr(A_2 \,|\, A_3 \text{ et } \ldots \text{ et } A_k) \times \ldots$$

$$\times Pr(A_{k-1} \,|\, A_k) \times Pr(A_k).$$

L'intérêt de cette formule réside dans le fait qu'il est parfois plus facile de déterminer les probabilités conditionnelles que les probabilités de deux ou plusieurs événements à la fois.

Si les événements $A_1, \ldots, A_k$ sont **mutuellement indépendants** (on dit aussi **indépendants dans leur ensemble** ou, simplement, **indépendants**), alors on a

$$Pr(A_1 \text{ et } \ldots \text{ et } A_k) = Pr(A_1) \times \ldots \times Pr(A_k).$$

En fait, on a indépendance mutuelle si on a cette propriété pour tous les sous-ensembles d'événements. Ainsi, pour trois événements A_1, A_2 et A_3, cela revient à avoir

$$Pr(A_1 \text{ et } A_2) = Pr(A_1) \times Pr(A_2),$$
$$Pr(A_1 \text{ et } A_3) = Pr(A_1) \times Pr(A_3),$$
$$Pr(A_2 \text{ et } A_3) = Pr(A_2) \times Pr(A_3),$$
$$Pr(A_1 \text{ et } A_2 \text{ et } A_3) = Pr(A_1) \times Pr(A_2) \times Pr(A_3).$$

Des événements mutuellement indépendants sont nécessairement indépendants deux à deux, mais l'inverse n'est pas vrai. Enfin, si les événements $A_1, \ldots, A_k$ sont mutuellement indépendants, on peut remplacer n'importe quel sous-ensemble de ces événements par les événements contraires et on obtient encore des événements mutuellement indépendants. Donc, la probabilité de réalisation de tout événement n'est pas influencée par la réalisation ou non des autres.

L'exemple le plus intéressant d'événements mutuellement indépendants est celui d'événements concernant des tirages avec remise ou, plus généralement, des observations indépendantes dans une population. Mais il s'agit souvent là d'une hypothèse sur les observations.

La règle de multiplication s'applique aussi aux probabilités conditionnelles. Ainsi

$$\Pr(A \text{ et } B \mid C) = \Pr(A \mid B \text{ et } C) \times \Pr(B \mid C)$$

pour tous les événements A, B et C. Si

$$\Pr(A \text{ et } B \mid C) = \Pr(A \mid C) \times \Pr(B \mid C),$$

alors on dit que A et B sont **indépendants conditionnellement** à C.

Exemple.   La règle de multiplication est particulièrement utile pour calculer la probabilité d'événements relatifs aux résultats de tirages sans remise dans une population finie. Par exemple, une main de 13 cartes d'un jeu de cartes standard peut être considérée comme le résultat de tirages au hasard sans remise. La probabilité que la main contienne 4 as est difficile à calculer directement si on ne connaît pas l'analyse combinatoire. Mais la probabilité d'avoir dans la main l'as de trèfle, Pr(as trèfle), est clairement 13/52, car les 52 cartes du jeu ont *a priori* des chances égales de figurer parmi les 13 cartes de la main, et la probabilité d'avoir l'as de carreau étant donné qu'on a l'as de trèfle, Pr(as carreau | as trèfle), est clairement 12/51, car les 51 autres cartes ont des chances égales d'être parmi les 12 autres cartes de la main, et ainsi de suite. Par la règle de multiplication, on obtient alors

$$\begin{aligned}
\Pr(4 \text{ as}) = {} & \Pr(\text{as pique} \mid \text{as cœur, as carreau, as trèfle}) \\
& \times \Pr(\text{as cœur} \mid \text{as carreau, as trèfle}) \\
& \times \Pr(\text{as carreau} \mid \text{as trèfle}) \\
& \times \Pr(\text{as trèfle})
\end{aligned}$$

$$= \frac{10}{49} \times \frac{11}{50} \times \frac{12}{51} \times \frac{13}{52} .$$

Imaginons maintenant qu'une carte se retourne pendant la donne et que chacun ait le temps de voir qu'il s'agit d'une carte rouge (cœur ou carreau), mais non d'en voir la valeur. La probabilité que cette carte soit un as est 2/26, et donc exactement la même que si nul n'avait vu la couleur (4/52). On a alors

$$\Pr(\text{un as} \mid \text{la carte est rouge}) = \Pr(\text{la carte est un as}) = \frac{1}{13} ,$$

et de même pour toute couleur (rouge ou noire) et toute valeur (as ou roi ou dame ou …), qui sont par conséquent des caractéristiques indépendantes. La condition dans une probabilité conditionnelle représente une information qui affecte normalement la probabilité. Lorsque ce n'est pas le cas, alors on a indépendance.

À remarquer que les événements « avoir un as » et « la carte est rouge » sont aussi indépendants conditionnellement à l'événement « la carte a une valeur ≥ 10 » c'est-à-dire « la carte est un 10, un valet, une dame, un roi ou un as », puisque dans ce cas

$$\text{Pr}(\text{un as rouge} \mid \text{une valeur} \geq 10)$$

$$= \text{Pr}(\text{un as} \mid \text{une valeur} \geq 10) \times \text{Pr}(\text{une carte rouge} \mid \text{une valeur} \geq 10)$$

$$= \frac{4}{20} \times \frac{1}{2} = \frac{2}{20}\,.$$

Cependant, les trois événements ne sont pas indépendants mutuellement comme cela peut être vérifié directement. On comprend intuitivement que « la carte est un as » et « la carte a une valeur ≥ 10 » ne sont pas indépendants.

FORMULE DES PROBABILITÉS TOTALES

La formule des probabilités totales permet de calculer la probabilité d'un événement à partir d'une décomposition en cas. Les cas sont représentés par des événements mutuellement exclusifs A_1, A_2, ... qui sont **exhaustifs**, c'est-à-dire qu'un de ces événements se réalise nécessairement. Un événement B peut alors être décomposé en événements mutuellement exclusifs B et A_1, B et A_2, ... de sorte que

$$\text{Pr}(B) = \text{Pr}(B \text{ et } A_1) + \text{Pr}(B \text{ et } A_2) + ...$$

par la propriété d'addition. La règle de multiplication donne alors

$$\text{Pr}(B) = \text{Pr}(B \mid A_1) \times \text{Pr}(A_1) + \text{Pr}(B \mid A_2) \times \text{Pr}(A_2) + ...$$

C'est la **formule des probabilités totales**. En particulier, avec deux cas représentés par les événements A et A^c, on obtient

$$\text{Pr}(B) = \text{Pr}(B \mid A) \times \text{Pr}(A) + \text{Pr}(B \mid A^c) \times \text{Pr}(A^c).$$

Exemple.   On tire des cartes au hasard avec remise d'un jeu de cartes standard. Si la première carte est un cœur, on gagne. Si c'est un pique, on perd. Si c'est un carreau, on gagne dans le cas où, par la suite, on tire un carreau avant un cœur et on perd dans l'autre. Si c'est un trèfle, on gagne dans le cas où, par la suite, on tire un trèfle avant un cœur et on perd dans l'autre. On se demande quelle est la probabilité de gagner.

On définit les événements suivants :

A_1 : la première carte est un cœur ;
A_2 : la première carte est un pique ;
A_3 : la première carte est un carreau ;
A_4 : la première carte est un trèfle ;
B : on gagne.

La formule des probabilités totales et des arguments de symétrie donne alors

$$\Pr(B) = \Pr(B \mid A_1) \times \Pr(A_1) + \Pr(B \mid A_2) \times \Pr(A_2) + \Pr(B \mid A_3) \times \Pr(A_3)$$
$$+ \Pr(B \mid A_4) \times \Pr(A_4)$$
$$= 1 \times \frac{1}{4} + 0 \times \frac{1}{4} + \frac{1}{2} \times \frac{1}{4} + \frac{1}{2} \times \frac{1}{4}$$
$$= \frac{1}{2}.$$

FORMULE DE BAYES

La formule de Bayes permet de calculer des probabilités *a posteriori*. Une probabilité *a posteriori* est une probabilité conditionnelle étant donné une information obtenue à la suite de l'observation d'un événement. La situation la plus courante est la suivante : la population est subdivisée en sous-populations représentées par des événements mutuellement exclusifs et exhaustifs A_1, A_2, ..., et dont les proportions dans la population totale sont les **probabilités a priori** $\Pr(A_1)$, $\Pr(A_2)$, ... Les sous-populations correspondent à des cas. Un événement B pour lequel les probabilités conditionnelles $\Pr(B \mid A_1)$, $\Pr(B \mid A_2)$, ... sont connues est observé sur un individu pris au hasard dans la population. On s'intéresse alors aux **probabilités a posteriori** $\Pr(A_1 \mid B)$, $\Pr(A_2 \mid B)$, ... que l'individu choisi fasse partie des sous-populations A_1, A_2, ... (voir la figure 5.3). Dans ce contexte, les événements A_1, A_2, ... sont parfois vus comme des causes de l'événement B.

Selon la définition de la probabilité conditionnelle, on a, pour tout i,

$$\Pr(A_i \mid B) = \frac{\Pr(A_i \text{ et } B)}{\Pr(B)} = \frac{\Pr(B \text{ et } A_i)}{\Pr(B)}.$$

L'application de la règle de multiplication au numérateur et de la formule des probabilités totales au dénominateur donne alors, pour tout i,

$$\Pr(A_i \mid B) = \frac{\Pr(B \mid A_i) \times \Pr(A_i)}{\Pr(B \mid A_1) \times \Pr(A_1) + \Pr(B \mid A_2) \times \Pr(A_2) + \ldots}.$$

C'est la **formule de Bayes**. En particulier, si la population est subdivisée en deux sous-populations selon les événements A et A^c, alors on obtient

$$\Pr(A \mid B) = \frac{\Pr(B \mid A) \times \Pr(A)}{\Pr(B \mid A) \times \Pr(A) + \Pr(B \mid A^c) \times \Pr(A^c)}.$$

Problème du diagnostic. Considérons le cas d'un test pour dépister une maladie qui est positif 99 fois sur 100 pour quelqu'un qui est atteint de la maladie et 5 fois sur 100 pour quelqu'un qui n'en est pas atteint. De plus, on sait par des études antérieures que 2 % de la population est atteinte de la maladie et que, par conséquent, 98 % n'en est pas atteinte. Si le test se révèle positif pour une

FIGURE 5.3.

Schéma de la situation pour la formule des probabilités totales
et pour la formule de Bayes

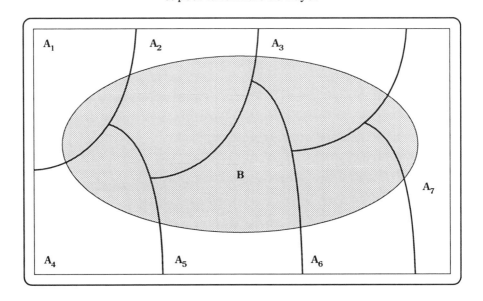

personne prise au hasard dans la population, quelle est la probabilité que cette personne soit atteinte de la maladie?

On trouve

$\Pr(\text{atteint} \mid \text{test positif})$

$$= \frac{\Pr(\text{test positif} \mid \text{atteint}) \times \Pr(\text{atteint})}{\Pr(\text{test positif} \mid \text{atteint}) \times \Pr(\text{atteint}) + \Pr(\text{test positif} \mid \text{pas atteint}) \times \Pr(\text{pas atteint})}$$

$$= \frac{0{,}99 \times 0{,}02}{0{,}99 \times 0{,}02 + 0{,}05 \times 0{,}98} = 0{,}29 \,.$$

Donc, il y a moins d'une chance sur trois pour que cette personne soit atteinte de la maladie.

Problème des jumeaux.   Les naissances gémellaires chez l'homme comptent pour de 1 % à 2 % de toutes les naissances. Il existe deux types de jumeaux : les vrais, issus d'un même œuf (jumeaux monozygotes), et les faux, issus de deux œufs distincts (jumeaux dizygotes). Les faux jumeaux sont deux fois plus nombreux que les vrais. Les vrais jumeaux sont nécessairement de même sexe alors que les faux sont de même sexe selon une probabilité 1/2. Étant donné que des jumeaux sont de même sexe, quelle est la probabilité qu'ils soient de vrais jumeaux?

Par la formule de Bayes et le tableau 5.4, on obtient

Pr(vrais jumeaux | jumeaux de même sexe)

$$= \frac{\text{Pr}(\text{jumeaux de même sexe} \mid \text{vrais jumeaux}) \times \text{Pr}(\text{vrais jumeaux})}{\begin{array}{c}\text{Pr}(\text{jumeaux de même sexe} \mid \text{vrais jumeaux}) \times \text{Pr}(\text{vrais jumeaux}) \\ + \text{Pr}(\text{jumeaux de même sexe} \mid \text{faux jumeaux}) \times \text{Pr}(\text{faux jumeaux})\end{array}}$$

$$= \frac{1 \times 1/3}{1 \times 1/3 + 1/2 \times 2/3}$$

$$= \frac{1}{2}.$$

Problème du secret. Il existe plusieurs versions de ce problème, mieux connu sous le nom du dilemme du prisonnier[1]. Celle que nous présentons prend pour sujets, pour ne pas dire victimes, des réfugiés menacés d'expulsion.

Trois réfugiés, Hadar, Santo et Latifa, dont les situations sont comparables, ont demandé l'asile politique. Ils apprennent que deux d'entre eux, sans savoir lesquels, ont vu leur demande rejetée et seront expulsés. Latifa, voulant connaître sans délai le sort qu'on lui réserve, va voir un fonctionnaire qui est au courant de la décision concernant chacun des réfugiés. Malheureusement, le fonctionnaire n'est pas autorisé à informer les réfugiés de la décision les concernant. Latifa, qui désire avoir malgré tout plus d'information et qui promet de garder le silence sur le sort réservé aux autres, demande au fonctionnaire de lui révéler simplement le nom d'un réfugié parmi les deux autres dont la demande a été rejetée. Dans ces circonstances, le fonctionnaire se sent autorisé à lui révéler que la demande de Santo a été rejetée, sans avoir *a priori* plus de raisons de mentionner Santo que quelqu'un d'autre. Est-ce que Latifa devrait avoir plus d'espoir concernant l'acceptation de sa demande après cette révélation ?

TABLEAU 5.4.
Distribution de jumeaux selon le type et le sexe

Probabilité	Jumeaux	Même sexe ou non	Probabilité conditionnelle
$\frac{1}{3}$	vrais	même sexe	1
$\frac{2}{3}$	faux	même sexe	$\frac{1}{2}$
		sexes différents	$\frac{1}{2}$

---

1. F. Mosteller, *Fifty Challenging Problems in Probability*, Addison-Wesley, 1965.

En d'autres termes, est-ce que les chances pour que la demande de Latifa ait été acceptée augmentent après la révélation du fonctionnaire dans les conditions décrites ci-dessus? Avant cette révélation et sans autre information, il y avait seulement 1 chance sur 3 que la demande de Latifa ait été acceptée; après cette révélation, il est tentant d'affirmer qu'il y a 1 chance sur 2. Or qu'en est-il vraiment?

A priori, les deux demandes rejetées peuvent être celles de Hadar et Santo (événement A_1), Santo et Latifa (événement A_2) ou Hadar et Latifa (événement A_3) avec probabilité 1/3 pour chaque cas. Dans le premier cas, le fonctionnaire peut dire à Latifa que la demande de Santo a été rejetée (événement B) avec probabilité 1/2 alors que dans le deuxième cas, il doit nécessairement dire à Latifa que c'est la demande de Santo qui a été rejetée. Dans le troisième cas, il est impossible que le fonctionnaire dise que la demande de Santo a été rejetée (voir le tableau 5.5). Donc, on a

$$
\begin{aligned}
\Pr(A_1 \mid B) &= \frac{\Pr(B \mid A_1) \times \Pr(A_1)}{\Pr(B \mid A_1) \times \Pr(A_1) + \Pr(B \mid A_2) \times \Pr(A_2) + \Pr(B \mid A_3) \times \Pr(A_3)} \\
&= \frac{1/2 \times 1/3}{1/2 \times 1/3 + 1 \times 1/3 + 0 \times 1/3} \\
&= \frac{1}{3} \\
&= \Pr(A_1) \, .
\end{aligned}
$$

La probabilité est donc la même avant et après la révélation du fonctionnaire.

TABLEAU 5.5.
Distribution de demandes rejetées

Probabilité	Demandes rejetées	Demande rejetée autre que celle de Latifa	Probabilité conditionnelle
$\frac{1}{3}$	Hadar et Santo	Hadar	$\frac{1}{2}$
		Santo	$\frac{1}{2}$
$\frac{1}{3}$	Santo et Latifa	Santo	1
$\frac{1}{3}$	Hadar et Latifa	Hadar	1

Remarque. On peut aussi se demander si Latifa devrait se réjouir pour Hadar après la révélation du fonctionnaire. Dans ce cas, on doit comparer $\Pr(A_2)$ qui est 1/3 à

$$\Pr(A_2 \mid B) = \frac{\Pr(B \mid A_2) \times \Pr(A_2)}{\Pr(B \mid A_1) \times \Pr(A_1) + \Pr(B \mid A_2) \times \Pr(A_2) + \Pr(B \mid A_3) \times \Pr(A_3)}$$

$$= \frac{1 \times 1/3}{1/2 \times 1/3 + 1 \times 1/3 + 0 \times 1/3}$$

$$= \frac{2}{3}.$$

Latifa devrait donc se réjouir pour Hadar.

5.3. DISTRIBUTIONS POUR UN COUPLE DE VARIABLES DISCRÈTES

INTRODUCTION

Plutôt que de s'intéresser à une seule variable dans une population, on peut s'intéresser à deux ou plusieurs variables simultanément. Chaque individu de la population se voit alors attribuer une valeur pour chacune des variables. Dans ce contexte, les variables peuvent être considérées comme les composantes d'une **variable bidimensionnelle** ou **multidimensionnelle** selon le cas. Dans le premier cas, on parle de **variables couplées** et, plus généralement, dans le second, de **variables simultanées**.

Nous nous intéresserons dans cette section aux variables bidimensionnelles, c'est-à-dire aux couples (X, Y) de deux variables unidimensionnelles X et Y. Lorsque les variables X et Y sont discrètes, alors le couple (X, Y) est dit discret. La distribution de (X, Y) est appelée la distribution conjointe de X et Y. Par rapport à cette distribution, les distributions de X et de Y sont dites marginales. D'autre part, la distribution de X pour une valeur donnée de Y est dite conditionnelle. On peut, de là, définir la notion de variables indépendantes.

DISTRIBUTION CONJOINTE

Supposons que v_1, v_2, ... et w_1, w_2, ... soient les valeurs possibles pour deux variables discrètes X et Y, respectivement. On définit la **fonction de masse conjointe** de X et Y ou **fonction de masse** de (X, Y) par

$$p_{ij} = \Pr(X = v_i, Y = w_j) \text{ pour } i, j = 1, 2, \ldots$$

La quantité p_{ij} est la probabilité conjointe que la variable X prenne la valeur v_i et la variable Y, la valeur w_j. Les valeurs (v_i, w_j) et les probabilités p_{ij} pour i, $j = 1, 2, \ldots$ définissent la **distribution conjointe** de X et Y ou, simplement, la **distribution** de (X, Y).

Toutes les propriétés de la fonction de masse d'une variable unidimensionnelle restent valides pour une variable bidimensionnelle. En particulier, on a

$$(1) \qquad p_{ij} \geqslant 0 \quad \text{pour } i, j = 1, 2, \ldots,$$

$$(2) \qquad \sum_{i, j \geqslant 1} p_{ij} = 1.$$

Remarque. La propriété (2) signifie que la somme de tous les p_{ij} pour $i, j = 1$, 2, ... est égale à 1, et ce *quel que soit l'ordre de sommation*. Ainsi,

$$\sum_{i, j \geqslant 1} p_{ij} = \sum_{i \geqslant 1} \sum_{j \geqslant 1} p_{ij} = \sum_{j \geqslant 1} \sum_{i \geqslant 1} p_{ij} = 1.$$

Un cas important est celui où X et Y ne peuvent prendre qu'un nombre fini de valeurs, disons r pour X et s pour Y. Dans un tel cas, la fonction de masse conjointe peut être présentée sous la forme d'un tableau (voir le tableau 5.6).

TABLEAU 5.6.

Représentation d'une distribution conjointe de deux variables X et Y et de ses distributions marginales dans le cas discret avec un nombre fini de valeurs

X \ Y	w_1	...	w_j	...	w_s	Total
v_1	p_{11}	...	p_{1j}	...	p_{1s}	$p_{1\bullet}$
.	.		.		.	.
.	.		.		.	.
v_i	p_{i1}	...	p_{ij}	...	p_{is}	$p_{i\bullet}$
.	.		.		.	.
.	.		.		.	.
v_r	p_{r1}	...	p_{rj}	...	p_{rs}	$p_{r\bullet}$
Total	$p_{\bullet 1}$	...	$p_{\bullet j}$	...	$p_{\bullet s}$	1

Dans tous les cas, on peut calculer la probabilité de tout événement A se rapportant à un couple de variables discrètes (X, Y) à l'aide de la fonction de masse conjointe. Il suffit de faire la somme des p_{ij} correspondant aux (v_i, w_j) pour lesquels l'événement A se réalise. Formellement, on a

Pr((X, Y) réalise A) = somme des p_{ij} pour lesquels (v_i, w_j) réalise A.

De plus, la **moyenne (espérance) d'une transformation** de X et de Y, $g(X, Y)$, est donnée par

$$E[g(X, Y)] = \sum_{i, j \geqslant 1} g(v_i, w_j) p_{ij}.$$

Des exemples de transformations de X et Y sont X + Y et XY.

DISTRIBUTIONS MARGINALES

La fonction de masse conjointe d'un couple de variables discrètes (X, Y) pouvant prendre les valeurs (v_i, w_j) pour $i, j = 1, 2, \ldots$ permet d'obtenir les **fonctions de masse marginales** de X et de Y, c'est-à-dire les fonctions de masse de X et de Y considérées comme des composantes d'une variable bidimensionnelle. Il suffit d'utiliser la propriété d'addition d'une probabilité. On obtient

$$\Pr(X = v_i) = \sum_{j \geqslant 1} p_{ij} = p_{i\bullet} \text{ pour } i = 1, 2, \ldots$$

et

$$\Pr(Y = w_j) = \sum_{i \geqslant 1} p_{ij} = p_{\bullet j} \text{ pour } j = 1, 2, \ldots$$

Ces quantités définissent les **distributions marginales** de X et de Y, respectivement.

Dans le cas d'un nombre fini de valeurs pour X et Y, les probabilités marginales $p_{i\bullet}$ et $p_{\bullet j}$ apparaissent dans les « marges » du tableau de la distribution conjointe (voir le tableau 5.6). On les calcule en effectuant la somme des probabilités conjointes sur chaque ligne et dans chaque colonne, respectivement.

L'espérance de X peut être calculée à partir de la fonction de masse marginale correspondante ou à partir de la fonction de masse conjointe. En effet,

$$E(X) = \sum_{i \geqslant 1} v_i p_{i\bullet} = \sum_{i \geqslant 1} v_i \left(\sum_{j \geqslant 1} p_{ij} \right) = \sum_{i \geqslant 1} \sum_{j \geqslant 1} v_i p_{ij} = \sum_{i, j \geqslant 1} v_i p_{ij} \, .$$

Il en est de même pour E(Y). De plus, comme

$$\sum_{i, j \geqslant 1} (v_i + w_j) \, p_{ij} = \sum_{i, j \geqslant 1} v_i p_{ij} + \sum_{i, j \geqslant 1} w_j p_{ij} \, ,$$

on a

$$E(X + Y) = E(X) + E(Y).$$

Donc, *l'espérance d'une somme de deux variables est la somme des espérances de ces variables.*

Remarque. En fait, *l'espérance d'une somme d'un nombre fini quelconque de variables est la somme des espérances de ces variables.* Il suffit d'appliquer la propriété ci-dessus dans le cas de deux variables pour la première variable et la somme des suivantes, puis pour la seconde variable et la somme des suivantes, etc.

DISTRIBUTIONS CONDITIONNELLES

Si, dans un couple de variables discrètes (X, Y), on considère la distribution de la variable X en se limitant au cas où la variable Y prend une valeur donnée, disons w_j, on parle alors de la **distribution conditionnelle** de X étant donné que $Y = w_j$. Si $v_1, v_2, \ldots$ sont les valeurs possibles de X, alors la **fonction de**

masse conditionnelle de X étant donné que Y $= w_j$ est donnée par les probabilités conditionnelles

$$p_{i\,|\,\bullet j} = \Pr(X = v_i \,|\, Y = w_j) = \frac{\Pr(X = v_i, Y = w_j)}{\Pr(Y = w_j)} = \frac{p_{ij}}{p_{\bullet j}} \qquad \text{pour } i = 1, 2, \dots$$

De façon analogue, on définit la distribution conditionnelle de Y étant donné que X $= v_i$. On obtient comme fonction de masse conditionnelle

$$p_{j\,|\,i\bullet} = \Pr(Y = w_j \,|\, X = v_i) = \frac{\Pr(Y = w_j, X = v_i)}{\Pr(X = v_i)} = \frac{p_{ij}}{p_{i\bullet}} \qquad \text{pour } j = 1, 2, \dots$$

dans le cas où w_1, w_2, ... sont les valeurs possibles de Y.

Il existe donc autant de distributions conditionnelles de X qu'il y a de valeurs de Y, et vice versa. Dans un tableau de distribution conjointe, les distributions conditionnelles correspondent aux distributions de probabilité sur chaque ligne et dans chaque colonne prises séparément (voir le tableau 5.7).

Remarque. On peut aussi définir l'**espérance conditionnelle** de X étant donné que Y $= w_j$. C'est l'espérance calculée à l'aide de la fonction de masse conditionnelle de X étant donné que Y $= w_j$, c'est-à-dire,

$$E(X \,|\, Y = w_j) = \sum_{i \geq 1} v_i p_{i\,|\,\bullet j} \,.$$

L'une des propriétés les plus intéressantes de l'espérance conditionnelle est que

$$E(X) = \sum_{j \geq 1} E(X \,|\, Y = w_j) \times \Pr(Y = w_j) \,,$$

car

$$\sum_{i,\,j \geq 1} v_i p_{ij} = \sum_{i,\,j \geq 1} v_i p_{i\,|\,\bullet j} \times p_{\bullet j} = \sum_{j \geq 1} \left(\sum_{i \geq 1} v_i p_{i\,|\,\bullet j} \right) \times p_{\bullet j} \,.$$

L'espérance conditionnelle de X étant donné Y peut donc être considérée comme une variable dont la valeur dépend de la valeur de Y et dont l'espérance est l'espérance de X.

VARIABLES INDÉPENDANTES

Deux variables discrètes X et Y sont dites **indépendantes** si les distributions conditionnelles de l'une quelconque d'entre elles étant donné les valeurs de l'autre ne dépendent pas en fait de la valeur de l'autre. Les distributions conditionnelles sont donc toutes identiques entre elles et identiques à la distribution marginale correspondante. Formellement, deux variables discrètes X et Y qui peuvent prendre les valeurs v_i et w_j respectivement, pour $i, j = 1, 2, \dots$, sont indépendantes si

$$\Pr(X = v_i \,|\, Y = w_j) = \Pr(X = v_i) \text{ pour } i, j = 1, 2, \dots$$

TABLEAU 5.7.

Représentation des distributions conditionnelles de X
étant donné les valeurs de Y selon le tableau 5.6

X \ Y	w_1	...	w_j	...	w_s
v_1	$\dfrac{p_{11}}{p_{\bullet 1}}$	...	$\dfrac{p_{1j}}{p_{\bullet j}}$	...	$\dfrac{p_{1s}}{p_{\bullet s}}$
.	.		.		.
.	.		.		.
.	.		.		.
v_i	$\dfrac{p_{i1}}{p_{\bullet 1}}$	...	$\dfrac{p_{ij}}{p_{\bullet j}}$	...	$\dfrac{p_{is}}{p_{\bullet s}}$
.	.		.		.
.	.		.		.
.	.		.		.
v_r	$\dfrac{p_{r1}}{p_{\bullet 1}}$	...	$\dfrac{p_{rj}}{p_{\bullet j}}$	...	$\dfrac{p_{rs}}{p_{\bullet s}}$
Total	1	...	1	...	1

ou, ce qui est équivalent,

$$\Pr(Y = w_j \,|\, X = v_i) = \Pr(Y = w_j) \text{ pour } i, j = 1, 2, \ldots$$

Les événements $X = v_i$ et $Y = w_j$ sont donc indépendants pour $i, j = 1, 2, \ldots$

En ce qui a trait aux fonctions de masse conditionnelles et marginales, on a les relations

$$p_{i \,|\, \bullet j} = p_{i\bullet} \text{ pour } i, j = 1, 2, \ldots$$

et

$$p_{j \,|\, i\bullet} = p_{\bullet j} \text{ pour } i, j = 1, 2, \ldots$$

Pour la fonction de masse conjointe et les fonctions de masse marginales, on a

$$\frac{p_{ij}}{p_{\bullet j}} = p_{i\bullet} \quad \text{et} \quad \frac{p_{ij}}{p_{i\bullet}} = p_{\bullet j} \text{ pour } i, j = 1, 2, \ldots$$

c'est-à-dire

$$p_{ij} = p_{i\bullet} \times p_{\bullet j} \text{ pour } i, j = 1, 2, \ldots$$

Deux variables discrètes X et Y sont donc indépendantes lorsque chaque probabilité conjointe est donnée par le produit des probabilités marginales correspondantes.

Une propriété importante est que *l'espérance du produit de deux variables indépendantes est le produit des espérances de ces variables.* En effet, si v_i et w_j pour $i, j = 1, 2, \ldots$ sont les valeurs prises respectivement par deux variables discrètes indépendantes X et Y, alors on a

$$\sum_{i, j \geqslant 1} v_i w_j p_{ij} = \sum_{i \geqslant 1} \sum_{j \geqslant 1} v_i w_j p_{ij}$$

$$= \sum_{i \geqslant 1} \sum_{j \geqslant 1} v_i w_j p_{i\bullet} \times p_{\bullet j}$$

$$= \left(\sum_{i \geqslant 1} v_i p_{i\bullet} \right) \times \left(\sum_{j \geqslant 1} w_j p_{\bullet j} \right),$$

d'où

$$E(XY) = E(X) \times E(Y).$$

COVARIANCE ET COEFFICIENT DE CORRÉLATION

La **covariance** de deux variables X et Y, notée $\mathrm{Cov}(X, Y)$ ou σ_{XY}, est définie par

$$\mathrm{Cov}(X, Y) = E(XY) - E(X) \times E(Y).$$

En particulier, la covariance d'une variable avec elle-même est la variance, c'est-à-dire

$$\mathrm{Cov}(X, X) = \mathrm{Var}(X).$$

Remarque. La covariance de deux variables indépendantes est nulle. Mais on peut avoir

$$\sigma_{XY} = \mathrm{Cov}(X, Y) = 0$$

sans que les variables X et Y soient indépendantes. Cela est le cas par exemple si (X, Y) prend les valeurs $(1, 1)$, $(-1, 1)$ et $(0, -1)$ avec les probabilités $1/4$, $1/4$ et $1/2$, respectivement (voir le tableau 5.8). On a alors

$$E(XY) = E(X) = 1 \times \frac{1}{4} - 1 \times \frac{1}{4} + 0 \times \frac{1}{2} = 0,$$

d'où

$$E(XY) = E(X) \times E(Y) = 0.$$

TABLEAU 5.8.

Exemple de variables non indépendantes de covariance nulle

X \\ Y	-1	$+1$	Total
$+1$	0	1/4	1/4
0	1/2	0	1/2
-1	0	1/4	1/4
Total	1/2	1/2	1

La covariance permet d'exprimer la variance d'une somme de deux variables. Si X et Y sont deux variables quelconques, on a

$$\text{Var}(X + Y) = \text{Var}(X) + \text{Var}(Y) + 2\,\text{Cov}(X, Y).$$

En effet,

$$
\begin{aligned}
\text{Var}(X + Y) &= E[\,(X + Y)^2\,] - [\,E(X + Y)\,]^2 \\
&= E(X^2 + Y^2 + 2XY) - [\,E(X) + E(Y)\,]^2 \\
&= E(X)^2 + E(Y)^2 + E(2XY) - [\,E(X)\,]^2 - [\,E(Y)\,]^2 - 2\,E(X) \times E(Y) \\
&= E(X^2) - [\,E(X)\,]^2 + E(Y^2) - [\,E(Y)\,]^2 + 2\,E(XY) - 2\,E(X) \times E(Y) \\
&= \text{Var}(X) + \text{Var}(Y) + 2\,\text{Cov}(X, Y).
\end{aligned}
$$

Remarque. Lorsque $\text{Cov}(X, Y) = 0$ comme pour des variables indépendantes, on a

$$\text{Var}(X + Y) = \text{Var}(X) + \text{Var}(Y).$$

La covariance de X et Y est invariante pour n'importe quel changement d'origine pour X ou Y, car

$$
\begin{aligned}
\text{Cov}(X - a, Y) &= E[\,(X - a)Y\,] - E(X - a) \times E(Y) \\
&= E(XY - a\,Y) - [\,E(X) - a\,] \times E(Y) \\
&= E(XY) - a\,E(Y) - E(X) \times E(Y) + a\,E(Y) \\
&= E(XY) - E(X) \times E(Y) \\
&= \text{Cov}(X, Y)
\end{aligned}
$$

et, de même, on obtient plus généralement

$$\text{Cov}(X - a, Y - b) = \text{Cov}(X, Y).$$

En particulier,

$$\text{Cov}(X, Y) = \text{Cov}(X - \mu_X, Y - \mu_Y),$$

où $\mu_X = E(X)$ et $\mu_Y = E(Y)$. Par conséquent,

$$\text{Cov}(X, Y) = E(X - \mu_X)\,(Y - \mu_Y)\,],$$

car

$$E(X - \mu_X) = E(Y - \mu_Y) = 0.$$

Par contre, tout changement d'échelle sur X ou sur Y affecte la covariance de sorte que

$$\text{Cov}(aX, bY) = ab\,\text{Cov}(X, Y),$$

car

$$
\begin{aligned}
E[\,(aX)\,(bY)\,] - E(aX) \times E(bY) &= ab\,E(XY) - a\,E(X) \times b\,E(Y) \\
&= ab\,[\,(E(XY) - E(X) \times E(Y)\,].
\end{aligned}
$$

En particulier,

$$\text{Cov}\!\left(\frac{X}{\sigma_X}, \frac{Y}{\sigma_Y}\right) = \frac{\text{Cov}(X, Y)}{\sigma_X \sigma_Y},$$

où $\sigma_X = \sqrt{\text{Var}(X)}$ et $\sigma_Y = \sqrt{\text{Var}(Y)}$.

En combinant les résultats précédents, on obtient

$$\text{Cov}\left(\frac{X - \mu_X}{\sigma_X}, \frac{Y - \mu_Y}{\sigma_Y}\right) = \frac{\sigma_{XY}}{\sigma_X \sigma_Y} .$$

La quantité définie par

$$\rho_{XY} = \frac{\sigma_{XY}}{\sigma_X \sigma_Y}$$

est appelée le **coefficient de corrélation** de X et Y. Le coefficient de corrélation est la covariance des variables standardisées, c'est-à-dire centrées (de
moyenne 0) et réduites (de variance 1). Le coefficient de corrélation ne
dépend donc pas des unités des variables. De plus, la formule de la variance
d'une somme de deux variables, qui est toujours non négative, appliquée aux
variables standardisées donne

$$0 \leqslant 1 + 1 + 2 \rho_{XY},$$

d'où

$$\rho_{XY} \geqslant -1.$$

Mais alors, on a aussi, par les formules de changement d'échelle,

$$\rho_{XY} = -\rho_{X(-Y)} \leqslant -(-1) = +1.$$

En résumé, on a la propriété

$$-1 \leqslant \rho_{XY} \leqslant +1.$$

Dans le cas où $\rho_{XY} = 0$, on dit que X et Y sont des variables **non corrélées**.

Exemple.   On lance deux dés, un bleu et un rouge. On suppose que les
36 (6 × 6) résultats possibles sont équiprobables. Si X_1 représente le nombre
de points de 1 à 6 sur la face supérieure du dé bleu et X_2 celui sur la face supérieure du dé rouge, alors

$$\text{Pr}(X_1 = i, X_2 = j) = \frac{1}{36} = \frac{1}{6} \times \frac{1}{6} = \text{Pr}(X_1 = i) \times \text{Pr}(X_2 = j) \text{ pour } i, j = 1, \dots, 6,$$

car

$$\text{Pr}(X_1 = i) = \text{Pr}(X_1 = i, X_2 = 1) + \dots + \text{Pr}(X_1 = i, X_2 = 6)$$

$$= \frac{1}{36} \times 6$$

$$= \frac{1}{6} \quad \text{pour } i = 1, \dots, 6$$

et, de même,

$$\text{Pr}(X_2 = j) = \frac{1}{6} \quad \text{pour } j = 1, \dots, 6.$$

Donc, X_1 et X_2 sont des variables indépendantes et de même distribution.

Considérons maintenant les variables X, la somme des points sur les deux dés, et Y, le maximum des points sur les deux dés. En fonction des variables X_1 et X_2, on a

$$X = X_1 + X_2 \text{ et } Y = \max(X_1, X_2).$$

La fonction de masse conjointe de X et Y est donnée dans le tableau 5.9. Par exemple, on a

$$\Pr(X = 4, Y = 2) = \Pr(X_1 = 2, X_2 = 2) = \frac{1}{36},$$

$$\Pr(X = 9, Y = 5) = \Pr(X_1 = 4, X_2 = 5) + \Pr(X_1 = 5, X_2 = 4) = \frac{1}{36} + \frac{1}{36} = \frac{2}{36},$$

et ainsi de suite.

TABLEAU 5.9.

Fonction de masse conjointe et fonctions de masse marginales
pour la somme X et le maximum Y des points obtenus en lançant 2 dés

X \ Y	1	2	3	4	5	6	Total
2	$\frac{1}{36}$	0	0	0	0	0	$\frac{1}{36}$
3	0	$\frac{2}{36}$	0	0	0	0	$\frac{2}{36}$
4	0	$\frac{1}{36}$	$\frac{2}{36}$	0	0	0	$\frac{3}{36}$
5	0	0	$\frac{2}{36}$	$\frac{2}{36}$	0	0	$\frac{4}{36}$
6	0	0	$\frac{1}{36}$	$\frac{2}{36}$	$\frac{2}{36}$	0	$\frac{5}{36}$
7	0	0	0	$\frac{2}{36}$	$\frac{2}{36}$	$\frac{2}{36}$	$\frac{6}{36}$
8	0	0	0	$\frac{1}{36}$	$\frac{2}{36}$	$\frac{2}{36}$	$\frac{5}{36}$
9	0	0	0	0	$\frac{2}{36}$	$\frac{2}{36}$	$\frac{4}{36}$
10	0	0	0	0	$\frac{1}{36}$	$\frac{2}{36}$	$\frac{3}{36}$
11	0	0	0	0	0	$\frac{2}{36}$	$\frac{2}{36}$
12	0	0	0	0	0	$\frac{1}{36}$	$\frac{1}{36}$
Total	$\frac{1}{36}$	$\frac{3}{36}$	$\frac{5}{36}$	$\frac{7}{36}$	$\frac{9}{36}$	$\frac{11}{36}$	1

Les fonctions de masse marginales de X et de Y apparaissent dans la dernière colonne et la dernière ligne du tableau 5.9, respectivement. Ainsi,

$$\Pr(X = 7) = \sum_{j=1}^{6} \Pr(X = 7, Y = j) = \frac{2}{36} + \frac{2}{36} + \frac{2}{36} = \frac{6}{36}$$

et

$$\Pr(Y = 5) = \sum_{i=2}^{12} \Pr(X = i, Y = 5) = \frac{2}{36} + \frac{2}{36} + \frac{2}{36} + \frac{2}{36} + \frac{1}{36} = \frac{9}{36}.$$

Pour connaître la fonction de masse conditionnelle de X étant donné que $Y = 4$, par exemple, il suffit de calculer les probabilités conditionnelles

$$\Pr(X = i \mid Y = 4) = \frac{\Pr(X = i, Y = 4)}{\Pr(Y = 4)} \text{ pour } i = 2, \dots, 12.$$

En particulier,

$$\Pr(X = 6 \mid Y = 4) = \frac{\Pr(X = 6, Y = 4)}{\Pr(Y = 4)} = \frac{2/36}{7/36} = \frac{2}{7}.$$

On obtient ainsi le tableau 5.10. Les distributions conditionnelles de Y étant donné les différentes valeurs de X sont calculées de façon analogue (voir le tableau 5.11).

Pour calculer le coefficient de corrélation de X et Y, on doit connaître les quantités suivantes :

$$E(X) = E(X_1 + X_2) = E(X_1) + (X_2)$$
$$= 2E(X_1)$$
$$= 2\left(\frac{1 + \dots + 6}{6}\right)$$
$$= 7,$$
$$\text{Var}(X) = \text{Var}(X_1 + X_2) = \text{Var}(X_1) + \text{Var}(X_2)$$
$$= 2\text{Var}(X_1)$$
$$= 2\left\{E(X_1^2) - [E(X_1)]^2\right\}$$
$$= 2\left[\left(\frac{1^2 + \dots + 6^2}{6}\right) - \left(\frac{1 + \dots + 6}{6}\right)^2\right]$$
$$= 2\left[\left(\frac{91}{6}\right) - \left(\frac{21}{6}\right)^2\right]$$
$$= \frac{35}{6},$$
$$E(Y) = \frac{1}{36} \times 1 + \frac{3}{36} \times 2 + \frac{5}{36} \times 3 + \frac{7}{36} \times 4 + \frac{9}{36} \times 5 + \frac{11}{36} \times 6$$
$$= \frac{1 + 6 + 15 + 28 + 45 + 66}{36}$$
$$= \frac{161}{36},$$

$$E(Y^2) = \frac{1}{36} \times 1^2 + \frac{3}{36} \times 2^2 + \frac{5}{36} \times 3^2 + \frac{7}{36} \times 4^2 + \frac{9}{36} \times 5^2 + \frac{11}{36} \times 6^2$$

$$= \frac{1 + 12 + 45 + 112 + 225 + 396}{36}$$

$$= \frac{791}{36},$$

$$\text{Var}(Y) = E(Y^2) - [E(Y)]^2 = \left(\frac{791}{36}\right) - \left(\frac{161}{36}\right)^2 = \frac{2\,555}{1\,296},$$

$$E(XY) = \frac{1}{36} \times 2 \times 1 + \frac{1}{36} \times 3 \times 2 + \dots + \frac{1}{36} \times 12 \times 6$$

$$= \frac{1\,232}{36}.$$

TABLEAU 5.10.

Distributions conditionnelles de X étant donné les valeurs de Y
selon le tableau 5.9

X \ Y	1	2	3	4	5	6
2	1	0	0	0	0	0
3	0	$\frac{2}{3}$	0	0	0	0
4	0	$\frac{1}{3}$	$\frac{2}{5}$	0	0	0
5	0	0	$\frac{2}{5}$	$\frac{2}{7}$	0	0
6	0	0	$\frac{1}{5}$	$\frac{2}{7}$	$\frac{2}{9}$	0
7	0	0	0	$\frac{2}{7}$	$\frac{2}{9}$	$\frac{2}{11}$
8	0	0	0	$\frac{1}{7}$	$\frac{2}{9}$	$\frac{2}{11}$
9	0	0	0	0	$\frac{2}{9}$	$\frac{2}{11}$
10	0	0	0	0	$\frac{1}{9}$	$\frac{2}{11}$
11	0	0	0	0	0	$\frac{2}{11}$
12	0	0	0	0	0	$\frac{1}{11}$
Total	1	1	1	1	1	1

TABLEAU 5.11.

Distributions conditionnelles de Y étant donné les valeurs de X
selon le tableau 5.9

X \ Y	1	2	3	4	5	6	Total
2	1	0	0	0	0	0	1
3	0	1	0	0	0	0	1
4	0	$\dfrac{1}{3}$	$\dfrac{2}{3}$	0	0	0	1
5	0	0	$\dfrac{1}{2}$	$\dfrac{1}{2}$	0	0	1
6	0	0	$\dfrac{1}{5}$	$\dfrac{2}{5}$	$\dfrac{2}{5}$	0	1
7	0	0	0	$\dfrac{1}{3}$	$\dfrac{1}{3}$	$\dfrac{1}{3}$	1
8	0	0	0	$\dfrac{1}{5}$	$\dfrac{2}{5}$	$\dfrac{2}{5}$	1
9	0	0	0	0	$\dfrac{1}{2}$	$\dfrac{1}{2}$	1
10	0	0	0	0	$\dfrac{1}{3}$	$\dfrac{2}{3}$	1
11	0	0	0	0	0	1	1
12	0	0	0	0	0	1	1

On obtient alors

$$\rho_{XY} = \frac{\sigma_{XY}}{\sigma_X \sigma_Y} = \frac{E(XY) - E(X) \times E(Y)}{\sqrt{Var(X) \times Var(Y)}}$$

$$= \frac{\dfrac{1\,232}{36} - 7 \times \dfrac{161}{36}}{\sqrt{\dfrac{35}{6} \times \dfrac{2\,555}{1\,296}}} = \frac{\dfrac{105}{36}}{\sqrt{\dfrac{89\,425}{7\,776}}}$$

$$= 0{,}86 \, .$$

Le fait que le coefficient de corrélation soit positif et relativement proche de 1 indique que les variables X et Y ont tendance à varier dans le même sens : lorsque le maximum des points obtenus est grand, leur somme a tendance à être grande et inversement.

5.4. DISTRIBUTIONS POUR UN COUPLE DE VARIABLES CONTINUES

DISTRIBUTION CONJOINTE

Dans le cas de deux variables continues X et Y, le couple (X, Y) est dit continu. La distribution conjointe de X et Y est décrite par une **fonction de densité conjointe** $f(x, y)$ définie pour chaque valeur (x, y) du couple (X, Y). La fonction f détermine une surface au-dessus de l'ensemble des valeurs (x, y) telle que

$$\Pr(c \leqslant X \leqslant d, u \leqslant Y \leqslant v) = \text{volume sous la surface } f \text{ au-dessus}$$
$$\text{du rectangle } [c, d] \times [u, v],$$

$$\text{que l'on note } \int_{[c, d] \times [u, v]} \int f(x, y) \, dx \, dy,$$

pour $c \leqslant d$ et $u \leqslant v$ (voir la figure 5.4).

Remarque. Il existe deux façons équivalentes pour calculer le volume sous la surface f au-dessus du rectangle $[c, d] \times [u, v]$ représenté par l'**intégrale double** ci-dessus : on peut faire des tranches selon des valeurs fixées dans $[c, d]$ ou des tranches selon des valeurs fixées dans $[u, v]$. En prenant des tranches de plus en plus minces, on obtient les expressions

$$\int_{[c, d] \times [u, v]} \int f(x, y) \, dx \, dy = \int_c^d \int_u^v f(x, y) \, dy \, dx$$

et

$$\int_{[c, d] \times [u, v]} \int f(x, y) \, dx \, dy = \int_u^v \int_c^d f(x, y) \, dy \, dx.$$

Pour calculer la première expression, on évalue d'abord

$$\int_u^v f(x, y) \, dy = g(x) \quad \text{pour } c \leqslant x \leqslant d$$

en considérant chaque x fixé dans $[c, d]$ comme une constante dans $f(x, y)$, puis on détermine

$$\int_c^d g(x) \, dx = \int_c^d \int_u^v f(x, y) \, dy \, dx.$$

Une telle intégrale est une **intégrale itérée**. On procède de façon analogue pour calculer la deuxième expression qui est aussi une intégrale itérée mais avec x et y interchangés. Comme les deux expressions donnent le même résultat, on choisit celle qui est la plus facile à calculer.

FIGURE 5.4.

Représentation d'une fonction de densité conjointe f
pour deux variables continues X et Y

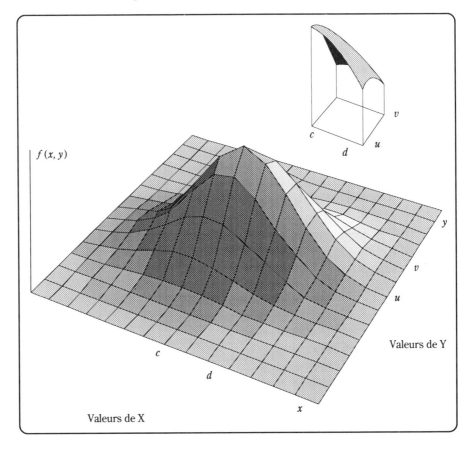

En général, la fonction de densité conjointe de X et Y permet de calculer la probabilité pour (X, Y) d'être dans une région R qui n'est pas nécessairement un rectangle. On a

$$\Pr((X, Y) \text{ dans une région R}) = \iint\limits_{R} f(x, y)\, dx\, dy\,,$$

où

$$\iint\limits_{R} f(x, y)\, dx\, dy = \text{volume sous la surface } f \text{ au-dessus de R}\,.$$

Une fonction de densité conjointe f doit satisfaire certaines conditions. Les principales sont :

(1) $$f(x, y) \geq 0 \text{ pour tout } (x, y) \,;$$

(2) $$\int_{-\infty}^{+\infty} \int_{-\infty}^{+\infty} f(x, y) \, dx \, dy = 1 \,.$$

Problème de la rencontre. Deux personnes, A et B, se donnent rendez-vous entre 0 h et 1 h. On suppose que l'heure d'arrivée de A, disons X, et l'heure d'arrivée de B, disons Y, ont une fonction de densité conjointe f qui est uniforme sur $[0, 1] \times [0, 1]$, c'est-à-dire que

$$f(x, y) = 1 \text{ pour } 0 \leq x, y \leq 1.$$

Si les deux personnes conviennent que la première personne arrivée attende l'autre un quart d'heure, quelle est la probabilité qu'il y ait rencontre ?

On remarque qu'il n'y a pas rencontre seulement si B arrive plus de 1/4 d'heure avant A (région R_1 dans la figure 5.5) ou si B arrive plus de 1/4 d'heure après A (région R_2 dans la figure 5.5). On a donc

$$\Pr(\text{rencontre}) = 1 - \Pr(\text{pas rencontre})$$

$$= 1 - \Pr\left(Y < X - \frac{1}{4}\right) - \Pr\left(Y > X + \frac{1}{4}\right)$$

$$= 1 - \Pr((X, Y) \text{ dans } R_1) - \Pr((X, Y) \text{ dans } R_2)$$

$$= 1 - 2 \times \frac{9}{32}$$

$$= \frac{7}{16} \,,$$

car

$$\Pr((X, Y) \text{ dans } R_1) = \Pr((X, Y) \text{ dans } R_2)$$

= volume sous une surface plane située à une hauteur
égale à 1 au-dessus d'un triangle rectangle d'aire

$$\frac{3}{4} \times \frac{3}{4} \times \frac{1}{2}$$

située à une hauteur égale à 0

$$= \frac{9}{32} \,.$$

DISTRIBUTIONS MARGINALES

La **fonction de densité marginale** d'une variable continue X est la fonction de densité de la variable X considérée comme composante d'un couple (X, Y).

FIGURE 5.5.

Description de la situation pour le problème de la rencontre

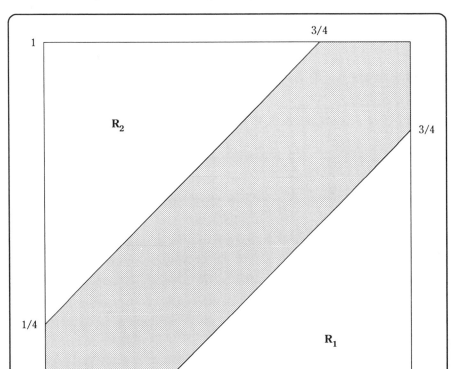

Elle est notée f_X et est obtenue à partir de la fonction de densité conjointe f pour un couple continu (X, Y) à l'aide de la formule

$$f_X(x) = \int_{-\infty}^{+\infty} f(x, y)\, dy \text{ pour } -\infty < x < +\infty,$$

puisque, pour tout $c \leq d$,

$$\Pr(c \leq X \leq d) = \Pr(c \leq X \leq d, -\infty < Y < +\infty)$$

$$= \int_c^d \int_{-\infty}^{+\infty} f(x, y)\, dy\, dx.$$

De même, la fonction de densité marginale de Y, notée f_Y, est donnée par

$$f_Y(y) = \int_{-\infty}^{+\infty} f(x, y)\, dx \text{ pour } -\infty < y < +\infty.$$

DISTRIBUTIONS CONDITIONNELLES

Comme pour les variables discrètes, on peut s'intéresser à la distribution d'une variable continue étant donné qu'une autre variable continue prend une valeur déterminée. La **fonction de densité conditionnelle** de X étant donné que Y = y, notée $f_{X\,|\,Y\,=\,y}$, est définie par

$$f_{X\,|\,Y\,=\,y}(x) = \frac{f(x, y)}{f_Y(y)} \quad \text{pour} \ -\infty < x < +\infty\,.$$

De même, la fonction de densité conditionnelle de Y étant donné que X = x est

$$f_{Y\,|\,X\,=\,x}(y) = \frac{f(x, y)}{f_X(x)} \quad \text{pour} \ -\infty < y < +\infty\,.$$

VARIABLES INDÉPENDANTES

Deux variables continues X et Y sont dites indépendantes si la fonction de densité conjointe est donnée par le produit des fonctions de densité marginales, c'est-à-dire

$$f(x, y) = f_X(x) \times f_Y(y) \quad \text{pour} \ -\infty < x, y < +\infty\,.$$

Une condition équivalente est

$$\Pr(c \leqslant X \leqslant d, u \leqslant Y \leqslant v) = \Pr(c \leqslant X \leqslant d) \times \Pr(u \leqslant Y \leqslant v)$$

pour tout $c \leqslant d$ et $u \leqslant v$, car

$$\int_c^d \int_u^v f_X(x) \times f_Y(y)\, dy\, dx = \left(\int_c^d f_X(x)\, dx \right) \times \left(\int_u^v f_Y(y)\, dy \right)\,.$$

Si X et Y sont des variables indépendantes, alors les fonctions de densité conditionnelles sont données par les fonctions de densité marginales, c'est-à-dire

$$f_{X\,|\,Y\,=\,y} = f_X \quad \text{pour tout } y$$

et

$$f_{Y\,|\,X\,=\,x} = f_Y \quad \text{pour tout } x\,.$$

Remarque. Si X et Y sont des variables indépendantes, discrètes ou continues, alors toute transformation de X, $g(X)$, est indépendante de toute transformation de Y, $h(Y)$. Cette propriété est conforme à l'idée que l'on se fait généralement de l'indépendance.

Exemple. Dans le problème de la rencontre, les fonctions de densité marginales de X et de Y sont

$$f_X(x) = \int_0^1 dy = 1 \ \text{pour} \ 0 \leqslant x \leqslant 1$$

et

$$f_Y(y) = \int_0^1 dx = 1 \text{ pour } 0 \leq x \leq 1.$$

De plus, la fonction de densité conjointe est

$$f_X(x) \times f_Y(y) = 1 \text{ pour } 0 \leq x, y \leq 1.$$

Donc, X et Y sont des variables indépendantes de loi uniforme sur $[0, 1]$. Dans ce cas, toutes les fonctions de densité conditionnelles sont aussi uniformes sur $[0, 1]$.

COVARIANCE ET COEFFICIENT DE CORRÉLATION

Par définition, l'**espérance (moyenne) d'une transformation** $g(X, Y)$ de deux variables continues X et Y de fonction de densité conjointe f est

$$E[g(X, Y)] = \int_{-\infty}^{+\infty} \int_{-\infty}^{+\infty} g(x, y) f(x, y) \, dx \, dy.$$

Dans le cas où g dépend seulement de X, on a

$$E[g(X)] = \int_{-\infty}^{+\infty} \int_{-\infty}^{+\infty} g(x) f(x, y) \, dx \, dy$$

$$= \int_{-\infty}^{+\infty} g(x) \left(\int_{-\infty}^{+\infty} f(x, y) \, dy \right) dx$$

$$= \int_{-\infty}^{+\infty} g(x) f_X(x) \, dx.$$

On a une formule analogue si g dépend seulement de Y.

Remarque.   En utilisant les espérances conditionnelles, on a

$$E[g(X)] = \int_{-\infty}^{+\infty} E[g(X) \,|\, Y = y] \times f_Y(y) \, dy,$$

où

$$E[g(X) \,|\, Y = y] = \int_{-\infty}^{+\infty} g(x) f_{X|Y = y}(x) \, dx.$$

Comme pour les variables discrètes, on a

$$\text{Var}(X + Y) = \text{Var}(X) + \text{Var}(Y) + 2 \, \text{Cov}(X, Y),$$

où

$$\text{Cov}(X, Y) = E(XY) - E(X) \times E(Y),$$
$$\text{Var}(X) = \text{Cov}(X, X),$$

et de même pour les autres variances. Le **coefficient de corrélation** de X et Y est défini également de la même manière, à savoir

$$\rho_{XY} = \frac{\text{Cov}(X, Y)}{\sqrt{\text{Var}(X) \times \text{Var}(Y)}} \, .$$

De plus, *si X et Y sont des variables indépendantes, alors elles sont non corrélées* dans le sens que $\rho_{XY} = 0$, puisque

$$\text{Cov}(X, Y) = 0.$$

En effet, dans ce cas, on a

$$E(XY) = \int_{-\infty}^{+\infty} \int_{-\infty}^{+\infty} xy \, f_X(x) \times f_Y(y) \, dx \, dy$$

$$= \left(\int_{-\infty}^{+\infty} x \, f_X(x) \, dx \right) \times \left(\int_{-\infty}^{+\infty} y \, f_Y(y) \, dy \right)$$

$$= E(X) \times E(Y) \, .$$

Exemple. Un trésor est caché dans une île circulaire de rayon 1. Sans autre information, la position (X, Y) du trésor par rapport à des axes perpendiculaires dont l'origine se situe au centre de l'île est une position « au hasard » dans l'île. La fonction de densité conjointe de X et Y est donc **uniforme sur le disque** de rayon 1 (de surface π) qui représente toute l'île, c'est-à-dire

$$f(x, y) = \frac{1}{\pi} \text{ si } x^2 + y^2 \leq 1$$

et $f(x, y) = 0$ partout ailleurs (voir la figure 5.6). La fonction f détermine la hauteur $1/\pi$ d'un cylindre dont la base est un disque circulaire d'aire π tel que le volume total du cylindre est $\pi \times 1/\pi = 1$.

Les fonctions de densité marginales et conditionnelles sont données par

$$f_X(x) = \int_{-\infty}^{+\infty} f(x, y) \, dy = \int_{-\sqrt{1-x^2}}^{+\sqrt{1-x^2}} \frac{1}{\pi} \, dy = \frac{2\sqrt{1-x^2}}{\pi} \text{ pour } -1 \leq x \leq 1 \, ,$$

$$f_Y(y) = \frac{2\sqrt{1-y^2}}{\pi} \text{ pour } -1 \leq y \leq 1 \, ,$$

$$f_{X \mid Y = y}(x) = \frac{1}{2\sqrt{1-y^2}} \text{ pour } -\sqrt{1-y^2} \leq x \leq +\sqrt{1-y^2} \, ,$$

$$f_{Y \mid X = x}(y) = \frac{1}{2\sqrt{1-x^2}} \text{ pour } -\sqrt{1-x^2} \leq y \leq +\sqrt{1-x^2} \, .$$

Les fonctions de densité conditionnelles sont uniformes sur des intervalles dont le centre est 0 alors que les expressions pour les fonctions de densité marginales nous permettent d'écrire

$$\int_{-\infty}^{+\infty} f_X(x)\, dx = \int_{-1}^{+1} \frac{2\sqrt{1-x^2}}{\pi}\, dx = 1\,,$$

d'où on obtient la formule

$$\pi = \int_{-1}^{+1} 2\sqrt{1-x^2}\, dx\,.$$

Bien que les variables X et Y ne soient pas indépendantes, elles sont non corrélées. En effet, on a

$$\begin{aligned}
E(Y) &= \int_{-\infty}^{+\infty}\int_{-\infty}^{+\infty} y\, f(x,y)\, dx\, dy \\
&= \int_{-1}^{+1}\int_{-\sqrt{1-x^2}}^{+\sqrt{1-x^2}} \frac{y}{\pi}\, dy\, dx \\
&= \int_{-1}^{+1} \left[\frac{\left(+\sqrt{1-x^2}\right)^2 - \left(-\sqrt{1-x^2}\right)^2}{2\pi}\right] dx \\
&= \int_{-1}^{+1} \frac{0}{2\pi}\, dx \\
&= 0
\end{aligned}$$

et, de même, on a $E(X) = 0$. De plus,

$$\begin{aligned}
E(XY) &= \int_{-\infty}^{+\infty}\int_{-\infty}^{+\infty} xy\, f(x,y)\, dx\, dy \\
&= \int_{-1}^{+1} x\left[\int_{-\sqrt{1-x^2}}^{+\sqrt{1-x^2}} \frac{y}{\pi}\, dy\right] dx \\
&= \int_{-1}^{+1} x\left[\frac{\left(+\sqrt{1-x^2}\right)^2 - \left(-\sqrt{1-x^2}\right)^2}{2\pi}\right] dx \\
&= \int_{-1}^{+1} x \times \frac{0}{2\pi}\, dx \\
&= 0\,.
\end{aligned}$$

FIGURE 5.6.

Représentation d'une loi uniforme sur un disque de rayon 1

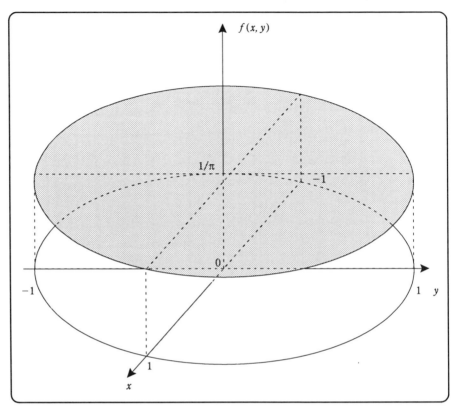

Donc

$$\text{Cov}(X, Y) = E(XY) - E(X) \times E(Y) = 0$$

et

$$\rho_{XY} = \frac{\text{Cov}(X, Y)}{\sqrt{\text{Var}(X) \times \text{Var}(Y)}} = 0 \,.$$

Remarque. Comme toutes les espérances conditionnelles sont nulles, on a trivialement

$$E(X) = \int_{-\infty}^{+\infty} E(X \,|\, Y = y) \times f_Y(y) \, dy = 0$$

et

$$E(Y) = \int_{-\infty}^{+\infty} E(Y \,|\, X = x) \times f_X(x) \, dx = 0 \,.$$

On peut aussi considérer les transformations suivantes de X et Y (voir la figure 5.7) :

R = la distance de (X, Y) du point $(0, 0)$

$$\left(R = \sqrt{X^2 + Y^2}\right),$$

Θ = l'angle en radians que fait (X, Y) avec l'axe des X

$$\left(\Theta = tg^{-1}\frac{Y}{X}\right).$$

FIGURE 5.7.

Représentation de la distance R et de l'angle Θ d'un point au hasard (X, Y) sur un disque de rayon 1

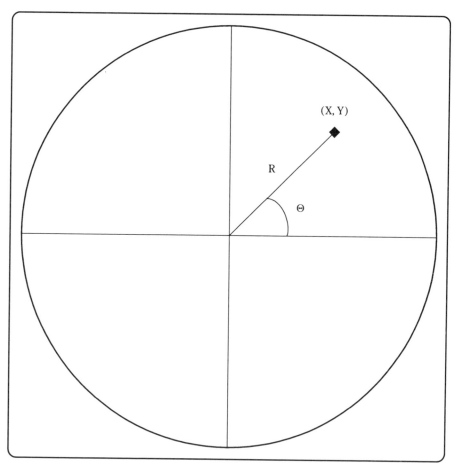

On a alors

$$\Pr(r_1 \leqslant R \leqslant r_2) = (\pi r_2^2 - \pi r_1^2) \times \frac{1}{\pi}$$

$$= r_2^2 - r_1^2$$

$$= \int_{r_1}^{r_2} 2r \, dr \text{ pour } 0 \leqslant r_1 \leqslant r_2 \leqslant 1$$

et

$$\Pr(\theta_1 \leqslant \Theta \leqslant \theta_2) = \pi \times \left(\frac{\theta_2 - \theta_1}{2\pi}\right) \times \frac{1}{\pi}$$

$$= \frac{\theta_2 - \theta_1}{2\pi}$$

$$= \int_{\theta_1}^{\theta_2} \frac{1}{2\pi} \, d\theta \text{ pour } 0 \leqslant \theta_1 \leqslant \theta_2 \leqslant 2\pi,$$

d'où les fonctions de densité de R et Θ sont

$$f_R(r) = 2r \text{ pour } 0 \leqslant r \leqslant 1$$

et

$$f_\Theta(\theta) = \frac{1}{2\pi} \text{ pour } 0 \leqslant \theta \leqslant 2\pi.$$

De plus, R et Θ sont des variables indépendantes. En effet, pour $0 \leqslant r_1 \leqslant r_2 \leqslant 1$ et $0 \leqslant \theta_1 \leqslant \theta_2 \leqslant 2\pi$, on a

$$\Pr(r_1 \leqslant R \leqslant r_2, \theta_1 \leqslant \Theta \leqslant \theta_2) = \left(\pi r_2^2 - \pi r_1^2\right) \times \left(\frac{\theta_2 - \theta_1}{2\pi}\right) \times \frac{1}{\pi}$$

$$= \left(r_2^2 - r_1^2\right) \times \left(\frac{\theta_2 - \theta_1}{2\pi}\right)$$

$$= \left(\int_{r_1}^{r_2} 2r \, dr\right) \times \left(\int_{\theta_1}^{\theta_2} \frac{1}{2\pi} \, d\theta\right)$$

$$= \int_{-\infty}^{+\infty} \int_{-\infty}^{+\infty} f_R(r) \times f_\Theta(\theta) \, d\theta \, dr,$$

d'où la fonction de densité conjointe de R et Θ est le produit des fonctions de densité marginales, c'est-à-dire $f_R(r) \times f_\Theta(\theta)$.

5.5. SOMMES DE VARIABLES INDÉPENDANTES IDENTIQUEMENT DISTRIBUÉES

DÉFINITIONS

Pour décrire la distribution conjointe de deux variables, nous avons introduit la fonction de masse conjointe dans le cas discret et la fonction de densité conjointe dans le cas continu. Ces fonctions se définissent de façon analogue pour n variables simultanées $X_1, \ldots, X_n$. Elles sont alors données par

$$\Pr(X_1 = x_1, \ldots, X_n = x_n) \text{ et } f(x_1, \ldots, x_n),$$

respectivement, où $x_1, \ldots, x_n$ représentent les valeurs pour $X_1, \ldots, X_n$. Ces fonctions déterminent la **distribution conjointe** de $X_1, \ldots, X_n$.

Les variables $X_1, \ldots, X_n$ sont **indépendantes** dans le cas discret si

$$\Pr(X_1 = x_1, \ldots, X_n = x_n) = \Pr(X_1 = x_1) \times \ldots \times \Pr(X_n = x_n),$$

c'est-à-dire si la fonction de masse conjointe est le produit des fonctions de masse marginales et, dans le cas continu, si

$$f(x_1, \ldots, x_n) = f_{X_1}(x_1) \times \ldots \times f_{X_n}(x_n),$$

où $f_{X_1}, \ldots, f_{X_n}$ représentent les fonctions de densité marginales des variables X_1, $\ldots, X_n$.

D'autre part, on dit que les variables $X_1, \ldots, X_n$ sont **identiquement distribuées** si elles ont des fonctions de masse ou de densité marginales identiques. En particulier, elles ont dans ce cas des moyennes et des variances identiques.

Le cas type de variables indépendantes identiquement distribuées est celui d'observations répétées d'une même variable faites de façon indépendante et dans les mêmes conditions.

Remarque. Si $X_1, \ldots, X_k, X_{k+1}, \ldots, X_n$ sont des variables indépendantes, discrètes ou continues, alors toute transformation $g(X_1, \ldots, X_k)$ est indépendante de toute transformation $h(X_{k+1}, \ldots, X_n)$ de $X_{k+1}, \ldots, X_n$.

ESPÉRANCE ET VARIANCE

Si $X_1, \ldots, X_n$ sont des variables indépendantes identiquement distribuées, on a

$$\text{Var}(X_1 + \ldots + X_n) = \text{Var}(X_1) + \ldots + \text{Var}(X_n) = n\,\text{Var}(X_1).$$

D'autre part, on a toujours

$$E(X_1 + \ldots + X_n) = E(X_1) + \ldots + E(X_n) = n\,E(X_1)$$

que les variables soient indépendantes ou non dès qu'elles sont identiquement distribuées.

* *Remarque.* Dans le cas où le nombre de variables est lui-même une variable N indépendante des variables identiquement distribuées dont on fait la somme, on a

$$E(X_1 + ... + X_N) = E(N) \times E(X_1).$$

En supposant de plus que les variables qu'on somme sont indépendantes, on a

$$\text{Var}(X_1 + ... + X_N) = E(N) \times \text{Var}(X_1) + \text{Var}(N) \times [E(X_1)]^2.$$

Exemple. On lance cinq dés non pipés et on s'intéresse à la somme S des points obtenus. Soit X_i le point sur le i^e dé pour $i = 1, ... , 5$. La somme sera

$$S = X_1 + ... + X_5.$$

En supposant que $X_1, ... , X_5$ sont des variables indépendantes, on trouve

$$E(S) = 5 \times E(X_1) = 5 \times \frac{21}{6} = \frac{105}{6},$$

$$\text{Var}(S) = 5 \times \text{Var}(X_1) = 5 \times \left[\left(\frac{91}{6}\right) - \left(\frac{21}{6}\right)^2\right] = \frac{175}{12}.$$

*Exemple. On lance un premier dé non pipé, puis autant de dés non pipés que de points obtenus sur le premier dé. La somme S des points obtenus sur les dés, en excluant le premier, est de la forme

$$S = X_1 + ... + X_N,$$

où N est le nombre de points sur le premier dé et X_i le nombre de points sur le i^e dé supplémentaire qu'on lance $(i = 1, ... , N)$. En supposant toutes les variables indépendantes, on trouve

$$E(S) = E(N) \times E(X_1) = \frac{21}{6} \times \frac{21}{6} = \frac{441}{36},$$

$$\text{Var}(S) = E(N) \times \text{Var}(X_1) + \text{Var}(N) \times [E(X_1)]^2$$

$$= \frac{21}{6} \times \frac{35}{12} + \frac{35}{12} \times \left(\frac{21}{6}\right)^2$$

$$= \frac{735}{16}.$$

PROBLÈMES

5.1. On lance un dé à 6 faces non pipé et on s'intéresse au nombre de points (1, 2, 3, 4, 5 ou 6) qui apparaît sur la face supérieure du dé. Calculez les probabilités conditionnelles suivantes :

a) $\Pr(2 \mid \text{nombre pair})$; *d*) $\Pr(2 \mid \text{nombre} \geq 2)$;

b) $\Pr(2 \mid \text{nombre impair})$; *e*) $\Pr(2 \mid \text{nombre} \leq 2)$.

c) $\Pr(\text{nombre pair} \mid 2)$;

5.2. Les mêmes étudiants ont suivi deux cours, un en statistique et un en informatique. On sait que 30 % de ces étudiants ont échoué au cours de statistique, 20 % ont échoué au cours d'informatique et 10 % ont échoué aux deux cours. On rencontre l'un de ces étudiants au hasard. Calculez :

a) la probabilité que cet étudiant ait réussi le cours de statistique et échoué au cours d'informatique ;

b) la probabilité que cet étudiant ait échoué au cours d'informatique étant donné qu'il a échoué au cours de statistique ;

c) la probabilité que cet étudiant ait échoué au cours d'informatique étant donné qu'il a réussi le cours de statistique.

5.3. On prend un premier chiffre au hasard parmi 0, 1, ... , 9 et ensuite on prend un second chiffre au hasard parmi les chiffres qui restent. Calculez :

a) la probabilité que le premier chiffre soit pair ;

b) la probabilité que le second chiffre soit pair ;

c) la probabilité que les deux chiffres soient pairs ;

d) la probabilité que l'un des deux chiffres soit pair et l'autre impair.

5.4. On tire au hasard et sans remise 2 cartes d'un jeu standard de 52 cartes. Calculez :

a) la probabilité que les 2 cartes soient des cartes de cœur ;

b) la probabilité que la première carte soit un as et la seconde une carte de cœur ;

c) la probabilité que la première carte soit l'as de cœur et la seconde une autre carte de cœur.

5.5. On dispose au hasard mais de façon ordonnée par tirages sans remise les 52 cartes d'un jeu de cartes standard. Déterminez la probabilité que le premier as soit :

a) à la 1re position ;   *c*) à la 49e position ;

b) à la 2e position ;   *d*) à la 50e position.

5.6. Soit deux événements indépendants A et B qui sont tels que $Pr(A) = 1/4$ et $Pr(B) = 1/3$. Calculez les probabilités suivantes :

a) $Pr(A \text{ et } B^C)$;   *c*) $Pr(A \text{ ou } B)$;

b) $Pr(A^C \text{ et } B^C)$;   *d*) $Pr(A \mid A \text{ ou } B)$.

5.7. On lance 2 dés standard à 6 faces, un rouge et un blanc. On suppose que les 36 résultats possibles donnés par les nombres de points que montrent les 2 dés distincts sur leurs faces supérieures sont équiprobables. On considère les événements A : « au moins 1 des 2 dés montre 2 points » ; B : « le dé rouge montre un nombre de points strictement supérieur à celui du dé blanc » ; et C : « la somme des points que montrent les 2 dés est égale à 7 ».

a) Les événements A et B sont-ils indépendants ?

b) Les événements A et B sont-ils indépendants conditionnellement à C ?

5.8. Voici une liste de caractéristiques ainsi que les proportions correspondantes des hommes possédant ces caractéristiques dans une grande ville.

Taille de 1,80 m et plus	1/10	Blond aux yeux bleus	1/20
Entre 25 et 45 ans	1/3	Chaleureux	1/2
Universitaire	1/10	Non alcoolique	9/10
Fidèle	1/4	Sportif	1/2
Pas d'enfants	1/5	Fortuné	1/12
Non marié	1/5		

En supposant l'indépendance mutuelle de ces caractéristiques, calculez la probabilité qu'un homme rencontré au hasard dans cette ville les possède toutes.

5.9. Lors du tirage du numéro gagnant à une loterie 6/49, six nombres sont extraits au hasard et sans remise parmi les nombres 1, 2, ... , 48, 49. Calculez les probabilités des séquences qui suivent dans lesquelles P désigne un nombre pair et I un nombre impair :

a) P P P I I I;

b) P I P I P I.

Qu'en déduisez-vous quant à la probabilité de toute séquence particulière comprenant exactement trois P et trois I ?

5.10. Dans le proverbe « Avec des si, on mettrait Paris en bouteille », on prend un mot au hasard puis une lettre au hasard dans ce mot.

a) Quelle est la probabilité de choisir une voyelle ?

b) Quelle est la probabilité de choisir la voyelle « e » ?

5.11. Un jeu de dés consiste à lancer 2 dés standard et à observer la somme des points obtenus. On gagne au premier jet de dés si la somme obtenue est égale à 7 ou 11. On perd si cette somme est 2, 3 ou 12. Lorsque la somme obtenue au premier jet de dés est 4, 5, 6, 8, 9 ou 10, cette somme constitue le nombre de points accumulés (NPA). On a alors droit à d'autres jets de dés selon la règle suivante : si on obtient une somme égale à 7 avant d'obtenir une somme égale au NPA, on perd, sinon on gagne. On suppose que les 36 résultats élémentaires d'un jet des 2 dés sont équiprobables. Calculez :

a) la probabilité de gagner au premier jet de dés ;

b) la probabilité d'obtenir une somme égale à 8 au premier jet de dés et de gagner ;

c) la probabilité totale de gagner à ce jeu.

5.12. À une question dans un test, on propose 5 réponses au choix dont une seule est correcte. La probabilité pour un candidat de connaître la réponse correcte à la question est égale à 1/2. Dans ce cas, le candidat choisit cette réponse. Dans le cas où le candidat ne sait pas laquelle des réponses est correcte, il choisit au hasard l'une des 5 réponses proposées. Calculez la probabilité que le candidat ait répondu en connaissance de cause étant donné qu'il a répondu correctement.

5.13. Dans les populations occidentales, environ 5 hommes sur 100 et 25 femmes sur 10 000 sont daltoniens. Une personne est prise au hasard dans une telle population où il y a autant d'hommes que de femmes. Étant donné que cette personne est daltonienne, quelle est la probabilité que ce soit un homme ?

5.14. Les flashes d'appareils photo produits pendant les 4 premiers mois de 1990 par un manufacturier étaient défectueux dans 20 % des cas. Par la suite, ce pourcentage a été ramené à un pourcentage normal de 5 %. Un détaillant reçoit une boîte de flashes au hasard de l'année 1990. On suppose que le rythme de production des flashes est le même tout au long de l'année, que les flashes d'une boîte sont produits au même moment et que la défectuosité d'un flash est indépendante de la défectuosité des autres. Calculez :

a) la probabilité que les flashes de la boîte aient été produits au cours des 4 premiers mois de 1990 ;

b) la probabilité du même événement étant donné qu'un flash tiré au hasard dans la boîte est défectueux,

c) la probabilité du même événement étant donné que deux flashes tirés au hasard dans la boîte sont défectueux.

5.15. Dans une population, 40% des individus sont en faveur d'une politique. On demande à un individu au hasard s'il est en faveur de la politique. Or cet individu ment avec une probabilité de 10%. Calculez :

a) la probabilité que cet individu réponde qu'il est en faveur de la politique ;

b) la probabilité que cet individu soit en faveur de la politique étant donné qu'il répond qu'il l'est.

5.16. Un entrepôt est muni d'un dispositif d'alarme. Lorsqu'il y a tentative de cambriolage, le dispositif se déclenche avec probabilité égale à 99%. Lorsqu'il n'y a pas tentative de cambriolage, le dispositif se déclenche tout de même par erreur au cours d'une journée avec probabilité égale à 1%. En supposant qu'une tentative de cambriolage au cours d'une journée ait lieu avec probabilité égale à 0,001, quelle est la probabilité qu'une alarme déclenchée au cours d'une journée le soit par une tentative de cambriolage ?

5.17. On dispose de 3 boîtes, I, II et III, dans lesquelles se trouvent 3 types d'objets représentés par un carré ($\square$), un cercle ($\bigcirc$) et un triangle ($\triangle$). Voici les 3 boîtes :

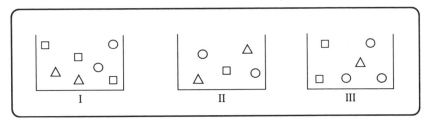

On prend une boîte au hasard et un objet au hasard dans cette boîte. Étant donné que l'objet choisi est un carré ($\square$), quelle est la probabilité que cet objet provienne de la boîte I ?

5.18. Dans une contrée fictive coexistent 2 ethnies, I et II, de même effectif. Dans l'ethnie I, 10% des individus ont les cheveux clairs, 90% les cheveux foncés, 20% ont les yeux clairs, 80% les yeux foncés, 30% ont les yeux bridés, 70% les yeux non bridés. Dans l'ethnie II, ces pourcentages sont inversés pour chaque caractère. De plus, les 3 caractères sont indépendants dans chaque ethnie. On rencontre un individu au hasard provenant de cette contrée. Il a les cheveux clairs et les yeux clairs et bridés. Quelle est la probabilité que cet individu appartienne à l'ethnie II ?

5.19. Si un test pour dépister une maladie dont la prévalence est 1/1 000 est toujours positif pour une personne atteinte et positif dans 5% des cas pour une personne non atteinte, quelle est la probabilité pour qu'une personne dont le résultat au test est positif soit atteinte de la maladie ?

5.20. Un test est utilisé pour diagnostiquer une maladie. On considère les événements A : « être atteint de la maladie » ; B : « le test est positif ». On a $\Pr(B \mid A) = 0,90$, $\Pr(B^c \mid A^c) = 0,80$, $\Pr(A) = 0,01$. Étant donné que le test est positif pour un individu, quelle est la probabilité que cet individu soit atteint de la maladie ?

5.21. Vous visitez un couple qui vient d'avoir des faux jumeaux.

a) Vous voyez l'un des jumeaux au hasard et c'est une fille. Quelle est alors la probabilité que les jumeaux soient 2 filles ?

b) Répondez à la question a) dans le cas où, au lieu de voir une fille, vous apprenez par les parents que leur vœu d'avoir au moins 1 fille s'est réalisé.

5.22. À un jeu télévisé, on vous donne le choix entre 3 portes. Derrière l'une des portes au hasard, il y a une automobile et, derrière chacune des 2 autres, il y a un prix de consolation. Vous choisissez la porte n° 1 sans l'ouvrir. L'hôtesse, qui sait ce qu'il y a derrière les 3 portes, ouvre la porte n° 3 derrière laquelle se trouve un prix de consolation. On suppose que l'hôtesse n'a pas de préférence *a priori* pour une porte en particulier sauf qu'elle doit ouvrir une porte autre que celle que vous avez choisie et derrière laquelle il n'y a pas d'automobile. Après avoir ouvert la porte n° 3, l'hôtesse vous demande si vous voulez changer pour la porte n° 2. En vous basant sur le calcul des probabilités, devez-vous accepter de changer? (Extrait de M. vos Savant, « Ask Marilyn », *Parade Magazine*, 2 déc. 1990, p. 25.)

*5.23. Le tableau ci-dessous donne les fréquences de trois génotypes au Nigeria ainsi que les probabilités de survie correspondantes en fonction d'un paramètre p.

Génotype	A A	A a	a a
Fréquence	0,77	0,22	0,01
Probabilité de survie	6,8 p	7,7 p	p

Source : F. J. Ayala, *Population and Evolutionary Genetics : A Primer*, Benjamin/Cummings, 1982.

Les individus de génotype aa sont affectés d'anémie falciforme, ceux de génotype Aa sont résistants à la malaria alors que ceux de génotype AA sont non résistants à la malaria, ce qui explique les probabilités de survie correspondantes. Calculez la probabilité qu'un Nigérian soit de génotype AA étant donné qu'il a survécu.

*5.24. On considère un caractère génétique déterminé par 2 allèles, A et a. On suppose que les parents de chaque sexe transmettent A avec probabilité $1 - p$ et a avec probabilité p indépendamment des parents de l'autre sexe. (Cela est le cas si $1 - p$ et p sont les fréquences respectives de A et a chez les 2 sexes et s'il y a pan-mixie, c'est-à-dire accouplements au hasard, et ségrégation mendélienne.)

   a) Calculez les probabilités qu'un enfant soit de génotypes AA, Aa, et aa, respectivement. (Ces probabilités sont appelées proportions de Hardy-Weinberg.)

   b) Une maladie répandue dans les sociétés occidentales est la mucoviscidose, appelée aussi fibrose kystique, qui affecte la capacité de sécrétion de certaines glandes et qui est attribuable à un gène récessif dont la fréquence est 0,022. Seuls les individus de génotype aa sont donc atteints. En supposant les proportions de Hardy-Weinberg pour les fréquences des génotypes, déterminez la probabilité qu'un individu non atteint soit porteur du gène a, c'est-à-dire soit de génotype Aa.

*5.25. Le groupe sanguin ABO est déterminé par 3 allèles à un locus, A, B et O. Les individus de génotype AA ou AO sont du groupe [A], ceux de génotype BB ou BO sont du groupe [B] et ceux de génotype OO sont du groupe [O]. Il y a ségrégation mendélienne à ce locus. Chez les Bedik du Sénégal, les fréquences des génotypes sont :

AA	AO	BB	BO	OO
0,038	0,225	0,053	0,264	0,329

   a) Calculez la probabilité qu'un individu transmette l'allèle O à un enfant étant donné qu'il est du groupe [A].

   b) Calculez la probabilité que la mère d'un enfant du groupe [O] soit du groupe [A].

5.26. On tire au hasard sans remise 2 jetons dans la boîte ci-dessous qui contient des jetons valant 0, 1 ou 2 points.

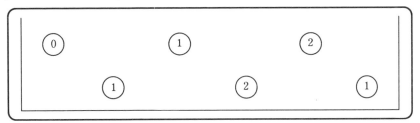

Soit X la valeur du premier jeton tiré et Y la valeur du second. Déterminez :

a) la fonction de masse conjointe de X et Y ;

b) les fonctions de masses marginales de X et de Y ;

c) le coefficient de corrélation de X et Y.

Donnez un argument intuitif pour expliquer le signe du coefficient de corrélation.

5.27. Faites le problème précédent dans le cas où les 2 jetons sont tirés au hasard avec remise.

5.28. On considère 2 variables discrètes, X et Y, dont la fonction de masse conjointe est donnée par le tableau suivant :

Y X	-1	0	1
-1	2/9	1/9	0
0	1/9	1/9	1/9
1	0	1/9	2/9

a) Les variables X et Y sont-elles indépendantes ?

b) Construisez le tableau de la fonction de masse conjointe des variables X^2 et Y^2.

c) Les variables X^2 et Y^2 sont-elles indépendantes ?

5.29. Deux variables discrètes, X et Y, dont les distributions sont données ci-dessous, sont indépendantes.

x	0	1	2
$\Pr(X = x)$	1/4	1/2	1/4

y	0	1	2	3
$\Pr(Y = y)$	1/8	2/8	3/8	2/8

Déterminez :

a) la fonction de masse conjointe de X et Y ;

b) les fonctions de masse conditionnelles de Y étant donné les valeurs de X ;

c) $E(XY)$, $E(X + Y)$ et $Var(X + Y)$.

5.30. Voici le tableau de la distribution conjointe de 2 variables discrètes, X et Y :

X \ Y	0	1	2
0	1/8	2/8	1/8
1	2/8	1/8	1/8

Déterminez :
   a) les distributions marginales de X et Y;
   b) les distributions conditionnelles de Y étant donné les valeurs de X;
   c) Cov(X, Y).

5.31. Deux variables, X et Y, ont la même moyenne égale à 2 et la même variance égale à 4. De plus, leur coefficient de corrélation ρ_{XY} est égal à $-1/2$. Calculez :

   a) Cov(X, Y);   b) E(XY);   c) E(X + Y);   d) Var(X + Y).

5.32. Soit 2 variables X et Y ayant la même variance. Montrez que les variables X + Y et X − Y sont non corrélées. (C'est le cas lorsque X et Y sont identiquement distribuées.)

*5.33. Calculez l'espérance de la variable Y du problème 5.30 à l'aide de la distribution marginale de Y, puis à l'aide des espérances conditionnelles de Y étant donné les valeurs de X.

*5.34. On prend un nombre au hasard parmi 00, 01, 02, ..., 99. Soit X le nombre de dizaines et Y le nombre d'unités.
   a) Calculez $\Pr(Y \leq X)$, c'est-à-dire la probabilité que le nombre de dizaines soit supérieur ou égal au nombre d'unités.
   b) On procède maintenant à l'expérience suivante : on prend un nombre de dizaines au hasard parmi les chiffres 0, 1, ... , 9 et, si l'on observe x dizaines, on prend au hasard un nombre d'unités parmi 0, 1, ... , x. Calculez la fonction de masse conjointe des variables X et Y représentant les nombres de dizaines et d'unités, respectivement. Déduisez-en les fonctions de masse marginales des 2 variables, de même que l'espérance du nombre d'unités. Faites également le calcul de l'espérance à l'aide des espérances conditionnelles.

*5.35. Soit 2 variables discrètes X et Y ayant la fonction de masse conjointe et les fonctions de masse marginales données dans le tableau suivant :

X \ Y	0	1	Total
0	p_{00}	p_{01}	$p_{0\bullet}$
1	p_{10}	p_{11}	$p_{1\bullet}$
Total	$p_{\bullet 0}$	$p_{\bullet 1}$	1

Montrez que, si le coefficient de corrélation entre X et Y est nul, alors X et Y sont indépendantes.

Suggestion. Montrez d'abord que $p_{11} = p_{1\bullet} \times p_{\bullet 1}$ et déduisez par la suite les valeurs de p_{10}, p_{01} et p_{00}.

5.36. Une table de billard d'une largeur de 4 pieds et d'une longueur de 8 pieds est munie de poches aux 4 coins et au centre des 2 côtés les plus longs. Après avoir été frappée, une balle s'arrête à une position au hasard sur la table. Calculez :

a) la probabilité que la balle soit à une distance d'au plus 1 pied du bord de la table ;

b) la probabilité que la balle soit à une distance d'au plus 1 pied d'une poche.

*5.37. Un animal se trouve à l'intérieur d'une cage en forme de triangle équilatéral. Supposons qu'à un moment donné, l'animal se trouve à un point au hasard à l'intérieur de la cage. Quelle est la probabilité qu'à ce moment-là, l'animal soit plus près d'un observateur situé au centre d'un côté de la cage que d'un observateur situé à l'intersection des 2 autres côtés de la cage ?

5.38. Deux variables continues, X et Y, ont pour fonction de densité conjointe

$$f(x, y) = 4\,xy \text{ pour } 0 \leqslant x \leqslant 1 \text{ et } 0 \leqslant y \leqslant 1.$$

Les deux variables sont-elles indépendantes ? Justifiez.

5.39. Soit 2 variables continues, X et Y, qui ont pour fonction de densité conjointe

$$f(x, y) = x + y \text{ pour } 0 \leqslant x \leqslant 1 \text{ et } 0 \leqslant y \leqslant 1.$$

Déterminez :

a) les fonctions de densité marginales de X et de Y ;

b) les fonctions de densité conditionnelles de X étant donné que Y = y pour $0 \leqslant y \leqslant 1$ et celles de Y étant donné que X = x pour $0 \leqslant x \leqslant 1$;

c) E(X + Y), Var(X + Y) et ρ_{XY}.

5.40. Deux personnes se donnent rendez-vous entre minuit et 1 heure. Chacune des 2 personnes arrive au hasard entre minuit et 1 heure indépendamment de l'autre. La fonction de densité conjointe pour le temps d'arrivée X de la première personne arrivée et le temps d'arrivée Y de la deuxième personne arrivée est donnée dans la figure ci-dessous

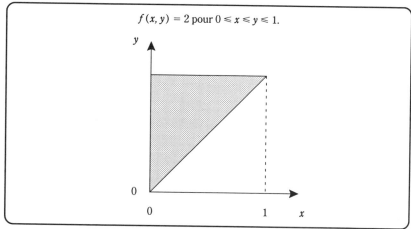

$$f(x, y) = 2 \text{ pour } 0 \leqslant x \leqslant y \leqslant 1.$$

Déterminez :

a) la probabilité que la première personne arrivée attende l'autre au moins 10 minutes ;

b) les fonctions de densité marginales de X et de Y ;

c) les fonctions de densité conditionnelles de X étant donné que Y = y pour $0 \leqslant y \leqslant 1$ et celles de Y étant donné que X = x pour $0 \leqslant x \leqslant 1$;

d) le coefficient de corrélation de X et de Y.

Donnez un argument intuitif pour expliquer le signe du coefficient de corrélation.

*5.41. Calculez l'espérance de la variable Y du problème précédent à l'aide de la fonction de densité marginale de Y, puis à l'aide des fonctions de densité conditionnelles de Y étant donné les valeurs de X.

*5.42. Le prix minimal acceptable (en milliers de dollars) pour la vente d'une maison est une variable continue X de loi uniforme sur [100, 200]. Le prix maximal qu'un acheteur consentirait à payer (en milliers de dollars) est quant à lui une variable continue Y de loi uniforme sur [75, 150]. En supposant l'indépendance de X et Y, calculez la probabilité qu'une vente soit finalisée avec cet acheteur. (Une vente est finalisée au prix Y lorsque celui-ci est supérieur ou égal à X.)

5.43. Le nombre de clients servis en 5 minutes à une caisse d'une grande surface est 0, 1 ou 2 avec probabilité 1/2, 1/4 et 1/4 respectivement. Calculez l'espérance et la variance du nombre de clients servis à cette caisse en 1 heure en supposant l'indépendance entre les différentes périodes de 5 minutes.

*5.44. Dans le problème précédent, supposons que le nombre d'articles achetés par un client soit une variable indépendante du nombre de clients servis à la caisse, qui prend les valeurs 1, 2, 3, 4 ou 5 avec probabilité 1/5 pour chaque valeur. Calculez l'espérance et la variance du nombre d'articles achetés par tous les clients servis à cette caisse en 5 minutes.

6

QUELQUES LOIS DE PROBABILITÉ PARAMÉTRIQUES

6.1. INTRODUCTION

Il est très avantageux, lorsqu'on étudie une variable statistique, de disposer d'une distribution théorique qui dépend d'un ou de quelques paramètres seulement pour décrire la distribution de la variable dans la population. On dit dans ce cas que la variable suit une **loi de probabilité paramétrique**. Il suffit alors de connaître le ou les paramètres pour connaître la distribution de probabilité exacte.

Un grand nombre de variables statistiques apparemment très différentes les unes des autres peuvent suivre une même loi de probabilité paramétrique, c'est-à-dire présenter un même type de distribution théorique dans la population. Ces variables ont en fait des distributions de probabilité identiques à une différence de valeurs de paramètres et d'interprétation près.

Une loi de probabilité paramétrique correspond donc à une famille de distributions. La loi de probabilité paramétrique que suit une variable est généralement déduite à partir de considérations théoriques et d'hypothèses. Une loi de probabilité est dite discrète ou continue selon le type de variables auxquelles elle s'applique.

6.2. LOI BINOMIALE

ÉPREUVES DE BERNOULLI

Qu'on s'intéresse au nombre de graines qui vont germer sur un total de 100 graines semées ou qu'on s'intéresse au nombre de 6 obtenus en lançant 10 fois un même dé, on peut dire dans les deux cas qu'on s'intéresse au nombre de « succès » obtenus en n « épreuves » ($n = 100$ dans le premier cas et $n = 10$ dans le second). En effet, le mot épreuve peut désigner aussi bien la mise en terre d'une graine que le jet d'un dé et le mot succès aussi bien la germination d'une graine que l'obtention d'un 6. Lorsqu'on n'a pas un succès, on peut dire qu'on a un « échec ». Une épreuve pour laquelle on considère deux résultats possibles, succès et échec, est appelée **épreuve de Bernoulli** à la mémoire de Jacques Bernoulli (1654-1705).

La probabilité d'un succès à une épreuve peut prendre *a priori* n'importe quelle valeur p comprise entre 0 et 1 (connue comme dans le cas d'un jet de dé non pipé ou inconnue comme dans le cas de la mise en terre d'une graine). Si la même épreuve est répétée n fois dans des conditions identiques, alors on a n épreuves chacune ayant la même probabilité de succès p. Dans ce cas, on dit que les épreuves sont identiques. De plus, si les épreuves sont indépendantes, alors la probabilité d'un succès à une épreuve donnée est la même, quels que soient les résultats aux autres épreuves. Résumons les hypothèses :

(1) *Chaque épreuve donne lieu à deux résultats possibles appelés succès et échec.*

(2) *La probabilité d'un succès est constante d'une épreuve à une autre et est notée p. La probabilité d'un échec est alors égale à $1 - p$.*

(3) *Les épreuves dites de Bernoulli sont au nombre de n et sont indépendantes.*

Les n épreuves, numérotées

$$1 \qquad 2 \qquad 3 \qquad 4 \qquad ... \qquad n$$

donnent lieu à une suite de n résultats, les uns étant des succès, les autres des échecs. La probabilité d'une suite particulière de n résultats

$$\text{succès} \qquad \text{succès} \qquad \text{échec} \qquad \text{succès} \qquad ... \qquad \text{échec}$$

avec x succès et $(n - x)$ échecs est, par l'hypothèse d'indépendance, le produit

$$p \times p \times (1 - p) \times p \times ... \times (1 - p)$$

dans lequel le facteur p apparaît x fois et le facteur $(1 - p)$ un nombre de fois égal à $(n - x)$, donc

$$p^x (1 - p)^{n-x}$$

avec les conditions $p^0 = 1$ et $(1 - p)^0 = 1$. La probabilité d'avoir x succès et $(n - x)$ échecs est alors

$$\binom{n}{x} p^x (1 - p)^{n-x},$$

où $\binom{n}{x}$ représente le nombre de suites particulières avec x succès et $(n - x)$ échecs, appelées **combinaisons**.

Le nombre de combinaisons peut être déterminé explicitement. En particulier, on a

$$\binom{n}{0} = \binom{n}{n} = 1 ,$$

car une seule suite sans succès est possible, tout comme il existe une seule suite sans échec, et

$$\binom{n}{1} = \binom{n}{n - 1} = n ,$$

car il existe exactement n positions possibles pour un seul succès dans une suite de n résultats ainsi que n positions possibles pour un seul échec. En général, on a

$$\binom{n}{x} = \binom{n}{n - x} \text{ pour } x = 0, 1, \ldots , n ,$$

car à toute suite particulière avec x succès et $(n - x)$ échecs correspond une suite avec $(n - x)$ succès et x échecs, c'est-à-dire celle que l'on obtient en interchangeant succès et échecs.

Exemple. On lance un dé non pipé 10 fois de façon indépendante. La probabilité d'obtenir un 6 à un jet particulier est 1/6 et la probabilité d'obtenir autre chose que 6 est 5/6. La probabilité d'obtenir un 6 au 5e jet et autre chose que 6 à chacun des 9 autres est donc

$$\left(\frac{1}{6}\right)^1 \times \left(\frac{5}{6}\right)^9 = 0{,}032 ,$$

mais la probabilité d'obtenir un seul 6 en 10 jets est

$$\binom{10}{1} \times \left(\frac{1}{6}\right)^1 \times \left(\frac{5}{6}\right)^9 = 0{,}32 ,$$

ce qui est 10 fois plus que précédemment, car le 6 peut alors être obtenu à n'importe lequel des 10 jets. Enfin, la probabilité d'obtenir au moins un 6 est

$$1 - \Pr(\text{aucun } 6) = 1 - \left(\frac{5}{6}\right)^{10} = 0{,}84 .$$

La probabilité d'obtenir deux 6 ou plus est donc

$$0{,}84 - 0{,}32 = 0{,}52,$$

ce qui est supérieur à la probabilité d'obtenir un seul 6 et même supérieur à 1/2.

*Détermination du nombre de combinaisons par le triangle de Pascal.
Les suites de résultats avec x succès et $(n - x)$ échecs sont de deux types :
celles qui commencent par un succès et celles qui commencent par un échec.
Les premières doivent renfermer $(x - 1)$ succès dans la suite des $(n - 1)$
résultats suivants et les secondes, x succès. Le nombre des premières est donc

$\binom{n-1}{x-1}$ et celui des secondes $\binom{n-1}{x}$. Par conséquent, on obtient

$$\binom{n}{x} = \binom{n-1}{x} + \binom{n-1}{x-1}.$$

Cette formule de récurrence ayant pour conditions initiales

$$\binom{n}{0} = \binom{n}{n} = 1 \text{ pour } n = 0, 1, 2, \ldots$$

nous permet de calculer successivement $\binom{n}{x}$ pour $x = 0, 1, \ldots, n$ en commen-

çant par $n = 0$, puis $n = 1$, puis $n = 2$, etc. Il s'agit de placer la quantité $\binom{n}{x}$ à la

x^e position d'une n^e ligne dans un triangle comme ci-dessous.

$$\binom{0}{0}$$
$$\binom{1}{0} \quad \binom{1}{1}$$
$$\binom{2}{0} \quad \binom{2}{1} \quad \binom{2}{2}$$
$$\binom{3}{0} \quad \binom{3}{1} \quad \binom{3}{2} \quad \binom{3}{3}$$

On a la quantité 1 au début et à la fin de chaque ligne et, à toute autre position
x d'une ligne, la somme des quantités aux positions x et $x - 1$ de la ligne précédente. Cela donne

$$
\begin{array}{ccccccc}
 & & & 1 & & & \\
 & & 1 & & 1 & & \\
 & 1 & & 2 & & 1 & \\
1 & & 3 & & 3 & & 1 \\
\end{array}
$$

où le 3, par exemple, est obtenu par l'addition de 1 et de 2. C'est le **triangle de
Pascal** nommé ainsi à la mémoire de Blaise Pascal (1623-1662).

*Détermination du nombre de combinaisons par les probabilités conditionnelles. Il existe une formule explicite pour calculer directement $\binom{n}{x}$ que l'on peut déduire en utilisant les probabilités conditionnelles. Tout d'abord, remarquons que

$$\Pr(\text{une suite particulière de } x \text{ succès et de } (n - x) \text{ échecs} \mid x \text{ succès et } (n - x) \text{ échecs})$$

$$= \frac{\Pr(\text{une suite particulière de } x \text{ succès et de } (n - x) \text{ échecs})}{\Pr(x \text{ succès et } (n - x) \text{ échecs})}$$

$$= \frac{p^x (1 - p)^{n - x}}{\binom{n}{x} p^x (1 - p)^{n - x}}$$

$$= \frac{1}{\binom{n}{x}}.$$

D'autre part, on a

$$\Pr(\text{une suite particulière de } x \text{ succès et de } (n - x) \text{ échecs commençant par un succès} \mid x \text{ succès et } (n - x) \text{ échecs})$$

$$= \Pr(\text{une suite particulière de } x \text{ succès et de } (n - x) \text{ échecs} \mid x \text{ succès et } (n - x) \text{ échecs commençant par un succès})$$
$$\times \Pr(\text{commencer par un succès} \mid x \text{ succès et } (n - x) \text{ échecs})$$

$$= \Pr(\text{une suite particulière de } (x - 1) \text{ succès et de } (n - x) \text{ échecs} \mid (x - 1) \text{ succès et } (n - x) \text{ échecs}) \times \frac{x}{n}.$$

De là, on obtient

$$\frac{1}{\binom{n}{x}} = \frac{1}{\binom{n - 1}{x - 1}} \times \frac{x}{n},$$

d'où

$$\binom{n}{x} = \frac{n}{x} \times \binom{n - 1}{x - 1}$$

$$= \frac{n}{x} \times \frac{n - 1}{x - 1} \times \dots \times \frac{n - x + 1}{1}$$

$$= \frac{n!}{x! \, (n - x)!}$$

avec

$$x! = x \times (x - 1) \times \dots \times 1.$$

Par convention $0! = 1$ et la formule est valide pour $x = 0, 1, \dots, n$. La quantité donnée par $x!$, lire **factorielle** de x, correspond au nombre de permutations possibles de x objets. Elle fut introduite en 1808 par Christian Kramp (1760-1826).

DÉFINITION DE LA LOI BINOMIALE

On dit qu'une variable X suit une **loi binomiale** de paramètres n et p, notée $B(n, p)$, si X prend seulement les valeurs 0, 1, ... , n avec les probabilités

$$p(x) = \binom{n}{x} p^x (1 - p)^{n - x} \text{ pour } x = 0, 1, ... , n,$$

où

$$\binom{n}{x} = \frac{n \times (n - 1) \times ... \times (n - x + 1)}{x \times (x - 1) \times ... \times 1} \text{ pour } x = 0, 1, ... , n$$

avec la convention $\binom{n}{0} = 1$. Dans le cas particulier où $n = 1$, on dit aussi que X suit une **loi de Bernoulli** de paramètre p.

Typiquement, une variable X de loi $B(n, p)$ représente le nombre de succès en n épreuves indépendantes ayant chacune une probabilité p de succès. À noter que la variable $(n - X)$ représente alors le nombre d'échecs en n épreuves indépendantes ayant chacune une probabilité $1 - p$ d'échec. Par analogie, la variable $(n - X)$ suit donc une loi $B(n, 1 - p)$.

Remarque 1. Il arrive qu'un succès se produise en deux étapes successives. Ainsi, si une graine semée germe avec une probabilité p et si une graine qui a germé devient une plante adulte avec une probabilité u, et ce indépendamment des autres graines, alors le nombre de plantes adultes obtenues à partir de n graines semées est une variable de loi $B(n, pu)$ où pu représente la probabilité qu'une graine devienne une plante adulte, ce qui est considéré comme un succès.

Une autre interprétation est que *le nombre de succès en N épreuves de Bernoulli identiques indépendantes suit une loi binomiale dans le cas où la quantité N est elle-même une variable de loi binomiale et les épreuves sont indépendantes de N.* Dans l'exemple des graines, N représente le nombre de graines qui ont germé et suit une loi $B(n, p)$ et u est la probabilité d'un succès à partir d'une graine qui a germé. Le nombre de succès suit alors une loi $B(n, pu)$.

Remarque 2. L'appellation de loi binomiale vient de ce que la probabilité de chaque valeur x est le terme en $p^x (1 - p)^{n - x}$ dans le développement du binôme $[p + (1 - p)]^n$, puisque

$$1 = \sum_{x = 0}^{n} \binom{n}{x} p^x (1 - p)^{n - x} = [p + (1 - p)]^n.$$

Exemple. Une machine produit des pièces qui sont défectueuses 5 fois sur 100. Quelle est la probabilité que, dans un lot de 10 pièces prises au hasard et numérotées de 1 à 10, on ait :

a) exactement deux pièces défectueuses ;

b) au moins deux pièces défectueuses ;

c) les pièces n°s 1 et 2 défectueuses et les autres en bon état.

En supposant, ce qui est plausible, que l'on ait une loi binomiale pour le nombre total X de pièces défectueuses dans le lot, les paramètres de la loi sont $n = 10$ et $p = 0,05$.

a) La probabilité d'obtenir exactement deux pièces défectueuses est

$$\Pr(X = 2) = \binom{10}{2} \times (0,05)^2 \times (0,95)^8 = \frac{10 \times 9}{2 \times 1} \times (0,05)^2 \times (0,95)^8 = 0,0746 \,.$$

b) L'événement « obtenir au moins deux pièces défectueuses » se traduit par $X \geqslant 2$. On a

$$\Pr(X \geqslant 2) = \Pr(X = 2) + \Pr(X = 3) + \Pr(X = 4) + \Pr(X = 5) + \Pr(X = 6)$$
$$+ \Pr(X = 7) + \Pr(X = 8) + \Pr(X = 9) + \Pr(X = 10).$$

Or il peut être fastidieux d'effectuer le calcul de toutes ces probabilités. Il est avantageux ici d'utiliser la propriété que la somme des probabilités de toutes les valeurs possibles de X est égale à 1. On a

$$\Pr(X = 0) + \Pr(X = 1) + \Pr(X \geqslant 2) = 1,$$

et donc

$$\Pr(X \geqslant 2) = 1 - \Pr(X = 0) - \Pr(X = 1)$$
$$= 1 - \binom{10}{0} \times (0,05)^0 \times (0,95)^{10} - \binom{10}{1} \times (0,05)^1 \times (0,95)^9$$
$$= 1 - (0,95)^{10} - 10 \times 0,05 \times (0,95)^9$$
$$= 0,0862.$$

c) La probabilité enfin que les pièces n°s 1 et 2 soient défectueuses et toutes les autres en bon état sera

$$(0,05)^2 \times (0,95)^8 = 0,0017.$$

SOMME DE VARIABLES INDÉPENDANTES DE LOI BINOMIALE

L'une des propriétés les plus intéressantes de la loi binomiale est que *si deux variables indépendantes sont de loi binomiale de même paramètre p, alors leur somme est aussi de loi binomiale*. Dans ce cas, on dit que la loi binomiale est fermée sous l'addition. Plus précisément, si X_1 et X_2 sont des variables indépendantes respectivement de loi $B(n_1, p)$ et $B(n_2, p)$, alors $X_1 + X_2$ est une variable de loi $B(n_1 + n_2, p)$.

C'est là une conséquence de l'interprétation de la loi binomiale. Si X_1 représente le nombre de succès en n_1 épreuves identiques indépendantes et X_2 en n_2 épreuves indépendantes entre elles et indépendantes des premières avec la même probabilité de succès que les premières, alors $X_1 + X_2$ représente le nombre de succès en $n_1 + n_2$ épreuves identiques et indépendantes. Il suffit de prendre p comme probabilité d'un succès à chaque épreuve.

Cette propriété se généralise à une somme de n'importe quel nombre fixé de variables indépendantes de loi binomiale de même paramètre p.

ESPÉRANCE ET VARIANCE DE LA LOI BINOMIALE

Si X est une variable qui suit une loi binomiale de paramètres n et p, alors on a

$$E(X) = np \text{ et Var}(X) = np(1 - p).$$

Ces résultats sont faciles à déduire si l'on considère la variable X de loi $B(n, p)$ comme une somme de n variables de loi $B(1, p)$ indépendantes. En effet, si l'on admet que X représente le nombre de succès en n épreuves identiques et indépendantes, on peut toujours écrire

$$X = X_1 + X_2 + \ldots + X_n,$$

où chacune des variables X_k, pour $k = 1, \ldots, n$, vaut 1 ou 0 selon que le résultat de la k^e épreuve est un succès ou un échec. De plus, chaque X_k est une variable de Bernoulli de même paramètre p (voir le tableau 6.1), qui est indépendante de toutes les autres.

TABLEAU 6.1.
Distribution d'une loi de Bernoulli de paramètre p

x	0	1
$p(x)$	$1 - p$	p

Or on calcule

$$E(X_k) = 0 \times (1 - p) + 1 \times p = p,$$
$$E(X_k^2) = 0^2 \times (1 - p) + 1^2 \times p = p,$$
$$\text{Var}(X_k) = E(X_k^2) - [E(X_k)]^2 = p - p^2 = p(1 - p).$$

D'après la section 5.5 sur les sommes de variables indépendantes identiquement distribuées, on obtient alors

$$E(X) = E(X_1) + E(X_2) + \ldots + E(X_n) = np$$

et

$$\text{Var}(X) = \text{Var}(X_1) + \text{Var}(X_2) + \ldots + \text{Var}(X_n) = np(1 - p).$$

* Modèle de Wright-Fisher en génétique de population. Le modèle suivant est un modèle classique en génétique de population proposé par Sewall Wright et R. A. Fisher. On considère une population de 2N gènes. (Les gènes sont regroupés en paires, ce qui explique le nombre pair de gènes.) Les générations se succèdent sans se chevaucher. À partir de la génération courante, la génération suivante est formée de 2N copies de gènes pris au hasard avec remise dans la génération courante. Si la fréquence d'un gène de type A dans la génération courante est p, alors le nombre de gènes de type A dans la génération suivante est une variable de loi $B(2N, p)$, car p est la probabilité qu'un gène pris au hasard dans la génération courante soit de type A et on choisit ainsi 2N gènes de façon indépendante. Dans ce cas, l'espérance du nombre de gènes de type A dans la génération suivante est $2Np$, qui correspond exactement au nombre de gènes de type A dans la génération courante. Mais la variance n'est pas nulle. Elle est en fait égale à $2Np(1 - p)$. Le hasard peut même faire en sorte que le type A envahisse totalement la population (**fixation** de A) ou disparaisse totalement de la population (**extinction** de A) d'une génération à la suivante. Bien qu'il soit peu probable qu'une fixation ou une extinction de A se produise en une génération (les probabilités exactes de ces événements étant respectivement p^{2N} et $(1 - p)^{2N}$, si la fréquence de A dans la génération courante est p), cela peut avoir lieu avec probabilité non nulle (en fait, toujours supérieure à $(1/2N)^{2N}$) de sorte qu'à long terme on aura soit fixation de A, soit extinction de A. Ce phénomène est appelé le phénomène de **dérive**.

On peut faire le même raisonnement pour chaque gène de la génération initiale dont la fréquence est $1/2N$. Mais les gènes de la génération initiale ne peuvent pas tous subir l'extinction. À long terme, on a donc nécessairement fixation de l'un d'eux et d'un seul. Par symétrie, chacun des 2N gènes de la génération initiale a la même probabilité $1/2N$ d'être celui-là. Enfin, s'il y a initialement $2Np_0$ gènes de type A, alors la probabilité que ce gène soit de type A est

$$\frac{2Np_0}{2N} = p_0 \,.$$

6.3. LOI GÉOMÉTRIQUE

INTRODUCTION

Supposons qu'une tentative pour obtenir une communication téléphonique échoue (par exemple, parce que la ligne est occupée) avec probabilité $1 - p$ et réussit avec probabilité p. Combien de tentatives seront-elles nécessaires pour réussir à obtenir la communication si celles-ci sont indépendantes les unes des autres? Le nombre de tentatives sera une variable de loi géométrique.

On est en présence d'une loi géométrique de paramètre p chaque fois qu'on s'intéresse au nombre d'épreuves de Bernoulli indépendantes jusqu'à l'obtention d'un succès avec p comme probabilité de succès à chaque épreuve. On émet donc les mêmes hypothèses que pour la loi binomiale, sauf que le nombre d'épreuves n'est pas fixé à l'avance et qu'on s'arrête au premier succès. Par l'hypothèse d'indépendance, la probabilité d'obtenir un premier succès à la xe épreuve est le produit

$$(1 - p) \times \ldots \times (1 - p) \times p$$

dans lequel le facteur $(1 - p)$ apparaît $(x - 1)$ fois.

DÉFINITION DE LA LOI GÉOMÉTRIQUE

Une variable X dont la fonction de masse est

$$p(x) = p(1 - p)^{x - 1} \text{ pour } x = 1, 2, \ldots$$

est dite de **loi géométrique** de paramètre p, et est notée $G(p)$. Typiquement, une variable X de loi $G(p)$ représente le nombre d'épreuves indépendantes nécessaire pour obtenir un premier succès avec p comme probabilité de succès à chaque épreuve. La loi géométrique est aussi appelée **loi de Pascal**.

*Remarque. L'appellation de loi géométrique vient de ce que, en additionnant les probabilités de toutes les valeurs possibles, on obtient une série géométrique. En effet, on a

$$1 = \sum_{x \geq 1} p(1-p)^{x-1} = p \sum_{x \geq 1} (1-p)^{x-1},$$

d'où

$$\sum_{x \geq 1} (1-p)^{x-1} = \frac{1}{p}.$$

Remarque. Comme pour la loi binomiale, un succès à une épreuve peut avoir lieu en deux étapes. Dans l'exemple de la communication téléphonique donné précédemment, le nombre de tentatives pour obtenir la communication est une variable de loi $G(p)$. Supposons qu'une communication soit interrompue avec probabilité $1 - u$ indépendamment de toutes les autres. La probabilité d'un succès est alors la probabilité p d'obtenir la communication fois la probabilité u que cette communication ne soit pas interrompue, et le nombre de tentatives pour un succès suit alors une loi $G(pu)$.

Une autre interprétation est que *la somme de variables indépendantes de loi géométrique de même paramètre p, dont le nombre est une variable de loi géométrique de paramètre u indépendante des premières, est une variable de loi géométrique de paramètre pu.*

PROPRIÉTÉS DE LA LOI GÉOMÉTRIQUE

a) **Loi sans mémoire.** La propriété la plus remarquable de la loi géométrique est sans doute d'être « sans mémoire ». En effet, la loi de probabilité du nombre d'épreuves à répéter jusqu'à l'obtention d'un premier succès dans une suite d'épreuves de Bernoulli identiques indépendantes est la même quel que soit le nombre d'échecs accumulés auparavant. On comprend intuitivement que cela découle de l'indépendance des épreuves qui sont toutes identiques. Formellement, on a

$$\Pr(X = x + y \mid X > x) = \Pr(X = y) \text{ pour } x = 0, 1, 2, \dots \text{ et } y = 1, 2, \dots$$

si X est une variable de loi géométrique, disons de paramètre p.

En effet, remarquons d'abord que

$$\Pr(X > x) = \Pr(X \geq x + 1) = (1-p)^x$$

car, pour que X excède x, il faut et il suffit que les résultats des x premières épreuves indépendantes soient des échecs chacun de probabilité $1 - p$. Donc

$$\Pr(X = x + y \mid X > x) = \Pr(X > x + y - 1 \mid X > x) - \Pr(X > x + y \mid X > x)$$

$$= \frac{\Pr(X > x + y - 1)}{\Pr(X > x)} - \frac{\Pr(X > x + y)}{\Pr(X > x)}$$

$$= \frac{(1 - p)^{x + y - 1}}{(1 - p)^x} - \frac{(1 - p)^{x + y}}{(1 - p)^x}$$

$$= (1 - p)^{y - 1} - (1 - p)^y$$

$$= p(1 - p)^{y - 1}$$

$$= \Pr(X = y) .$$

Remarque. La loi géométrique est la seule loi discrète qui possède la propriété d'être sans mémoire. Il existe aussi, nous le verrons plus loin, une loi continue qui possède une propriété analogue.

*b) **Minimum de variables indépendantes de loi géométrique.** Une autre propriété importante de la loi géométrique est que le *minimum de deux variables indépendantes de loi géométrique suit aussi une loi géométrique*. En effet, considérons deux lois géométriques indépendantes de paramètres p_1 et p_2 représentées par X_1 et X_2, respectivement. Désignons par X la variable $\min(X_1, X_2)$, qui prend comme valeur la plus petite des valeurs prises par X_1 et X_2. On peut voir X_1 et X_2 comme les nombres d'épreuves dans deux séries d'épreuves de Bernoulli indépendantes jusqu'à l'obtention d'un succès de probabilité p_1 dans la première et p_2 dans la seconde. Si l'on apparie les épreuves de même rang des deux séries, la variable X représente le nombre d'épreuves appariées indépendantes jusqu'à l'obtention d'un succès dans l'une ou l'autre des deux séries. Or la probabilité d'obtenir un échec dans les deux épreuves de même rang des deux séries est $(1 - p_1) \times (1 - p_2)$ et donc la probabilité d'obtenir un succès dans l'une ou l'autre est

$$1 - (1 - p_1)(1 - p_2) = p_1 + p_2 - p_1 p_2.$$

Cette probabilité est le paramètre de la loi géométrique suivie par la variable X. Cette propriété se généralise au cas d'un minimum d'un nombre fixé quelconque de lois géométriques.

Par exemple, si on lance plusieurs fois de façon indépendante deux dés non pipés, un noir et un blanc, le nombre de jets jusqu'à l'obtention d'un 6 sur le dé noir suit une loi $G(1/6)$ tout comme pour le dé blanc, et ce indépendamment du résultat obtenu avec le dé noir. Le nombre de jets jusqu'à l'obtention d'un 6 sur le dé noir ou le dé blanc suit alors une loi géométrique de paramètre

$$\frac{1}{6} + \frac{1}{6} - \frac{1}{36} = \frac{11}{36} .$$

ESPÉRANCE ET VARIANCE DE LA LOI GÉOMÉTRIQUE

L'espérance et la variance d'une variable X de loi géométrique de paramètre p sont données par

$$E(X) = \frac{1}{p} \text{ et } Var(X) = \frac{1-p}{p^2}.$$

On peut interpréter l'expression de l'espérance de façon intuitive. En effet, en n épreuves, on s'attend à obtenir np succès et, par conséquent, le nombre moyen d'épreuves entre deux succès devrait être $n/(np) = 1/p$.

Remarque. Les formules pour l'espérance et la variance peuvent se déduire facilement des expressions pour $E(X^k)$ pour $k = 1, 2$. Or à partir de l'interprétation de X en nombre d'épreuves de Bernoulli jusqu'à un premier succès et des propriétés de l'espérance, on a

$$\begin{aligned}
E(X^k) = {} & E(X^k \mid \text{un succès à la première épreuve}) \\
& \times \Pr(\text{un succès à la première épreuve}) \\
& + E(X^k \mid \text{un échec à la première épreuve}) \\
& \times \Pr(\text{un échec à la première épreuve}) \\
= {} & 1 \times p + [E(Y+1)^k] \times (1-p) \\
= {} & p + \left[E\left(\sum_{\ell=0}^{k} \binom{k}{\ell} Y^\ell\right)\right] \times (1-p) \\
= {} & p + \left[E\left(\sum_{\ell=0}^{k} \binom{k}{\ell} E(Y^\ell)\right)\right] \times (1-p) \text{ pour } k = 1, 2,
\end{aligned}$$

où Y représente le nombre d'épreuves depuis la deuxième jusqu'à un premier succès. Mais Y suit la même loi que X et donc $E(Y^\ell) = E(X^\ell)$ pour $\ell = 0, \ldots, k$. En particulier, pour $k = 1$, on obtient

$$E(X) = p + (1-p) \times [E(X) + 1],$$

d'où

$$E(X) = \frac{p + (1-p)}{1 - (1-p)} = \frac{1}{p}.$$

On a aussi, pour $k = 2$,

$$E(X^2) = p + (1-p) \times [E(X^2) + 2E(X) + 1],$$

d'où

$$E(X^2) = \frac{p + (1-p)(2/p + 1)}{1 - (1-p)} = \frac{2-p}{p^2}.$$

Donc

$$Var(X) = E(X^2) - [E(X)]^2 = \frac{2-p}{p^2} - \frac{1}{p^2} = \frac{1-p}{p^2}.$$

*LOI BINOMIALE NÉGATIVE

Une somme de n variables indépendantes, toutes distribuées suivant une loi géométrique de paramètre p, est une variable de loi binomiale négative de paramètres n et p, notée $\mathrm{BN}(n, p)$. D'après l'interprétation d'une loi géométrique, une variable de loi $\mathrm{BN}(n, p)$ représente le nombre minimum d'épreuves requises pour obtenir n succès si les épreuves sont indépendantes et produisent chacune un succès avec probabilité p.

Par exemple, le nombre de fois qu'on lance de façon indépendante un dé non pipé jusqu'à obtenir trois fois 6 est une variable de loi $\mathrm{BN}(3, 1/6)$. À remarquer qu'une loi binomiale négative décrit le nombre d'épreuves nécessaire pour obtenir un nombre donné de succès alors qu'une loi binomiale décrit le nombre de succès en un nombre donné d'épreuves.

En raisonnant comme pour la loi binomiale, on peut montrer que la fonction de masse d'une variable X de loi binomiale négative est

$$p(x) = \binom{x-1}{n-1} p^n (1-p)^{x-n} \text{ pour } x = n, n+1, n+2, \ldots$$

En effet, la dernière épreuve doit nécessairement produire un succès dont la probabilité est p et, parmi les $(x-1)$ premières épreuves, on doit obtenir exactement $(n-1)$ succès; la probabilité de ce dernier événement est égale à

$$\binom{x-1}{n-1} p^{n-1} (1-p)^{(x-1)-(n-1)} = \binom{x-1}{n-1} p^{n-1} (1-p)^{x-n},$$

en conformité avec la loi binomiale. La probabilité d'avoir n succès en un minimum de x épreuves est donc égale au produit

$$p \times \binom{x-1}{n-1} p^{n-1} (1-p)^{x-n} = \binom{x-1}{n-1} p^n (1-p)^{x-n}.$$

Dans l'exemple ci-dessus, la probabilité d'obtenir 3 fois la face 6 en un minimum de 5 jets est égale à

$$\binom{4}{2} \left(\frac{1}{6}\right)^3 \left(\frac{5}{6}\right)^2 = 0{,}0193.$$

Si X est une variable de loi binomiale négative de paramètres n et p, alors

$$\mathrm{X} = \mathrm{X}_1 + \ldots + \mathrm{X}_n,$$

où $\mathrm{X}_1, \ldots, \mathrm{X}_n$ sont des variables indépendantes de loi géométrique de paramètre p. Puisque

$$\mathrm{E}(\mathrm{X}_1 + \ldots + \mathrm{X}_n) = \mathrm{E}(\mathrm{X}_1) + \ldots + \mathrm{E}(\mathrm{X}_n) = \frac{n}{p},$$

$$\mathrm{Var}(\mathrm{X}_1 + \ldots + \mathrm{X}_n) = \mathrm{Var}(\mathrm{X}_1) + \ldots + \mathrm{Var}(\mathrm{X}_n) = n\left(\frac{1-p}{p^2}\right),$$

on a

$$E(X) = \frac{n}{p} \text{ et } Var(X) = n\left(\frac{1-p}{p^2}\right).$$

Dans le cas d'une variable X de loi BN (3, 1/6), on obtient

$$E(X) = \frac{3}{1/6} = 18,$$

$$Var(X) = 3 \times \frac{5/6}{(1/6)^2} = 90.$$

JEU DE SAINT-PÉTERSBOURG

Le jeu suivant a été proposé par Nicolas Bernoulli (1687-1759), un neveu de Jacques Bernoulli : on joue une série de parties de pur hasard, avec probabilité 1/2 de gagner à chaque partie indépendamment de toutes les autres, jusqu'à ce qu'on gagne pour la première fois. Le montant à gagner, initialement égal à 1, est doublé après chaque partie perdue de sorte que, si on gagne pour la première fois à la n^e partie, alors on reçoit un montant égal à 2^{n-1}.

a) Quelle est la probabilité de gagner en moins de 5 parties ?

b) Quelle est la probabilité de gagner en moins de 10 parties si les 5 premières ont été perdues ?

c) Quelles sont l'espérance et la variance du nombre de parties à jouer avant de gagner ?

d) Quel est le prix honnête à payer pour jouer de façon que le jeu soit équitable ?

En désignant le nombre de parties à jouer avant de gagner par X, on a :

a) $Pr(X < 5) = 1 - Pr(X \geq 5)$

$$= 1 - \left(1 - \frac{1}{2}\right)^{5-1}$$

$$= 1 - \frac{1}{2^4}$$

$$= \frac{15}{16}.$$

b) $Pr(X < 10 \,|\, X > 5)$

$$= Pr(X = 6 \,|\, X > 5) + Pr(X = 7 \,|\, X > 5) + Pr(X = 8 \,|\, X > 5)$$
$$+ Pr(X = 9 \,|\, X > 5)$$
$$= Pr(X = 1) + Pr(X = 2) + Pr(X = 3) + Pr(X = 4)$$
$$= Pr(X < 5) = \frac{15}{16}.$$

c) $E(X) = \dfrac{1}{1/2} = 2$.

$\text{Var}(X) = \dfrac{1 - 1/2}{(1/2)^2} = 2$.

d) $E(2^{X-1}) = \displaystyle\sum_{x \geqslant 1} 2^{x-1} \times \frac{1}{2} \times \left(1 - \frac{1}{2}\right)^{x-1}$

$\qquad\qquad = \displaystyle\sum_{x \geqslant 1} 2^{x-1} \times \frac{1}{2} \times \frac{1}{2^{x-1}}$

$\qquad\qquad = \displaystyle\sum_{x \geqslant 1} \frac{1}{2}$

$\qquad\qquad = \infty,$

c'est-à-dire l'infini puisqu'on additionne 1/2 une infinité de fois. Tout prix demandé pour jouer serait en deçà du prix honnête à payer.

6.4. LOI DE POISSON ET LOI EXPONENTIELLE

INTRODUCTION

Beaucoup de variables statistiques portent sur le nombre de réalisations d'un événement dans un intervalle de temps donné, par exemple le nombre de clients qui se présentent à un guichet d'une banque en une heure, le nombre d'automobiles qui passent sur un pont en une journée, le nombre d'appels téléphoniques vers une destination donnée en une minute, le nombre d'actes criminels perpétrés dans une ville en un mois, le nombre de malades ou de victimes d'accidents qui arrivent à la salle d'urgence d'un hôpital en une nuit, le nombre de pannes d'un réseau informatique enregistrées en une année, le nombre de réclamations acheminées vers une compagnie d'assurances en un trimestre, etc. Une autre façon de décrire ces phénomènes est de considérer le temps écoulé entre deux réalisations successives de l'événement. Les phénomènes étudiés dans cette perspective sont appelés des **phénomènes d'attente**.

Pour décrire des réalisations dans le temps d'un événement donné, on fait souvent appel à deux lois définies plus loin : la loi de Poisson, du nom d'un mathématicien français, et la loi exponentielle. La loi de Poisson est utilisée pour le nombre de réalisations de l'événement dans un intervalle de temps donné et la loi exponentielle pour le temps entre deux réalisations successives de l'événement. Ces deux lois trouvent leur justification à partir d'hypothèses qui sont acceptables, du moins en première approximation, dans beaucoup de cas réels. De plus, la première peut être vue comme un cas limite d'une loi binomiale et la seconde comme un cas limite d'une loi géométrique.

Pour comprendre les conditions qui mènent aux lois exponentielle et de Poisson et déduire les principales caractéristiques de ces lois, divisons le temps continu en petits intervalles de temps disjoints, disons de longueur $1/n$ pour n assez grand.

Formulons les hypothèses suivantes relativement à la réalisation d'un événement donné :

(1) *L'événement peut se réaliser au plus une fois dans chacun des intervalles.*

(2) *Dans chacun des intervalles, l'événement se réalise ou ne se réalise pas, indépendamment de la réalisation ou non de l'événement dans les autres intervalles.*

(3) *La probabilité que l'événement se réalise est la même dans chacun des intervalles et est donnée sous la forme λ/n où $1/n$ est la longueur des intervalles et λ est une constante de proportionnalité.*

On est donc en présence d'épreuves de Bernoulli identiques et indépendantes. Les hypothèses (1) et (3) peuvent être assouplies pour admettre la possibilité de cas de probabilité négligeable comme la réalisation de l'événement plus d'une fois dans un même intervalle. Dans ce cas, l'hypothèse (2) s'étend à l'indépendance des nombres de réalisation de l'événement dans des intervalles disjoints. En admettant la possibilité de cas de probabilité négligeable, les hypothèses (1), (2) et (3) caractérisent ce qu'on appelle un processus de Poisson.

Si on définit Y_n comme le nombre de réalisations en une unité de temps (n intervalles de longueur $1/n$), alors Y_n suit une loi binomiale de paramètres n et λ/n. Donc

$$E(Y_n) = n \times \frac{\lambda}{n} = \lambda \,,$$

$$\mathrm{Var}(Y_n) = n \times \frac{\lambda}{n} \times \left(1 - \frac{\lambda}{n}\right) \approx \lambda \text{ pour } n \text{ grand.}$$

Si l'on prend n de plus en plus grand de telle sorte qu'on considère de plus en plus d'intervalles et que la probabilité de réalisation de l'événement est de plus en plus petite dans chacun des intervalles, la distribution de Y_n se rapproche alors de plus en plus d'une loi de Poisson de paramètre λ. Une telle loi a donc une espérance et une variance égales à λ. Si on avait considéré le nombre de réalisations dans un intervalle de temps de longueur t, on aurait obtenu une loi de Poisson de paramètre λt. La constante λ peut donc être comprise comme un nombre moyen de réalisations par unité de temps, c'est-à-dire une intensité.

Si on considère maintenant le temps d'attente en multiples de $1/n$ pour la réalisation d'un événement à partir d'un instant donné et qu'on note ce temps T_n, on a

$$T_n = \frac{1}{n} X_n,$$

où X_n suit une loi géométrique de paramètre λ/n. Donc

$$E(T_n) = \frac{1}{n} E(X_n) = \frac{1}{n} \times \frac{1}{\lambda/n} = \frac{1}{\lambda},$$

$$\text{Var}(T_n) = \frac{1}{n^2} \text{Var}(X_n) = \frac{1}{n^2} \times \frac{1-\lambda/n}{(\lambda/n)^2} \approx \frac{1}{\lambda^2} \text{ pour } n \text{ grand}.$$

Si l'on prend n de plus en plus grand, la distribution de T_n se rapproche toujours davantage d'une loi exponentielle de paramètre λ. L'espérance d'une telle loi est $1/\lambda$ et sa variance $1/\lambda^2$.

La loi de Poisson peut aussi servir à décrire le nombre de réalisations d'un événement dans un espace donné, par exemple le nombre de particules qui frappent une plaque (comme des particules énergétiques émises par un corps radioactif détectées par un compteur Geiger) ou qui occupent un élément de volume bien défini, le nombre de graines ou de météorites qui tombent sur une portion de sol délimitée, etc. C'est parce qu'elle est un cas limite d'une loi binomiale qu'on fait appel à la loi de Poisson autant pour la description de **phénomènes de localisation spatiale** que pour la description de phénomènes d'attente. Dans le cas spatial, il suffit de subdiviser l'espace en sous-espaces minuscules qui sont le lieu de réalisation d'un événement, et d'un au plus, avec une probabilité proportionnelle à la dimension de ces sous-espaces et indépendante des réalisations dans les autres sous-espaces.

La loi de Poisson sert aussi à faire des approximations de distributions binomiales de paramètres n grand et p petit en dehors de toute référence spatiale ou temporelle. En général, la loi de Poisson sert donc à décrire le nombre de réalisations d'un événement qui se produit rarement.

Remarque. La fonction de masse d'une loi de Poisson et la fonction de densité d'une loi exponentielle peuvent être déduites facilement. D'abord, pour tout t tel que nt est un entier positif, on a

$$\Pr(T_n > t) = \Pr(X_n > nt)$$

$$= \left(1 - \frac{\lambda}{n}\right)^{nt}$$

$$= \sum_{k=0}^{nt} \binom{nt}{k} \times \left(-\frac{\lambda}{n}\right)^k$$

$$= \sum_{k=0}^{nt} \left[\frac{nt}{nt} \times \frac{nt-1}{nt} \times \dots \times \frac{nt-k+1}{nt}\right] \times \frac{(-\lambda t)^k}{k!}.$$

Pour n grand, la quantité entre crochets ci-dessus se rapproche de 1 et, par la définition de la fonction exponentielle $e^{-\lambda t}$, on a

$$\Pr(T_n > t) \approx \sum_{k \geq 0} \frac{(-\lambda t)^k}{k!}$$

$$= e^{-\lambda t}$$

$$= \int_t^\infty \lambda e^{-\lambda x} \, dx.$$

On en déduit que $\lambda e^{-\lambda x}$ pour $x > 0$ doit être la fonction de densité d'une loi exponentielle de paramètre λ. D'autre part, pour $k = 0, 1, 2, ...$, on a

$$\Pr(Y_n = k) = \binom{nt}{k} \times \left(\frac{\lambda}{n}\right)^k \times \left(1 - \frac{\lambda}{n}\right)^{n-k}$$

$$= \frac{\left[\dfrac{n}{n} \times \dfrac{n-1}{n} \times ... \times \dfrac{n-k+1}{n}\right] \times \dfrac{\lambda^k}{k!} \times \left(1 - \dfrac{\lambda}{n}\right)^n}{\left(1 - \dfrac{\lambda}{n}\right)^k}$$

$$= \frac{\lambda^k}{k!} e^{-\lambda} \text{ pour } n \text{ grand},$$

en utilisant les arguments précédents dans le cas $t = 1$ et en remarquant que $(1 - \lambda/n)$ est près de 1 lorsque n est grand. On obtient ainsi la fonction de masse d'une loi de Poisson de paramètre λ.

DÉFINITION DE LA LOI DE POISSON

La **loi de Poisson** est celle d'une variable discrète X qui prend les valeurs 0, 1, 2, ... (en somme, tous les entiers positifs ou nuls) selon la fonction de masse

$$p(x) = \frac{e^{-\lambda} \lambda^x}{x!} \text{ pour } x = 0, 1, 2, ...$$

où

$$x! = x \times (x - 1) \times ... \times 1 \text{ pour } x = 0, 1, 2, ...$$

avec la convention $0! = 1$. La quantité e est une constante, la base des logarithmes naturels, ou népériens, approximativement égale à 2,71828, et λ est le paramètre de la loi. Une telle loi est notée $P(\lambda)$. Typiquement, une variable de loi $P(\lambda)$ représente le nombre de réalisations d'un événement dans un intervalle de temps donné, ou une portion d'espace donnée.

Remarque. L'appellation de loi de Poisson est à la mémoire du mathématicien français Siméon-Denis Poisson (1781-1840) qui l'introduisit dans ses *Mémoires sur la probabilité du tir à la cible* pour décrire, dans le cadre d'un grand nombre d'épreuves, le nombre de réalisations d'un événement de petite probabilité à chaque épreuve.

PROPRIÉTÉS DE LA LOI DE POISSON

Voici quelques propriétés importantes de la loi de Poisson :

a) **Espérance et variance.** Une des propriétés intéressantes de la loi de Poisson est que son espérance est égale à sa variance. De plus, leur valeur commune est égale au paramètre λ de la loi. Par conséquent, si X est une variable distribuée selon une loi de Poisson de paramètre λ, on a

$$E(X) = Var(X) = \lambda.$$

b) **Approximation de la loi binomiale.** La loi de Poisson peut servir à faire des approximations de distributions binomiales de paramètres n grand et p petit. En effet, dans ce cas,

$$\binom{n}{x} p^x (1-p)^{n-x} \approx \frac{e^{-np}(np)^x}{x!} \text{ pour } x = 0, 1, \dots, n.$$

L'approximation est très bonne dès que $n \geq 10$ et $p \leq 0{,}1$.

Exemple. Supposons que la probabilité de mutation d'un gène en une génération est 10^{-4} indépendamment de tous les autres gènes. On s'intéresse au nombre de mutations en une génération chez un individu qui compte 10^5 gènes (ce qui correspond à l'ordre de grandeur du nombre de gènes chez l'être humain). Ce nombre suit une loi $B(10^5, 10^{-4})$, qui peut être approchée par une loi de Poisson de paramètre

$$10^5 \times 10^{-4} = 10,$$

dont l'espérance et la variance sont égales à 10. La probabilité de 5 mutations ou plus est alors

$$1 - Pr(4\,\text{mutations}) - Pr(3\,\text{mutations}) - Pr(2\,\text{mutations}) - Pr(1\,\text{mutation}) - Pr(0\,\text{mutation})$$

$$\approx 1 - \frac{e^{-10} \times 10^4}{4 \times 3 \times 2 \times 1} - \frac{e^{-10} \times 10^3}{3 \times 2 \times 1} - \frac{e^{-10} \times 10^2}{2 \times 1} - \frac{e^{-10} \times 10}{1} - e^{-10}$$

$$= 0{,}971.$$

c) **Loi de Poisson et épreuves de Bernoulli.** Si le nombre de réalisations d'un événement donné suit une loi $P(\lambda)$ et que chaque réalisation de l'événement est observée avec probabilité u indépendamment de l'observation ou non des autres (l'observation d'un événement constitue une épreuve de Bernoulli), alors le nombre de réalisations observées de l'événement suit une loi $P(\lambda u)$ d'espérance et de variance λu. Cette propriété découle de la propriété correspondante pour la loi binomiale et de l'interprétation de la loi de Poisson comme cas limite d'une loi binomiale.

Plus généralement, *le nombre de succès en* N *épreuves de Bernoulli identiques indépendantes, où* N *est une variable de loi de Poisson indépendante des épreuves elles-mêmes, suit une loi de Poisson.* Le paramètre de la loi est le paramètre de N multiplié par la probabilité d'un succès à une épreuve.

Par exemple, si le nombre d'œufs pondus par une tortue est une variable de loi $P(\lambda)$ et si chaque œuf se développe pour donner un petit avec probabilité u indépendamment des autres, alors le nombre de petits est une variable de loi $P(\lambda u)$.

$^\star d$) **Somme de variables indépendantes de loi de Poisson.**   Comme la loi binomiale, la loi de Poisson présente la propriété d'être fermée sous l'addition, c'est-à-dire que *la somme de deux variables indépendantes de loi de Poisson suit aussi une loi de Poisson.* Plus précisément, si X_1 et X_2 sont deux variables indépendantes de loi de Poisson respectivement de paramètre λ_1 et λ_2, alors $X_1 + X_2$ est une variable de loi de Poisson de paramètre $\lambda_1 + \lambda_2$. Cette propriété se généralise à une somme d'un nombre fixé quelconque de variables indépendantes de loi de Poisson.

DÉFINITION DE LA LOI EXPONENTIELLE

La **loi exponentielle** décrit la distribution d'une variable continue X qui peut prendre seulement des valeurs positives selon la fonction de densité

$$f(x) = \lambda e^{-\lambda x} \text{ pour } x > 0,$$

où λ est le paramètre de la loi. Une telle loi est notée $\text{Exp}(\lambda)$. Typiquement, une variable de loi $\text{Exp}(\lambda)$ représente le temps d'attente pour la réalisation d'un événement ou le temps écoulé entre deux réalisations successives d'un événement.

PROPRIÉTÉS DE LA LOI EXPONENTIELLE

La loi exponentielle possède les propriétés suivantes :

a) **Espérance et variance.**   Si X suit une loi exponentielle de paramètre λ, alors on a

$$E(X) = \frac{1}{\lambda} \text{ et } Var(X) = \frac{1}{\lambda^2}.$$

Donc, l'espérance de X est égale à son écart-type.

b) **Approximation par la loi géométrique.**   Une loi exponentielle peut être approchée par une loi géométrique. En effet, si X est de loi exponentielle de paramètre λ, alors

$$\Pr(X > x) = \int_x^\infty \lambda e^{-\lambda t}\, dt = e^{-\lambda x} \approx \left(1 - \frac{\lambda}{n}\right)^{nx}$$

pour n assez grand et x tel que nx est un entier positif. Le terme à droite représente $\Pr(Y > nx)$ où Y est une variable de loi $G(\lambda/n)$.

c) **Loi sans mémoire.**   Comme la loi géométrique, la loi exponentielle est « sans mémoire ». En effet, on a

$$\Pr(X > x + y \,|\, X > y) = \frac{\Pr(X > x + y)}{\Pr(X > y)}$$

$$= \frac{e^{-\lambda(x + y)}}{e^{-\lambda x}}$$

$$= e^{-\lambda y},$$

c'est-à-dire

$$\Pr(X > x + y \,|\, X > y) = \Pr(X > y) \text{ pour tout } x, y > 0.$$

Conséquemment, si une variable de loi exponentielle excède une quantité donnée, alors l'excédent suit la même loi exponentielle, quelle que soit cette quantité. La loi exponentielle est fréquemment utilisée pour un temps de vie ; on dit alors aussi qu'elle est « sans vieillissement ». En effet, la propriété d'être sans mémoire pour un temps de vie signifie que la mort est causée par des événements fortuits externes et non pas par une usure interne. De plus, il est à remarquer que la loi exponentielle est la seule loi pour une variable continue qui soit sans mémoire.

$^\star d$) **Minimum de variables indépendantes de loi exponentielle.**   À l'instar de la loi géométrique, *le minimum de deux variables indépendantes de loi exponentielle suit aussi une loi exponentielle.* Plus précisément, si X_1 et X_2 sont deux variables indépendantes de loi exponentielle respectivement de paramètre λ_1 et λ_2, alors la variable $\min(X_1, X_2)$ suit une loi exponentielle de paramètre $\lambda_1 + \lambda_2$. Cette propriété se généralise au minimum de n'importe quel nombre fixé de variables indépendantes de loi exponentielle.

Ainsi, si on attend que l'un ou l'autre de deux comptoirs de service se libère et que chacun d'eux se libère en un temps de loi exponentielle de paramètre 1 indépendamment de l'autre, alors le premier à se libérer le fera en un temps de loi exponentielle de paramètre 2, donc un temps d'espérance $1/2$.

e) **Processus de Poisson.**   Enfin, si le temps d'attente pour la répétition d'un événement suit une loi exponentielle de paramètre λ et est indépendant de tous les temps analogues observés dans le passé, alors le nombre de répétitions de l'événement dans n'importe quel intervalle de temps donné de longueur t suit une loi de Poisson de paramètre λt. L'espérance et la variance du nombre de répétitions de l'événement sont donc proportionnelles à la longueur t de l'intervalle de temps considéré, la constante de proportionnalité étant λ. Le paramètre λ représente alors le nombre moyen de répétitions de l'événement par unité de temps. Le processus ainsi défini est un processus de Poisson dont l'**intensité** est λ.

Exemple.   À chaque année, entre le 10 et le 14 août, la Terre traverse l'orbite de la comète Swift-Tuttle III, qui est jonchée de débris de toutes sortes (poussières microscopiques et cailloux de toutes tailles) qui pénètrent alors dans l'atmosphère terrestre à des vitesses variant de 15 à 75 km par seconde, ce qui occasionne une pluie de météores ou d'«étoiles filantes», nommés les Perséïdes parce qu'ils semblent émaner de la constellation de Persée qui se trouve dans l'hémisphère nord à cette période de l'année vers minuit, au-dessus de l'horizon nord-est. Durant cette période, on peut apercevoir jusqu'à 50 étoiles filantes par heure[1]. En supposant, ce qui est plausible, un processus de Poisson d'intensité 50 par heure pour le nombre d'étoiles filantes, le temps entre deux étoiles filantes est une variable de loi Exp(50) dont l'espérance est 1/50 heure, c'est-à-dire 1,2 minute. D'autre part, le nombre d'étoiles filantes en 15 minutes est une variable de loi de Poisson de paramètre

$$\frac{50}{4} = 12,5 \,,$$

dont l'espérance et la variance sont 12,5.

*f) **Loi exponentielle et épreuves de Bernoulli.**   Supposons que le temps d'attente pour la réalisation d'un événement suive une loi Exp(λ) indépendamment de tous les temps analogues précédents qui suivent la même loi, mais que la réalisation de l'événement soit observée avec une probabilité u indépendamment de l'observation ou non de la réalisation des autres (l'observation de la réalisation d'un événement constitue une épreuve de Bernoulli). Alors, le temps écoulé avant qu'une réalisation de l'événement soit observée suit une loi Exp(λu). Ce résultat découle de la propriété analogue pour la loi géométrique et du fait qu'une loi exponentielle peut être considérée comme un cas limite d'une loi géométrique.

Dans l'exemple précédent des Perséïdes, si une étoile filante sur deux est observée, alors le temps qui s'écoule entre deux observations est une variable de loi exponentielle de paramètre

$$\frac{50}{2} = 25 \,.$$

Plus généralement, *la somme de variables indépendantes de même loi exponentielle dont le nombre est une variable de loi géométrique indépendante des premières suit une loi exponentielle.* Le paramètre de la loi est le produit des paramètres de la loi exponentielle et de la loi géométrique.

*LOI GAMMA

Une somme de n variables indépendantes, toutes de loi Exp(λ), est une variable de **loi gamma** de paramètres n et λ, notée G(n, λ). Une telle loi est aussi appelée **loi d'Erlang** d'ordre n. Selon l'interprétation d'une loi exponentielle, une variable de loi G(n, λ) représente le temps d'attente requis avant qu'un événement se réalise n fois. Ainsi, si le temps de service d'un client dans une banque suit une loi Exp(2) indépendamment de tous les autres temps de

---

1. Pierre Chastenay, *La Presse*, Montréal, 11 août 1991.

service et qu'il y ait exactement 10 clients devant être servis avant qu'on le soit, alors le temps d'attente avant qu'on soit servi est une variable de loi G(10, 2).

Par la définition ci-dessus d'une loi gamma, l'espérance et la variance d'une variable de loi G(n, λ) sont données par n fois l'espérance et la variance d'une variable de loi Exp(λ), c'est-à-dire n/λ et n/λ^2, respectivement. Pour une variable de loi G(10, 2), par exemple, on a une espérance égale à $10/2 = 5$ et une variance égale à $10/4 = 2{,}5$.

Remarque. Il existe une définition plus générale de la loi gamma que la définition donnée ci-dessus, dans laquelle le paramètre n n'est pas nécessairement entier.

*DATATION

Les principales méthodes de datation en géochronologie s'appuient sur l'hypothèse que le temps de vie d'un isotope radioactif, appelé isotope mère, suit une loi exponentielle avant de se désintégrer par l'éjection d'une ou plusieurs particules de son noyau en un isotope stable, appelé isotope fille. Le paramètre λ de la loi exponentielle, appelé le taux de désintégration, dépend du type d'isotope radioactif. La probabilité que l'isotope radioactif ne soit pas encore désintégré après un temps t est alors $e^{-\lambda t}$. Si l'on suppose à l'origine un grand nombre N_0 d'isotopes radioactifs du même type avec des temps de vie indépendants, le nombre N d'isotopes radioactifs qui restent après un temps t satisfait, par la loi des grands nombres pour les proportions (voir le chapitre 4), la relation

$$\frac{N}{N_0} \approx e^{-\lambda t}.$$

En connaissant λ, N_0 et N, on obtient l'approximation

$$t \approx \frac{1}{\lambda} \operatorname{Log}\left(\frac{N_0}{N}\right).$$

Le taux de désintégration λ pour un type d'isotope radioactif est calculé à partir de la demi-vie $t_{1/2}$ définie par

$$\frac{1}{2} = e^{-\lambda t_{1/2}},$$

d'où

$$\lambda = \frac{\operatorname{Log}(2)}{t_{1/2}} = \frac{0{,}693}{t_{1/2}}.$$

La demi-vie représente le temps nécessaire pour diminuer de moitié le nombre d'isotopes radioactifs du même type dans un échantillon (roche ou parcelle de matière d'origine organique). Les valeurs de la demi-vie des principaux isotopes radioactifs utilisés pour la datation sont données dans le tableau 6.2.

Le nombre N d'isotopes radioactifs d'un type donné présents aujourd'hui dans un échantillon est obtenu directement par l'observation de ce nombre dans l'échantillon. Le nombre N_0 d'isotopes radioactifs de ce type présents originellement dans l'échantillon est obtenu principalement de deux façons :

a) On compte le nombre $\tilde{N}$ d'isotopes filles dans l'échantillon (lorsqu'on a de bonnes raisons de croire que ceux-ci n'ont pas été dispersés à l'extérieur et qu'ils proviennent tous de la désintégration d'isotopes mères dans l'échantillon) et on l'additionne au nombre N d'isotopes toujours radioactifs dans l'échantillon pour obtenir

$$N_0 = N + \tilde{N}.$$

b) On compte le nombre d'isotopes radioactifs du même type dans un échantillon de même nature mais d'âge 0 et on admet que ce nombre est celui à l'origine dans l'échantillon d'âge inconnu, donc N_0.

La première méthode est employée pour les 5 premiers isotopes du tableau 6.2 dont les isotopes filles peuvent être dénombrés avec précision et qui, par la valeur de leur demi-vie, servent à la datation de roches d'âge à partir de 10^5 années jusqu'aux origines de la Terre. La seconde méthode est employée pour le carbone-14 dont l'isotope fille, l'azote-14, se mélange instantanément à l'azote-14 environnant et qui sert surtout à la datation d'échantillons de matière d'origine organique dont l'âge varie entre 500 et 50 000 ans. Dans ce cas, N_0 est obtenu à partir d'organismes semblables vivant aujourd'hui.

Comme exemple de calcul de datation d'un échantillon, si le nombre d'isotopes d'uranium-238, dont la demi-vie est $4{,}51 \times 10^9$ années, et le nombre d'isotopes de plomb-206, qui sont les isotopes filles de l'uranium-238, sont 4×10^{12} et 1×10^{12} respectivement dans un échantillon donné, alors l'âge de l'échantillon est

$$t \approx \frac{4{,}51 \times 10^9}{0{,}693} \times \text{Log}\left(\frac{4 \times 10^{12} + 1 \times 10^{12}}{4 \times 10^{12}}\right)$$
$$= 1{,}45 \times 10^9 .$$

Les méthodes de datation actuelles appliquées aux météorites, qui partagent de toute évidence une origine commune avec la Terre, permettent d'établir à $4{,}5 \times 10^9$ années l'âge de la Terre depuis la formation de la croûte terrestre. Certaines roches lunaires rapportées par *Apollo* 11 et *Apollo* 12 ont à peu près cet âge.

6.5. LOI NORMALE

INTRODUCTION

Lorsqu'on observe une quantité dont la valeur réelle est μ, il se glisse souvent, sinon toujours, une erreur d'observation désignée ici par une variable D telle que la quantité qu'on observe peut s'écrire

$$X = \mu + D.$$

TABLEAU 6.2.

Demi-vie des principaux isotopes radioactifs utilisés pour la datation

Isotope mère (radioactif)	Demi-vie (en années)	Isotope fille (stable)
Uranium-238	$4,51 \times 10^9$	plomb-206
Uranium-235	$0,71 \times 10^9$	plomb-207
Thorium-232	$14,1 \times 10^9$	plomb-208
Potassium-40	$1,28 \times 10^9$	argon-40 et calcium-40 (dans un rapport de 1 à 8)
Rubidium-87	50×10^9	strontium-87
Carbone-14	$5,75 \times 10^3$	azote-14

Source : *The New Encyclopædia Britannica*, 15e éd., Chicago, vol. 19 MACROPÆDIA, 1988 (article « geochronology »).

L'erreur varie d'une observation à l'autre alors que la valeur réelle est toujours la même. Ce sont donc les erreurs qui sont responsables des variations des quantités qu'on observe. Dans beaucoup de cas, on peut émettre l'hypothèse que l'erreur à chaque observation a un grand nombre de causes dont les effets de déviation sur la valeur réelle sont petits, additifs et indépendants. À la limite, en considérant un nombre de plus en plus grand de causes dont les effets de déviation sont de plus en plus petits, on trouve que l'erreur devrait suivre une loi dite « normale ». C'est de cette façon qu'Abraham de Moivre (1667-1754), puis le marquis Pierre Simon de Laplace (1749-1827) déduisirent pour la première fois la loi normale. Elle fut déduite un peu plus tard d'une autre façon à partir du « postulat de la moyenne » par Karl Friedrich Gauss (1777-1855). Depuis cette époque, la loi normale est couramment utilisée pour faire des approximations des distributions de sommes de variables indépendantes. Comme beaucoup de quantités qu'on trouve dans la nature sont, du moins en première approximation, le résultat de sommes de variables indépendantes, la loi normale est très répandue.

*Approximation de la loi normale par la loi binomiale. Considérons la somme de variables indépendantes identiquement distribuées

$$D = Y_1 + \ldots + Y_n$$

où

$$Y_i = \begin{cases} +\dfrac{\sigma}{\sqrt{n}} \text{ avec probabilité } \dfrac{1}{2} \\ -\dfrac{\sigma}{\sqrt{n}} \text{ avec probabilité } \dfrac{1}{2} \end{cases}$$

pour $i = 1, \ldots, n$. La quantité σ est un paramètre qui satisfait $\sigma > 0$. L'espérance et la variance de D sont alors

$$E(D) = E(Y_1) + \ldots + E(Y_n) = 0$$

et

$$\text{Var}(D) = \text{Var}(Y_1) + \ldots + \text{Var}(Y_n) = \sigma^2,$$

car

$$E(Y_i) = \frac{1}{2} \times \frac{\sigma}{\sqrt{n}} - \frac{1}{2} \times \frac{\sigma}{\sqrt{n}} = 0$$

et

$$\text{Var}(Y_i) = \frac{1}{2} \times \frac{\sigma^2}{n} + \frac{1}{2} \times \frac{\sigma^2}{n} = \frac{\sigma^2}{n},$$

pour $i = 1, \ldots, n$. Si exactement k termes de la somme $Y_1 + \ldots + Y_n$ prennent la valeur $-\sigma/\sqrt{n}$, alors $(n - k)$ termes prennent la valeur $+\sigma/\sqrt{n}$ et D prend la valeur

$$k\left(\frac{-\sigma}{\sqrt{n}}\right) + (n - k)\left(\frac{\sigma}{\sqrt{n}}\right) = (n - 2k)\frac{\sigma}{\sqrt{n}}.$$

Il reste à faire varier k de 0 à n. La variable D peut donc prendre les valeurs

$$-n\frac{\sigma}{\sqrt{n}}, -(n - 2)\frac{\sigma}{\sqrt{n}}, \ldots, (n - 2)\frac{\sigma}{\sqrt{n}}, n\frac{\sigma}{\sqrt{n}}$$

suivant que $0, 1, \ldots, n - 1$ ou n variables parmi $Y_1, \ldots, Y_n$ prennent la valeur $\sigma/\sqrt{n}$. Les probabilités de ces événements sont

$$\Pr\left(D = (n - 2k)\frac{\sigma}{\sqrt{n}}\right) = \binom{n}{k} \times \left(\frac{1}{2}\right)^n \text{ pour } k = 0, 1, \ldots, n.$$

On reconnaît les probabilités des valeurs d'une loi binomiale de paramètres n et $1/2$. En représentant ces probabilités par des rectangles de base

$$\left[(n - 2k - 1)\frac{\sigma}{\sqrt{n}}, (n - 2k + 1)\frac{\sigma}{\sqrt{n}}\right]$$

et de hauteur

$$\binom{n}{k} \times \left(\frac{1}{2}\right)^n \times \left(\frac{\sqrt{n}}{2\sigma}\right) \text{ pour } k = 0, 1, \ldots, n,$$

dont les aires sont égales aux probabilités, on obtient un **histogramme de probabilités** pour chaque n fixé. En prenant successivement $n = 4, 9, 16$, et $\sigma = 1$, on obtient les histogrammes de la figure 6.1.

Une façon expérimentale d'obtenir les histogrammes de la figure 6.1 pour D est de construire un **quinconce de Galton** : sur un plan incliné, on plante des clous en quinconce de sorte que les clous sont disposés sur des lignes horizontales parallèles et sont également espacés de leurs voisins immédiats (voir la figure 6.2). À la base du plan incliné se trouvent des compartiments identiques séparés par des cloisons prolongeant les clous situés à la base du quinconce. Pour simuler une observation de D, on place une bille dont le diamètre est égal à la distance entre les clous à une position donnée sur la n^e ligne de clous à partir du bas. Depuis cette position, la bille descend le quinconce en passant à la droite ou à la gauche de chaque clou rencontré avec probabilité $1/2$ jusqu'à ce qu'elle tombe dans l'un des compartiments à la base du quinconce. Lorsque l'expérience est répétée un grand nombre de fois, les billes accumu-

FIGURE 6.1.

Histogrammes de probabilités pour la somme de *n* variables indépendantes
qui prennent chacune des valeurs $\pm\sigma/\sqrt{n}$ avec probabilité $1/2$

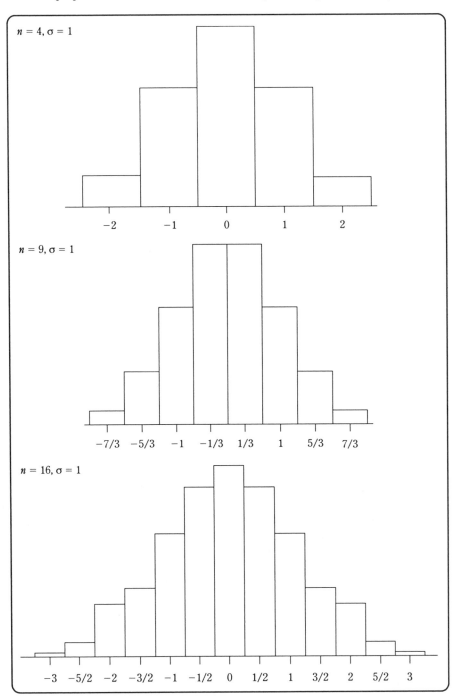

lées dans les compartiments forment un histogramme qui se rapproche de plus en plus de l'histogramme de probabilités de D.

En regardant la figure 6.1, on constate que les histogrammes de probabilités pour D se rapprochent de plus en plus d'une distribution théorique en forme de cloche lorsque n devient grand. Cette distribution dite « normale » est délimitée par une courbe qui est une fonction de densité définissant une loi normale. L'espérance et la variance de cette loi sont ici 0 et σ^2, respectivement. En ajoutant une constante μ, on obtient une loi normale d'espérance μ et de variance σ^2.

L'avantage de la loi normale est qu'elle peut servir à calculer approximativement des probabilités non seulement relatives à la loi binomiale comme illustré ci-dessus, mais aussi relatives à la plupart des lois de probabilité pouvant être exprimées comme une somme d'un grand nombre de variables indépendantes identiquement distribuées.

DÉFINITION DE LA LOI NORMALE

Une **loi normale** de paramètres μ et σ^2, notée $N(\mu, \sigma^2)$, est caractérisée par la **fonction de densité normale**

$$f(x) = \frac{1}{\sigma\sqrt{2\pi}}\, e^{-\frac{(x-\mu)^2}{2\sigma^2}} \text{ pour } -\infty < x < +\infty\,.$$

Une variable X de loi normale est donc une variable continue qui peut prendre toutes les valeurs réelles et dont la fonction de densité est normale. La loi normale est aussi appelée **loi de Laplace-Gauss**. La loi normale est surtout utilisée pour faire des approximations d'autres lois.

PROPRIÉTÉS DE LA LOI NORMALE

Les propriétés principales de la loi normale sont :

a) **Fonction de densité en forme de cloche.**   La fonction de densité d'une loi $N(\mu, \sigma^2)$ est une courbe en forme de cloche qui est symétrique par rapport à μ. Plus généralement, la valeur de la fonction de densité en un point x dépend seulement de $(x - \mu)^2/\sigma^2$, donc de la distance entre x et μ en nombres de σ (voir la figure 6.3).

b) **Espérance et variance.**   Si une variable X suit une loi $N(\mu, \sigma^2)$, alors

$$E(X) = \mu \text{ et } Var(X) = \sigma^2.$$

La quantité σ correspond donc à l'écart-type.

c) **Changement d'origine et d'échelle.**   Si X suit une loi $N(\mu, \sigma^2)$, alors

$$Y = aX + b,$$

où a et b sont des constantes, suit une loi $N(a\mu + b, a^2\sigma^2)$ si $a \neq 0$.

FIGURE 6.2.
Quinconce de Galton

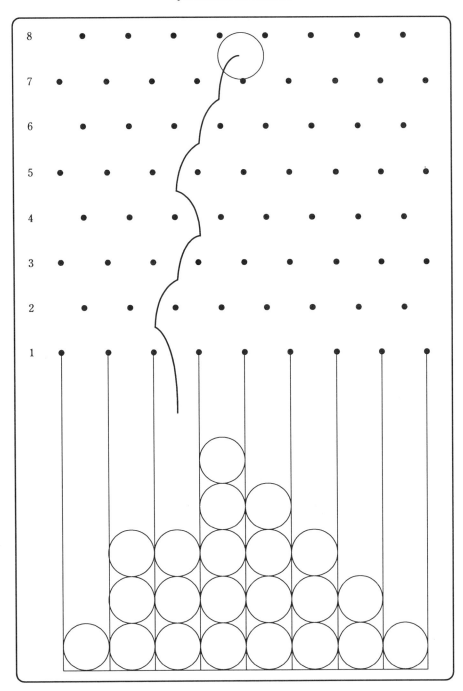

FIGURE 6.3.

Fonction de densité d'une loi $N(\mu, \sigma^2)$

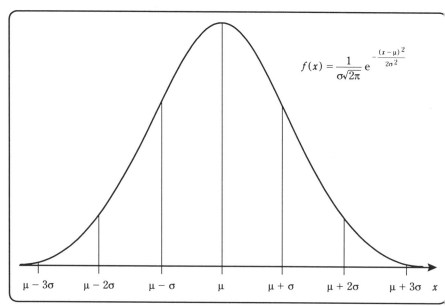

$$f(x) = \frac{1}{\sigma\sqrt{2\pi}}\, e^{-\frac{(x-\mu)^2}{2\sigma^2}}$$

$\mu - 3\sigma$ $\mu - 2\sigma$ $\mu - \sigma$ μ $\mu + \sigma$ $\mu + 2\sigma$ $\mu + 3\sigma$ x

d) **Somme de variables indépendantes de loi normale.** Si X_1 et X_2 son
des variables indépendantes de loi normale, alors $X_1 + X_2$ est aussi une va
riable de loi normale. Plus précisément, si X_1 est de loi $N(\mu_1, \sigma_1^2)$ et X_2 de lo
$N(\mu_2, \sigma_2^2)$, alors $X_1 + X_2$ est de loi $N(\mu_1 + \mu_2, \sigma_1^2 + \sigma_2^2)$. Cette propriété s
généralise pour une somme d'un nombre fixé quelconque de variables nor
males indépendantes.

LOI NORMALE STANDARD

Si X est une variable de loi $N(\mu, \sigma^2)$, alors la variable

$$Z = \frac{X - \mu}{\sigma}$$

suit une loi $N(0, 1)$ en accord avec la propriété *c*) de la loi normale avec
$a = 1/\sigma$ et $b = -\mu/\sigma$. Une loi $N(0, 1)$ est dite **loi normale centrée réduite**
ou **loi normale standard**. Une variable Z de loi $N(0, 1)$ est parfois appelée
cote Z.

La fonction de densité de Z est

$$\phi(z) = \frac{1}{\sqrt{2\pi}}\, e^{-\frac{z^2}{2}} \quad \text{pour } -\infty < z < +\infty$$

et sa fonction de répartition,

$$\Phi(z) = \int_{-\infty}^{z} \frac{1}{\sqrt{2\pi}}\, e^{-\frac{t^2}{2}}\, dt \text{ pour } -\infty < z < +\infty .$$

(Voir la figure 6.4.)

On peut exprimer toutes les probabilités relatives à une variable X de loi $N(\mu, \sigma^2)$ à l'aide de la fonction de répartition Φ d'une loi $N(0, 1)$. Ainsi,

$$\Pr(c \leqslant X \leqslant d) = \Pr\left(\frac{c - \mu}{\sigma} \leqslant \frac{X - \mu}{\sigma} \leqslant \frac{d - \mu}{\sigma}\right),$$

et donc

$$\Pr(c \leqslant X \leqslant d) = \Phi\left(\frac{d - \mu}{\sigma}\right) - \Phi\left(\frac{c - \mu}{\sigma}\right)$$

pour tout $c \leqslant d$. (Voir la figure 6.5.) On a aussi

$$\Pr(X \leqslant d) = \Pr\left(\frac{X - \mu}{\sigma} \leqslant \frac{d - \mu}{\sigma}\right),$$

FIGURE 6.4.

Fonction de densité et fonction de répartition
d'une loi normale standard $N(0, 1)$

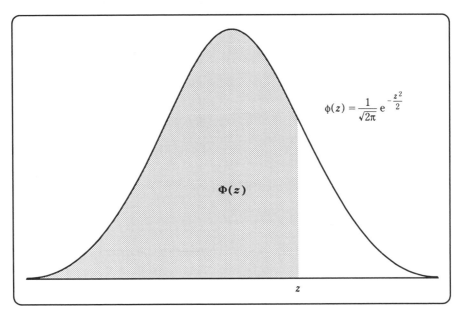

FIGURE 6.5.

Standardisation d'une loi $N(\mu, \sigma^2)$ et représentation de la probabilité
de prendre une valeur dans un intervalle $[c, d]$

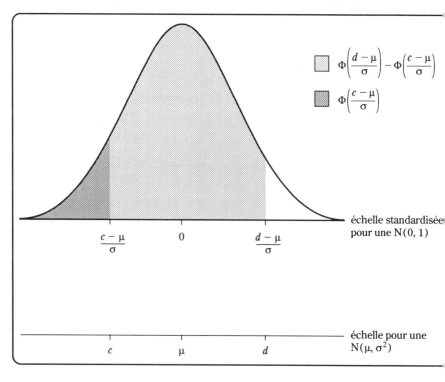

d'où

$$\Pr(X \leqslant d) = \Phi\!\left(\frac{d - \mu}{\sigma}\right)$$

pour tout d, et

$$\Pr(X \geqslant c) = \Pr\!\left(\frac{X - \mu}{\sigma} \geqslant \frac{c - \mu}{\sigma}\right),$$

d'où

$$\Pr(X \geqslant c) = 1 - \Phi\!\left(\frac{c - \mu}{\sigma}\right)$$

pour tout c.

On se réfère en général à une table des valeurs de Φ pour calculer toutes les probabilités relatives à une loi normale. Une telle table est donnée en appendice.

QUOTIENT INTELLECTUEL

Le concept de quotient intellectuel est né des tests d'aptitudes. Il y a bien eu quelques tests d'aptitudes conçus au XIXe siècle, notamment par Sir Francis Galton, mais il s'agissait surtout de tests d'aptitudes physiologiques (vitesse de réaction, coordination des mouvements, etc.). Ce sont, semble-t-il, Alfred Binet et Théophile Simon qui, en 1905, pour répondre à des besoins scolaires spécifiques, ont élaboré les premiers tests d'aptitudes intellectuelles tels qu'on les connaît aujourd'hui. Il s'agissait à l'époque, pour le ministère français de l'Instruction publique, de dépister dès leur plus jeune âge les enfants pouvant éprouver des difficultés de perception ou d'apprentissage afin de leur donner une éducation spéciale. Dans ce but, Binet et Simon ont mis au point des tests de nature variée qu'ils ont classés par ordre croissant de difficulté à la manière du précurseur qu'était Galton et qu'ils ont regroupés selon l'âge réel moyen auquel ces tests étaient habituellement réussis pour la première fois dans un groupe témoin. Un enfant se voyait par la suite attribuer l'**âge mental** correspondant au niveau le plus élevé des tests qu'il réussissait. Des crédits partiels d'âge mental pouvaient même être accordés : par exemple, deux mois d'âge mental supplémentaires pour chaque test réussi s'il y a six tests pour chaque année. En comparant l'âge mental à l'âge réel, on parle alors d'enfant « précoce » ou « retardé ».

En 1916, les tests Binet-Simon furent révisés et augmentés en nombre par un psychologue de Stanford, Lewis M. Terman. Ils devinrent dès lors les tests Stanford-Binet. La principale innovation consistait en l'introduction d'un **quotient intellectuel** (QI) proposé par l'Allemand Wilhelm Stern en 1912. Le QI est défini par la formule

$$QI = \frac{\text{âge mental}}{\text{âge réel}} \times 100 \, .$$

On constate cependant que les variations du QI comme défini ci-dessus augmentent significativement en amplitude avec l'âge réel. On procède alors à des ajustements afin que la distribution du QI pour chaque âge réel suive approximativement une même loi, en l'occurrence une loi de Laplace-Gauss d'espérance 100 et d'écart-type 16. À la suite de cette **normalisation de distribution,** il y a, et ce indépendamment de l'âge réel, environ 2 % des QI inférieurs à 68, environ 14 % entre 68 et 84, environ 34 % entre 84 et 100, environ 34 % entre 100 et 116, environ 14 % entre 116 et 132, et environ 2 % supérieurs à 132.

Le QI étant une variable de loi N(100, 16^2), on a

$$\Pr(QI \leqslant 120) = \Pr\left(\frac{QI - 100}{16} \leqslant \frac{120 - 100}{16}\right)$$
$$= \Phi\left(\frac{120 - 100}{16}\right)$$
$$= \Phi(1,25)$$
$$= 0,8944 \, ,$$

$$\Pr(QI \geqslant 80) = \Pr\left(\frac{QI - 100}{16} \geqslant \frac{80 - 100}{16}\right)$$

$$= 1 - \Phi\left(\frac{80 - 100}{16}\right)$$

$$= 1 - \Phi(-1,25)$$

$$= 1 - 0,1056$$

$$= 0,8944 \,,$$

$$\Pr(80 \leqslant QI \leqslant 120) = \Pr\left(\frac{80 - 100}{16} \leqslant \frac{QI - 100}{16} \leqslant \frac{120 - 100}{16}\right)$$

$$= \Phi\left(\frac{120 - 100}{16}\right) - \Phi\left(\frac{80 - 100}{16}\right)$$

$$= \Phi(1,25) - \Phi(-1,25)$$

$$= 0,8944 - 0,1056$$

$$= 0,7888 \,.$$

APPROXIMATION DE LA LOI BINOMIALE PAR LA LOI NORMALE

Une loi binomiale de paramètres n et p peut être approchée par une loi normale de même espérance, np, et même variance, $np(1 - p)$, si n est suffisamment grand et si $p(1 - p)$ n'est pas trop petit. En opérant une standardisation pour obtenir une espérance 0 et une variance 1, on peut alors calculer approximativement toutes les probabilités relatives à une loi binomiale au moyen d'une table de la fonction de répartition Φ d'une loi $N(0, 1)$.

En effet, si X suit une loi $B(n, p)$ et si $np(1 - p)$ est assez grand, alors on a

$$\Pr(X = k) = \Pr(k - 0,5 \leqslant X \leqslant k + 0,5)$$

$$= \Pr\left(\frac{k - 0,5 - np}{\sqrt{np(1 - p)}} \leqslant \frac{X - np}{\sqrt{np(1 - p)}} \leqslant \frac{k - 0,5 - np}{\sqrt{np(1 - p)}}\right)$$

et l'approximation

$$\Pr(X = k) \approx \Phi\left(\frac{k + 0,5 - np}{\sqrt{np(1 - p)}}\right) - \Phi\left(\frac{k - 0,5 - np}{\sqrt{np(1 - p)}}\right)$$

pour $k = 0, 1, \ldots, n$. On a aussi

$$\Pr(X \leqslant k) = \Pr(X \leqslant k + 0,5)$$

$$= \Pr\left(\frac{X - np}{\sqrt{np(1 - p)}} \leqslant \frac{k + 0,5 - np}{\sqrt{np(1 - p)}}\right),$$

d'où l'approximation

$$\Pr(X \leqslant k) \approx \Phi\left(\frac{k + 0,5 - np}{\sqrt{np(1 - p)}}\right)$$

et

$$\Pr(X \geqslant k) = \Pr(X \geqslant k - 0,5)$$

$$= \Pr\left(\frac{X - np}{\sqrt{np(1-p)}} \geqslant \frac{k - 0,5 - np}{\sqrt{np(1-p)}}\right),$$

d'où l'approximation

$$\Pr(X \geqslant k) \approx 1 - \Phi\left(\frac{k - 0,5 - np}{\sqrt{np(1-p)}}\right)$$

pour $k = 0, 1, \ldots, n$. Ces approximations sont très bonnes dès que $np(1-p) \geqslant 5$.

L'opération qui consiste à ajouter ou à retrancher 0,5 à l'entier k dans l'approximation de ces probabilités s'appelle la **correction pour la continuité**. On procède à une correction pour la continuité lorsqu'on fait comme ici l'approximation d'une loi discrète par une loi continue. Une telle opération est effectuée du fait qu'une valeur pour une loi discrète correspond à un intervalle de valeurs pour une loi continue. Une valeur entière k pour une loi discrète comme la loi binomiale correspond à l'intervalle de valeurs $[k - 0,5, k + 0,5]$ pour une loi continue comme la loi normale. La correction 0,5 est choisie pour des raisons de symétrie, car elle représente la moitié de la longueur de l'intervalle entre deux valeurs successives. On remplace donc $X = k$ par $k - 0,5 \leqslant X \leqslant k + 0,5$. Pour les mêmes raisons, on remplace $X \leqslant k$ par $X \leqslant k + 0,5$ et $X \geqslant k$ par $X \geqslant k - 0,5$.

Exemple 1. En supposant qu'un nouveau-né est de sexe féminin avec probabilité 0,49 et de sexe masculin avec probabilité 0,51 et en sachant qu'il y a eu 6647 naissances au Québec durant le mois de janvier 1986, quelle est la probabilité qu'il soit né plus de filles que de garçons au Québec durant cette période ?

En supposant l'indépendance entre les sexes des nouveau-nés et en définissant la variable X comme le nombre de filles nées au Québec en janvier 1986, la variable X suit une loi binomiale de paramètres $n = 6647$ et $p = 0,49$. La probabilité cherchée est

$$\Pr(X \geqslant 3324) \approx 1 - \Phi\left(\frac{3323,5 - 6647 \times 0,49}{\sqrt{6647 \times 0,49 \times 0,51}}\right)$$

$$= 1 - \Phi(1,63)$$

$$= 0,0516 .$$

Exemple 2. On joue à pile ou face avec une pièce de monnaie non pipée selon la règle suivante : si la pièce montre face à la suite d'un jet, on gagne 1 \$, sinon on perd 1 \$. Supposons qu'on joue 500 fois. Quelle est la probabilité qu'à la fin du jeu le gain net soit supérieur ou égal à 10 \$? Quelle est la probabilité qu'il soit nul ?

Si Y représente le nombre de faces obtenu en 500 jets indépendants, alors Y suit une loi B(500, 1/2) et le gain net est Y − (500 − Y). Donc la première probabilité cherchée est

$$\Pr(Y - (500 - Y) \geq 10) = \Pr(2Y - 500 \geq 10)$$
$$= \Pr(2Y \geq 510)$$
$$= \Pr(Y \geq 255)$$
$$\approx 1 - \Phi\left(\frac{254,5 - 500 \times \dfrac{1}{2}}{\sqrt{500 \times \dfrac{1}{2} \times \dfrac{1}{2}}}\right)$$
$$= 1 - \Phi(0,40)$$
$$= 0,3446.$$

Pour la probabilité de ne rien gagner et de ne rien perdre, on trouve

$$\Pr(Y - (500 - Y) = 0) = \Pr(2Y = 500)$$
$$= \Pr(Y = 250)$$
$$\approx \Phi\left(\frac{250,5 - 250}{\sqrt{125}}\right) - \Phi\left(\frac{249,5 - 250}{\sqrt{125}}\right)$$
$$= \Phi(0,04) - \Phi(-0,04)$$
$$= 0,5160 - 0,4840$$
$$= 0,0320.$$

APPROXIMATION DE LA LOI DE POISSON PAR LA LOI NORMALE

Une loi de Poisson peut aussi être approchée par une loi normale. Dans ce cas il faut que le paramètre λ de la loi de Poisson, qui est égal à la fois à la moyenne et à la variance de la loi, soit assez grand. La loi normale qu'on utilise pour l'approximation est alors une loi $N(\lambda, \lambda)$.

Pour une variable X de loi $P(\lambda)$ avec λ assez grand, on a donc

$$\Pr(X = k) = \Pr(k - 0,5 \leq X \leq k + 0,5)$$
$$= \Pr\left(\frac{k - 0,5 - \lambda}{\sqrt{\lambda}} \leq \frac{X - \lambda}{\sqrt{\lambda}} \leq \frac{k + 0,5 - \lambda}{\sqrt{\lambda}}\right),$$

d'où l'approximation

$$\Pr(X = k) \approx \Phi\left(\frac{k + 0,5 - \lambda}{\sqrt{\lambda}}\right) - \Phi\left(\frac{k - 0,5 - \lambda}{\sqrt{\lambda}}\right)$$

pour $k = 0, 1, 2, \ldots$ On a aussi

$$\Pr(X \leq k) = \Pr(X \leq k + 0,5)$$
$$= \Pr\left(\frac{X - \lambda}{\sqrt{\lambda}} \leq \frac{k + 0,5 - \lambda}{\sqrt{\lambda}}\right),$$

d'où l'approximation

$$\Pr(X \leqslant k) \approx \Phi\left(\frac{k + 0,5 - \lambda}{\sqrt{\lambda}}\right),$$

et

$$\Pr(X \geqslant k) = \Pr(X \geqslant k - 0,5)$$

$$= \Pr\left(\frac{X - \lambda}{\sqrt{\lambda}} \geqslant \frac{k - 0,5 - \lambda}{\sqrt{\lambda}}\right),$$

d'où l'approximation

$$\Pr(X \geqslant k) \approx 1 - \Phi\left(\frac{k - 0,5 - \lambda}{\sqrt{\lambda}}\right)$$

pour $k = 0, 1, 2, \ldots$ Ces approximations sont très bonnes dès que $\lambda \geqslant 5$.

Exemple 1. Les statistiques antérieures d'une compagnie d'assurances permettent de prévoir qu'elle recevra en moyenne 300 réclamations durant l'année en cours. Si on suppose que le nombre de réclamations en une année suit une loi de Poisson, quelle est la probabilité que la compagnie reçoive plus de 350 réclamations durant l'année en cours ?

La probabilité cherchée est la probabilité qu'une variable X de loi de Poisson de paramètre $\lambda = 300$ excède 350, c'est-à-dire

$$\Pr(X > 350) = \Pr(X \geqslant 351)$$

$$\approx 1 - \Phi\left(\frac{350,5 - 300}{\sqrt{300}}\right)$$

$$= 1 - \Phi(2,92)$$

$$= 1 - 0,9982$$

$$= 0,0018.$$

Exemple 2. Selon Statistique Canada, le nombre d'avortements thérapeutiques pratiqués au Canada durant les années 1980, 1981 et 1982 donne une moyenne de 1265 avortements par semaine. Sur cette base, quelle est la probabilité qu'en une semaine donnée durant cette période le nombre d'avortements thérapeutiques au Canada n'ait pas dépassé 1200 ?

En désignant par X le nombre d'avortements au Canada durant la semaine en question et en supposant que X suit une loi de Poisson de paramètre $\lambda = 1265$, on a

$$\Pr(X \leqslant 1200) \approx \Phi\left(\frac{1200,5 - 1265}{\sqrt{1265}}\right)$$

$$= \Phi(-1,81)$$

$$= 0,0352.$$

*LOI LOGNORMALE

Si X est une variable de loi $N(\mu, \sigma^2)$, alors la variable

$$Y = e^X$$

est distribuée selon une **loi lognormale** de paramètres μ et σ^2, notée LN(μ, σ^2). Il est à noter que cette définition signifie que le logarithme naturel de Y, Log Y, est distribué selon une loi $N(\mu, \sigma^2)$, d'où le terme « lognormale ».

Dans ce cas, l'espérance et la variance de Y sont

$$E(Y) = e^{\mu + \sigma^2/2},$$
$$Var\ (Y) = (e^{\sigma^2} - 1)\ e^{2\mu + \sigma^2}.$$

À remarquer qu'une variable de loi lognormale prend seulement des valeurs positives et que sa distribution est asymétrique. La loi lognormale s'applique naturellement lorsqu'un grand nombre de facteurs ont de petits effets de perturbation multiplicatifs plutôt qu'additifs, comme dans le cas de la loi normale sur la valeur d'une variable. Elle est utilisée entre autres en économie (p. ex. pour le revenu familial), en biologie (p. ex., pour le poids corporel) et en géologie (p. ex., pour la dimension de roches).

Exemple. Le diamètre (en mm) de roches, noté Y, suit une loi lognormale de paramètres $\mu = 2$ et $\sigma^2 = 2$. On a alors

$$E(Y) = e^{2 + 2/2} = e^3 = 20{,}09,$$
$$Var(Y) = (e^2 - 1)\ e^{2 \times 2 + 2} = 2577{,}53.$$

On a aussi

$$Pr(Y > 20) = Pr(Log\ Y > Log\ 20)$$

$$= Pr\left(\frac{Log\ Y - 2}{\sqrt{2}} > \frac{Log\ 20 - 2}{\sqrt{2}}\right)$$

$$= 1 - \Phi\left(\frac{Log\ 20 - 2}{\sqrt{2}}\right)$$

$$= 1 - \Phi(0{,}70)$$

$$= 1 - 0{,}7580$$

$$= 0{,}2420.$$

*POSTULAT DE LA MOYENNE

Karl Friedrich Gauss déduisit la loi normale originellement dans *Theoria motus corporum cœlestium* (1809) d'une façon tout à fait différente de la déduction que fit Abraham de Moivre. Son argumentation est basée sur le **postulat de la moyenne** :

*Étant donné plusieurs valeurs observées x_1, ... , x_n d'une quantité incon-
nue μ, la valeur la plus probable de cette quantité est la moyenne des
valeurs observées $\bar{x}$.*

Par « valeur la plus probable » on entend, à la suite de Daniel Bernoulli (1700-
1782), la valeur pour laquelle la fonction de densité conjointe évaluée aux
valeurs observées est la plus grande. On dirait aujourd'hui, à la suite de Ronald
A. Fisher (1890-1962), la « valeur la plus vraisemblable », c'est-à-dire la valeur
qui donne le maximum de vraisemblance aux valeurs observées.

Une autre hypothèse de Gauss est que les diverses observations d'une
quantité inconnue μ sont représentées par des variables X_1, ... , X_n indépendantes ayant une même fonction de densité f_μ dont la valeur à x dépend seulement de la différence $(x - \mu)$, c'est-à-dire

$$f_\mu(x) = g(x - \mu) \text{ pour } -\infty < x < +\infty.$$

La fonction de densité conjointe évaluée aux valeurs observées x_1, ... , x_n est
alors

$$f_\mu(x_1) \times ... \times f_\mu(x_n) = g(x_1 - \mu) \times ... \times g(x_n - \mu).$$

Cette fonction prend sa plus grande valeur à $\mu = \bar{x}$ par hypothèse.

On peut alors montrer que

$$f_\mu(x) = g(x - \mu) = ce^{a(x - \mu)^2},$$

où a et c sont des constantes. On obtient donc l'expression d'une fonction de
densité normale évaluée à x avec

$$c = \frac{1}{\sigma\sqrt{2\pi}} \text{ et } a = -\frac{1}{2\sigma^2}.$$

Remarque. En faisant

$$f_\mu(x) = \frac{1}{\sigma\sqrt{2\pi}} e^{-\frac{(x - \mu)^2}{2\sigma^2}} \text{ pour } -\infty < x < +\infty,$$

on a

$$f_\mu(x_1) \times ... \times f_\mu(x_n) = \left(\frac{1}{\sigma\sqrt{2\pi}}\right)^n e^{-\frac{(x_1 - \mu)^2 + ... + (x_n - \mu)^2}{2\sigma^2}}$$

qui atteint sa plus grande valeur par rapport à μ lorsque

$$(x_1 - \mu)^2 + ... + (x_n - \mu)^2 = \sum_{i=1}^{n} (x_i - \mu)^2$$

atteint sa plus petite valeur par rapport à μ. Or

$$\sum_{i=1}^{n} (x_i - \mu)^2 = \sum_{i=1}^{n} (x_i - \bar{x} + \bar{x} - \mu)^2$$

$$= \sum_{i=1}^{n} [(x_i - \bar{x})^2 + (x_i - \bar{x})(\bar{x} - \mu) + (\bar{x} - \mu)^2]$$

$$= \sum_{i=1}^{n} (x_i - \bar{x})^2 + 2(\bar{x} - \mu) \sum_{i=1}^{n} (x_i - \bar{x}) + n(\bar{x} - \mu)^2$$

$$\geqslant \sum_{i=1}^{n} (x_i - \bar{x})^2 \text{ avec égalité si } \mu = \bar{x},$$

car

$$\sum_{i=1}^{n} (x_i - \bar{x}) = \sum_{i=1}^{n} x_i - n\bar{x} = n\bar{x} - n\bar{x} = 0$$

et

$$(\bar{x} - \mu)^2 \geqslant 0 \text{ avec égalité seulement si } \mu = \bar{x}.$$

On voit donc que la méthode purement « géométrique » des moindres carrés de Legendre (1752-1833) comme il l'a exposée en 1806 dans *Nouvelles méthodes pour la détermination des orbites des comètes*, qui consiste à minimiser une somme de carrés de déviations par rapport à une quantité théorique, correspond au postulat plutôt « métaphysique » de la moyenne des valeurs observées utilisée par Gauss et est équivalente à la méthode « probabiliste » du maximum de vraisemblance de Fisher (1890-1962) pour la moyenne d'une population de loi normale dans laquelle on fait des observations indépendantes dans les mêmes conditions. C'est cette méthode qui sera reprise par Laplace dans *Théorie analytique des probabilités* en 1812 et par Gauss lui-même dans *Theoria combinationis observationum erroribus minimis obnoxiae* en 1821.

*CINÉTIQUE ET LOI NORMALE

Théorie cinétique des gaz. La loi normale joue un rôle prépondérant en physique, particulièrement en théorie cinétique des gaz.

Clerk Maxwell (1831-1879) démontra dès 1859 que la vélocité (vecteur vitesse) dans toute direction des molécules d'un gaz est distribuée selon une loi normale sur la seule base des hypothèses suivantes :

(1) *Indépendance des composantes.* Les composantes du vecteur vitesse (U, V, W) sont indépendantes.

(2) *Symétrie sphérique de la fonction de densité conjointe.* La fonction de densité conjointe f des composantes du vecteur vitesse (U, V, W) évaluée au point (u, v, w) dépend seulement de la distance euclidienne du point à $(0, 0, 0)$ ou, ce qui est équivalent, du carré de la distance qui est $u^2 + v^2 + w^2$.

Cette propriété fondamentale pour le vecteur des molécules d'un gaz est appelée **loi de Maxwell.**

Mouvement brownien. Le mouvement brownien tire son nom du botaniste anglais Robert Brown qui observa en 1827 le mouvement continu mais très irrégulier de grains de pollen en suspension dans l'eau. Albert Einstein en 1905 étudia le phénomène général de particules en suspension dans un liquide ou un gaz en supposant que les déplacements sont produits par des collisions entre les molécules du gaz ou du liquide et les particules. Partant de l'hypothèse que les déplacements d'une particule sont fréquents, petits et indépendants et qu'ils ne favorisent pas *a priori* une direction plutôt qu'une autre, Einstein montra que le changement de position de la particule dans toute direction donnée pendant un intervalle de temps de longueur t suit une loi normale dont l'espérance est nulle et dont la variance est proportionnelle à t, la constante de proportionnalité étant définie comme le **coefficient de diffusion**.

L'explication intuitive de la présence de la loi normale dans le mouvement brownien est la même que celle donnée pour les erreurs d'observation. D'autre part, le changement de position dans une direction donnée au cours d'un intervalle de temps de longueur entière t est la somme de t changements indépendants identiquement distribués survenus au cours d'intervalles de temps d'une unité de longueur. Donc la variance totale est

$t \times$ variance d'un changement au cours d'une unité de temps.

Cette variance est proportionnelle à la longueur t de l'intervalle de temps considéré comme dans un processus de Poisson.

L'analogie avec un processus de Poisson n'est pas fortuite. En effet, on peut voir le changement de position dans une direction donnée au cours d'un intervalle de temps comme le résultat d'une somme de petits déplacements indépendants identiquement distribués et d'espérance nulle qui se produisent au gré de collisions moléculaires selon un processus de Poisson. Le nombre de déplacements au cours d'un intervalle de temps de longueur t est donc une variable suivant la loi de Poisson de paramètre proportionnel à t, et la somme de ces déplacements est alors une variable d'espérance nulle et de variance proportionnelle au nombre moyen de déplacements, donc proportionnelle à t, selon les résultats sur les sommes de variables indépendantes donnés dans la section 5.5. Cette somme, comme une variable de loi binomiale, peut être approchée par une loi normale.

6.6. LOI NORMALE BIDIMENSIONNELLE

DÉFINITION

On dit qu'un couple de variables (X, Y) suit une **loi normale bidimensionnelle**, ou **loi binormale**, si et seulement si toute combinaison linéaire $aX + bY$ (avec a et b non tous deux nuls) suit une loi normale à une dimension. En particulier les variables X et Y suivent toutes deux une loi normale. D'autre part, si

X et Y sont deux variables indépendantes de loi normale, alors nécessairement (X, Y) suit une loi normale bidimensionnelle.

La fonction de densité d'une loi normale bidimensionnelle (X, Y) est donnée par :

$$f(x, y) = \frac{1}{2\pi\sigma_X\sigma_Y\sqrt{1-\rho^2}}\, e^{-\frac{1}{2(1-\rho^2)}\left\{\left(\frac{x-\mu_X}{\sigma_X}\right)^2 - 2\rho\left(\frac{x-\mu_X}{\sigma_X}\right)\left(\frac{y-\mu_Y}{\sigma_Y}\right) + \left(\frac{y-\mu_Y}{\sigma_Y}\right)^2\right\}}$$

pour $-\infty < x, y < +\infty$, où

$$\mu_X = E(X), \mu_Y = E(Y),$$
$$\sigma_X^2 = \text{Var}(X), \sigma_Y^2 = \text{Var}(Y),$$

et ρ est le coefficient de corrélation de X et Y, c'est-à-dire

$$\rho = \rho_{XY} = \frac{\text{Cov}(X, Y)}{\sigma_X\sigma_Y}.$$

Remarque. Les courbes d'égale densité d'une loi normale bidimensionnelle sont des ellipses. En effet, la valeur de la fonction de densité $f(x, y)$ est la même sur toute courbe

$$\left(\frac{x-\mu_X}{\sigma_X}\right)^2 - 2\rho\left(\frac{x-\mu_X}{\sigma_X}\right)\left(\frac{y-\mu_Y}{\sigma_Y}\right) + \left(\frac{y-\mu_Y}{\sigma_Y}\right)^2 = C,$$

où C est une constante. Le centre de ces ellipses est (μ_X, μ_Y). L'axe principal des ellipses passe par ce centre et est de pente en x donnée par

$$\frac{\left(\sigma_Y^2 - \sigma_X^2\right) + \sqrt{\left(\sigma_Y^2 - \sigma_X^2\right)^2 + 4\rho^2\sigma_X^2\sigma_Y^2}}{2\rho\sigma_X\sigma_Y}.$$

Cette pente ne sera positive que si X et Y sont positivement corrélés. La droite qui passe par le même centre et qui croise les ellipses aux points où les tangentes aux ellipses sont parallèles à l'axe des y est de pente en x donnée par

$$\rho\frac{\sigma_Y}{\sigma_X}.$$

Enfin, la valeur de $f(x, y)$ sur les ellipses décroît lorsque C croît (voir la figure 6.6). La fonction de densité d'une variable normale bidimensionnelle (X, Y) décrit donc une « cloche » dans l'espace à trois dimensions, mais cette cloche peut être plus évasée à la base dans une direction que dans une autre.

LOIS MARGINALES ET LOIS CONDITIONNELLES

Les fonctions de densité marginales de X et Y sont celles de lois $N(\mu_X, \sigma_X^2)$ et $N(\mu_Y, \sigma_Y^2)$, respectivement. D'autre part, les fonctions de densité conditionnelles, $f_{X|Y=y}$ et $f_{Y|X=x}$, sont celles de lois

$$N\left(\mu_X + \rho\frac{\sigma_X}{\sigma_Y}(y - \mu_Y), \sigma_X^2(1 - \rho^2)\right)$$

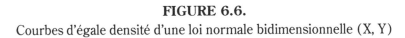

FIGURE 6.6.

Courbes d'égale densité d'une loi normale bidimensionnelle (X, Y)

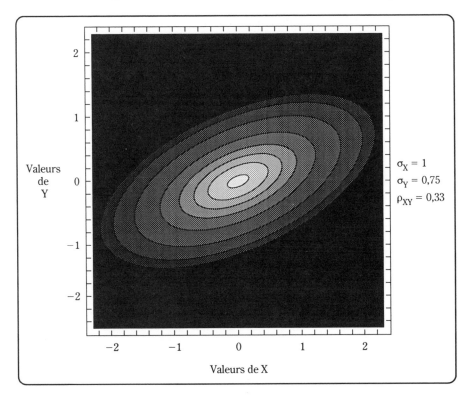

et

$$N\left(\mu_Y + \rho\frac{\sigma_Y}{\sigma_X}(x - \mu_X), \sigma_Y^2(1 - \rho^2)\right),$$

respectivement. Les variables X et Y sont donc des variables indépendantes de loi $N(\mu_X, \sigma_X^2)$ et $N(\mu_Y, \sigma_Y^2)$, respectivement, si et seulement si $\rho = 0$.

STATURE DES ENFANTS ET STATURE DES PARENTS

La stature est un caractère plus complexe qu'on le croit généralement. D'abord la stature, ou la taille lorsqu'on est debout, est plus petite de 1 ou 2 cm que la taille lorsqu'on est couché à cause de la compression des disques de la colonne vertébrale sous le poids et les chocs. Pour la même raison, la stature varie selon l'heure de la journée et les activités journalières. La stature varie aussi selon l'âge (croissance jusqu'à 25 ans contrôlée par une hormone sécrétée par l'hypophyse, décroissance à partir de 50 ans associée à une compression générale des disques à long terme) et le sexe (la stature des hommes dépassant en moyenne celle des femmes d'environ 8%). Il y a aussi des variations de stature associées à l'alimentation et aux conditions socio-professionnelles sans oublier les variations séculaires qui font en sorte, par exemple, que depuis un siècle a assisté à une augmentation générale de la taille des Occidentaux de l'ordre 5 à 7 cm. L'existence de facteurs génétiques est indéniable à partir de l'obser vation de la stature des enfants comparée à celle des parents, bien qu'auc gène particulier pour la détermination de la stature comme d'autres caractèr génétiques quantitatifs n'ait encore été identifié.

L'astronome belge Adolphe Quételet (1796-1874), qui connaissait de bien la loi normale pour les erreurs d'observation, fut le premier à relever q beaucoup de mesures anthropométriques dont la stature suivent d'assez pr une loi normale. Un peu plus tard, Sir Francis Galton (1822-1911), alors so l'influence de Charles Darwin, son cousin, et de sa théorie de l'évolution, pen étudier la distribution conjointe d'une même mesure sur deux générations su cessives dont la stature des enfants par rapport à la stature des parents. L tableaux de correspondance empiriques de Galton le conduisirent, avec l'ai d'un mathématicien de Cambridge, J.-D. Hamilton Dickson, à la découverte la loi normale bidimensionnelle comme annoncée lors de l'allocution *Address the Anthropological Section of the British Association* prononcée à Aberdeen 1885.

Lorsqu'on examine de près le tableau de correspondance de Galton pour stature des enfants adultes et la stature moyenne des parents (voir le tableau 6.3

TABLEAU 6.3.

Correspondance entre la stature des enfants adultes et la stature moyenne des parents

Stature moyenne des parents†	Stature des enfants adultes†														Total	
	Moins de 62	62	63	64	65	66	67	68	69	70	71	72	73	Plus de 74	Enfants adultes	Couple de parent
Plus de 73	0	0	0	0	0	0	0	0	0	0	0	1	3	0	4	5
72	0	0	0	0	0	0	0	1	2	1	2	7	2	4	19	6
71	0	0	0	0	1	3	4	3	5	10	4	9	2	2	43	11
70	1	0	1	0	1	1	3	12	18	14	7	4	3	3	68	22
69	0	0	1	16	4	17	27	20	33	25	20	11	4	5	183	41
68	1	0	7	11	16	25	31	34	48	21	18	4	3	0	219	49
67	0	3	5	14	15	36	38	28	38	19	11	4	0	0	211	33
66	0	3	3	5	2	17	17	14	13	4	0	0	0	0	78	20
65	1	0	9	5	7	11	11	7	7	5	2	1	0	0	66	12
64	1	1	4	4	1	5	5	0	2	0	0	0	0	0	23	5
Moins de 64	1	0	2	4	1	2	2	1	1	0	0	0	0	0	14	1
Total	5	7	32	59	48	117	138	120	167	99	64	41	17	14	928	205

† La stature est en pouces. La stature d'un individu de sexe féminin est multipliée par 1,08. La classe 68 - 69 pour la stature représentée par 68, et ainsi de suite pour les autres classes.

Source : F. Galton, *Natural Inheritance*, Londres, MacMillan 1889.

on peut déjà « deviner » l'existence d'ellipses d'égale densité caractéristiques de la loi normale bidimensionnelle. Toutes les distributions marginales et conditionnelles empiriques sont aussi compatibles avec des distributions théoriques normales à une dimension. Galton ne tarda pas à réaliser que la loi normale bidimensionnelle pouvait aussi servir à décrire la distribution conjointe de deux mesures distinctes sur un même individu (par exemple, largeur de la main et largeur du pied, etc.) et l'un de ses disciples, Karl Pearson, mit au point un peu plus tard des méthodes statistiques plus rigoureuses pour étudier la corrélation.

Il n'en demeure pas moins que Galton et Pearson avaient déjà été devancés dans leurs travaux d'abord par Laplace, qui donne l'expression de la fonction de densité pour une loi normale bidimensionnelle dès 1812, puis par Auguste Bravais (1811-1863), qui décrit les ellipses d'égale densité qui suggèrent l'idée de corrélation[2].

PROBLÈMES

6.1. Sur un dé spécial à 6 faces, il y a 1, 2 et 3 points sur 3, 2 et 1 faces, respectivement. On lance le dé 4 fois indépendamment l'une de l'autre. En supposant l'équiprobabilité des faces à chaque jet, calculez la probabilité que l'on obtienne :

a) une face avec 1 point au 2e jet ;

b) une face avec 1 point au 2e jet et des faces avec 2 ou 3 points aux autres jets ;

c) une seule face avec 1 point ;

d) aucune face avec 1 point ;

e) toutes des faces avec 1 point.

6.2. En supposant l'équiprobabilité des sexes à la naissance et l'indépendance des naissances quant au sexe, calculez la probabilité que, dans une famille de 4 enfants,

a) les enfants soient tous de même sexe ; b) il y ait 2 filles et 2 garçons.

6.3. Un moteur d'avion tombe en panne au cours d'un vol avec probabilité p. Un avion peut compléter le vol avec la moitié de ses moteurs en état de fonctionnement. En supposant l'indépendance des moteurs quant à la possibilité de panne, pour quelles valeurs de p un avion bimoteur a-t-il plus de chances de compléter le vol qu'un avion quadrimoteur ?

6.4. On veut transmettre un message électronique composé des digits 0 et 1. Les conditions imparfaites de transmission font en sorte qu'il y a une probabilité égale à 0,1 qu'un 0 soit changé en un 1 et un 1 en un 0 lors de la réception, et ce de façon indépendante pour chaque digit. Pour améliorer la qualité de la transmission, on propose de transmettre le bloc 00000 au lieu de 0 et le bloc 11111 au lieu de 1 et de traduire une majorité de 0 dans un bloc lors de la réception par 0 et une majorité de 1 par 1.

---

2. Pour plus de détails historiques sur la loi normale, nous recommandons l'ouvrage de J.-P. Benzécri, *Histoire et préhistoire de l'analyse des données,* Dunod, 1982.

a) Quelle est la probabilité de recevoir une majorité de 1 si 00000 est transmis ?

b) Quelle est la probabilité de recevoir une majorité de 1 si 11111 est transmis ?

6.5. Il y a une probabilité égale à 0,75 qu'un animal réagisse positivement à l'injection d'un médicament. Ce médicament est injecté à 8 animaux au hasard. Calculez la probabilité que :

a) aucun animal ne réagisse positivement ;

b) exactement 2 animaux réagissent positivement ;

c) au plus 2 animaux réagissent positivement ;

d) au moins 2 animaux réagissent positivement.

6.6. Chacune des pièces électroniques produites par un fabricant a 5 % de chances d'être défectueuse indépendamment des autres. Quelle est la probabilité que, dans un échantillon de 10 pièces électroniques produites par ce fabricant, on ait :

a) aucune pièce défectueuse ;   *d*) au moins 4 pièces défectueuses ;

b) exactement 4 pièces défectueuses ;   *e*) au plus 4 pièces défectueuses ;

c) moins de 4 pièces défectueuses ;   *f*) plus de 4 pièces défectueuses.

6.7. On sème dans les mêmes conditions 12 graines d'une certaine variété de plante. On sait que, dans ces conditions, la probabilité de germination d'une graine est égale à 0,9 indépendamment des autres. Calculez la probabilité des événements suivants :

a) aucune graine ne germe ;   *d*) exactement 6 graines germent ;

b) au moins une graine germe ;   *e*) au plus 6 graines germent.

c) toutes les graines germent ;

6.8. Une compagnie d'exploration minière trouve du minerai sur 20 % de ses sites de forage, mais seulement 30 % de ces sites se révèlent exploitables. En supposant que la compagnie entreprend des forages sur 20 sites différents et en faisant les hypothèses d'indépendance nécessaires, déterminez :

a) la loi exacte pour le nombre de sites exploitables parmi les 20 ;

b) la loi exacte pour le nombre de sites non exploitables parmi les 20.

6.9. On lance un dé standard à 6 faces non pipé 100 fois indépendamment les unes des autres. Déterminez l'espérance et la variance du nombre de fois qu'on obtiendra la face sur laquelle il y a 6 points.

6.10. Une variable de loi binomiale a une espérance égale à 10 et une variance égale à 8. Quels sont les paramètres de la loi ?

6.11. Le feu de signalisation à une intersection est successivement vert, jaune et rouge pendant 30 secondes, 5 secondes et 15 secondes respectivement. Un automobiliste passe par cette intersection 10 fois en une semaine. Chaque fois, les conditions de circulation font en sorte qu'il arrive à l'intersection à un instant au hasard à l'intérieur du cycle de signalisation indépendamment de toutes les autres fois.

a) Quelle est la probabilité que, en une semaine, l'automobiliste arrive à l'intersection alors que le feu est vert plus de la moitié des fois ?

b) Quelle est l'espérance du nombre de fois en une semaine que l'automobiliste arrivera à l'intersection alors que le feu est vert ?

c) Quelle est l'espérance du nombre de fois en 4 semaines que l'automobiliste arrivera à l'intersection alors que le feu est vert ?

d) Quelle est l'espérance du nombre de semaines en un mois (4 semaines) que l'automobiliste arrivera à l'intersection alors que le feu est vert plus de la moitié des fois ?

6.12. Dans le contexte du problème précédent, si l'automobiliste fait un arrêt à l'intersection avec probabilité 1 dans le cas où le feu est rouge et avec probabilité 1/2 dans le cas où le feu est jaune, et ce indépendamment de tout le reste, quelle est l'espérance du nombre de fois que l'automobiliste fera un arrêt à cette intersection en une semaine ?

*6.13. À un jeu contre un adversaire, vous avez une probabilité 1/4 de gagner et 3/4 de perdre. Vous répétez le même jeu de façon indépendante plusieurs fois. Calculez la probabilité que vous gagniez 3 fois avant que votre adversaire ne gagne 4 fois.

Suggestion. Considérez le nombre de fois que vous pouvez gagner en 6 répétitions du jeu.

*6.14. Selon le chevalier de Méré (1607-1685), la probabilité d'obtenir au moins 1 fois 1 face avec 1 point en lançant de façon indépendante 4 fois un dé est la même que la probabilité d'obtenir au moins une fois 2 faces avec 1 point chacune en lançant de façon indépendante 24 fois 2 dés. En supposant des dés standard à 6 faces non pipés, le raisonnement est le suivant : en lançant un dé, on a 1 chance sur 6 d'obtenir 1 face avec 1 point, donc en le lançant 4 fois on aura 4 chances sur 6 d'obtenir au moins 1 face avec 1 point ; de façon analogue, en lançant 2 dés, on a 1 chance sur 36 d'obtenir 2 faces avec 1 point chacune, donc en les lançant 24 fois on aura 24 chances sur 36 d'obtenir au moins une fois 2 faces avec 1 point chacune. Or, on a $24/36 = 4/6 = 2/3$. Mais en fait, le raisonnement est faux. Trouvez l'erreur dans le raisonnement et déterminez les probabilités correctes des deux événements considérés.

6.15. En lançant 3 dés standard non pipés, on a une probabilité égale à 15/216 d'obtenir une somme de points égale à 7. Soit X le nombre de fois qu'on lance les 3 dés indépendamment les unes des autres jusqu'à ce qu'on obtienne une somme égale à 7. Calculez les probabilités suivantes :

a) $\Pr(X = 4)$; b) $\Pr(X > 4)$; c) $\Pr(X < 4)$.

Comparez avec les probabilités correspondantes pour le cas d'une somme égale à 5 dont la probabilité est 6/216.

6.16. À un jeu avec un adversaire, on a une probabilité p de gagner, q de perdre, et $1 - p - q$ de faire une partie nulle. Dans ce dernier cas, on détermine qui sera gagnant par tirage au sort en lançant une pièce de monnaie non pipé. On joue une suite de parties indépendantes dans les mêmes conditions. Déterminez la loi exacte des variables suivantes :

a) le nombre de parties jusqu'à la première partie nulle ;

b) le nombre de parties jusqu'à la première partie gagnée par tirage au sort ;

c) le nombre de parties jusqu'à la première partie gagnée.

*6.17. Dans le problème précédent, supposons $p = 2/3$ et $q = 1/3$. Calculez la probabilité de gagner pour la 4e fois à la 7e partie.

6.18. Un archer atteint la cible 4 fois sur 5 en moyenne. Cet archer effectue une série de tirs indépendants. Calculez :

a) la probabilité qu'il atteigne la cible la première fois au 5e tir ;

b) la probabilité qu'il atteigne la cible la première fois en plus de 5 tirs ;

c) la probabilité qu'il atteigne la cible la première fois au 10e tir étant donné qu'il ne l'a pas atteinte aux 5 premiers tirs ;

d) la probabilité qu'il atteigne la cible la première fois en plus de 10 tirs étant donné qu'il ne l'a pas atteinte aux 5 premiers tirs.

*6.19. On a 2 dés à 6 faces non pipés, un vert et un bleu. Les 6 faces du dé vert portent les numéros 1, 2, 3, 4, 5, 6, tandis que celles du dé bleu portent les numéros 1, 1, 2, 3, 6, 6. On lance plusieurs fois de façon indépendante les 2 dés. On considère la variable X, nombre de jets jusqu'à l'obtention d'un 1 sur le dé vert, la variable Y, nombre de jets jusqu'à l'obtention d'un 1 sur le dé bleu, et la variable Z, nombre de jets jusqu'à l'obtention d'un 1 sur l'un ou l'autre dé indistinctement. Déterminez :

a) la loi exacte des variables X, Y et Z ;

b) la probabilité de ne pas obtenir un 1 sur le dé vert avant d'obtenir un 1 sur le dé bleu.

6.20. Une araignée se déplace d'un sommet à un autre d'un tétraèdre en une unité de temps en suivant à chaque fois une arête choisie au hasard parmi les 3 arêtes issues du sommet où elle est rendue. Combien de temps en moyenne va-t-elle prendre pour aller d'un sommet A à un autre sommet B ?

6.21. Une variable de loi géométrique peut-elle avoir une espérance égale à 4 et une variance égale à 16 ?

6.22. Quelle est l'espérance d'une variable de loi géométrique dont la variance est égale à 12 ?

6.23. Dans une population, les familles décident d'avoir des enfants jusqu'à la naissance d'un premier garçon. En supposant l'équiprobabilité des sexes à la naissance, calculez la proportion de garçons dans cette population.

Suggestion. Cette proportion correspond à la probabilité qu'un enfant pris au hasard dans cette population soit un garçon. Cette probabilité est alors donnée par

$$\frac{E(\text{nombre de garçons dans une famille})}{E(\text{nombre d'enfants dans une famille})} .$$

6.24. On joue une série de parties de pur hasard avec probabilité 1/4 de gagner à chaque partie indépendamment de toutes les autres jusqu'à ce qu'on gagne pour la première fois. Le montant à gagner, initialement égal à 1, est quadruplé après chaque partie perdue de telle sorte que, si on gagne pour la première fois à la n^e partie, alors on reçoit un montant égal à 4^{n-1}.

a) Quelle est la probabilité de gagner en moins de 4 parties ?

b) Quelle est la probabilité de gagner en moins de 8 parties si les 4 premières ont été perdues ?

c) Quelles sont l'espérance et la variance du nombre de parties à jouer avant de gagner ?

d) Quel est le prix honnête à payer pour jouer à ce jeu ?

6.25. Une variable X est distribuée selon une loi $P(2)$. Déterminez :

a) $\Pr(X = 2)$; *c*) $E(X)$;

b) $\Pr(X > 2)$; *d*) $\text{Var}(X)$.

6.26. Un transporteur aérien a observé que 5 % en moyenne des personnes ayant réservé un siège pour un vol ne se présentent pas au départ. S'il accepte jusqu'à 240 réservations alors qu'il ne dispose que de 235 sièges pour ce vol, quelle est la probabilité que toutes les personnes qui se présentent au départ aient un siège ?

6.27. Un livre de 200 pages contient 20 fautes typographiques. En supposant les fautes réparties au hasard indépendamment les unes des autres dans les pages, quelle est la probabilité que la page 153 contienne 2 fautes ?

6.28. À une loterie appelée « la quotidienne 3 », un parieur qui mise sur 3 chiffres dans l'ordre choisit un nombre de 000 à 999. À chaque tirage, tous les nombres ont des chances égales d'être le nombre tiré. Il y a 6 tirages par semaine, donc 312 tirages par année. Calculez la probabilité pour un parieur qui mise sur 3 chiffres dans l'ordre à chacun des tirages d'une année de gagner 3 fois ou plus.

*6.29. En un point d'une autoroute, le nombre de véhicules qui passent en 1 minute dans une direction, disons l'est, obéit à une loi $P(4)$ et le nombre dans l'autre direction, l'ouest, à une loi $P(2)$ indépendante de la première.

a) Quelle est la loi exacte pour le nombre total de véhicules qui passent à cet endroit en 1 minute ?

b) S'il passe 1 véhicule en 1 minute à cet endroit, quelle est la probabilité que ce véhicule aille dans la première direction, c'est-à-dire l'est ?

*6.30. Le nombre d'œufs pondus par une tortue de mer est une variable de loi de Poisson de moyenne égale à 100.

a) Si chaque œuf se développe pour donner un petit avec probabilité 3/5 indépendamment des autres, quelle est la loi exacte pour le nombre de petits ?

b) Si chaque petit atteint la mer avec probabilité 1/2 indépendamment des autres, quelle est la loi exacte pour le nombre de petits qui atteindront la mer ?

6.31. Si une variable de loi exponentielle a une espérance égale à 2, quelle est sa variance ?

*6.32. Si une variable de loi gamma a une espérance égale à 2 et une variance égale à 1, quels sont les paramètres de la loi ?

6.33. Si une variable de loi exponentielle a une probabilité 1/2 d'excéder la valeur 1, quelle est son espérance ?

6.34. Comparer $\Pr(X > 1)$ où X est une variable de loi $\mathrm{Exp}(4)$ à la quantité $\Pr(Y > n)$ où Y est une variable de loi $G(4/n)$ dans les cas $n = 1000$ et $n = 2000$.

6.35. Quelle est la loi de la partie entière d'une variable de loi exponentielle de paramètre 1 ?

6.36. Le temps d'attente pour recevoir un service suit une loi exponentielle de moyenne égale à 5 minutes.

a) Quelle est la probabilité d'attendre plus de 10 minutes ?

b) Quelle est la probabilité d'attendre encore au moins 5 minutes étant donné qu'on a déjà attendu 5 minutes ?

6.37. Un élément d'un système fonctionne un temps X de loi exponentielle d'espérance 1000. Calculez :

a) $\Pr(X > 900)$; *b*) $\Pr(X > 1800 \mid X > 900)$.

6.38. Deux éléments d'un système sont montés en parallèle comme illustré ci-dessous. Le système fonctionne tant qu'au moins un des deux éléments fonctionne. On suppose que les éléments fonctionnent des temps de loi exponentielle indépendants, X_1 et X_2, d'espérance 1000 et 1500 respectivement. Calculez et comparez :

a) la probabilité que le premier élément fonctionne un temps inférieur à 900 ;

b) la probabilité que le deuxième élément fonctionne un temps inférieur à 900 ;

c) la probabilité que le système fonctionne un temps inférieur à 900.

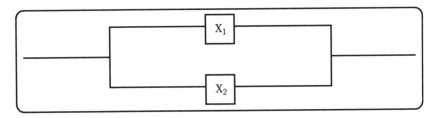

6.39. Les deux éléments du problème précédent sont montés en série comme illustré ci-dessous. Ce système fonctionne seulement lorsque les deux éléments fonctionnent. Calculez la probabilité que ce système fonctionne un temps inférieur à 900. Comparez avec les probabilités calculées au problème précédent.

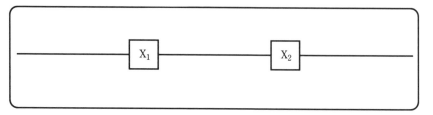

*6.40. Quelle est la loi exacte pour le temps de fonctionnement du système du problème précédent ?

6.41. Les météores visibles à l'œil nu au cours d'une nuit claire constituent un processus de Poisson d'intensité 10 à l'heure.

a) Quelle est la loi exacte pour le temps d'attente avant de voir un premier météore ?

b) Quel est le temps d'attente moyen avant de voir un 5e météore ?

c) Quelle est la loi exacte pour le nombre de météores visibles en 10 minutes ?

d) Quelles sont l'espérance et la variance du nombre de météores visibles en 10 minutes ?

6.42. Des clients arrivent à un comptoir de service selon un processus de Poisson d'intensité 12 par heure. Il y a un seul commis et le temps de service est égal à 2 minutes.

a) Combien de clients en moyenne va-t-il arriver pendant un service ?

b) Combien de temps en moyenne le commis va-t-il rester inoccupé si, à un moment donné, il n'a plus aucun client à servir ?

6.43. Les accidents d'automobiles causant des blessures se produisent sur une route à intervalles de temps indépendants de même loi exponentielle de moyenne égale à 2 jours.

a) Quelle est la probabilité qu'il ne se produise aucun accident en 1 semaine ?

b) Quel est le nombre moyen d'accidents en 1 semaine ?

c) Quelle est la loi exacte du nombre d'accidents en 4 semaines ?

*6.44. Dans le problème précédent, si un accident causant des blessures est mortel avec probabilité 1/50 indépendamment des autres, quelle est la loi exacte de l'intervalle de temps qui s'écoule entre 2 accidents mortels ?

*6.45. Le nombre d'isotopes de thorium-232 est 20 fois plus élevé que le nombre d'isotopes de plomb-208 dans un échantillon de matière rocheuse. À l'aide du tableau 6.2, déterminez l'âge de cet échantillon.

*6.46. La durée de vie X en milliards d'années d'un atome d'uranium-235 suit une loi exponentielle de paramètre λ.

a) Déterminez la valeur de λ à l'aide du tableau 6.2.

b) Calculez la probabilité qu'un atome d'uranium-235 prenne au moins un milliard d'années avant de se transformer en plomb-207.

6.47. La différence X (en secondes) entre l'heure exacte et l'heure indiquée par une montre après une semaine de fonctionnement est une variable de loi N(0, 1). Calculez :

a) $\Pr(X < -2)$;   *b*) $\Pr(X > 3)$;   *c*) $\Pr(-1 \leq X \leq 1)$.

6.48. La température X (en °F) dans une ville à un jour donné de l'année est une variable de loi N(72, 25). Calculez :
a) $\Pr(X < 60)$; b) $\Pr(X > 90)$; c) $\Pr(|X - 75| \leq 15)$.

6.49. Le quotient intellectuel (QI) est une variable de loi normale de moyenne 100 et d'écart-type 16. Calculez :
a) $\Pr(QI \leq 90)$; b) $\Pr(QI \geq 130)$; c) $\Pr(90 < QI < 130)$.

6.50. Des billes produites par un manufacturier ont un diamètre (en cm) de loi normale de moyenne 1 et d'écart-type 0,02. Les billes qui ont un diamètre qui n'est pas compris entre 0,96 et 1,05 sont rejetées. Quelle est la proportion des billes qui sont rejetées ?

6.51. Les notes obtenues par des étudiants dans un concours se répartissent approximativement selon une loi N(68, 100). Les examinateurs du concours veulent donner la note A$^+$ aux 5 % des étudiants ayant obtenu les meilleures notes. Déterminez la note minimale nécessaire pour obtenir A$^+$.

6.52. Soit X une variable de loi normale N(20, 16). Trouvez 2 nombres réels a et b tels que $\Pr(a \leq X \leq b) = 0,50$.

Remarque. Il y a une infinité de solutions.

6.53. Dans une population, 8 individus sur 10 ont une pression artérielle diastolique normale, c'est-à-dire inférieure à 89 mm Hg, alors que 1 sur 10 souffre d'hypertension avec une pression supérieure à 95 mm Hg. En supposant une loi normale, calculez la moyenne et la variance de la pression diastolique dans cette population ?

6.54. Chez les hommes d'une population, le tour de cou (en po) est une variable de loi normale de moyenne 15 1/2 et d'écart-type 1. Un fabricant de chemises pour hommes propose 5 tailles selon le tour de cou comme suit :

Taille	Tour de cou (po)
XS	13 - 13 1/2
S	14 - 14 1/2
M	15 - 15 1/2
L	16 - 16 1/2
XL	17 - 17 1/2

Remarque. 13 - 13 1/2 signifie par convention de 13 à 14, et de même pour les autres classes.

a) Quelle proportion de chemises faut-il fabriquer dans chaque taille ?
b) Quelle proportion de la population n'aura pas de chemises correspondant à sa taille ?

6.55. Soit X une variable de loi N(μ, σ^2). On définit la cote Z par $Z = (X - \mu)/\sigma$ et la cote T par $T = 50 + 10Z$.
a) Calculez l'espérance et la variance de la cote T.
b) Calculez les probabilités suivantes : (I) $\Pr(40 \leq T \leq 60)$; (II) $\Pr(T < 25)$; (III) $\Pr(T > 75)$.

6.56. Le diamètre d'un palier supportant un arbre de transmission doit excéder de 5 à 20 mm le diamètre de l'arbre pour que l'assemblage soit fonctionnel. En supposant une loi normale de moyenne 1 cm et d'écart-type 1 mm pour l'arbre et une loi normale de moyenne 1,02 cm et d'écart-type 2 mm pour le palier, calculez la probabilité que l'assemblage d'un palier et d'un arbre pris au hasard de façon indépendante soit fonctionnel.

*6.57. Des grains de sable ont un diamètre de loi lognormale. À l'aide de 2 cribles, on trouve que la proportion des grains ayant un diamètre inférieur à 1 mm est 0,33 et la proportion des grains ayant un diamètre supérieur à 1,5 mm est 0,03. Quels sont les paramètres de la loi ?

6.58. La longueur (en cm) d'un poisson pêché dans un lac suit une loi $N(40, 10)$ indépendamment de la longueur des autres poissons pêchés. Déterminez :

   a) la probabilité que 1 poisson pêché ait une longueur supérieure à 45 cm ;

   b) la probabilité que 4 poissons pêchés aient tous une longueur supérieure à 45 cm ;

   c) la probabilité que la longueur moyenne de 4 poissons pêchés soit supérieure à 45 cm.

6.59. Supposons que l'erreur sur une mesure d'observation suive une loi $N(0, 4)$. Déterminez :

   a) la probabilité que l'erreur sur une mesure d'observation soit positive ;

   b) l'espérance et la variance du nombre d'erreurs positives sur 100 mesures d'observation indépendantes ;

   c) la probabilité que 60 erreurs positives ou plus soient faites sur 100 mesures d'observation indépendantes.

6.60. Un test est composé de 100 questions, chacune offrant un choix de 5 réponses dont une seule est bonne. Une personne coche au hasard une réponse à chaque question. Quelle est la probabilité pour cette personne d'obtenir au moins 10 points pour le test dans le cas où :

   a) une bonne réponse vaut 1 point et une mauvaise 0 point ;

   b) une bonne réponse vaut 1 point et une mauvaise -1 point.

6.61. Dans une population, 60 % des individus sont en faveur d'un candidat A et 40 % en faveur d'un candidat B. Quelle est la probabilité que, sur 125 individus pris au hasard dans la population, il y en ait une majorité en faveur du candidat B ?

6.62. Le nombre d'accidents en un an dans une manufacture est une variable de loi de Poisson de moyenne 36. Quelle est la probabilité d'avoir plus de 36 accidents dans cette manufacture en un an ?

6.63. Un centre de location à la journée dispose de 15 appareils d'un certain type. Le nombre de clients qui se présentent en une journée pour louer cet appareil suit une loi de Poisson de moyenne égale à 9. Quelle est la probabilité que le centre manque d'appareils ?

6.64. Le nombre de jours d'utilisation d'un appareil avant qu'il fasse défaut obéit à une loi de Poisson de moyenne 124. On décide de le remplacer après 100 jours d'utilisation. Quelle est la probabilité que l'appareil fasse défaut avant que les 100 jours se soient écoulés ?

6.65. Deux variables, X et Y, forment un couple de loi binormale de paramètres $\mu_X = 5$, $\mu_Y = 10$, $\sigma_X = 1$, $\sigma_Y = 2$, $\rho_{XY} = 1/4$. Quelle est la loi exacte de la variable $Y - X$?

6.66. Le poids (P) et la taille (G) des individus dans une population forment un couple (P, G) de loi normale bidimensionnelle de paramètres $\mu_P = 75$ kg, $\mu_G = 178$ cm, $\sigma_X = 10$ kg, $\sigma_G = 12$ cm, $\rho_{PG} = 0,9$.

   a) Si un individu pèse 80 kg, quelle est la probabilité qu'il mesure plus de 178 cm ?

   b) Si un individu mesure 160 cm, quelle est la probabilité qu'il pèse moins de 75 kg ?

ESTIMATIONS PONCTUELLES ET INTERVALLES DE CONFIANCE

7.1. INTRODUCTION

La distribution exacte d'une variable quantitative X dans une population est généralement inconnue à moins qu'on ait une connaissance exhaustive de la population. Même lorsque la loi de X est connue à partir de considérations théoriques, cette loi peut dépendre de paramètres inconnus de sorte que la distribution exacte de X demeure inconnue.

Or, dans le cas d'une population de taille infinie ou même seulement très grande, il est impossible en pratique d'observer tous les individus de la population afin de déterminer exactement la fonction de masse ou de densité de X, et ce même lorsque le nombre de valeurs prises par X est fini. Ne connaissant pas la distribution exacte de X, on ne peut déterminer numériquement à partir des définitions et des formules du chapitre 4 les caractéristiques principales de cette distribution, en particulier l'espérance, la variance et les principaux quantiles.

La seule information disponible sur une variable dans une population, à part les hypothèses théoriques sous-jacentes qui nous permettent parfois de nous limiter à une loi paramétrique, nous est fournie par des observations dans cette population et leur résultat immédiat, l'échantillon. Si les observations sont faites au hasard dans la population, indépendamment les unes des autres, l'échantillon devrait être assez représentatif de la population, en fait d'autant plus représentatif que le nombre d'observations est grand. Dans ce cas, l'échantillon devrait refléter assez bien la population. Il est alors justifié d'estimer les caractéristiques de la variable dans la population par les caractéristiques correspondantes dans l'échantillon. On fait ainsi des **estimations ponctuelles**, et on obtient des **valeurs estimées** des caractéristiques de la variable dans la population.

Les valeurs estimées obtenues à l'aide d'un échantillon peuvent cependant être faussées par des erreurs; conséquemment, ces valeurs ne sont que des valeurs approximatives des valeurs réelles dans la population. C'est pourquoi on fait aussi des **estimations par intervalles** : il s'agit alors de déterminer des intervalles de valeurs selon une procédure définie de telle sorte qu'on puisse affirmer avec un degré de confiance fixé que les valeurs réelles dans la population se situent dans ces intervalles, appelés alors **intervalles de confiance**. Par exemple, lorsqu'une maison de sondage affirme, à la suite d'un sondage, que les pourcentages d'électeurs favorables à deux partis A et B sont de 39 % et 35 % respectivement, et qu'elle précise que la marge d'erreur est de 3 % et ce 19 fois sur 20, alors elle affirme en fait que les pourcentages sont dans les intervalles [36 %, 42 %] et [32 %, 38 %] respectivement, et que la procédure de sondage utilisée permet de faire des affirmations justes 95 fois sur 100 en moyenne. Les intervalles [36 %, 42 %] et [32 %, 38 %] sont alors appelés des intervalles de confiance à 95 %.

Les valeurs estimées et les intervalles de confiance pour une caractéristique dans une population varient d'un échantillon à l'autre. Mais on doit s'attendre à obtenir une plus grande précision, donc une plus petite variabilité des valeurs estimées et des intervalles de confiance plus courts, lorsque la taille de l'échantillon est plus grande.

Nous nous intéresserons dans ce chapitre à l'estimation des principales caractéristiques d'une variable dans une population : la moyenne, la variance et les mesures de position, en particulier la médiane.

7.2. ESTIMATIONS PONCTUELLES

ESTIMATION DE LA MOYENNE ET DE LA VARIANCE

Considérons une variable quantitative X dont la moyenne μ et la variance σ^2 dans une population sont inconnues. On veut estimer μ et σ^2. Dans ce but, on fait n observations indépendantes dans les mêmes conditions et on obtient l'échantillon $x_1, \ldots, x_n$. La moyenne et la variance dans l'échantillon sont respectivement

$$\bar{x} = \frac{1}{n} \sum_{i=1}^{n} x_i$$

et

$$s_x^2 = \frac{1}{n} \sum_{i=1}^{n} (x_i - \bar{x})^2 = \left(\frac{1}{n} \sum_{i=1}^{n} x_i^2 \right) - \left(\frac{1}{n} \sum_{i=1}^{n} x_i \right)^2.$$

On utilise alors $\bar{x}$ et s_x^2 comme **valeurs estimées** de μ et σ^2, respectivement. De plus, on estime l'écart-type σ par s_x.

Une telle procédure d'estimation est justifiée si on s'attend à ce que $\bar{x}$ et s_x^2 soient près de μ et σ^2, d'autant plus près que la taille n de l'échantillon est grande. Or cela est garanti par la **loi des grands nombres pour les moyennes** qui s'énonce comme suit :

Si $x_1, \dots, x_n$ sont les valeurs observées de façon indépendante et dans les mêmes conditions d'une variable X de moyenne μ dans une population, alors la moyenne $\bar{x}$ dans l'échantillon a tendance à s'approcher de μ lorsque n devient grand.

On a donc

$$\bar{x} = \frac{1}{n} \sum_{i=1}^{n} x_i \approx \mu = \mathrm{E}(X) \,,$$

pour n suffisamment grand. On peut aussi appliquer la loi des grands nombres à la variable X^2 pour obtenir

$$\overline{x^2} = \frac{1}{n} \sum_{i=1}^{n} x_i^2 \approx \mathrm{E}(X^2) \,,$$

pour n suffisamment grand. En combinant les deux résultats ci-dessus, on obtient

$$s_x^2 = \left(\frac{1}{n} \sum_{i=1}^{n} x_i^2 \right) - \left(\frac{1}{n} \sum_{i=1}^{n} x_i \right)^2$$
$$\approx \mathrm{E}(X^2) - [\, \mathrm{E}(X)\,]^2 = \mathrm{Var}(X) = \sigma^2,$$

pour n suffisamment grand. En général, ces approximations sont bonnes dès que $n \geqslant 30$.

Ainsi, après avoir lancé un dé 240 fois, noté le nombre de points obtenus chaque fois et calculé les quantités $\bar{x}$ et s_x^2 après 20 fois, 40 fois, etc., on a obtenu les figures 7.1 et 7.2. On remarque que les deux quantités semblent s'approcher de deux quantités « limites » lorsque le nombre de jets augmente. Si le dé est non pipé, on s'attend en fait à ce que la première s'approche de 3,5 et la seconde de 2,9 d'après ce qui précède, car alors ces quantités sont respectivement l'espérance et la variance du nombre de points en un jet de dé.

ESTIMATION D'UNE PROPORTION

La loi des grands nombres pour les proportions est un cas particulier de la loi des grands nombres pour les moyennes. En effet, si $x_1, \dots, x_n$ sont les valeurs observées de façon indépendante et dans les mêmes conditions de la variable suivante

$$X = \begin{cases} 1 & \text{dans le cas où un événement A se réalise} \\ 0 & \text{dans le cas contraire} \end{cases}$$

alors

$$\bar{x} = \frac{1}{n} \sum_{i=1}^{n} x_i = \frac{n(A)}{n} \,,$$

FIGURE 7.1.

Courbe de la moyenne des points obtenus en lançant un dé,
selon le nombre de jets

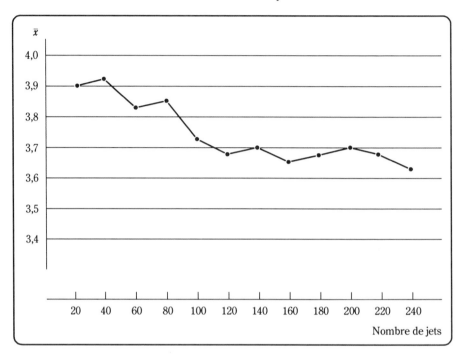

où $n(A)$ est le nombre de fois que A se réalise et n le nombre total d'observations. D'autre part,

$$E(X) = 1 \times Pr(X = 1) + 0 \times Pr(X = 0) = Pr(A),$$

d'où, par la loi des grands nombres pour les moyennes,

$$\frac{n(A)}{n} \approx Pr(A)$$

pour n suffisamment grand. Il est donc justifié d'*estimer une proportion dans une population par la proportion correspondante dans un échantillon*. Par exemple, si un parti A reçoit la faveur de 39 % des électeurs interviewés lors d'un sondage, on estime à 39 % le pourcentage d'électeurs favorables à ce parti dans tout l'électorat.

Cas des quantiles. En particulier, pour un événement A de la forme $X \leqslant x$, on a

$$F_n(x) = \frac{\text{nombre de données} \leqslant x}{\text{nombre total } n \text{ de données}} \approx F(x) = Pr(X \leqslant x)$$

pour n suffisamment grand. Ce rapprochement de la fonction de répartition empirique dans l'échantillon, $F_n(x)$, et de la fonction de répartition dans la

FIGURE 7.2.

Courbe de la variance des points obtenus en lançant un dé,
selon le nombre de jets

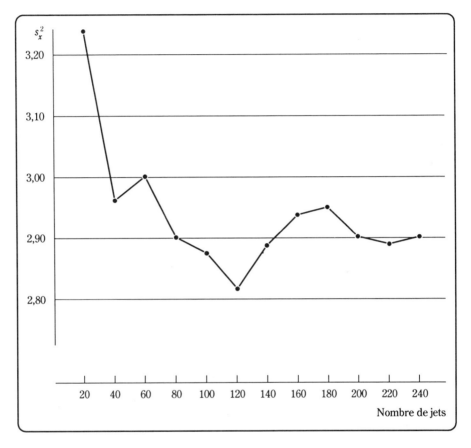

population, $F(x)$, justifie l'*estimation des mesures de position dans la population, dont la médiane, par les mesures correspondantes dans l'échantillon.*

Par exemple, en lançant un dé 240 fois, on a obtenu 1, 2, 3, 4, 5 et 6 un nombre de fois égal à 43, 17, 55, 42, 37 et 46, respectivement. On obtient alors

$$F_{240}(3,5) = \frac{115}{240} = 0,4792 \ .$$

On estimerait donc le quantile d'ordre 47,92 %, noté $c_{0,4792}$, par 3,5. À remarquer que si le dé est non pipé alors $3,5 = c_{1/2}$, car $F(3,5) = 1/2$, ce qui n'est pas très différent de $c_{0,4792}$.

Remarque. La loi des grands nombres pour les proportions permet, pour une variable discrète X et une valeur v,

d'estimer $\Pr(X = v)$ par la proportion de v dans l'échantillon et, pour une variable continue X et un intervalle de valeurs [a, b],

d'estimer $\Pr(a \leq X \leq b)$ par la proportion de valeurs observées entre a et b.

Cela nous permet d'estimer dans le cas discret la fonction de masse de X dans la population par la fonction de masse de X dans l'échantillon et, dans le cas continu, la fonction de densité de X dans la population par une fonction en paliers délimitant un histogramme obtenu en regroupant les données selon des intervalles (voir section 2.2). On peut alors estimer la moyenne μ et la variance σ^2 de X dans la population par la moyenne et la variance calculées à partir de cette fonction de masse ou de densité. Dans le cas discret, on obtient encore $\bar{x}$ et, dans le cas continu, une quantité qui se rapproche de $\bar{x}$ lorsque l'on prend des intervalles de plus en plus petits.

ESTIMATION PAR LA MÉTHODE DES MOMENTS

Lorsque la loi d'une variable X dans une population est connue, mais dépend d'un ou plusieurs paramètres inconnus, un problème important est d'estimer le ou les paramètres inconnus. Une méthode introduite par Karl Pearson, dite **méthode des moments**, consiste à exprimer le ou les paramètres inconnus en fonction des premiers moments de la variable dans la population ($E(X)$, $E(X^2)$ si nécessaire, etc.) et d'estimer ces moments par les moyennes correspondantes dans l'échantillon ($\bar{x}$, $\overline{x^2}$, etc.), ce qui est justifié par la loi des grands nombres pour les moyennes.

Ainsi, pour une variable X de loi exponentielle de paramètre λ, on a

$$\lambda = \frac{1}{E(X)},$$

qu'on estime par

$$\hat{\lambda} = \frac{1}{\bar{x}}.$$

Un chapeau « $^\wedge$ » sur un paramètre indique qu'il s'agit d'une valeur estimée du paramètre.

Dans le cas d'une loi $N(\mu, \sigma^2)$, on a

$$\sigma^2 = E(X^2) - [E(X)]^2,$$

d'où

$$\hat{\sigma}^2 = \overline{x^2} - (\bar{x})^2 = s_x^2.$$

Le tableau 7.1 donne les valeurs estimées des paramètres des lois les plus répandues, obtenues par la méthode des moments.

Estimation indirecte d'une proportion. Supposons que l'on veuille estimer la proportion de personnes mariées qui ont eu une relation sexuelle en dehors du mariage. Il y a fort à parier que si l'on pose directement la question à des personnes mariées, les résultats de l'enquête ne soient pas fiables compte

TABLEAU 7.1.

Valeurs estimées de paramètres de certaines lois par la méthode des moments

Loi de X	Paramètre(s)	Valeur(s) estimée(s)
$B(n, p)$	$p = \dfrac{E(X)}{n}$	$\hat{p} = \dfrac{\bar{x}}{n}$
$G(p)$	$p = \dfrac{1}{E(X)}$	$\hat{p} = \dfrac{1}{\bar{x}}$
$P(\lambda)$	$\lambda = E(X)$	$\hat{\lambda} = \bar{x}$
$Exp(\lambda)$	$\lambda = \dfrac{1}{E(X)}$	$\hat{\lambda} = \dfrac{1}{\bar{x}}$
$N(\mu, \sigma^2)$	$\mu = E(X)$	$\hat{\mu} = \bar{x}$
	$\sigma^2 = E(X^2) - [E(X)]^2$	$\hat{\sigma}^2 = s_x^2$

tenu du caractère indiscret de la question. Pour estimer la proportion inconnue p, on peut cependant procéder d'une façon indirecte qui garantisse le secret des réponses à la question. La procédure consiste à introduire une seconde question pour laquelle la distribution des réponses dans la population est connue et de faire choisir la question à laquelle on répond par une épreuve de Bernoulli[1]. Dans ce qui suit, l'épreuve de Bernoulli consiste à lancer une pièce de monnaie.

On demande d'abord aux personnes interrogées dans le cadre de l'enquête de lancer une pièce de monnaie. Si une personne obtient pile (P), on lui demande de répondre oui ou non à la question sur la relation sexuelle en dehors du mariage. Si elle obtient face (F), on lui demande de lancer un dé et de répondre oui si le nombre de points obtenus est supérieur ou égal à 4 (événement A) et non s'il est inférieur à 4 (événement B). Ni le résultat du jet de la pièce ni celui du jet de dé ne sont connus de l'enquêteur. Notons cependant que si la pièce et le dé sont non pipés, alors

$$\Pr(P) = \Pr(F) = \frac{1}{2} \text{ et } \Pr(A) = \Pr(B) = \frac{1}{2}.$$

On a donc le schéma du tableau 7.2 avec une proportion théorique de oui

$$\alpha = \frac{1}{2} \times p + \frac{1}{2} \times \frac{1}{2} = \frac{p}{2} + \frac{1}{4},$$

d'où

$$p = 2\alpha - 1/2.$$

---

1. La procédure a été proposée par Stanley L. Warner en 1965 dans « Randomized response : A survey technique for eliminating evasive answer bias », J.A.S.A., vol. 60, p. 63-69.

TABLEAU 7.2.

Schéma de la situation pour l'estimation indirecte d'une proportion avec jet d'une pièce de monnaie

Probabilité	Pièce de monnaie	Réponse	Probabilité conditionnelle
$\dfrac{1}{2}$	P	OUI	p
		NON	$1 - p$
$\dfrac{1}{2}$	F	OUI	$\dfrac{1}{2}$
		NON	$\dfrac{1}{2}$

Une valeur estimée de α est la proportion de oui obtenue dans un échantillon, notée $\bar{x}$. Une valeur estimée de p basée sur la méthode des moments est alors

$$\hat{p} = 2\bar{x} - \frac{1}{2}.$$

Si on trouve $\bar{x} = 1/2$, on obtient $\hat{p} = 1/2$, mais si $\bar{x} = 2/3$, alors $\hat{p} = 5/6$.

Cette méthode doit être employée avec précaution, car elle peut donner lieu à des valeurs de $\hat{p}$ supérieures à 1 ou inférieures à 0. Par exemple, ci-dessus, il faut que $1/4 \leqslant \bar{x} \leqslant 3/4$ pour que $0 \leqslant \hat{p} \leqslant 1$.

Estimation de la taille d'une population. Dans certaines situations, il est possible d'obtenir une valeur estimée de la taille réelle d'une population lorsque celle-ci est inconnue. Une méthode expérimentale, appelée **méthode des captures,** est employée surtout pour estimer la taille de populations naturelles, ce depuis les applications qu'en a faites un scientifique danois, Carl Petersen, sur des populations de poissons à la fin du XIXᵉ siècle. Les origines de la méthode remontent cependant à Pierre Simon de Laplace qui, à la fin du XVIIIᵉ siècle, fit essentiellement appel aux mêmes principes pour estimer la population de la France à partir de registres de naissances.

Pour fixer les idées, supposons qu'on veuille estimer le nombre N de poissons dans un étang. La méthode des captures consiste à prélever d'abord un premier sous-ensemble de n_1 poissons qu'on marque de façon à les reconnaître une prochaine fois. Les poissons sont ensuite relâchés dans l'étang. Un peu plus tard, on prélève un second sous-ensemble de n_2 poissons et on dénombre les poissons marqués. Supposons qu'on en trouve m_2. On estime alors la proportion $p_1 = n_1/N$ de poissons marqués dans la population par celle obtenue dans le second sous-ensemble, c'est-à-dire

$$\hat{p}_1 = \frac{m_2}{n_2}.$$

De cette valeur estimée de p_1 et de la relation $N = n_1/p_1$, on obtient la valeur estimée de la taille de la population par la méthode des moments, qui est

$$\hat{N} = \frac{n_1}{\hat{p}_1} = \frac{n_1 n_2}{m_2} \, .$$

Cette procédure d'estimation est appelée l'**estimation de Petersen**.

Soit, par exemple,

$$n_1 = 500, \, n_2 = 100 \text{ et } m_2 = 10.$$

On obtient

$$\hat{N} = \frac{500 \times 100}{10} = 5000 \, .$$

Remarque 1. La quantité $\hat{N}$ est une valeur estimée de N. L'opération peut aussi être répétée plusieurs fois, auquel cas on obtiendrait alors une distribution de fréquences empirique pour N. L'utilisation de la moyenne de cette distribution pour estimer ponctuellement N donnerait alors une estimation plus précise[2].

Remarque 2. Il y a des hypothèses sous-jacentes à la méthode des captures pour estimer la taille d'une population. Les plus importantes sont :

(1) *Population de taille constante.* Durant la période de l'expérience, la population doit être stable, c'est-à-dire qu'il ne doit se produire ni migration, ni naissances, ni décès. Cette condition peut être remplie si un court laps de temps sépare les deux prélèvements.

(2) *Équiprobabilité des captures.* On suppose implicitement que, lors de chaque prélèvement, tous les individus de la population ont les mêmes chances de faire partie du sous-ensemble prélevé.

(3) *Utilisation de marques indélébiles.* On s'assure que les marques sur les individus faisant partie du premier prélèvement soient durables au moins jusqu'au prélèvement suivant.

*ESTIMATION PAR LA MÉTHODE DU MAXIMUM DE VRAISEMBLANCE

Une autre méthode pour estimer les paramètres inconnus de la loi d'une variable X dans une population est celle du maximum de vraisemblance. On choisit comme valeurs estimées des paramètres inconnus les valeurs de ces paramètres qui donnent le plus de vraisemblance aux valeurs de la variable qui ont été observées.

---

2. Pour plus de détails sur ce sujet et d'autres applications de la méthode, voir l'article de K. H. Pollock, « Estimating the size of wildlife populations using capture techniques », dans *The Fascination of Statistics,* New York, Marcel Dekker, 1986.

Plus précisément, si les valeurs observées de X de façon indépendante et dans les mêmes conditions sont $x_1, \dots, x_n$, alors on considère la fonction de masse ou de densité conjointe des variables correspondantes $X_1, \dots, X_n$ qui sont indépendantes et distribuées comme X et on calcule les valeurs des paramètres inconnus qui rendent la plus grande possible la valeur de la fonction de masse ou de densité conjointe évaluée au point $(x_1, \dots, x_n)$.

Dans le cas des paramètres des lois du tableau 7.1, la méthode du maximum de vraisemblance donne les mêmes valeurs estimées que la méthode des moments. Ces valeurs sont donc des **estimations de maximum de vraisemblance**.

7.3. DISTRIBUTION D'ÉCHANTILLONNAGE DE LA MOYENNE

DÉFINITION

Si $x_1, \dots, x_n$ sont les valeurs observées de façon indépendante et dans les mêmes conditions d'une variable X dans une population, on peut dire que $x_1, \dots, x_n$ sont les valeurs prises par n variables indépendantes $X_1, \dots, X_n$ ayant la même distribution théorique que X. On dit que $X_1, \dots, X_n$ sont n **copies indépendantes** ou n **observations indépendantes** d'une variable X. Dans le cas où la variable X est quantitative, la moyenne $\bar{x}$ calculée dans l'échantillon est alors la valeur prise par la variable

$$\overline{X} = \frac{1}{n} \sum_{i=1}^{n} X_i \, ,$$

appelée **moyenne échantillonnale**. La moyenne échantillonnale varie d'un échantillon à l'autre. Dans l'ensemble d'une infinité virtuelle d'échantillons obtenus indépendamment les uns des autres et dans les mêmes conditions, elle a une espérance, une variance et une distribution. Cette distribution est la **distribution d'échantillonnage de la moyenne**.

ESPÉRANCE ET VARIANCE

L'espérance et la variance d'une moyenne échantillonnale peuvent être exprimées en fonction de la moyenne et de la variance dans la population. En effet, si $X_1, \dots, X_n$ sont des copies indépendantes d'une variable quantitative X de moyenne μ et de variance σ^2 dans une population, alors

$$E(\overline{X}) = E\left(\frac{1}{n} \sum_{i=1}^{n} X_i\right)$$

$$= \frac{1}{n} \sum_{i=1}^{n} E(X_i)$$

$$= \frac{1}{n} \times n\mu \, ,$$

d'où

$$E(\overline{X}) = \mu,$$

et

$$Var(\overline{X}) = Var\left(\frac{1}{n} \sum_{i=1}^{n} X_i\right)$$

$$= \frac{1}{n^2} \sum_{i=1}^{n} Var(X_i)$$

$$= \frac{1}{n^2} \times n\sigma^2,$$

d'où

$$Var(\overline{X}) = \frac{\sigma^2}{n}.$$

Donc, la moyenne échantillonnale $\overline{X}$ a une espérance égale à la moyenne μ dans la population, quelle que soit la taille de l'échantillon, mais elle a une variance σ^2/n qui décroît vers 0 lorsque la taille n de l'échantillon croît vers l'infini. Par l'interprétation de la variance d'une variable, la moyenne échantillonnale $\overline{X}$ doit donc avoir une distribution théorique (fonction de masse ou de densité) de plus en plus concentrée autour de sa moyenne, c'est-à-dire μ, lorsque la taille n de l'échantillon croît de plus en plus.

Supposons, par exemple, que la variable X dans la population suive une loi de Bernoulli de paramètre p. On sait alors que $E(X) = p$ et $Var(X) = p(1 - p)$. De plus, la moyenne échantillonnale $\overline{X}$ est de la forme

$$\overline{X} = \frac{S}{n},$$

où $S = \sum_{i=1}^{n} X_i$ et $X_1, \ldots, X_n$ sont des copies indépendantes de X. Mais alors, S suit une loi binomiale de paramètres n et p et donc

$$E(\overline{X}) = E\left(\frac{S}{n}\right) = \frac{1}{n} E(S) = \frac{np}{n} = p$$

et

$$Var(\overline{X}) = Var\left(\frac{S}{n}\right) = \frac{1}{n^2} Var(S) = \frac{np(1 - p)}{n^2} = \frac{p(1 - p)}{n}.$$

*LOI FAIBLE DES GRANDS NOMBRES ET LOI FORTE DES GRANDS NOMBRES

Pour tout écart $\varepsilon > 0$ considéré entre $\overline{X}$ et son espérance μ, on a le résultat

$$Pr\ (|\overline{X} - \mu| \leq \varepsilon) \approx 1 \text{ pour } n \text{ assez grand.}$$

La quantité ε est fixée mais peut être aussi petite que l'on veut. Ce résultat est appelé la **loi faible des grands nombres**.

Un résultat légèrement différent est

$$\Pr\left(|\overline{X} - \mu| \leq \varepsilon \text{ pour } n \text{ assez grand}\right) = 1$$

pour tout écart $\varepsilon > 0$ fixé mais aussi petit que l'on veut, qui est la **loi forte des grands nombres**. La différence entre la loi forte et la loi faible est que la loi faible assure que $\overline{X}$ sera près de μ avec une probabilité près de 1 si n est suffisamment grand alors que la loi forte garantit que $\overline{X}$ sera près de μ si n est assez grand avec une probabilité égale à 1. Dans la loi forte, la probabilité est égale à 1, mais n dépend des valeurs observées et non pas seulement de la distribution d'échantillonnage de la moyenne comme cela est le cas dans la loi faible.

La loi faible des grands nombres est très ancienne et remonte en fait à Jacques Bernoulli (*Ars conjectandi,* 1713), alors que la loi forte des grands nombres, qui implique par ailleurs la loi faible, mais qui est plus difficile à démontrer, est beaucoup plus récente (Guido Cantelli, 1917).

La loi des grands nombres justifie l'estimation de la moyenne μ dans la population par la valeur prise par $\overline{X}$, notée $\bar{x}$. Lorsqu'on décide de procéder ainsi, on dit que $\overline{X}$ est un **estimateur** pour μ. Comme $E(\overline{X}) = \mu$, l'estimateur $\overline{X}$ est dit **sans biais** pour μ. De plus, la loi faible des grands nombres nous dit que $\overline{X}$ est **convergent vers μ en probabilité** et la loi forte des grands nombres, que $\overline{X}$ est **convergent vers μ presque sûrement**.

THÉORÈME CENTRAL LIMITE

Le théorème central limite, dont les premières versions pour les proportions ont été démontrées par Abraham de Moivre (*Doctrine of Chances,* 1733) et Pierre Simon de Laplace (*Théorie analytique des probabilités,* 1812), est l'un des plus fameux et des plus importants en statistique. Ce théorème permet d'obtenir une approximation de la distribution de la moyenne échantillonnale $\overline{X}$, ou plutôt de la **moyenne échantillonnale standardisée**

$$W = \frac{\overline{X} - \mu}{\sigma/\sqrt{n}}$$

dont l'espérance est 0 et la variance 1, quelle que soit la taille n de l'échantillon.

Le **théorème central limite** s'énonce comme suit :

La moyenne échantillonnale standardisée suit approximativement une loi $N(0, 1)$ *lorsque la taille de l'échantillon est suffisamment grande.*

Formellement, on a pour tout $c \leq d$

$$\Pr\left(c \leq \frac{\overline{X} - \mu}{\sigma/\sqrt{n}} \leq d\right) \approx \Pr(c \leq N(0, 1) \leq d) \text{ pour } n \text{ assez grand.}$$

Remarque.   La notation à droite de $\approx$ est utilisée par convention pour la probabilité qu'une variable de loi $N(0, 1)$ prenne une valeur entre c et d. Donc

$$\Pr(c \leqslant N(0, 1) \leqslant d) = \Phi(d) - \Phi(c),$$

où Φ est la fonction de répartition d'une variable de loi $N(0, 1)$ dont la table est donnée en appendice.

La puissance du théorème central limite provient de ce qu'il est valide quelle que soit la distribution dans la population. Son utilité réside dans le fait qu'on peut obtenir, avec l'aide d'une table d'une loi $N(0, 1)$, une approximation précise de la probabilité pour la moyenne échantillonnale d'être dans n'importe quel intervalle donné, pour autant que la taille de l'échantillon est grande.

Dans la pratique, on considère que la moyenne échantillonnale $\overline{X}$ suit approximativement une loi $N(\mu, \sigma^2/n)$ lorsque n est grand (habituellement $n \geqslant 30$), puisque dans ce cas la moyenne échantillonnale standardisée suit approximativement une loi $N(0, 1)$ par le théorème central limite, et comme pour tout $a \leqslant b$

$$\Pr(a \leqslant \overline{X} \leqslant b) = \Pr\left(\frac{a - \mu}{\sigma/\sqrt{n}} \leqslant \frac{\overline{X} - \mu}{\sigma/\sqrt{n}} \leqslant \frac{b - \mu}{\sigma/\sqrt{n}}\right),$$

on a

$$\Pr(a \leqslant \overline{X} \leqslant b) \approx \Pr\left(\frac{a - \mu}{\sigma/\sqrt{n}} \leqslant N(0, 1) \leqslant \frac{b - \mu}{\sigma/\sqrt{n}}\right) \text{ pour } n \text{ assez grand.}$$

(Voir la figure 7.3.) À remarquer que l'approximation est en fait exacte, quel que soit n, lorsque la distribution dans la population correspond à une loi $N(\mu, \sigma^2)$, car alors $\overline{X}$ suit exactement une loi $N(\mu, \sigma^2/n)$ et la moyenne échantillonnale standardisée suit exactement une loi $N(0, 1)$. Lorsque la loi dans la population est une loi de Bernoulli de paramètre p, alors on obtient l'approximation de la loi binomiale par la loi normale, car alors $n\overline{X}$ suit une loi $B(n, p)$. En prenant n grand et p petit, on obtient l'approximation de la loi de Poisson par la loi normale.

Exemple 1.   On lance un dé non pipé 100 fois de façon indépendante. Quelle est la probabilité que la somme totale des points obtenus soit comprise entre 300 et 400?

La somme totale des points obtenus est une variable

$$S = \sum_{i=1}^{100} X_i,$$

où X_i représente le nombre de points obtenus au i^e jet du dé pour $i = 1, \dots, 100$. Les variables $X_1, \dots, X_{100}$ sont 100 copies indépendantes d'une variable X d'espérance $\mu = 3{,}5$ et de variance $\sigma^2 = 35/12$ (voir la section 4.4).

Puisque $S = 100\overline{X}$, on obtient

$$\Pr(300 \leqslant S \leqslant 400) = \Pr(3 \leqslant \overline{X} \leqslant 4)$$

$$\approx \Pr\left(\frac{3 - 3{,}5}{\sqrt{35/12}/\sqrt{100}} \leqslant N(0, 1) \leqslant \frac{4 - 3{,}5}{\sqrt{35/12}/\sqrt{100}}\right)$$

$$= \Pr(-2{,}93 \leqslant N(0, 1) \leqslant +2{,}93)$$

$$= 0{,}9966.$$

À noter que cette probabilité est très près de 1.

Remarque. Si on lance le dé jusqu'à ce qu'on obtienne une somme de points supérieure ou égale à 400, alors la probabilité de ne pas lancer le dé plus de 100 fois est

$$\Pr(S \geqslant 400) \approx \Pr(N(0, 1) \geqslant 2{,}93)$$

$$= 0{,}0017.$$

Exemple 2. Un détaillant vend un produit à l'unité. Le temps qui s'écoule entre deux ventes consécutives est une variable de moyenne égale à 1 semaine et d'écart-type égal à 1 semaine. Au moment de la dernière vente, le détaillant a constaté qu'il lui restait 36 unités. S'il doit se réapprovisionner seulement dans 6 mois (26 semaines), quelle est la probabilité que son stock ne soit pas épuisé avant le réapprovisionnement ?

Si l'on désigne par X_i le temps écoulé entre la vente de la i^e unité restante et la vente de l'unité précédente pour $i = 1, \ldots, 36$ et que l'on suppose l'indépendance de ces variables, la probabilité cherchée est

$$\Pr(X_1 + \ldots + X_{36} > 26) = \Pr\left(\frac{X_1 + \ldots + X_{36}}{36} > \frac{26}{36}\right)$$

$$= \Pr\left(\frac{\overline{X} - 1}{1/\sqrt{36}} > \frac{\dfrac{26}{36} - 1}{1/\sqrt{36}}\right)$$

$$\approx \Pr(N(0, 1) > -1{,}67)$$

$$= 0{,}9525.$$

Remarque. Le nombre minimal d'unités n qu'il devrait rester pour que le détaillant n'épuise pas son stock avant le réapprovisionnement avec une probabilité supérieure ou égale à 0,99 doit satisfaire

$$\Pr\left(N(0, 1) > \frac{\dfrac{26}{n} - 1}{1/\sqrt{n}}\right) \geqslant 0{,}99,$$

FIGURE 7.3.

Calcul approximatif de la probabilité pour la moyenne échantillonnale
d'être dans un intervalle donné d'après le théorème central limite

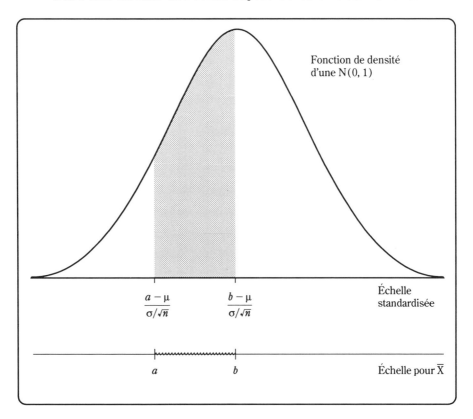

ce qui est possible seulement si

$$\frac{\frac{26}{n} - 1}{1/\sqrt{n}} \leqslant -2{,}33$$

ou, ce qui est équivalent,

$$n - 2{,}33\sqrt{n} - 26 \geqslant 0 \,.$$

Cela est le cas lorsque

$$\sqrt{n} \geqslant \frac{2{,}33 + \sqrt{2{,}33^2 + 4 \times 26}}{2} = 6{,}4 \,,$$

c'est-à-dire

$$n \geqslant 6{,}4^2 = 40{,}96 \,.$$

Le nombre minimal n est donc 41.

7.4. DISTRIBUTION D'ÉCHANTILLONNAGE DE LA VARIANCE

DÉFINITION

On peut considérer que la variance dans un échantillon $x_1, \ldots, x_n$, notée s_x^2, est aussi la valeur prise par une variable, en l'occurrence

$$S_X^2 = \frac{1}{n} \sum_{i=1}^{n} (X_i - \overline{X})^2 ,$$

appelée la **variance échantillonnale** dans laquelle $X_1, \ldots, X_n$ représentent n observations indépendantes dans la population. La distribution de cette variable est ce qu'on appelle la **distribution d'échantillonnage de la variance**.

À remarquer que

$$S_X^2 = \frac{1}{n} \sum_{i=1}^{n} [(X_i - \mu) + (\mu - \overline{X})]^2$$

$$= \frac{1}{n} \sum_{i=1}^{n} [(X_i - \mu)^2 - 2(X_i - \mu)(\overline{X} - \mu) + (\overline{X} - \mu)^2]$$

$$= \frac{1}{n} \sum_{i=1}^{n} (X_i - \mu)^2 - \frac{2}{n} \sum_{i=1}^{n} (X_i - \mu)(\overline{X} - \mu) + (\overline{X} - \mu)^2$$

$$= \frac{1}{n} \sum_{i=1}^{n} (X_i - \mu)^2 - 2(\overline{X} - \mu)(\overline{X} - \mu) + (\overline{X} - \mu)^2 ,$$

et, conséquemment,

$$S_X^2 = \frac{1}{n} \sum_{i=1}^{n} (X_i - \mu)^2 - (\overline{X} - \mu)^2 ,$$

où μ est la moyenne dans la population. Cette décomposition standard de S_X^2 est très utile en théorie comme en pratique.

ESPÉRANCE

À partir de la décomposition standard de S_X^2, on trouve comme espérance

$$E(S_X^2) = \frac{1}{n} \sum_{i=1}^{n} E[(X_i - \mu)^2] - E[(\overline{X} - \mu)^2]$$

$$= \frac{1}{n} \sum_{i=1}^{n} \text{Var}(X_i) - \text{Var}(\overline{X})$$

$$= \frac{1}{n} \times n\sigma^2 - \frac{\sigma^2}{n} ,$$

et, conséquemment,

$$E(S_X^2) = \left(\frac{n-1}{n}\right) \sigma^2 ,$$

où σ^2 est la variance dans la population.

Remarque.   On a

$$E\left(\frac{nS_X^2}{n-1}\right) = \frac{n}{n-1}\,E(S_X^2) = \sigma^2\,.$$

C'est pourquoi on estime parfois σ^2 par

$$\frac{ns_x^2}{n-1} = \frac{1}{n-1}\sum_{i=1}^{n}(x_i - \bar{x})^2$$

au lieu de s_x^2, ce qui ne fait cependant pas de différence notable lorsque n est grand.

LOI DU KHI-DEUX

Dans le cas où la distribution dans la population est une loi normale de moyenne μ et de variance σ^2, la variable

$$\frac{nS_X^2}{\sigma^2} = \sum_{i=1}^{n}\left(\frac{X_i - \overline{X}}{\sigma}\right)^2$$

suit une **loi du khi-deux** avec $n-1$ degrés de liberté, notée χ_{n-1}^2. Une telle variable peut s'exprimer comme la somme des carrés de $n-1$ variables indépendantes de loi $N(0,1)$. En particulier, son espérance est $n-1$. (Voir la figure 7.4.) De plus, elle est indépendante de la moyenne échantillonnale standardisée

$$W = \frac{\overline{X} - \mu}{\sigma/\sqrt{n}}\,.$$

Une table de la loi du khi-deux est donnée en appendice.

Remarque 1.   La variable

$$\sum_{i=1}^{n}\left(\frac{X_i - \mu}{\sigma}\right)^2$$

suit une loi du khi-deux avec n degrés de liberté, car elle est une somme de carrés de n variables indépendantes de loi $N(0,1)$. Si l'on remplace μ par $\overline{X}$, un degré de liberté est perdu.

Remarque 2.   Les variables S_X^2 et $\overline{X}$ sont *indépendantes lorsque la distribution dans la population est normale*. Inversement, si S_X^2 et $\overline{X}$ sont indépendantes, alors on peut montrer que la distribution dans la population est nécessairement normale. Cette propriété est donc caractéristique de la loi normale.

Exemple.   Puisque la valeur prise par S_X^2 est utilisée pour estimer la variance σ^2 dans la population, il est intéressant de calculer la probabilité que S_X^2 soit plus grande que σ^2. Dans le cas où la loi dans la population est normale, on a

$$\Pr(S_X^2 > \sigma^2) = \Pr\left(\frac{nS_X^2}{\sigma^2} > n\right) = \Pr(\chi_{n-1}^2 > n)\,,$$

FIGURE 7.4.

Fonction de densité d'une loi du khi-deux, χ_n^2,
selon le nombre de degrés de liberté, n

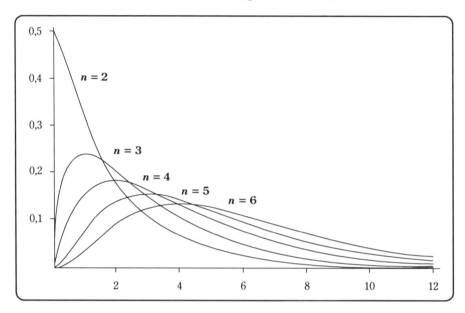

où n est la taille de l'échantillon. En utilisant la table pour la loi du khi-deux donnée en appendice, on obtient

$$0{,}10 < \Pr(\chi_{n-1}^2 > n) < 0{,}20 \qquad \text{pour } n = 2\,;$$
$$0{,}20 < \Pr(\chi_{n-1}^2 > n) < 0{,}30 \qquad \text{pour } n = 3, 4, 5\,;$$
$$0{,}30 < \Pr(\chi_{n-1}^2 > n) \qquad \text{pour } n \geqslant 6.$$

De plus, la probabilité se rapproche de $1/2$ lorsque n croît. Donc en estimant σ^2 par s_x^2 pour n asssez grand, on devrait s'attendre à ce qu'une estimation sur deux en moyenne surestime la valeur de σ^2.

LOI DE STUDENT

Lorsqu'on remplace σ^2 par $n S_X^2 / (n-1)$, et donc σ par la racine carrée de cette expression, dans la moyenne échantillonnale standardisée d'une loi $N(\mu, \sigma^2)$, c'est–à–dire qu'on considère la variable

$$\frac{\overline{X} - \mu}{S_X / \sqrt{n-1}} = \frac{\dfrac{\overline{X} - \mu}{\sigma / \sqrt{n}}}{\sqrt{\dfrac{n S_X^2}{(n-1)\sigma^2}}},$$

on obtient un quotient avec, au numérateur, une variable de loi $N(0, 1)$ et, au dénominateur, la racine carrée d'une variable de loi χ_{n-1}^2 divisée par $(n-1)$

et indépendante de la variable au numérateur. La loi d'un tel quotient est une **loi de Student** avec $n - 1$ degrés de liberté, notée t_{n-1}. (Student est le pseudo-nyme de William Sealy Gosset qui introduisit cette loi en 1908.) Une variable de loi de Student a une fonction de densité en forme de cloche centrée à 0 légè-rement plus évasée que celle d'une loi $N(0, 1)$, d'autant plus évasée que le nombre de degrés de liberté est petit. Avec un nombre de degrés de liberté supérieur à 30, une loi de Student est pratiquement indiscernable d'une loi $N(0, 1)$. (Voir la figure 7.5.) Une table de la loi de Student est donnée en appendice.

Exemple. Avec l'aide des tables pour la loi de Student et la loi normale don-nées en appendice, on trouve

$$
\begin{aligned}
0{,}10 &= \Pr(|t_1| > 6{,}31) \\
&= \Pr(|t_5| > 2{,}01) \\
&= \Pr(|t_{10}| > 1{,}81) \\
&= \Pr(|t_{20}| > 1{,}72) \\
&= \Pr(|t_{30}| > 1{,}70) \\
&= \Pr(|N(0, 1)| > 1{,}64).
\end{aligned}
$$

7.5. INTERVALLES DE CONFIANCE POUR UNE MOYENNE OU UNE PROPORTION

INTRODUCTION

En estimant la moyenne μ dans une population par la moyenne $\bar{x}$ dans un échantillon, on fait habituellement une erreur d'estimation qui est la différence entre $\bar{x}$ et μ. En général, on ne peut pas évaluer exactement cette erreur, mais on peut cependant calculer une marge d'erreur pour laquelle il existe une cer-titude suffisante qu'elle ne sera pas dépassée. On peut, par exemple, détermi-ner une marge d'erreur d qui n'est pas dépassée 19 fois sur 20 si on répète la même procédure d'estimation un grand nombre de fois. Ainsi, au lieu d'affir-mer que μ est égal à $\bar{x}$ et se tromper dans la plupart des cas, sinon dans tous les cas, on peut affirmer que μ est à une distance d'au plus d de $\bar{x}$ calculée à partir des valeurs observées et se tromper dans 5% seulement des cas. Dans un tel cas, on dit que l'intervalle $[\bar{x} - d, \bar{x} + d]$ est un **intervalle de confiance** à 95% pour μ. La quantité d représente alors la **marge d'erreur** avec un **degré de confiance** de 95% lorsqu'on estime μ par $\bar{x}$. Le degré de confiance est aussi appelé le **niveau de confiance** ou le **seuil de confiance**.

Il existe essentiellement deux façons de construire un intervalle de con-fiance pour μ. On peut :

a) soit choisir une marge d'erreur puis déterminer le degré de confiance ;

b) soit choisir un degré de confiance, puis déterminer la marge d'erreur.

Les degrés de confiance qu'on utilise le plus souvent sont 99%, 95%, 90% et 80%.

FIGURE 7.5.

Comparaison de la fonction de densité d'une loi t_n avec la fonction
de densité d'une loi $N(0, 1)$ selon le nombre n de degrés de liberté

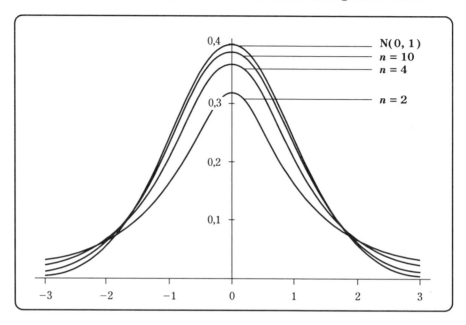

En notant par γ le degré de confiance et par d la marge d'erreur, on doit avoir

$$\gamma = \Pr(|\overline{X} - \mu| \leq d),$$

où $\overline{X}$ est la moyenne échantillonnale. C'est à partir de cette équation de base que sont déterminées toutes les quantités qui entrent en jeu dans un intervalle de confiance.

CAS D'UN GRAND NOMBRE D'OBSERVATIONS

En supposant que la taille n de l'échantillon est grande (en pratique, $n \geq 30$), on peut utiliser l'approximation par la loi normale pour obtenir

$$\Pr(|\overline{X} - \mu| \leq d) = \Pr(-d \leq \overline{X} - \mu \leq +d)$$

$$= \Pr\left(-\frac{d}{\sigma/\sqrt{n}} \leq \frac{\overline{X} - \mu}{\sigma/\sqrt{n}} \leq +\frac{d}{\sigma/\sqrt{n}}\right)$$

$$\approx \Pr\left(-\frac{d}{\sigma/\sqrt{n}} \leq N(0, 1) \leq +\frac{d}{\sigma/\sqrt{n}}\right),$$

où σ est l'écart-type dans la population. Donc, le degré de confiance γ pour que l'intervalle $[\bar{x} - d, \bar{x} + d]$, où $\bar{x}$ est la valeur prise par $\overline{X}$, contienne μ doit satisfaire

$$\gamma \approx \Pr\left(-\frac{d}{\sigma/\sqrt{n}} \leqslant N(0, 1) \leqslant +\frac{d}{\sigma/\sqrt{n}}\right).$$

(Voir la figure 7.6.) C'est l'équation de base pour déterminer les intervalles de confiance en utilisant l'approximation par la loi normale.

a) **Variance connue.** Si la marge d'erreur d est donnée et l'écart-type σ connu, alors on peut évaluer le degré de confiance γ directement à partir de l'équation de base. Si, au contraire, γ est donné et σ connu, alors on a

$$d \approx c\frac{\sigma}{\sqrt{n}},$$

où le coefficient c satisfait

$$\Pr(-c \leqslant N(0, 1) \leqslant +c) = \gamma.$$

La connaissance de σ peut découler d'un très grand nombre d'observations antérieures ou être le fruit d'une hypothèse fondée sur l'expérience.

Exemple. Dans un échantillon de taille $n = 100$ extrait d'une population de moyenne μ inconnue et de variance $\sigma^2 = 25$, on a trouvé $\bar{x} = 20{,}34$.

Un intervalle de confiance à 90 % pour μ est

$$\left[\bar{x} - c\frac{\sigma}{\sqrt{n}}, \bar{x} + c\frac{\sigma}{\sqrt{n}}\right] \text{ où } \Pr(-c \leqslant N(0, 1) \leqslant +c) = 0{,}90.$$

On trouve $c = 1{,}645$ et

$$\left[20{,}34 - \frac{1{,}645 \times 5}{\sqrt{100}}, 20{,}34 + \frac{1{,}645 \times 5}{\sqrt{100}}\right] = [19{,}52, 21{,}16]$$

comme intervalle de confiance.

Avec un degré de confiance de 90 %, la marge d'erreur en estimant μ par $\bar{x}$ est

$$\frac{1{,}645 \times 5}{\sqrt{100}} = 0{,}82.$$

Si la marge d'erreur permise est 1,00, alors le degré de confiance est

$$\Pr\left(-\frac{1{,}00}{5/\sqrt{100}} \leqslant N(0, 1) \leqslant +\frac{1{,}00}{5/\sqrt{100}}\right) = \Pr(-2{,}00 \leqslant N(0, 1) \leqslant +2{,}00)$$

$$= 0{,}9544.$$

b) **Variance inconnue.** Lorsque σ est inconnu, on peut le remplacer dans l'approximation avec la loi normale par la mesure estimée

$$s_x = \sqrt{\left(\frac{1}{n}\sum_{i=1}^{n} x_i^2\right) - \left(\frac{1}{n}\sum_{i=1}^{n} x_i\right)^2}$$

et obtenir encore une bonne approximation à condition que la taille de l'échantillon soit suffisamment grande. Dans ce cas, la mesure estimée s_x est près de σ avec suffisamment de certitude. On a alors

$$d \approx c \frac{s_x}{\sqrt{n}},$$

où

$$\Pr(-c \leqslant N(0, 1) \leqslant +c) = \gamma.$$

Exemple. On veut estimer par un intervalle la taille moyenne des hommes adultes dans une population. Un échantillon de 50 individus a donné

$$\bar{x} = 168 \text{ cm}, s_x = 8{,}2 \text{ cm}.$$

Un intervalle de confiance à 95 % pour la moyenne dans la population est

$$\left[\bar{x} - c \frac{s_x}{\sqrt{n}} , \bar{x} + c \frac{s_x}{\sqrt{n}} \right],$$

où $n = 50$ et

$$\Pr(-c \leqslant N(0, 1) \leqslant +c) = 0{,}95.$$

On trouve $c = 1{,}96$ et

$$\left[168 - 1{,}96 \frac{8{,}2}{\sqrt{50}} , 168 + 1{,}96 \frac{8{,}2}{\sqrt{50}} \right] = [165{,}36, 170{,}27]$$

pour l'intervalle.

c) **Cas d'une proportion.** Si on s'intéresse à la proportion p des individus dans la population ayant une caractéristique donnée, alors on introduit la variable X qui prend la valeur 1 pour les individus qui possèdent la caractéristique en question et 0 pour les autres. La variable X est une variable de Bernoulli dont la distribution dans la population est donnée par

X	0	1
probabilité	$1 - p$	p

La moyenne et la variance de X dans la population sont

$$\mu = p \text{ et } \sigma^2 = p(1 - p).$$

La distribution de X dans un échantillon $x_1, \ldots, x_n$ où $x_i = 1$ ou 0 selon que la caractéristique est observée ou non sur le i^e individu tiré au hasard dans la population pour $i = 1, \ldots, n$ est

X	0	1
fréquence	$1 - \bar{x}$	$\bar{x}$

FIGURE 7.6.

Détermination d'un intervalle de confiance pour la moyenne μ dans une population de variance σ^2 connue à partir de la moyenne échantillonnale $\overline{X}$ pour un grand nombre d'observations

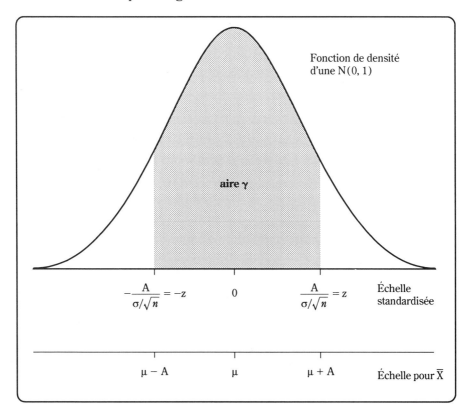

La moyenne dans l'échantillon est $\bar{x}$ et la variance

$$s_x^2 = \left(\frac{1}{n}\sum_{i=1}^{n} x_i^2\right) - \left(\frac{1}{n}\sum_{i=1}^{n} x_i\right)^2$$

$$= \left(\frac{1}{n}\sum_{i=1}^{n} x_i\right) - \left(\frac{1}{n}\sum_{i=1}^{n} x_i\right)^2$$

$$= \bar{x} - \bar{x}^2$$

$$= \bar{x}(1 - \bar{x}),$$

puisque $x_i^2 = x_i$ pour $i = 1, \dots, n$. En remplaçant σ par la valeur estimée $\sqrt{\bar{x}(1-\bar{x})}$ dans l'approximation par la loi normale, on obtient un intervalle de confiance pour p de degré de confiance γ de la forme $[\bar{x} - d, \bar{x} + d]$ avec

$$d \approx c \sqrt{\frac{\bar{x}(1-\bar{x})}{n}},$$

où

$$\Pr(-c \leqslant \mathrm{N}(0,1) \leqslant +c) = \gamma$$

si n est assez grand.

Exemple. Dans un échantillon de 1000 personnes interrogées sur l'identification d'une personnalité politique, 595 ont répondu correctement. Un intervalle de confiance à 99 % pour la proportion de personnes dans la population connaissant la bonne réponse est

$$\left[\bar{x} - c \sqrt{\frac{\bar{x}(1-\bar{x})}{n}} , \bar{x} + c \sqrt{\frac{\bar{x}(1-\bar{x})}{n}} \right],$$

où $n = 1000$ et

$$\Pr(-c \leqslant \mathrm{N}(0,1) \leqslant +c) = 0{,}99.$$

On trouve comme intervalle

$$\left[0{,}595 - 2{,}58 \sqrt{\frac{0{,}595 \times 0{,}405}{1000}} , 0{,}595 + 2{,}58 \sqrt{\frac{0{,}595 \times 0{,}405}{1000}} \right]$$

$$= [\,0{,}5549, 0{,}6350\,].$$

d) **Effet du nombre d'observations.** En faisant un plus grand nombre n d'observations, on dispose de plus d'information sur la population sous forme de données et l'estimation de la moyenne μ dans la population par la moyenne $\bar{x}$ dans l'échantillon doit être plus précise. En effet, avec un degré de confiance γ fixé, la marge d'erreur d peut être rendue aussi petite que l'on veut si on fait suffisamment d'observations. Dans le cas où la variance σ^2 est connue, on a pour tout $d_0 > 0$ fixé

$$d \leqslant d_0 \text{ dès que } n \geqslant \frac{c^2 \sigma^2}{d_0^2},$$

où c satisfait

$$\Pr(-c \leqslant \mathrm{N}(0,1) \leqslant +c) = \gamma.$$

Dans le cas d'une proportion p, on a

$$d \leqslant d_0 \text{ si } n \geqslant \frac{c^2}{4d_0^2},$$

car dans ce cas

$$\sigma^2 = p(1-p) \leqslant \frac{1}{4}$$

et il en est de même de toute valeur estimée de σ^2 de la forme $\bar{x}(1-\bar{x})$ où $\bar{x}$ est la moyenne dans un échantillon utilisé pour calculer un intervalle de confiance pour p.

Exemple 1. En estimant la moyenne μ d'une variable de variance 1 dans une population par la moyenne $\bar{x}$ dans un échantillon, on veut garantir une marge d'erreur d'au plus 0,1 avec un degré de confiance de 80 %. Combien d'observations faut-il faire ?

Il suffit que

$$n \geqslant \frac{c^2 \times 1}{0,1^2} \, ,$$

où c satisfait

$$\Pr(-c \leqslant N(0, 1) \leqslant +c) = 0{,}80 \, .$$

On trouve $c = 1{,}28$. On doit donc avoir

$$n \geqslant \frac{1{,}28^2}{0,1^2} = 163{,}8 \, ,$$

c'est-à-dire $n \geqslant 164$, car n est un entier.

Exemple 2.   Combien de répondants à un sondage faut-il pour que le pourcentage observé de personnes en faveur d'un parti politique donne lieu à une marge d'erreur d'au plus 3 %, et ce 19 fois sur 20 ?

Cela sera nécessairement le cas si

$$n \geqslant \frac{c^2}{4 \times 0{,}03^2} \, ,$$

où c satisfait

$$\Pr(-c \leqslant N(0, 1) \leqslant +c) = 0{,}95 \, .$$

On trouve $c = 1{,}96$ et, par conséquent,

$$n \geqslant \frac{1{,}96^2}{4 \times 0{,}03^2} = 1067{,}1 \, ,$$

ce qui est équivalent à $n \geqslant 1068$.

CAS D'UN PETIT NOMBRE D'OBSERVATIONS

a) **Population de loi normale.**   Dans le cas d'un échantillon de petite taille ($n < 30$), on doit faire des calculs exacts pour déterminer avec précision un intervalle de confiance pour la moyenne μ, ce qui n'est possible que si l'on connaît la distribution dans la population ou si l'on fait l'hypothèse d'une loi particulière. L'hypothèse la plus fréquente est celle d'une loi normale.

Si la variance σ^2 est connue dans une population où la distribution suit une loi normale, alors on utilise la même procédure que pour un grand nombre d'observations, car dans ce cas l'équation de base pour les intervalles de confiance d'après l'approximation par la loi normale est en fait exacte, quelle que soit la taille n de l'échantillon.

Si la variance σ^2 est inconnue dans une population où la distribution suit une loi normale, alors on utilise le résultat que

$$\frac{\overline{X} - \mu}{S_X/\sqrt{n-1}}$$

suit une loi de Student avec $n - 1$ degrés de liberté, pour obtenir une marge d'erreur

$$d = \tilde{c}\,\frac{s_x}{n-1}\,,$$

où le coefficient $\tilde{c}$ satisfait

$$\Pr(-\tilde{c} \leq t_{n-1} \leq +\tilde{c}) = \gamma.$$

On obtient $\tilde{c}$ au moyen de la table de la loi de Student donnée en appendice.

Exemple.   Dans l'exemple de l'estimation de la taille moyenne des hommes adultes dans une population, supposons qu'on ait les mêmes résultats que précédemment, $\bar{x} = 168$ cm et $s_x = 8,2$ cm, mais dans un échantillon de taille $n = 15$. Si on suppose de plus que la taille dans la population suit une loi normale, alors un intervalle de confiance à 95 % pour la taille moyenne est

$$\left[\bar{x} - \tilde{c}\,\frac{s_x}{\sqrt{n-1}}\,,\,\bar{x} + \tilde{c}\,\frac{s_x}{\sqrt{n-1}}\right],$$

où

$$\Pr(-\tilde{c} \leq t_{n-1} \leq +\tilde{c}) = 0,95.$$

La table pour la loi de Student avec 14 degrés de liberté, t_{14}, donne $\tilde{c} = 2,14$.

On obtient donc l'intervalle de confiance

$$\left[168 - 2,14\,\frac{8,2}{\sqrt{14}}\,,\,168 + 2,14\,\frac{8,2}{\sqrt{14}}\right] = [\,163,31,\,172,69\,]\,.$$

À remarquer que cet intervalle est plus long que celui obtenu précédemment avec un plus grand nombre d'observations.

b) **Effet de la connaissance ou non de la variance.**   Le fait que l'on connaisse la variance σ^2 dans la population devrait donner plus de certitude dans l'estimation par intervalle de la moyenne μ que si on ne la connaît pas, ce qui devrait se traduire par une plus grande précision d'estimation, c'est-à-dire une marge d'erreur plus petite. Cela peut être vérifié dans le cas où la loi dans la population est une loi normale et la taille de l'échantillon n'est pas trop grande. Avec un degré de confiance fixé, les marges d'erreur lorsqu'on estime μ par $\bar{x}$ dans les cas où la variance σ^2 est connue et inconnue, respectivement, sont données par $c\sigma/\sqrt{n}$ et $\tilde{c}s_x/\sqrt{n-1}$, respectivement, avec

$$\Pr(-c \leq N(0, 1) \leq +c) = \Pr(-\tilde{c} \leq t_{n-1} \leq +\tilde{c}) = \gamma.$$

Mais $\tilde{c} > c$, car une loi de Student est plus évasée qu'une loi $N(0, 1)$. De plus, $1/\sqrt{n-1} > 1/\sqrt{n}$. Donc, en supposant $s_x = \sigma$, on obtient

$$\tilde{c}\,\frac{s_x}{\sqrt{n-1}} > c\,\frac{\sigma}{\sqrt{n}}\,.$$

Exemple. Dans l'exemple précédent, supposons que l'écart-type était connu et valait justement $\sigma = 8{,}2$. Un intervalle de confiance à 95 % pour la moyenne serait

$$\left[\bar{x} - c\,\frac{\sigma}{\sqrt{n}}\,,\ \bar{x} + c\,\frac{\sigma}{\sqrt{n}}\right]$$

où $c = 1{,}96$ et $n = 15$, donc

$$[\,163{,}85,\ 172{,}15\,].$$

Cet intervalle est plus court que le précédent. Donc, la connaissance de σ permet de gagner en précision.

*Remarque. Il existe une autre façon d'interpréter les intervalles de confiance, qui remonte aux premiers travaux sur le sujet par le révérend Thomas

TABLEAU 7.3.

Intervalles de confiance pour la moyenne μ dans une population

Distribution dans la population	Taille $n^{\dagger}$ de l'échantillon	Marge d'erreur d dans l'intervalle de confiance $[\bar{x} - d, \bar{x} + d\,]^{\dagger\dagger}$	Coefficient c dans l'expression de d selon le degré de confiance γ
σ^2 connu	grand	$c\,\dfrac{\sigma}{\sqrt{n}}$	$\Pr(-c \leqslant N(0,1) \leqslant +c) = \gamma$
σ^2 inconnu	grand	$c\,\dfrac{s_x}{\sqrt{n}}$	$\Pr(-c \leqslant N(0,1) \leqslant +c) = \gamma$
$B(1, p)$	grand	$c\sqrt{\dfrac{\bar{x}(1-\bar{x})}{n}}$	$\Pr(-c \leqslant N(0,1) \leqslant +c) = \gamma$
$N(\mu, \sigma^2)$ σ^2 connu	petit	$c\,\dfrac{\sigma}{\sqrt{n}}$	$\Pr(-c \leqslant N(0,1) \leqslant +c) = \gamma$
$N(\mu, \sigma^2)$ σ^2 inconnu	petit	$c\,\dfrac{s_x}{\sqrt{n-1}}$	$\Pr(-c \leqslant t_{n-1} \leqslant +c) = \gamma$

† En pratique, on considère que n est grand lorsque $n \geqslant 30$ et n est petit lorsque $n < 30$.

†† Pour un échantillon $x_1, \ldots, x_n$, on a

$$\bar{x} = \frac{1}{n}\sum_{i=1}^{n} x_i \text{ et } s_x^2 = \left(\frac{1}{n}\sum_{i=1}^{n} x_i^2\right) - \left(\frac{1}{n}\sum_{i=1}^{n} x_i\right)^2.$$

Bayes au XVIIIe siècle. Pour cette interprétation, on considère que le paramètre à estimer est une variable. C'est ce qui distingue fondamentalement cette approche de la précédente. Cette variable a une **distribution _a priori_** avant que l'on fasse des observations et une **distribution _a posteriori_** après qu'on ait fait des observations. La distribution _a posteriori_ est une distribution conditionnelle. On peut alors calculer la probabilité _a posteriori_, c'est-à-dire la probabilité conditionnelle que le paramètre prenne une valeur dans un intervalle donné ou, inversement, trouver un intervalle dans lequel le paramètre prend sa valeur avec une probabilité _a posteriori_ donnée correspondant à un degré de confiance. Un tel intervalle est appelé un **intervalle de confiance bayésien**.

Pour une proportion P, par exemple, qui a été historiquement le premier cas étudié, si on suppose que la distribution _a priori_ de P dans la population suit une loi uniforme sur $[0, 1]$ et si la proportion échantillonnale correspondante $\overline{X}$ prend la valeur $\bar{x}$ dans un échantillon à la suite de n observations, alors la distribution _a posteriori_ de P, c'est-à-dire la distribution de P étant donné que $\overline{X} = \bar{x}$, est approchée par une loi N $(\bar{x}, \bar{x}(1 - \bar{x})/n)$.

En particulier, on a

$$\Pr\left(\bar{x} - c \sqrt{\frac{\bar{x}(1 - \bar{x})}{n}} \leqslant P \leqslant \bar{x} + c \sqrt{\frac{\bar{x}(1 - \bar{x})}{n}} \mid \overline{X} = \bar{x} \right)$$

$$= \Pr\left(-c \leqslant \frac{P - \bar{x}}{\sqrt{\frac{\bar{x}(1 - \bar{x})}{n}}} \leqslant +c \mid \overline{X} = \bar{x} \right)$$

$$= \Pr(-c \leqslant N(0, 1) \leqslant +c) .$$

En prenant c tel que

$$\Pr(-c \leqslant N(0, 1) \leqslant +c) = \gamma,$$

il y a une probabilité _a posteriori_ γ pour que P prenne sa valeur dans l'intervalle

$$\left[\bar{x} - c \sqrt{\frac{\bar{x}(1 - \bar{x})}{n}} , \bar{x} + c \sqrt{\frac{\bar{x}(1 - \bar{x})}{n}} \right].$$

Dans l'exemple donné par Bayes lui-même, P représente la position d'arrêt d'une boule de billard qu'on fait rouler au hasard sur une table d'une unité de largeur et $\bar{x}$, la proportion observée de fois qu'une seconde boule qu'on fait rouler au hasard n fois indépendantes les unes des autres sur la même table s'arrête à la droite de la première.

Plus important, on retrouve, avec l'approche bayésienne, le même intervalle de confiance de degré γ que précédemment pour une proportion, mais avec une interprétation différente. Or une telle interprétation n'est possible qu'avec une distribution _a priori_ uniforme, c'est-à-dire une absence _a priori_ d'information. Toute autre distribution _a priori_ conduit à un intervalle de confiance bayésien différent. Le principal problème de l'approche bayésienne réside justement dans le choix de la distribution _a priori_.

On peut donner une interprétation semblable aux intervalles de confiance pour la moyenne d'une loi normale en choisissant pour la moyenne une distribution *a priori* uniforme sur un intervalle et en augmentant indéfiniment la longueur de cet intervalle, donc en supposant que la moyenne prend *a priori* une valeur réelle « au hasard ».

PROBLÈMES

7.1. Les diamètres de 20 vis produites par une machine sont les suivants :

1,05	1,04	1,06	1,02	1,03	1,04	1,07	1,09	1,02	1,03
1,05	1,03	1,09	1,07	1,03	1,05	1,07	1,04	1,02	1,01

Donnez une valeur estimée :
a) du diamètre moyen des vis produites par cette machine ;
b) de la variance du diamètre des vis produites par cette machine.

7.2. Parmi 75 étudiants d'une université pris au hasard, on dénombre 15 fumeurs. Déduisez une estimation ponctuelle pour la proportion de fumeurs parmi les étudiants de cette université. Cette estimation est-elle valable pour la proportion de fumeurs parmi toutes les personnes (étudiants et employés) qui fréquentent cette université ? Est-elle valable pour la proportion de fumeurs parmi les étudiants de toutes les universités au pays ?

7.3. Un échantillon de 40 cigarettes d'une certaine marque a donné les teneurs en goudron (en mg) suivantes :

12,9	11,9	12,4	12,8	14,5	13,1	12,9	14,5	14,7	12,3	13,4	14,7	13,4	13,9	12,9
14,5	16,5	12,7	14,8	11,8	14,3	14,4	13,5	11,9	12,8	13,5	15,6	12,8	11,8	14,7
14,4	15,0	15,2	11,8	12,9	13,6	14,6	12,9	11,8	14,2					

La norme en vigueur recommande une teneur en goudron d'au plus 13 mg par cigarette. Donnez une valeur estimée :
a) de la proportion des cigarettes de cette marque qui respectent la norme de la teneur en goudron ;
b) de la teneur en goudron moyenne des cigarettes de cette marque ;
c) de l'écart-type de la teneur en goudron des cigarettes de cette marque.

7.4. On se propose d'estimer la probabilité d'obtenir la face à 1 point en lançant un dé standard à 6 faces qu'on soupçonne d'être pipé. Pour cela, on procède 1000 fois à l'expérience suivante : on lance le dé jusqu'à ce qu'on obtienne la face à 1 point et on compte le nombre de jets requis. Les résultats de l'expérience sont :

Nombre de jets	1	2	3	4	5	6	7	8
Effectif	2	3	5	20	200	600	150	20

Donnez une valeur estimée de la probabilité d'obtenir la face à 1 point en utilisant la méthode des moments.

7.5. Le temps de vie d'un type d'ampoules suit une loi exponentielle de paramètre λ. Les données que voici sont les temps de vie (en milliers d'heures) de 20 ampoules prélevées au hasard :

1,5	1,2	1,0	1,1	1,2	0,6	0,7	1,3	1,0	0,9	1,6	1,7	1,2	1,5	0,2	1,1	0,7	1,4	1,1	1,2

Déterminez la valeur estimée de λ fournie par la méthode des moments.

7.6. Voici un échantillon pour une variable X suivant une loi de Poisson de paramètre λ :

0	1	3	0	2

Donnez une valeur estimée du paramètre $\theta = e^{-\lambda}$:

   a) en vous appuyant sur le fait que θ est une proportion, en l'occurrence $\Pr(X = 0)$;

   b) en utilisant la méthode des moments.

7.7. Pour préserver l'anonymat des répondants à un sondage sur la consommation d'une drogue, on leur demande à chacun de lancer un dé standard et de répondre oui ou non selon qu'il a ou qu'il n'a pas déjà consommé la drogue seulement si le nombre de points obtenus sur le dé est 5 ou 6. Sinon, on demande simplement de répondre oui si le nombre de points sur le dé est 1 ou 2 et non si ce nombre est 3 ou 4. Le résultat du jet de dé reste inconnu des sondeurs.

   a) En supposant le dé non pipé, déterminez la relation entre la proportion des individus dans la population ayant déjà consommé la drogue et la proportion théorique de oui au sondage.

   b) Quelles sont les bornes pour la proportion théorique de oui au sondage ?

   c) Si la proportion de oui au sondage est 1/2, quelle est la proportion des individus dans la population ayant déjà consommé la drogue d'après la méthode des moments ?

7.8. Afin d'estimer le nombre N d'oies dans une région, un premier groupe de 100 oies est capturé, marqué et relâché. Un second groupe de 75 oies est capturé plus tard et on y dénombre 2 oies qui sont marquées. Estimez N par la méthode des moments.

7.9. Avant de lancer un nouveau magazine mensuel, les éditeurs désirent évaluer le nombre potentiel N de lecteurs réguliers. À cette fin, ils préparent 2 numéros à tirage réduit, disons à 1000 exemplaires chacun, qu'ils mettent en vente à un mois d'intervalle. De plus, ils demandent aux lecteurs du 1er numéro de remplir et retourner une carte sur laquelle ils doivent indiquer si oui ou non ils achèteraient un autre numéro et, aux lecteurs du 2e numéro, de renvoyer une carte sur laquelle ils indiquent si oui ou non ils avaient acheté le 1er numéro. Les éditeurs reçoivent 500 cartes du 1er numéro dont 400 comportent un oui et 300 cartes du 2e numéro dont 3 comportent un oui. Estimez le nombre potentiel N de lecteurs réguliers par la méthode des moments.

   Remarque. Un lecteur régulier est un lecteur qui achèterait un autre numéro.

7.10. Dans lequel des cas suivants la variance de la moyenne échantillonnale de n observations indépendantes d'une variable X d'écart-type σ est-elle la plus grande ?

   a) $\sigma = 10$, $n = 100$; c) $\sigma = 10$, $n = 200$;

   b) $\sigma = 20$, $n = 200$; d) $\sigma = 20$, $n = 100$.

7.11. Si $X_1, \ldots, X_n$ sont n copies indépendantes d'une variable X de moyenne μ et de variance σ^2, alors les trois variables

$$\overline{X}, X_1 \text{ et } \frac{2}{n(n+1)} \sum_{i=1}^{n} i\, X_i$$

ont la même moyenne μ. Vérifiez cette affirmation et déterminez laquelle des 3 variables a la plus petite variance.

7.12. Calculez la probabilité que la moyenne échantillonnale $\overline{X}$ de 9 observations indépendantes d'une variable X de loi $N(36, 36)$ soit comprise entre 32 et 40. Comparez avec la probabilité que la variable X soit comprise entre 32 et 40.

7.13. Quelle est la probabilité que la moyenne échantillonnale $\overline{X}$ de 64 observations indépendantes d'une variable X soit éloignée de la moyenne μ dans la population de plus de $1/4$ de l'écart-type σ dans la population?

7.14. Une compagnie de théâtre décide de fixer le prix des places pour un spectacle en tirant d'une urne au hasard avec remise des boules marquées 0\$, 5\$, 10\$, 15\$ et 20\$. Calculez la probabilité que le prix moyen des places de 1000 spectateurs soit compris entre 9,75\$ et 10,25\$.

7.15. Un appareil fonctionne un temps (en heures) de moyenne 1000 et d'écart-type 200 avant d'être remplacé par un appareil neuf du même type.

   a) Quelle est la probabilité d'utiliser 64 appareils ou moins en 60 000 heures?

   b) De combien d'appareils au moins faut-il disposer pour que la probabilité de ne pas en manquer en 60 000 heures soit au moins de 97%?

7.16. Dans une population, le poids des individus est une variable ayant une moyenne égale à 60 kg et un écart-type égal à 15 kg. Un ascenseur a une capacité égale à 2200 kg. Calculez:

   a) la probabilité que 36 individus pèsent ensemble plus de 2200 kg;

   b) le nombre maximum d'individus tel que la probabilité que des individus de ce nombre pèsent ensemble plus de 2200 kg soit au plus de 1%.

7.17. Une personne fait en moyenne une faute d'orthographe tous les 10 mots. On suppose que chaque mot peut donner lieu à une faute avec la même probabilité, et ce indépendamment des autres. Calculez la probabilité que la 50e faute soit faite sur la 5e page si chaque page contient 100 mots.

7.18. Les passagers désirant prendre un autobus commencent à arriver 45 minutes avant l'heure de départ à un taux égal à 1 par minute. On suppose que les intervalles de temps entre les arrivées sont des variables indépendantes de même loi exponentielle. Le nombre de places est 60, et 30 places doivent être occupées pour que le trajet soit rentable pour le transporteur. Calculez:

   a) la probabilité que tous les passagers aient une place;

   b) la probabilité que le trajet soit rentable pour le transporteur;

   c) les probabilités en a) et b) dans le cas où les intervalles de temps (en minutes) entre les arrivées sont des variables indépendantes de loi quelconque de moyenne 1 et de variance 4.

7.19. On considère la variable $Y = Z^2$ où Z est une variable de loi $N(0, 1)$. Calculez $\Pr(Y > 5,02)$ en utilisant:

   a) une table de loi du khi-deux; b) une table de loi normale.

7.20. Soit $X_1, \ldots, X_{10}$ des variables indépendantes de loi $N(4, 25)$ et les variables

$$U = \sum_{i=1}^{10} (X_i - 4)^2 \text{ et } V = \sum_{i=1}^{10} (X_i - \overline{X})^2 \text{ où } \overline{X} = \frac{1}{10} \sum_{i=1}^{10} X_i.$$

Déterminez :

a) $E(U)$ et $E(V)$;

b) des constantes a et b telles que

$$Pr(U > a) = Pr(V > b) = 0,05.$$

7.21. On considère la moyenne échantillonnale $\overline{X}$ et la variance échantillonnale S_X^2 pour 20 observations indépendantes d'une variable de loi $N(5, 36)$. Déterminez :

a) $E(S_X^2)$;   b) $Pr(S_X^2 \le 13,74)$;   c) $Pr(\overline{X} > 5 + 0,58\, S_X)$.

7.22. Trouvez une constante a telle que
$$Pr\,(-a\, S_X \le \overline{X} \le a\, S_X) = 0,90,$$

où $\overline{X}$ et S_X^2 sont la moyenne et la variance échantillonnales pour 17 observations indépendantes d'une variable de loi normale de moyenne 0 et de variance 25.

7.23. Vrai ou faux :

a) La longueur d'un intervalle de confiance augmente lorsqu'on augmente le degré de confiance.

b) La longueur d'un intervalle de confiance a tendance à croître lorsque son calcul est basé sur un plus grand nombre d'observations.

c) La longueur d'un intervalle de confiance pour la moyenne d'une loi normale dont la variance est connue et égale à 4 est exactement la même que si celle-ci était inconnue et estimée par la variance dans l'échantillon qui est aussi égale à 4.

d) Vous avez 100 urnes contenant une même proportion p de boules blanches. Vous prenez au hasard une boule dans chaque urne et vous calculez à partir de l'échantillon ainsi obtenu l'intervalle $[0,4, 0,6]$ comme intervalle de confiance à 95 % pour p. Cela signifie que 95 urnes sur les 100 en moyenne contiennent une proportion de boules blanches comprise entre 0,4 et 0,6.

e) Vous faites de la consultation statistique et utilisez toujours un degré de confiance de 95 % dans le calcul des intervalles de confiance pour affirmer que le paramètre inconnu est dans cet intervalle. Vous vous attendez à vous tromper 15 fois dans vos 300 premières affirmations.

7.24. Le poids d'un nouveau-né est une variable d'écart-type égal à 0,5 kg. Le poids moyen des 49 nouveau-nés en un mois dans un hôpital a été de 3,6 kg.

a) Déterminez un intervalle de confiance à 95 % pour le poids moyen d'un nouveau-né dans la population desservie par cet hôpital.

b) Quel serait le degré de confiance d'un intervalle de longueur 0,1 kg centré à 3,6 kg pour ce poids moyen ?

7.25. Des statistiques sur 201 enfants d'une population ont montré que le nombre de nouvelles caries dentaires sur une période de 36 mois avait pour moyenne 22 et pour écart-type 12. Trouvez à l'aide de ces données un intervalle de confiance pour la moyenne dans la population dans le cas où le degré de confiance est :

a) 90 %;   b) 99 %.

7.26. Voici des mesures de longueur (en m) de baleines bleues mâles :

22,74	17,25	16,95	18,97	18,00	19,40	23,40	18,45	17,60	21,30
19,80	21,65	24,50	22,10	22,05	21,80	18,45	25,83	17,50	20,15
21,50	17,80	21,70	24,40	21,70	19,64	19,45	23,50	20,30	18,60
18,70	20,00	19,20	22,45	24,80	19,60	24,90	17,53	19,00	25,20
18,60	19,20	18,20	18,00	21,60	17,90	18,10	19,00	20,35	19,90
21,50	18,60	16,90	18,95	21,90	18,55	24,40	22,55	20,30	18,90
19,80	25,45	18,05	18,40	18,80	23,80	17,85	20,50	19,10	18,50
19,85	22,90	21,40	24,55	24,40	22,60	24,50	18,70	19,10	19,00
25,50	19,35	18,95	17,75	22,70	18,80	17,80	17,50	20,55	21,70
24,90	26,30	18,35	24,45	19,30	18,07	22,70	18,30	19,40	23,30

Source : P. Jolicoeur, *Introduction à la biométrie*, Décarie-Masson, 1991, p. 60. (Extrait de N. A. Mackintosh & J. F. G. Wheeler, «Southern blue and fin whales», *Discovery Reports*, vol. 1, 1929, p. 257-540.)

Déterminez un intervalle de confiance à 95 % pour la longueur moyenne.

7.27. Calculez un intervalle de confiance à 80 % pour la teneur en goudron des cigarettes du problème 7.3. Peut-on affirmer avec ce degré de confiance que la norme sur la teneur en goudron d'au plus 13 mg par cigarette est respectée ? Avec quel degré de confiance minimal peut-on faire cette affirmation ?

7.28. Parmi 139 gagnants américains de plus de 1 million de dollars à une loterie, 52 ont continué de travailler (*Institute for Socioeconomic Studies*, 4 février, 1986). Construisez un intervalle de confiance pour la proportion de gagnants qui continuent de travailler, en utilisant les degrés de confiance suivants :
    a) 80 %;   *b*) 98 %.

7.29. Après le débat télévisé d'octobre 1984 entre les candidats à la présidence des États-Unis, Reagan et Mondale, un sondage d'opinion fait par la maison Gallup pour le compte de *Newsweek* a révélé que 205 spectateurs sur 379 pensaient que Mondale l'avait emporté. Constuisez un intervalle de confiance à 90 % pour le pourcentage de spectateurs qui pensaient que Mondale l'avait emporté. Peut-on affirmer avec un degré de confiance de 90 % qu'une majorité de spectateurs pensaient que Mondale l'avait emporté ?

7.30. 10 % des pièces fabriquées par une machine dans un échantillon de taille n se révèlent défectueuses. Calculez un intervalle de confiance à 92 % pour la proportion de pièces défectueuses fabriquées par cette machine dans les cas suivants :
    a) $n = 100$;   *b*) $n = 400$.

7.31. Un alcootest mesure la teneur d'alcool dans le sang avec une erreur dont l'écart-type est 0,01. Combien d'alcootests au minimum devrait-on faire pour que la moyenne des lectures mesure la teneur d'alcool dans le sang avec une marge d'erreur d'au plus 0,0025 avec un degré de confiance de 99 %?

7.32. Une maison de sondage se propose d'estimer des proportions dans une population par les proportions correspondantes dans des échantillons de façon que la marge d'erreur soit d'au plus 2 %, et ce 19 fois sur 20 en moyenne. Quelle devrait être la taille minimale des échantillons ?

7.33. Les poids de n nouveau-nés ont donné une moyenne égale à 3,6 kg et un écart-type égal à 0,5 kg. On suppose une loi normale pour le poids d'un nouveau-né. Comparez les intervalles de confiance à 95 % pour le poids moyen d'un nouveau-né dans les cas suivants :
    a) $n = 5$;   *b*) $n = 10$;   *c*) $n = 50$.

7.34. Les lectures de tension artérielle systolique (en mm Hg) sur un individu à la même heure pendant 7 jours consécutifs ont été

161	155	142	157	150	158	156

En faisant l'hypothèse d'une loi normale dont la moyenne est μ pour cette tension, quel intervalle de confiance à 90 % pour μ obtient-on ? Quel intervalle obtient-on si le degré de confiance est augmenté à 99 %? Peut-on affirmer avec ces degrés de confiance que l'individu ne souffre pas d'hypertension artérielle, c'est-à-dire que μ n'excède pas 160?

7.35. Dans une population, le temps d'écoute de la télévision en une semaine (en heures) est une variable de loi normale dont la moyenne μ fluctue d'une semaine à l'autre selon l'intérêt que suscitent les émissions, mais dont l'écart-type est relativement stable et égal à 6. Un sondage auprès de 16 individus de cette population a donné les temps d'écoute suivants en une semaine :

12,0	23,5	15,0	11,5	23,0	29,5	34,0	19,5
20,0	27,0	13,0	22,5	6,0	25,0	18,0	20,5

a) Déterminez un intervalle de confiance à 90 % pour μ pour cette semaine-là.

b) Combien d'observations au minimum aurait-il fallu pour que l'intervalle de confiance en *a*) ait une longueur qui n'excède pas 1 heure?

8

TESTS D'HYPOTHÈSES SUR LES MOYENNES ET LES DIFFÉRENCES DE MOYENNES

8.1. INTRODUCTION

Plutôt que de se demander quelle est la moyenne dans une population et déterminer un intervalle de confiance pour cette moyenne, on peut se demander si la moyenne dans la population est la même que dans une autre population prise comme population de référence, ou si elle est au contraire différente, supérieure ou inférieure. C'est le cas, par exemple, lorsqu'on s'interroge sur l'effet d'un nouveau traitement, d'une nouvelle technique ou d'un nouveau produit.

La réponse à cette question ne sera pas quantitative mais qualitative. Il s'agira de décider si on rejette ou non l'hypothèse en question, appelée **hypothèse nulle** et notée H_0, par opposition à une contre-hypothèse ou une hypothèse complémentaire, appelée **hypothèse alternative** et notée H_1. L'hypothèse alternative est une hypothèse qu'on acceptera par défaut, jusqu'à preuve du contraire, si on rejette l'hypothèse nulle. Mais il est toujours préférable en statistique de dire qu'on ne rejette pas une hypothèse que de dire qu'on accepte une hypothèse. En effet, ne pas rejeter une hypothèse sous-entend qu'on n'exclut pas les autres hypothèses. Accepter une hypothèse laisse entendre qu'on la considère comme vraie. Or il n'existe pas de certitude en statistique.

Pour prendre la décision de rejeter ou non une hypothèse nulle, on fera un **test statistique** qui consiste à faire des observations pour confronter l'hypothèse nulle à l'hypothèse alternative. L'idée générale est de rejeter l'hypothèse nulle si les résultats des observations s'avèrent surprenants en regard de la validité de l'hypothèse nulle plutôt que de l'hypothèse alternative. Des erreurs de décision sont cependant admises. D'ailleurs, on ne peut jamais les éviter avec certitude. On cherche alors à contrôler le mieux possible les probabilités de ces erreurs.

Supposons, par exemple, qu'on veuille savoir si un traitement contre l'hypertension artérielle est efficace. Les deux hypothèses à considérer sont :

$$H_0 : \text{le traitement n'est pas efficace}$$

contre

$$H_1 : \text{le traitement est efficace.}$$

En notant par μ_T la tension artérielle moyenne dans la population des individus hypertendus traités, appelée **population de traitement**, et par μ_R la tension artérielle moyenne dans la population des individus hypertendus non traités, appelée **population de référence**, on a

$$H_0 : \mu_T = \mu_R$$

contre

$$H_1 : \mu_T < \mu_R.$$

Pour confronter ces deux hypothèses, on se donne une **règle de décision** basée sur les résultats d'observations dans une ou deux populations selon que la valeur de μ_R est connue ou non. Une règle de décision consiste à dire dans quels cas on va **rejeter** H_0. L'ensemble de ces cas définit la **région critique**, ou **région de rejet** de H_0. Les autres cas constituent la **région d'acceptation** de H_0.

Ainsi, dans l'exemple ci-dessus, on peut décider de rejeter H_0 si la tension artérielle moyenne dans un échantillon de la population de traitement est suffisamment plus basse, on dira **significativement** plus basse, que μ_R, si μ_R est connu, ou plus basse que la tension artérielle moyenne dans un échantillon de la population de référence, si μ_R est inconnu. La différence doit être importante pour être significative, c'est-à-dire pour être difficilement explicable par le seul effet du hasard lors de l'échantillonnage, sans qu'il y ait modification de la moyenne d'une population à l'autre. L'appellation **test de signification** sert à désigner un test statistique comme ci-dessus qui consiste à décider si oui ou non une différence observée est significative d'une différence réelle. Il reste alors à déterminer le seuil à partir duquel une différence observée devient significative. Ce seuil servira à identifier les **points critiques** qui sont les points situés à la frontière de la région critique. Or ce seuil sera déterminé à partir d'une **probabilité d'erreur de décision**.

Il existe essentiellement deux types d'erreur de décision (voir le tableau 8.1) : on peut rejeter H_0 alors que H_0 est vraie (dans l'exemple, con-

TABLEAU 8.1.

Deux types d'erreur de décision dans un test d'hypothèse

	H_0 vraie	H_1 vraie
Rejeter H_0	erreur de première espèce	bonne décision
Ne pas rejeter H_0	bonne décision	erreur de deuxième espèce

clure que le traitement est efficace alors qu'il ne l'est pas), ou ne pas rejeter H_0 alors que H_0 n'est pas vraie (dans l'exemple, conclure que le traitement n'est pas efficace alors qu'il l'est). Dans la première éventualité, on dit qu'on fait une **erreur de première espèce**, dans la seconde, une **erreur de deuxième espèce**.

Les conséquences des deux types d'erreur de décision ne sont pas les mêmes. L'hypothèse H_0 est habituellement l'hypothèse de neutralité. C'est l'hypothèse conservatrice, celle qu'on accepte *a priori*, à moins que les observations ne réussissent à nous convaincre du contraire. Rejeter H_0 entraîne habituellement un changement, comme l'introduction d'un nouveau traitement, ce qui implique des coûts et des risques, mais ce qui peut être finalement rentable. Ne pas rejeter H_0 est la voie de la sécurité, mais cette décision peut faire rater une possibilité d'amélioration par rapport au *statu quo*, en plus de se solder par une perte de temps et d'énergie en études et en recherches.

Idéalement, l'objectif à atteindre est de réduire au minimum les probabilités des deux types d'erreur de décision. Or il s'avère impossible d'abaisser au minimum les probabilités des deux types d'erreur à la fois. En fait, pour diminuer les risques d'erreur de deuxième espèce avec un nombre d'observations fixé, on devrait augmenter les risques d'erreur de première espèce, et vice versa. (À remarquer cependant que les risques d'erreur des deux types diminuent lorsque le nombre d'observations augmente.) Habituellement, on considère que l'erreur de première espèce est plus désavantageuse que l'erreur de deuxième espèce, et c'est pourquoi on fixe souvent d'avance la probabilité d'erreur de première espèce que l'on choisit petite. Pour un test donné, la probabilité d'erreur de première espèce est appelée le **niveau de signification** du test ou, plus simplement, le **niveau** du test. L'appellation **seuil de signification** est aussi utilisée. Plus le niveau est petit, plus difficile est le rejet de H_0. Par contre, si on rejette H_0 dans ce cas, alors on est plus certain que H_0 est fausse.

Une autre façon de procéder est d'abord de faire des observations, puis de calculer le niveau qui est tel que les résultats des observations correspondent à un point critique. On obtient ainsi le **niveau critique**. Avec un niveau supérieur au niveau critique, on rejette H_0. Avec un niveau inférieur au niveau critique, on ne rejette pas H_0. Plus le niveau critique est bas, plus l'hypothèse H_0 est mise en doute. Le niveau critique est donc une mesure de la crédibilité de H_0.

L'hypothèse alternative correspond habituellement à un ensemble d'hypothèses. La probabilité d'erreur de deuxième espèce peut être calculée pour chaque hypothèse particulière de l'hypothèse alternative. La probabilité complémentaire (1 moins la probabilité d'erreur de deuxième espèce) est la **puissance** du test pour cette hypothèse. La puissance est donc la probabilité de rejeter H_0 sous l'hypothèse alternative particulière que l'on considère. Si l'on considère la puissance pour toutes les hypothèses particulières de l'hypothèse alternative, on obtient alors la **fonction de puissance**.

Reprenons l'exemple d'un traitement contre l'hypertension artérielle en supposant que la tension artérielle moyenne dans la population de référence soit $\mu_R = 155$ et que l'écart-type de la tension artérielle, autant dans la population de traitement que dans la population de référence, soit égal à 6. (Il s'agit ici de la tension artérielle systolique en mm Hg.) On décide de rejeter $H_0 : \mu_T = 155$ si la tension artérielle moyenne dans un échantillon de taille 36 prélevé dans la population de traitement est inférieure à 153. Avec cette règle de décision, la valeur 153 pour la moyenne échantillonnale est un point critique, et l'ensemble des valeurs inférieures à 153 constitue la région critique. Si H_0 est vraie (on dit aussi « sous H_0 »), la moyenne échantillonnale suit approximativement une loi normale de moyenne 155 et de variance 1 (soit $6^2/36$), donc d'écart-type 1, et est inférieure à 153, qui est à 2 écarts-types en deçà de la moyenne, avec probabilité égale à 0,0228. Cette probabilité est le niveau du test. Si, par hasard, la moyenne échantillonnale prend pour valeur 153, cette probabilité est aussi le niveau critique. D'autre part, si la tension artérielle moyenne dans la population de traitement se révèle être réellement $\mu_T = 150$, alors la moyenne échantillonnale suit approximativement une loi normale de moyenne 150 et d'écart-type 1 et est inférieure à 153, qui est à 3 écarts-types au-delà de la moyenne, avec probabilité égale à 0,9987. Cette probabilité est la puissance du test dans le cas où $\mu_T = 150$. C'est la probabilité d'accepter $\mu_T < 155$ dans le cas où $\mu_T = 150$. La probabilité d'erreur de deuxième espèce correspondante, la probabilité de rejeter $\mu_T < 155$ dans le cas où $\mu_T = 150$, est 0,0013. (Voir la figure 8.1.) On pourrait trouver de la même façon la puissance du test pour tout $\mu_T < 155$. À remarquer que, si la taille de l'échantillon est plus grande, alors le niveau est plus petit et la puissance est plus grande, car l'écart-type de la moyenne échantillonnale est alors plus petit.

Dans l'exemple précédent, la moyenne dans la population de référence, μ_R, était connue et il suffisait de prélever un échantillon dans la population de traitement. Mais il peut arriver que μ_R soit inconnue. Cela est le cas, par exemple, lorsqu'on utilise un groupe de référence, appelé aussi groupe de contrôle, à qui on administre un placebo pour bien distinguer les effets réels d'un traitement des effets psychologiques ou autres de ce traitement. Une autre façon de procéder pour tester l'efficacité d'un traitement est de comparer les mêmes individus avant et après le traitement. Cette procédure permet d'éliminer les variations dues essentiellement à l'échantillonnage dans la population de référence.

Dans ce chapitre, nous décrivons les principaux tests sur les moyennes et les différences de moyenne. Ces tests sont résumés dans le tableau 8.3.

FIGURE 8.1.

Niveau et puissance d'un test

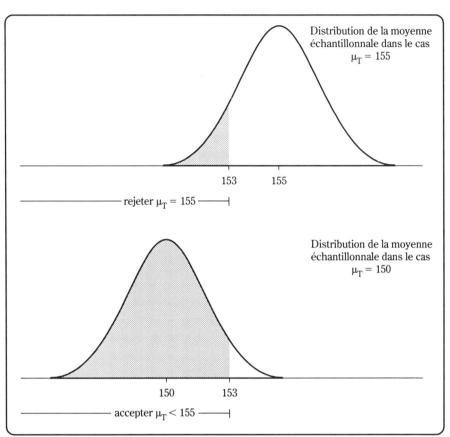

8.2. TESTS SUR L'ÉGALITÉ DE DEUX MOYENNES

PROCÉDURE DE BASE

On considère une variable quantitative X dans deux populations, une population de traitement et une population de référence. Cette appellation est arbitraire dans certains cas, mais renvoie à une situation réelle dans plusieurs cas. La moyenne et la variance de X sont μ_T et σ_T^2 dans la population de traitement, μ_R et σ_R^2 dans la population de référence. On s'intéresse à la différence entre μ_T et μ_R alors que chacune de ces moyennes est inconnue. Plus précisément, on veut tester l'égalité des moyennes, c'est-à-dire

$$H_0 : \mu_T = \mu_R.$$

C'est l'**hypothèse nulle**.

L'étape suivante consiste à choisir une **hypothèse alternative**. Trois possibilités s'offrent à nous :

$$H_1 : \mu_T \neq \mu_R \text{ pour un } \textbf{test bilatéral} ;$$
$$H_1 : \mu_T > \mu_R \text{ pour un } \textbf{test unilatéral à droite} ;$$
$$H_1 : \mu_T < \mu_R \text{ pour un } \textbf{test unilatéral à gauche}.$$

On choisit un test unilatéral à gauche lorsqu'on s'attend à ce que la moyenne dans la population de traitement soit inférieure à la moyenne dans la population de référence si elle n'est pas égale, un test unilatéral à droite si on s'attend au contraire à ce qu'elle soit supérieure et un test bilatéral si l'une ou l'autre des possibilités est envisagée. Si on compare un traitement à un autre plutôt qu'à une absence de traitement, par exemple, un test bilatéral peut être préférable. Mais c'est toujours le contexte particulier de l'étude statistique en cours qui doit dicter le choix de l'hypothèse alternative en toutes circonstances.

Pour confronter H_0 à H_1, on fait d'abord des observations indépendantes dans les mêmes conditions dans la population de traitement et la population de référence, disons n_T dans la première et n_R dans la seconde. On calcule la moyenne et la variance dans les deux échantillons ainsi obtenus : $\bar{x}_T$ et s_T^2 pour l'échantillon prélevé dans la population de traitement, $\bar{x}_R$ et s_R^2 pour l'échantillon prélevé dans la population de référence. On définit alors la forme générale du test. L'idée de base est de comparer $\bar{x}_T$ à $\bar{x}_R$ pour se prononcer sur μ_T par rapport à μ_R. On décide alors de rejeter H_0 si les observations sont suffisamment en conformité avec H_1 plutôt qu'avec H_0. Selon l'hypothèse alternative H_1, il est naturel de **rejeter** H_0 si

$\left| \bar{x}_T - \bar{x}_R \right|$ est suffisamment grand dans le cas d'un **test bilatéral** ;

$\bar{x}_T - \bar{x}_R$ est suffisamment grand dans le cas d'un **test unilatéral à droite** ;

$\bar{x}_T - \bar{x}_R$ est suffisamment petit dans le cas d'un **test unilatéral à gauche**.

« Suffisamment grand » et « suffisamment petit » doivent être compris par rapport à l'écart-type de la différence des moyennes échantillonnales s'il est connu ou à une valeur estimée de celui-ci s'il est inconnu. Cet écart-type est lié à la dispersion des données et à leur nombre.

Ainsi, avec les données

$$1{,}4 \quad 1{,}6 \quad 1{,}8 \quad 2{,}0 \quad 2{,}2 \quad 2{,}3 \quad 2{,}7$$

sur la population de référence, et les données

$$2{,}4 \quad 2{,}5 \quad 2{,}9 \quad 3{,}0 \quad 3{,}1 \quad 3{,}3 \quad 3{,}8$$

sur la population de traitement, on obtient $\bar{x}_R = 2$ et $\bar{x}_T = 3$, et il est évident (voir la figure 8.2 (I)) qu'on sera porté à rejeter l'hypothèse $\mu_T = \mu_R$ au profit de l'hypothèse $\mu_T > \mu_R$. Cela est moins évident avec les données

$$0{,}8 \quad 1{,}2 \quad 1{,}6 \quad 2{,}0 \quad 2{,}4 \quad 2{,}6 \quad 3{,}4$$

sur la population de référence, et les données

$$1{,}8 \quad 2{,}0 \quad 2{,}8 \quad 3{,}0 \quad 3{,}2 \quad 3{,}6 \quad 4{,}6$$

sur la population de traitement. En effet, même si on trouve les mêmes moyennes que précédemment ($\bar{x}_R = 2$ et $\bar{x}_T = 3$), les données sont plus dispersées ($s_R^2 = 0{,}67$ comparativement à $0{,}17$ et $s_T^2 = 0{,}78$ comparativement à $0{,}19$), de telle sorte que les deux ensembles de données se chevauchent davantage (voir la figure 8.2 (II)). Enfin, en répétant chacune des données ci-dessus deux fois, on obtiendrait les mêmes moyennes et les mêmes variances dans les échantillons mais, le nombre de données étant plus grand, la différence entre les moyennes deviendrait plus significative.

FIGURE 8.2.

Représentation de données sur une variable quantitative dans une population de référence et dans une population de traitement

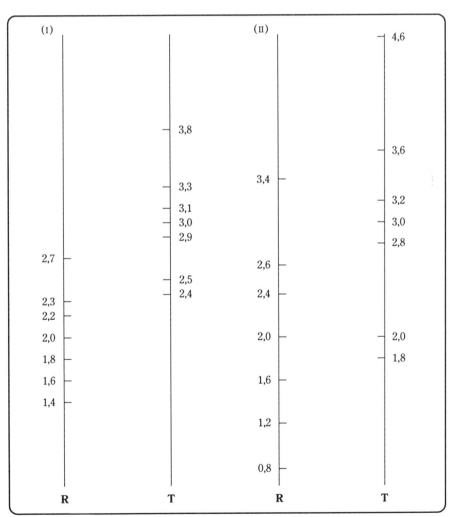

Pour déterminer exactement un test d'hypothèse, on se donne un **niveau de signification**, parfois appelé simplement **niveau**, défini comme la probabilité de rejeter H_0 étant donné que H_0 est vraie, c'est-à-dire,

$$\alpha = \mathrm{Pr}(\text{rejeter } H_0 \mid H_0 \text{ vraie}).$$

C'est la probabilité de l'erreur de première espèce. On la choisit habituellement petite (typiquement $\alpha = 0{,}10$ ou $0{,}05$ ou $0{,}01$), d'autant plus petite que le coût éventuel d'une erreur de première espèce est grand.

Le niveau de signification α d'un test s'interprète comme suit : si on répète de façon indépendante la même procédure un grand nombre de fois en prenant chaque fois la décision de rejeter ou non H_0 d'après le même test, alors la proportion des fois qu'une mauvaise décision sera prise dans le cas où H_0 est vraie sera approximativement α.

Remarque 1. Le **niveau critique** α^* (« *p-value* » en anglais pour *probability value*) est le niveau du test au-delà duquel on rejette H_0 étant donné les résultats des observations. Le niveau critique α^* dépend des résultats des observations et du test qu'on utilise. Connaissant le niveau critique α^*, on peut dire quelle décision on va prendre quel que soit le niveau α choisi, en l'occurrence,

rejeter H_0 si et seulement si $\alpha > \alpha^\star$.

Le niveau critique est très utilisé en pratique, car il donne plus d'information qu'une simple décision avec un niveau fixé d'avance.

Remarque 2. Les tests sur l'égalité de deux moyennes peuvent être utilisés pour vérifier si deux échantillons proviennent de la même population.

PRINCIPAUX TESTS SUR L'ÉGALITÉ DE DEUX MOYENNES

Pour déterminer explicitement un test de niveau α sur l'égalité des moyennes dans deux populations, une population de traitement et une population de référence, basé sur la différence observée des moyennes dans deux échantillons, $\bar{x}_T - \bar{x}_R$, on doit connaître la distribution théorique exacte ou au moins approximative de la différence des moyennes échantillonnales, $\overline{X}_T - \overline{X}_R$, et se ramener par une transformation appropriée ou par une standardisation à une loi tabulée au moins sous l'hypothèse nulle H_0. Le cas le plus simple est celui de populations de loi normale de variance connue. C'est le cas que nous considérons en premier lieu et à partir duquel nous traiterons tous les autres.

a) **Cas de populations de loi normale de variance connue.** Supposons qu'on ait une distribution $N(\mu_T, \sigma_T^2)$ dans la population de traitement et une distribution $N(\mu_R, \sigma_R^2)$ dans la population de référence. Alors, on a

$$\overline{X}_T \text{ de loi } N\left(\mu_T, \frac{\sigma_T^2}{n_T}\right) \text{ et } \overline{X}_R \text{ de loi } N\left(\mu_R, \frac{\sigma_R^2}{n_R}\right),$$

où n_T est la taille de l'échantillon prélevé dans la population de traitement et n_R, la taille de l'échantillon prélevé dans la population de référence. De plus, $\overline{X}_T$ et $\overline{X}_R$ sont des variables indépendantes. Donc on a

$$\overline{X}_T - \overline{X}_R \text{ de loi N} \left(\mu_T - \mu_R, \frac{\sigma_T^2}{n_T} + \frac{\sigma_R^2}{n_R} \right).$$

Si H_0 est vraie, alors on a $\mu_T - \mu_R = 0$ et

$$\frac{\overline{X}_T - \overline{X}_R}{\sqrt{\dfrac{\sigma_T^2}{n_T} + \dfrac{\sigma_R^2}{n_R}}} \text{ de loi N}(0, 1) .$$

Donc, en prenant c tel que (voir la figure 8.3)

$$\Pr(|\,N(0, 1)\,| > c) = \alpha,$$

on a

$$\Pr \left(\left| \frac{\overline{X}_T - \overline{X}_R}{\sqrt{\dfrac{\sigma_T^2}{n_T} + \dfrac{\sigma_R^2}{n_R}}} \right| > c \,|\, H_0 \text{ vraie} \right) = \alpha .$$

Cela permet d'obtenir un test de niveau α pour

$$H_0 : \mu_T = \mu_R$$

contre

$$H_1 : \mu_T \neq \mu_R.$$

En effet, il suffit de prendre les résultats des observations, de calculer

$$\tau = \frac{\bar{x}_T - \bar{x}_R}{\sqrt{\dfrac{\sigma_T^2}{n_T} + \dfrac{\sigma_R^2}{n_R}}} ,$$

où $\bar{x}_T$ et $\bar{x}_R$ sont les valeurs prises par $\overline{X}_T$ et $\overline{X}_R$, et de rejeter H_0 si

$$|\tau| > c.$$

La quantité τ est la **statistique** du test. Les valeurs $-c$ et $+c$ pour la statistique du test sont appelées les **points critiques** et l'ensemble des valeurs inférieures à $-c$ ou supérieures à $+c$, la **région critique**, ou **région de rejet** de H_0. L'intervalle $[-c, +c]$ est alors la **région d'acceptation** de H_0.

Remarque.   Le **niveau critique** α^* est alors donné par

$$\alpha^* = \Pr(|\,N(0, 1)\,| > |\tau|) = 2\Pr(N(0, 1) > |\tau|).$$

Pour tester

$$H_0 : \mu_T = \mu_R$$

contre

$$H_1 : \mu_T > \mu_R$$

avec un niveau α, il suffit de prendre c tel que (voir la figure 8.3)

$$\Pr(N(0, 1) > c) = \alpha$$

et de rejeter H_0 si la statistique τ satisfait

$$\tau > c.$$

Le **point critique** est c et la **région critique**, l'intervalle $(c, +\infty)$ qui est l'ensemble de toutes les valeurs supérieures à c.

Remarque. Le niveau critique est alors

$$\alpha^\star = \Pr(N(0, 1) > \tau).$$

Avec le même c que ci-dessus, si on rejette H_0 dans le cas où

$$\tau < -c,$$

on obtient un test de niveau α pour

$$H_0 : \mu_T = \mu_R$$

contre

$$H_1 : \mu_T < \mu_R,$$

avec $-c$ comme **point critique** et $(-\infty, -c)$, qui est l'ensemble de toutes les valeurs inférieures à $-c$, comme **région critique**. À remarquer que, par la symétrie de la loi $N(0, 1)$ par rapport à 0, la valeur critique $-c$ satisfait (voir la figure 8.3)

$$\Pr(N(0, 1) < -c) = \alpha.$$

Remarque. Le **niveau critique** est alors donné par

$$\alpha^\star = \Pr(N(0, 1) < \tau).$$

Mais pour pouvoir effectuer les trois tests ci-dessus, c'est-à-dire prendre une décision à partir des résultats des observations et d'un niveau donné, il faut connaître les valeurs de σ_T^2 et σ_R^2. Ces valeurs, si on les suppose invariantes, peuvent être connues grâce à de nombreuses observations antérieures. Cette condition, comme la supposition de distributions normales dans les populations, est une contrainte qu'on va assouplir après la présentation des exemples qui suivent.

Exemple 1. Des biologistes veulent étudier l'effet de la domestication sur la croissance d'une variété de mollusques. Pour cela, un échantillon de $n_T = 32$ mollusques a été prélevé parmi des mollusques cultivés dans un bassin artificiel. La longueur des mollusques calculée à partir de cet échantillon a donné une moyenne égale à $\bar{x}_T = 3,0$ cm. Un autre échantillon de taille $n_R = 35$ prélevé parmi les mollusques vivant en milieu naturel a donné $\bar{x}_R = 3,5$ cm. Des études antérieures suggèrent que la longueur des mollusques domes-

FIGURE 8.3.

Points critiques et régions critiques pour un test bilatéral
et des tests unilatéraux de niveau α sur l'égalité de deux moyennes

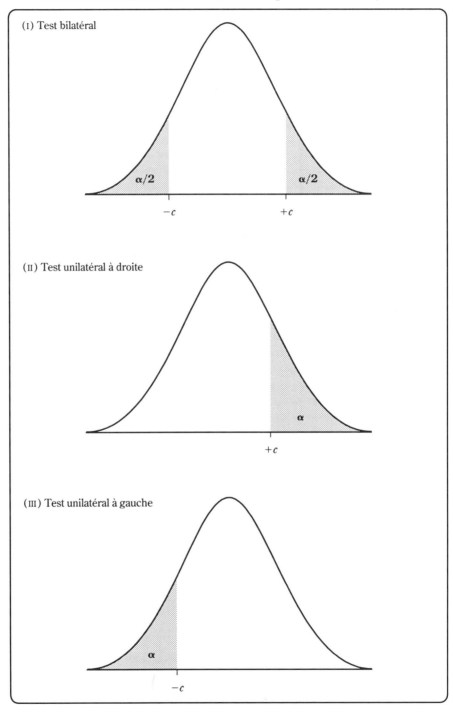

tiques devrait suivre une loi $N(\mu_T, 1)$, et celle des mollusques marins une loi $N(\mu_R, 1)$. On se propose de tester l'hypothèse suivant laquelle l'élevage en milieu domestique n'a pas d'effet sur la longueur totale des mollusques. On utilisera le niveau $\alpha = 0{,}05$.

Les hypothèses à tester sont :

$$H_0 : \mu_T = \mu_R$$

contre

$$H_1 : \mu_T \neq \mu_R.$$

En effet, on ne sait pas *a priori* quel effet l'élevage en milieu domestique aura sur la longueur des mollusques. Elle n'aura pas d'effet significatif statistiquement si H_0 n'est pas rejeté alors que, dans le cas contraire, la longueur totale peut avoir tendance à diminuer ou à augmenter.

En prenant c tel que

$$\Pr(|\,N(0, 1)\,| > c) = 0{,}05,$$

on a

$$\left| \frac{\bar{x}_T - \bar{x}_R}{\sqrt{\dfrac{\sigma_T^2}{n_T} + \dfrac{\sigma_R^2}{n_R}}} \right| = \left| \frac{3{,}0 - 3{,}5}{\sqrt{\dfrac{1}{32} + \dfrac{1}{35}}} \right| = 2{,}04 > 1{,}96 = c \,.$$

On rejette donc H_0 avec un niveau de 5 %. On conclut que l'élevage en milieu domestique a un effet sur la croissance des mollusques de cette variété.

Remarque. Le niveau critique est

$$\Pr(|\,N(0, 1)\,| > 2{,}04) = 0{,}041.$$

Donc, on rejette H_0 seulement avec un niveau supérieur à 4,1 %.

Exemple 2. Un entraîneur de coureurs de marathon veut vérifier si un entraînement intensif a un effet sur la performance des athlètes. Pour cela, il sélectionne deux groupes de coureurs de force égale. Le premier groupe, composé de 20 coureurs, obtient un temps moyen $\bar{x}_T = 165$ min après un entraînement intensif. Le second groupe, composé de 25 coureurs, obtient un temps moyen $\bar{x}_R = 170$ min après un entraînement normal. On suppose, d'après de nombreux chronométrages précédents, que le temps mis à parcourir un marathon dans les deux groupes de coureurs suit une loi normale d'écart-type $\sigma = 10$ min. Peut-on affirmer avec un niveau $\alpha = 0{,}01$ que l'entraînement intensif améliore la performance des coureurs ?

Les hypothèses à tester sont :

$$H_0 : \mu_T = \mu_R$$

contre

$$H_1 : \mu_T < \mu_R.$$

On suppose donc que l'entraînement intensif ne peut pas diminuer la performance.

On prend $-c$ tel que

$$\Pr(N(0, 1) < -c) = 0{,}01$$

et on obtient

$$\frac{\bar{x}_T - \bar{x}_R}{\sqrt{\dfrac{\sigma_T^2}{n_T} + \dfrac{\sigma_R^2}{n_R}}} = \frac{165 - 170}{\sqrt{\dfrac{10^2}{20} + \dfrac{10^2}{25}}} = -1{,}67 \nless -2{,}33 = -c \,.$$

On ne rejette donc pas H_0 avec un niveau de 1 % et on considère alors que l'entraînement intensif ne diminue pas le temps mis à courir le marathon pour la catégorie de coureurs étudiée.

Remarque.   Le niveau critique est

$$\Pr(N(0, 1) < -1{,}67) = 0{,}0475.$$

Donc, on rejette H_0 à partir d'un niveau de 4,75 %.

b) **Autres cas.**   Lorsque les tailles n_T et n_R des échantillons sont grandes et les variances σ_T^2 et σ_R^2 dans les populations sont connues, on peut utiliser sans trop perdre en exactitude, grâce au théorème central limite appliqué aux moyennes échantillonnales $\overline{X}_T$ et $\overline{X}_R$, les mêmes tests que dans le cas de populations de loi normale. On peut faire de même lorsque les variances σ_T^2 et σ_R^2 sont inconnues en estimant ces quantités dans la statistique utilisée pour les tests par les variances dans les échantillons, s_T^2 et s_R^2 , à condition toujours que n_T et n_R soient grands.

Dans le cas particulier où les moyennes dans les populations sont des proportions, on estime plutôt σ_T^2 et σ_R^2 par $\bar{x}_{TR}(1 - \bar{x}_{TR})$ où

$$\bar{x}_{TR} = \frac{n_T \bar{x}_T + n_R \bar{x}_R}{n_T + n_R} \,.$$

En effet, sous H_0, on a la même proportion dans les deux populations et il est alors préférable de l'estimer par la proportion $\bar{x}_{TR}$ dans les deux échantillons réunis.

Enfin, dans le cas où n_T et n_R sont petits et les variances σ_T^2 et σ_R^2 inconnues mais égales, on peut obtenir un test au moins dans le cas de populations de loi normale en estimant σ_T^2 et σ_R^2 par la quantité

$$\frac{n_T s_T^2 + n_R s_R^2}{n_T + n_R - 2}$$

et en utilisant une loi de Student avec $(n_T + n_R - 2)$ degrés de liberté au lieu d'une loi $N(0, 1)$ pour déterminer les valeurs critiques. L'utilisation d'une loi de Student se justifie comme dans le cas d'intervalles de confiance. (Voir le tableau 8.3.)

Remarque. En pratique, on considère que n_T et n_R sont grands lorsque $n_T \geqslant 30$ et $n_R \geqslant 30$, et petits lorsque $n_T < 30$ et $n_R < 30$.

Exemple 1. Des ingénieurs veulent tester un nouveau composant entrant dans la fabrication de câbles d'acier. Pour cela, ils constituent deux échantillons de câbles de taille $n_R = 35$ et $n_T = 40$, les câbles du premier échantillon ne contenant pas le nouveau composant et les câbles du second échantillon contenant le nouveau composant. Ces câbles sont soumis à une traction jusqu'à la rupture et on note la force nécessaire en newtons (N) pour les rompre. On obtient les résultats suivants :

$$\bar{x}_T = 8200 \text{ N}, s_T^2 = 2500 \text{ N}^2,$$
$$\bar{x}_R = 8190 \text{ N}, s_R^2 = 2025 \text{ N}^2.$$

Avec un niveau $\alpha = 0{,}10$, peut-on conclure que le nouveau composant rend les câbles plus solides ?

Nous sommes dans une situation telle que la variance dans chaque population est inconnue. Cependant, les tailles des échantillons sont grandes. Pour confronter l'hypothèse

$$H_0 : \mu_T = \mu_R$$

à

$$H_1 : \mu_T > \mu_R,$$

on prend c tel que

$$\Pr(N(0, 1) > c) = 0{,}10,$$

et on obtient

$$\tau = \frac{\bar{x}_T - \bar{x}_R}{\sqrt{\dfrac{s_T^2}{n_T} + \dfrac{s_R^2}{n_R}}} = \frac{8200 - 8190}{\sqrt{\dfrac{2500}{40} + \dfrac{2025}{35}}} = 0{,}91 \not> 1{,}28 = c\,.$$

On ne rejette donc pas H_0 avec un niveau de 10 % et on considère qu'il n'existe pas d'évidence statistique suffisante tendant à justifier l'utilisation du nouveau composant dans la fabrication des câbles d'acier.

Remarque. Le niveau à partir duquel on rejette H_0 est

$$\Pr(N(0, 1) > 0{,}91) = 0{,}181.$$

Exemple 2. Dans une population, 130 femmes sur 200 se sont dites en faveur de l'avortement sur demande tandis que, sur 100 hommes interrogés sur la même question, 55 se sont prononcés en faveur. Peut-on affirmer à partir de ces données que la proportion des femmes en faveur de l'avortement sur demande dans cette population est plus grande que celle des hommes, avec un niveau $\alpha = 0{,}05$, en supposant que la première est au moins supérieure ou égale à la seconde ?

Les hypothèses en présence sont :

$$H_0 : p_T = p_R$$

contre

$$H_1 : p_T > p_R,$$

où p_T est la proportion des femmes en faveur de l'avortement sur demande dans la population étudiée et p_R, celle des hommes. La statistique utilisée pour le test est

$$\tau = \frac{\bar{x}_T - \bar{x}_R}{\sqrt{\bar{x}_{TR}(1 - \bar{x}_{TR})\left(\frac{1}{n_T} + \frac{1}{n_R}\right)}} \text{ , où } \bar{x}_{TR} = \frac{n_T \bar{x}_T + n_R \bar{x}_R}{n_T + n_R} .$$

On a

$$n_T = 200, \bar{x}_T = \frac{130}{200} , n_R = 100, \bar{x}_R = \frac{55}{100} ,$$

et on obtient

$$\tau = 1,68 > 1,645 = c,$$

où

$$\Pr(N(0, 1) > c) = 0,05.$$

On rejette H_0 au niveau de 5 %. On considère donc, jusqu'à preuve du contraire, que la proportion des femmes en faveur de l'avortement sur demande est plus élevée que celle des hommes dans cette population.

Remarque.   On peut tirer la même conclusion à partir d'un niveau

$$\Pr(N(0, 1) > 1,68) = 0,0465.$$

Exemple 3.   On considère les données de la figure 8.1 (I) pour tester

$$H_0 : \mu_T = \mu_R \text{ contre } H_1 : \mu_T > \mu_R,$$

en supposant des lois $N(\mu_T, \sigma_T^2)$ et $N(\mu_R, \sigma_R^2)$ avec $\sigma_T^2 = \sigma_R^2$ dans les populations de traitement et de référence, respectivement. On calcule la statistique

$$\tau = \frac{\bar{x}_T - \bar{x}_R}{\sqrt{\frac{n_T s_T^2 + n_R s_R^2}{n_T + n_R - 2}\left(\frac{1}{n_T} + \frac{1}{n_R}\right)}} = \frac{3 - 2}{\sqrt{\frac{7 \times 0,19 + 7 \times 0,17}{12}\left(\frac{1}{7} + \frac{1}{7}\right)}} = 4,08 .$$

Avec l'aide d'une table de la loi de Student, on trouve

$$\Pr(t_{12} > 2,68) = 0,01.$$

Comme $4,08 > 2,68$, on rejette H_0 avec un niveau de 1 %.

Avec les données de la figure 8.2 (II) qui donnent $s_T^2 = 0,78$ et $s_R^2 = 0,67$ et les mêmes moyennes dans les échantillons que précédemment, on trouve

$$\tau = 2,03 \nsucc 2,68,$$

et donc on ne rejette pas H_0 avec un niveau de 1 %.

Si toutes les données de la figure 8.2 (II) sont dédoublées, les moyennes et les variances dans les échantillons restent inchangées avec $n_T = n_R = 14$. Mais dans ce cas, on a

$$\tau = 2{,}99 > 2{,}48,$$

où 2,48 vérifie

$$\Pr(t_{26} > 2{,}48) = 0{,}01,$$

et, par conséquent, on rejette H_0 avec un niveau de 1%.

8.3. TESTS SUR LA VALEUR D'UNE MOYENNE

PROCÉDURE GÉNÉRALE

On est parfois appelé à comparer la moyenne dans une population à une valeur donnée ou standard qui correspond à la moyenne dans une population idéale par opposition à la population réelle. Cela est fréquent, par exemple, en contrôle de la qualité : les produits fabriqués doivent répondre à certains critères de poids, de volume, de solidité, de durabilité, etc., au moins en moyenne. On doit alors tester si la moyenne réelle atteint l'objectif fixé.

Les tests que nous avons obtenus pour l'égalité de moyennes dans deux populations, une population de traitement et une population de référence, peuvent être adaptés au cas où la population de référence est une population idéale de moyenne connue, disons μ_0. La population réelle est alors considérée comme la population de traitement. Si la moyenne dans la population réelle est notée μ, alors les trois types d'hypothèses à confronter sont :

$H_0 : \mu = \mu_0$ contre $H_1 : \mu \neq \mu_0$ pour un **test bilatéral** ;
$H_0 : \mu = \mu_0$ contre $H_1 : \mu > \mu_0$ pour un **test unilatéral à droite** ;
$H_0 : \mu = \mu_0$ contre $H_1 : \mu < \mu_0$ pour un **test unilatéral à gauche**.

La connaissance de μ_0 est formellement équivalente au calcul d'une moyenne μ_0 dans un échantillon de taille infinie prélevé dans une population de référence, c'est-à-dire

$$\bar{x}_R = \mu_0 \text{ dans le cas où } n_R = +\infty.$$

En posant, dans les tests généraux sur l'égalité de deux moyennes,

$$\bar{x}_T = \bar{x}, \qquad n_T = n,$$
$$\sigma_T^2 = \sigma^2, \qquad s_T^2 = s_x^2,$$
$$\frac{\sigma_R^2}{n_R} = 0, \qquad \frac{s_R^2}{n_R} = 0,$$

on obtient les tests correspondants pour les hypothèses ci-dessus, au moins dans le cas d'échantillons de grande taille dans la population réelle (voir le tableau 8.3).

Dans le cas de proportions avec $\mu = p$ et $\mu_0 = p_0$, on pose

$$\bar{x}_{TR} = p_0.$$

Dans le cas d'un échantillon de petite taille dans la population réelle qu'on suppose de loi $N(\mu, \sigma^2)$ où la variance σ^2 est connue, on obtient un test basé sur la statistique

$$\frac{\bar{x} - \mu_0}{\sigma/\sqrt{n}} \, ,$$

qui est la valeur prise par une variable de loi $N(0, 1)$ sous H_0. Si la variance σ^2 est inconnue, on remplace alors $\sigma/\sqrt{n}$ par la valeur estimée

$$s_x/\sqrt{n-1}$$

et on utilise une loi de Student avec $n - 1$ degrés de liberté au lieu d'une loi $N(0, 1)$ pour déterminer les valeurs critiques.

Exemple. Dans une expérience sur l'acuité visuelle, un chercheur a demandé à 15 individus d'évaluer la distance d'un objet placé à 20 cm. Il a obtenu les résultats suivants en centimètres :

17	20	21	14	18	19	19	16	24	21	16	23	15	21	20

Peut-on affirmer que les individus ont de la difficulté à évaluer correctement la distance ? On considère un niveau $\alpha = 0,01$ et on suppose que l'évaluation de la distance par un individu suit une loi normale.

Les hypothèses en présence sont :

$$H_0 : \mu = 20$$

contre

$$H_1 : \mu \neq 20.$$

Les résultats de l'expérience donnent

$$\bar{x} = 18,93 \text{ et } s_x = 2,82.$$

On choisit c tel que

$$\Pr\left(\left|t_{14}\right| > c\right) = 0,01.$$

On trouve $c = 2,98$. Comme

$$\left|\frac{\bar{x} - 20}{s_x/\sqrt{n-1}}\right| = \left|\frac{18,93 - 20}{2,82/\sqrt{14}}\right| = 1,42 < 2,98 \, ,$$

on ne rejette pas H_0.

Remarque. Il existe un parallèle intéressant entre les tests bilatéraux sur la valeur d'une moyenne de niveau de signification α et les intervalles de confiance pour une moyenne de degré de confiance $(1 - \alpha)$. En effet, ces tests reviennent à rejeter l'hypothèse nulle $H_0 : \mu = \mu_0$ lorsque μ_0 se retrouve à l'extérieur de l'intervalle de confiance correspondant pour μ. Cependant, dans le cas de l'hypothèse nulle $H_0 : p = p_0$ pour une proportion, les deux procédures ne sont pas équivalentes. Cela est dû au fait que la proportion exacte dans la population sous H_0, notée p_0, est utilisée dans la détermination de la région critique du test bilatéral, alors que c'est la proportion observée dans l'échantillon qui est utilisée pour déterminer l'intervalle de confiance. Le test obtenu à l'aide de l'intervalle de confiance est donc habituellement différent du test bilatéral.

APPLICATION AU CONTRÔLE DE LA QUALITÉ

Le contrôle de la qualité est l'un des domaines d'application les plus importants des tests d'hypothèses sur la valeur d'une moyenne. Le contrôle de la qualité est une pratique qui sert, entre autres choses, à assurer le respect des normes sur les poids et mesures. Nous prendrons comme exemple le poids d'un paquet de sucre. Il y a fort à parier que le poids réel de sucre d'un paquet de sucre affichant un poids net de 1 kg soit différent de 1 kg. Si le poids réel excède 1 kg, le consommateur n'a alors aucune raison de se plaindre. Par contre, si le poids réel est nettement inférieur à 1 kg, le consommateur peut se plaindre avec raison d'avoir été trompé.

La sucrerie peut prétendre à juste titre qu'il est impossible de vérifier systématiquement le poids net de tous les paquets de sucre. Il est normal que quelques-uns des paquets aient un poids net inférieur à 1 kg même si une grande majorité de paquets ont un poids égal ou légèrement supérieur à 1 kg. La sucrerie peut toujours affirmer qu'en moyenne il y a au moins 1 kg de sucre par paquet en conformité avec le poids net annoncé.

Dans la pratique, les paquets de sucre sont remplis mécaniquement par des machines réglées de telle manière que le poids net de chaque paquet soit égal à 1 kg. Cependant, ces machines ne sont pas à l'abri de fluctuations et il se trouvera toujours un certain nombre de paquets dont le poids est significativement plus grand ou plus petit que 1 kg. Ces fluctuations dépendent du degré de sensibilité de la machine, mais aussi d'autres phénomènes liés au produit empaqueté, tel son degré de granulation qui peut amener la machine à empaqueter un volume de produit plutôt qu'un poids. La sucrerie peut bien essayer de réduire les fluctuations, mais il n'existe aucune méthode qui permette de les annuler complètement.

On peut s'attendre à ce que le poids net X d'un paquet de sucre suive une loi normale, disons de moyenne μ et de variance σ^2. Lorsque le poids visé (poids moyen μ) est exactement 1 kg, on doit s'attendre à ce que la moitié des poids observés soient plus petits que 1 kg et l'autre moitié des poids plus grands. Pour éviter cette situation, la sucrerie peut décider de surévaluer légèrement le poids visé et de le porter disons à 1,02 kg.

Avec un poids moyen $\mu = 1{,}02$ kg et un écart-type $\sigma = 0{,}04$ kg, la probabilité d'observer un paquet dont le poids soit inférieur à 1 kg est

$$\Pr(X < 1) = \Pr\left(\frac{X - 1{,}02}{0{,}04} < \frac{1 - 1{,}02}{0{,}04}\right)$$
$$= \Pr(N(0, 1) < -0{,}5) = 0{,}3085 .$$

Donc, avec un poids visé plus grand que 1 kg, la sucrerie diminue le risque de plaintes.

Dans la plupart des pays, il existe une loi sur les poids et mesures dans le but de protéger autant le consommateur que le manufacturier. En Australie, par exemple, une loi stipule que la condamnation du manufacturier à la suite d'une plainte sur un poids n'est applicable que si, en plus du paquet du plaignant, un échantillon de 12 autres paquets pris au hasard donne une moyenne inférieure au poids annoncé[1].

Dans la situation décrite précédemment, la probabilité qu'un échantillon de 12 paquets de sucre donne un poids moyen $\overline{X}$ inférieur à 1 kg est égale à

$$\Pr(\overline{X} < 1) = \Pr\left(N(0, 1) < \frac{1 - 1{,}02}{0{,}04/\sqrt{12}}\right) = \Pr(N(0, 1) < -1{,}73) = 0{,}0418\,,$$

car $\overline{X}$ suit une loi normale de moyenne 1,02 et d'écart-type $0{,}04/\sqrt{12}$. Cette probabilité est déjà de loin inférieure à 0,3085 pour un seul paquet.

Le principal effet d'une loi sur les poids et mesures est de rendre le manufacturier conscient du contrôle de la qualité. Même si le manufacturier ne peut annuler complètement les fluctuations de poids inhérentes à l'utilisation d'une machine, il se doit de vérifier périodiquement si le poids annoncé est respecté pour son produit. Pour cela, il doit procéder périodiquement à l'élaboration de tests d'hypothèses sur le poids moyen produit et réviser ses machines dès qu'il rejette l'hypothèse nulle $H_0 : \mu = \mu_0$ au bénéfice de l'hypothèse alternative $H_1 : \mu < \mu_0$.

Dans l'exemple ci-dessus, si le manufacturier obtient un poids moyen

$$\overline{x} = 1{,}01 \text{ kg}$$

dans un échantillon de 36 paquets de sucre pris au hasard, alors

$$\frac{\overline{x} - 1{,}02}{0{,}04/\sqrt{36}} = -1{,}5$$

et

$$\Pr(N(0, 1) < -1{,}5) = 0{,}0668.$$

Donc, il rejette l'hypothèse $\mu = 1{,}02$ kg au profit de l'hypothèse $\mu < 1{,}02$ kg seulement avec un niveau supérieur à 6,68 %.

Remarque. L'erreur de deuxième espèce, ne pas rejeter H_0 alors que H_1 est vraie, peut être très coûteuse dans un contrôle de la qualité. Il peut être aussi important, sinon plus important, dans ce cas de réduire les risques d'une telle erreur que ceux que comporte l'erreur de première espèce. (Voir la section 8.5.)

---

1. Richard J. Brook, *The Fascination of Statistics*, New York, Marcel Dekker, 1986.

8.4. TESTS SUR L'ÉGALITÉ DES MOYENNES DE VARIABLES COUPLÉES

Lorsqu'on s'intéresse à l'effet d'un traitement, on peut étudier deux populations, une population de traitement et une population de référence, ou étudier une seule population, la même population avant et après traitement.

Dans le premier cas, on fait deux séries d'observations indépendantes, une dans chaque population prise séparément, dans le second, une série d'observations avant et après traitement sur les mêmes individus prélevés au hasard dans la même population. Dans le premier cas, les données se présentent sous la forme

$$x_{T1}, \ldots, x_{Tn_T}$$
$$x_{R1}, \ldots, x_{Rn_R}$$

et représentent les valeurs observées de deux variables indépendantes X_T et X_R de moyennes μ_T et μ_R respectivement. Les variables X_T et X_R représentent la même variable dans une population de traitement et une population de référence. Le nombre d'observations indépendantes de l'une peut différer de celui de l'autre. Pour tester $H_0 : \mu_T = \mu_R$, on procède comme dans la section 8.2.

Dans le second cas, on a des données de la forme

$$(x_{A1}, x_{P1}), \ldots, (x_{An}, x_{Pn})$$

qui sont des valeurs observées d'un couple de variables ordonnées X_A et X_P de moyennes μ_A et μ_P respectivement. Les variables X_A et X_P représentent la même variable avant et après traitement et ne sont pas indépendantes en général. À remarquer que le nombre d'observations est nécessairement le même pour les deux variables. Cependant, les différences

$$x_{P1} - x_{A1}, \ldots, x_{Pn} - x_{An}$$

peuvent être considérées comme des valeurs observées indépendamment de la variable $X_P - X_A$ dont la moyenne est $\mu_P - \mu_A$. On peut donc tester $H_0 : \mu_P - \mu_A = 0$ en utilisant les méthodes de la section 8.3. La même méthode peut être employée pour comparer les moyennes de deux variables quelconques dans la même population, par exemple la longueur du bras gauche et la longueur du bras droit, le QI du père et le QI de la mère, etc.

Exemple. Afin de vérifier l'efficacité d'un nouveau médicament censé augmenter le taux de pulsation cardiaque, un groupe de chercheurs a réalisé l'expérience suivante sur 10 individus. Le médicament a été administré aux 10 individus et on a observé l'augmentation du taux de pulsation cardiaque. Un mois plus tard, alors que le taux de pulsation cardiaque de chaque individu était revenu à la normale, un placebo leur a été administré et on a noté à nouveau l'augmentation du taux de pulsation cardiaque. Les résultats obtenus sont donnés dans le tableau 8.2.

À partir de ces résultats, peut-on affirmer que le médicament est plus efficace que le placebo pour augmenter le taux de pulsation cardiaque ? On

TABLEAU 8.2.

Données fictives sur l'augmentation du taux de pulsation cardiaque
par un médicament et par un placebo

Individu	Augmentation du taux de pulsation par le médicament	Augmentation du taux de pulsation par le placebo	Différence
1	18	20	-2
2	14	13	1
3	7	6	1
4	10	3	7
5	12	10	2
6	14	15	-1
7	3	2	1
8	18	18	0
9	16	13	3
10	17	19	-2

considère un niveau $\alpha = 0,05$ et on suppose que, sous l'effet du médicament ou du placebo, l'augmentation du taux de pulsation cardiaque suit une loi normale.

Notons X_P l'augmentation du taux de pulsation par suite de l'administration du médicament et par X_A celle qui suit l'administration du placebo. Les hypothèses en présence sont :

$$H_0 : \mu_P = \mu_A$$

contre

$$H_1 : \mu_P > \mu_A,$$

où (μ_A, μ_P) est la moyenne de (X_A, X_P). Ces hypothèses sont équivalentes à

$$H_0 : \mu = 0$$

contre

$$H_1 : \mu > 0,$$

où $\mu = \mu_P - \mu_A$ est la moyenne de la différence $D = X_P - X_A$.

Les 10 valeurs observées de D apparaissent dans la dernière colonne du tableau 8.2. La moyenne est $\bar{x}_D = 1$ et l'écart-type $s_D = 2,53$ avec $n = 10$.

On prend c tel que $P(t_9 > c) = 0,05$. On trouve $c = 1,83$. Comme

$$\frac{\bar{x}_D}{s_D/\sqrt{n-1}} = \frac{1}{2,53/\sqrt{9}} = 1,19 < 1,83 \, ,$$

on ne rejette pas H_0. Il n'y a donc pas d'évidence statistique avec le niveau choisi que le médicament soit plus efficace que le placebo.

TABLEAU 8.3.
Principaux tests d'hypothèses sur les moyennes

Hypothèse nulle H_0	Distribution dans la ou les populations	Taille des échantillons[†]	Statistique τ	Loi L
$\mu_T = \mu_R$	$N(\mu_T, \sigma_T^2)$ $N(\mu_R, \sigma_R^2)$ σ_T^2, σ_R^2 connus	n_T et n_R quelconques	$\dfrac{\bar{x}_T - \bar{x}_R}{\sqrt{\dfrac{\sigma_T^2}{n_T} + \dfrac{\sigma_R^2}{n_R}}}$	$N(0, 1)$
$\mu_T = \mu_R$	quelconque σ_T^2, σ_R^2 connus	n_T et n_R grands	$\dfrac{\bar{x}_T - \bar{x}_R}{\sqrt{\dfrac{\sigma_T^2}{n_T} + \dfrac{\sigma_R^2}{n_R}}}$	$N(0, 1)$
$\mu_T = \mu_R$	quelconque σ_T^2, σ_R^2 inconnus	n_T et n_R grands	$\dfrac{\bar{x}_T - \bar{x}_R}{\sqrt{\dfrac{s_T^2}{n_T} + \dfrac{s_R^2}{n_R}}}$	$N(0, 1)$
$\mu_T = \mu_R$	$N(\mu_T, \sigma_T^2)$ $N(\mu_R, \sigma_R^2)$ $\sigma_T^2 = \sigma_R^2$ inconnu	n_T et n_R petits	$\dfrac{\bar{x}_T - \bar{x}_R}{\sqrt{\dfrac{(n_T s_T^2 + n_R s_R^2)}{n_T + n_R - 2}\left[\dfrac{1}{n_T} + \dfrac{1}{n_R}\right]}}$	$t_{n_T + n_R - 2}$
$p_T = p_R$	$B(1, p_T)$ $B(1, p_R)$	n_T et n_R grands	$\dfrac{\bar{x}_T - \bar{x}_R}{\sqrt{\bar{x}_{TR}(1 - \bar{x}_{TR})\left[\dfrac{1}{n_T} + \dfrac{1}{n_R}\right]}}$ avec $\bar{x}_{TR} = \dfrac{n_T \bar{x}_T + n_R \bar{x}_R}{n_T + n_R}$	$N(0, 1)$
$\mu = \mu_0$	$N(\mu, \sigma^2)$ σ^2 connu	n quelconque	$\dfrac{\bar{x} - \mu_0}{\sigma/\sqrt{n}}$	$N(0, 1)$
$\mu = \mu_0$	quelconque σ^2 connu	n grand	$\dfrac{\bar{x} - \mu_0}{\sigma/\sqrt{n}}$	$N(0, 1)$
$\mu = \mu_0$	quelconque σ^2 inconnu	n grand	$\dfrac{\bar{x} - \mu_0}{s_x/\sqrt{n}}$	$N(0, 1)$
$\mu = \mu_0$	$N(\mu, \sigma^2)$ σ^2 inconnu	n petit	$\dfrac{\bar{x} - \mu_0}{s_x/\sqrt{n - 1}}$	$t_{n - 1}$
$p = p_0$	$B(1, p_0)$	n grand	$\dfrac{\bar{x} - p_0}{\sqrt{\dfrac{p_0(1 - p_0)}{n}}}$	$N(0, 1)$

$H_0 : \mu_P = \mu_A$, où (μ_A, μ_P) est la moyenne de (X_A, X_P), est équivalent à $H_0 : \mu = 0$, où $\mu = \mu_P - \mu_A$ est la moyenne de $D = X_P - X_A$.

[†] En pratique, on considère qu'une taille de 30 et plus est grande et qu'une taille de moins de 30 est petite.

Tests bilatéraux de niveau α

Avec l'hypothèse alternative $H_1 : \mu_T \neq \mu_R$, ou $\mu \neq \mu_0$, ou $p_T \neq p_R$, ou $p \neq p_0$, on rejette H_0 si $|\tau| > c$ où $\Pr(|L| > c) = \alpha$.

Remarque.   Cela revient à rejeter H_0 si $\alpha > \alpha^*$, où $\alpha^* = \Pr(|L| > |\tau|)$ constitue le niveau critique.

Tests unilatéraux à droite de niveau α

Avec l'hypothèse alternative $H_1 : \mu_T > \mu_R$, ou $\mu > \mu_0$, ou $p_T > p_R$, ou $p > p_0$, on rejette H_0 si $\tau > c$ où $\Pr(L > c) = \alpha$.

Remarque.   Cela revient à rejeter H_0 si $\alpha > \alpha^*$, où $\alpha^* = \Pr(L > \tau)$ constitue le niveau critique.

Tests unilatéraux à gauche de niveau α

Avec l'hypothèse alternative $H_1 : \mu_T < \mu_R$, ou $\mu < \mu_0$, ou $p_T < p_R$, ou $p < p_0$, on rejette H_0 si $\tau < -c$ où $\Pr(L < -c) = \alpha$.

Remarque.   Cela revient à rejeter H_0 si $\alpha > \alpha^*$, où $\alpha^* = \Pr(L < \tau)$ constitue le niveau critique.

*8.5. FONCTION DE PUISSANCE D'UN TEST

Entre deux tests de même niveau, lequel choisir? Pour répondre à cette question, nous allons introduire la notion de puissance.

Pour tester, par exemple,

$$H_0 : \mu = 0 \text{ contre } H_1 : \mu > 0$$

avec un niveau α pour une population distribuée selon une loi $N(\mu, \sigma^2)$ où la variance σ^2 est connue à partir de la moyenne $\bar{x}$ calculée dans un échantillon, on peut (voir les figures 8.4a et 8.4b) :

test 1 : rejeter H_0 si $\bar{x} > c \dfrac{\sigma}{\sqrt{n}}$ où $\Pr(N(0, 1) > c) = \alpha$.

test 2 : rejeter H_0 si $|\bar{x}| > c \dfrac{\sigma}{\sqrt{n}}$ où $\Pr(|N(0, 1)| > c) = \alpha$.

On obtient ainsi deux tests dont la probabilité d'erreur de première espèce est α, c'est-à-dire

$$\Pr(\text{rejeter } H_0 | H_0 \text{ vraie}) = \Pr(\text{rejeter } \mu = 0 | \mu = 0) = \alpha.$$

Peut-on dire que l'un des deux tests est meilleur que l'autre? Pour répondre à cette question, on considère la probabilité d'erreur de deuxième espèce pour toute valeur possible de μ sous l'hypothèse alternative H_1, c'est-à-dire $\mu = \mu_1$ pour tout $\mu_1 > 0$ fixé. On obtient

$$\begin{aligned} \beta(\mu_1) &= \Pr(\text{rejeter } \mu = \mu_1 | \mu = \mu_1) \\ &= \Pr(\text{ne pas rejeter } H_0 | \mu = \mu_1) \\ &= 1 - \Pr(\text{rejeter } H_0 | \mu = \mu_1) \\ &= 1 - \Pi(\mu_1), \end{aligned}$$

FIGURE 8.4a.

Représentation du test 1 : (I) région de rejet de H_0 selon le niveau α ;
(II) puissance selon la valeur de μ dans H_1

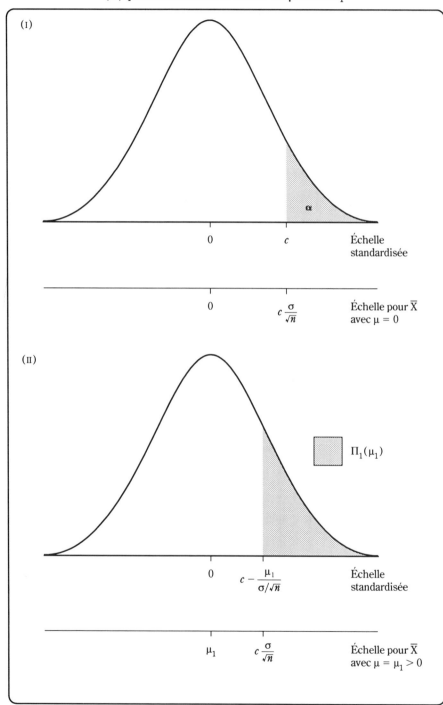

FIGURE 8.4b.

Représentation du test 2 : (I) région de rejet de H_0 selon le niveau α ;
(II) puissance selon la valeur de μ dans H_1

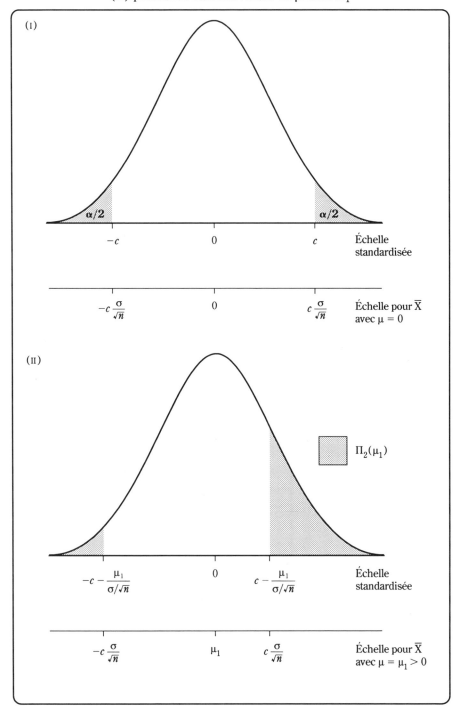

où

$$\Pi(\mu_1) = \Pr(\text{rejeter } H_0 \,|\, \mu = \mu_1)$$

est la **fonction de puissance** définie pour tout $\mu_1 > 0$. L'objectif est alors d'avoir une fonction de puissance aussi près de 1 que possible pour diminuer d'autant les probabilités d'erreur de deuxième espèce.

Le niveau du test impose cependant une contrainte, à savoir

$$\Pi(0) = \alpha.$$

Pour le test 1, on obtient la fonction de puissance

$$\Pi_1(\mu_1) = \Pr\left(\overline{X} > c\,\frac{\sigma}{\sqrt{n}} \,\Big|\, \mu = \mu_1\right)$$

$$= \Pr\left(\frac{\overline{X} - \mu_1}{\sigma/\sqrt{n}} > c - \frac{\mu_1}{\sigma/\sqrt{n}} \,\Big|\, \mu = \mu_1\right),$$

d'où

$$\Pi_1(\mu_1) = \Pr\left(N(0, 1) > c - \frac{\mu_1}{\sigma/\sqrt{n}}\right) \text{ avec } \Pr(N(0, 1) > c) = \alpha.$$

Pour le test 2, on a comme fonction de puissance

$$\Pi_2(\mu_1) = \Pr\left(|\overline{X}| > c\,\frac{\sigma}{\sqrt{n}} \,\Big|\, \mu = \mu_1\right)$$

$$= 1 - \Pr\left(-c\,\frac{\sigma}{\sqrt{n}} \leq \overline{X} \leq +c\,\frac{\sigma}{\sqrt{n}} \,\Big|\, \mu = \mu_1\right)$$

$$= 1 - \Pr\left(-c - \frac{\mu_1}{\sigma/\sqrt{n}} \leq \frac{\overline{X} - \mu_1}{\sigma/\sqrt{n}} \leq +c - \frac{\mu_1}{\sigma/\sqrt{n}} \,\Big|\, \mu = \mu_1\right)$$

$$= 1 - \Pr\left(-c - \frac{\mu_1}{\sigma/\sqrt{n}} \leq N(0, 1) \leq +c - \frac{\mu_1}{\sigma/\sqrt{n}}\right),$$

d'où

$$\Pi_2(\mu_1) = \Pr\left(N(0, 1) < -c - \frac{\mu_1}{\sigma/\sqrt{n}}\right) + \Pr\left(N(0, 1) > +c - \frac{\mu_1}{\sigma/\sqrt{n}}\right)$$

avec $\Pr(|N(0, 1)| > c) = \alpha$.

À remarquer que les quantités $\Pi_1(\mu_1)$ et $\Pi_2(\mu_1)$ croissent toutes deux vers 1 lorsque n croît vers l'infini pour tout $\mu_1 > 0$. De plus, en comparant les fonctions de puissance des deux tests (voir la figure 8.5), on trouve que

$$\Pi_1(\mu_1) > \Pi_2(\mu_1) \text{ pour tout } \mu_1 > 0.$$

On dit alors que le test 1 est **uniformément plus puissant** que le test 2. Dans la pratique, le test 1 doit être préféré au test 2, car il a des probabilités d'erreur de deuxième espèce plus petites.

Ce résultat sur les fonctions de puissance des tests 1 et 2 peut s'expliquer à partir des figures 8.4a et 8.4b. Au départ, on a

$$\Pi_1(0) = \Pi_2(0) = \alpha.$$

Lorsque μ_1 croît, les fonctions de puissance, dont les valeurs sont représentées par les aires des régions hachurées sur les figures, croissent toutes deux, mais la seconde moins vite que la première, car les gains d'aire à droite sur la figure 8.4b sont moins importants que ceux sur la figure 8.4a et sont compensés en partie par des pertes d'aire à gauche.

Conformément à l'intuition, le test 1 est plus efficace que le test 2 pour l'hypothèse alternative $H_1 : \mu > 0$, car rejeter H_0, et donc accepter H_1, lorsque la moyenne dans l'échantillon est suffisamment petite va logiquement à l'encontre d'une « bonne décision ». En fait, le test 1 est **uniformément le plus puissant** (UPP) de son niveau, dans le sens que tout autre test de même niveau α a une fonction de puissance en deçà de $\Pi_1(\mu_1)$ pour tout $\mu_1 > 0$.

Remarque. Il revient à Jerzy Neyman et Egon S. Pearson d'avoir donné, en 1936, une méthode générale pour identifier les tests uniformément les plus puissants. On peut montrer par des manipulations algébriques que le test 1 est de la forme

$$\text{rejeter } H_0 \text{ si } \Lambda = \frac{f_0(x_1) \times \ldots \times f_0(x_n)}{f_{\mu_1}(x_1) \times \ldots \times f_{\mu_1}(x_n)} < K,$$

où $x_1, \ldots, x_n$ sont les valeurs observées, alors que f_0 et f_{μ_1} sont les fonctions de densité normale dans les cas $\mu = 0$ et $\mu = \mu_1$ respectivement, c'est-à-dire

$$f_0(x_i) = \frac{1}{\sqrt{2\pi\sigma^2}} \, e^{-\frac{x_i^2}{2\sigma^2}} \text{ pour } i = 1, \ldots, n,$$

$$f_{\mu_1}(x_i) = \frac{1}{\sqrt{2\pi\sigma^2}} \, e^{-\frac{(x_i - \mu_1)^2}{2\sigma^2}} \text{ pour } i = 1, \ldots, n,$$

et

$$K = e^{-\frac{\mu_1}{\sigma/\sqrt{n}}\left(c - \frac{\mu_1}{2\sigma/\sqrt{n}}\right)}$$

avec n'importe quel $\mu_1 > 0$ et c tel que

$$\Pr(N(0, 1) > c) = \alpha.$$

FIGURE 8.5.

Comparaison des fonctions de puissance $\prod_1$ et $\prod_2$ des tests 1 et 2

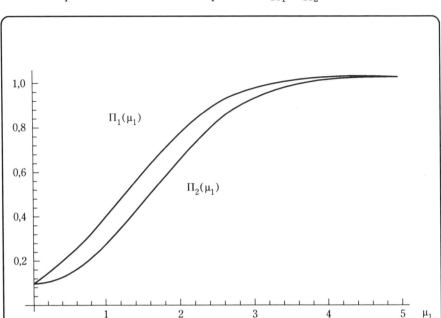

La quantité Λ est un **rapport de vraisemblance** des valeurs observées puisqu'elle est le rapport de la fonction de densité conjointe évaluée aux valeurs observées dans le cas où $\mu = 0$ à celle dans le cas où $\mu = \mu_1$ avec $\mu_1 > 0$. Un tel test est appelé un **test de rapport de vraisemblance**. De plus, ce test est le même pour tout $\mu_1 > 0$. Cela en fait le test uniformément le plus puissant pour l'hypothèse alternative $H_1 : \mu > 0$.

On peut appliquer la méthode du rapport de vraisemblance à d'autres distributions, discrètes ou continues, en utilisant les fonctions de masse ou de densité correspondantes, pour déterminer les tests uniformément les plus puissants.

Enfin les fonctions de puissance des tests du tableau 8.3 sont :

Pour les tests unilatéraux à droite de niveau α

$$\prod(\delta) = \Pr\left(L > c - \frac{\delta}{d}\right) \text{ pour tout } \delta > 0 \text{ où } \Pr(L > c) = \alpha .$$

Pour les tests unilatéraux à gauche de niveau α

$$\prod(\delta) = \Pr\left(L < -c - \frac{\delta}{d}\right) \text{ pour tout } \delta < 0 \text{ où } \Pr(L < -c) = \alpha .$$

Pour les tests bilatéraux de niveau α

$$\prod(\delta) = \Pr\left(L < -c - \frac{\delta}{d}\right) + \Pr\left(L > +c - \frac{\delta}{d}\right) \text{pour tout } \delta \neq 0 \text{ où } \Pr(|L| > c) = \alpha,$$

et où

$\delta = \mu_T - \mu_R$ ou $\mu - \mu_0$, ou $p_T - p_R$ ou $p - p_0$, selon le cas,

d = le dénominateur de la statistique τ du test.

PROBLÈMES

8.1. Vrai ou faux :

a) Si on rejette une hypothèse nulle avec un niveau de signification $\alpha = 0,05$, alors on rejette nécessairement cette hypothèse avec un niveau de signification : I) $\alpha = 0,01$; II) $\alpha = 0,10$.

b) Si on ne rejette pas l'hypothèse $\mu = 0$ contre l'hypothèse $\mu > 0$ avec un niveau de signification de 5%, où μ est la moyenne dans une population, alors on rejette nécessairement l'hypothèse $\mu = 1$ contre l'hypothèse $\mu < 1$ avec un niveau de signification de 5%.

8.2. On fait le même nombre n d'observations d'une variable dans 2 populations, une population de traitement et une population de référence, dans lesquelles les moyennes de la variable sont μ_T et μ_R respectivement. On sait que l'écart-type de la variable est le même dans les deux populations et égal à 1. Déterminez la région critique pour la différence entre les moyennes dans les deux échantillons, $\bar{x}_T$ et $\bar{x}_R$, dans le cas où l'hypothèse $\mu_T = \mu_R$ est testée contre l'hypothèse $\mu_T < \mu_R$ avec un niveau de signification : I) $\alpha = 0,05$; II) $\alpha = 0,20$, dans les cas :
a) $n = 36$; *b*) $n = 64$.

8.3. La mesure du degré d'acidité des précipitations (selon une échelle de pH) dans une grande ville durant les mois de juillet et d'août d'une année a donné les résultats suivants :

Juillet	3,6	4,3	5,2	3,9	
Août	5,1	4,0	4,4	4,5	5,0

On sait par expérience que le pH des précipitations dans cette ville suit une loi normale de moyenne variable mais d'écart-type constant égal à 0,4.

a) Avec un niveau de signification de 10%, rejette-t-on l'hypothèse que le pH moyen n'a pas changé de juillet à août ?

b) À partir de quel niveau de signification rejette-t-on cette hypothèse ?

8.4. Voici les résumés de résultats d'observations sur les rythmes cardiaques d'individus vivant en milieu urbain (U) et en milieu rural (R) :

$n_U = 200,$ $\bar{x}_U = 81,$ $s_U^2 = 147,$
$n_R = 300,$ $\bar{x}_R = 76,$ $s_R^2 = 126.$

a) Avec un niveau $\alpha = 0,05$, peut-on croire que la vie en milieu urbain est associée à un rythme cardiaque plus élevé?

b) À partir de quel niveau ne peut-on plus le croire?

8.5. Une étude sur un dentifrice (Frankl et Alman, *J. Oral Therapeutics and Pharmacology*, vol. 4, 1968, p. 443–449) a révélé 20,0 nouvelles cavités par enfant sur une période de 3 ans dans un échantillon de 208 enfants d'une population de traitement et 22,4 par enfant dans un échantillon de 201 enfants d'une population de référence. Les écarts-types sont 10,6 et 12,0 respectivement.

a) Testez l'hypothèse que le dentifrice utilisé dans le groupe de traitement n'est ni meilleur ni pire en moyenne que celui utilisé dans le groupe de référence avec un niveau de signification de 1 %.

b) Déterminez le niveau critique du test.

8.6. Deux traitements expérimentaux, A et B, sont utilisés contre une maladie. Le traitement A est administré à 250 malades et le traitement B, à 175 malades. Le traitement A donne lieu à 75 guérisons et le traitement B à 44 guérisons. Avec un niveau de signification de 10 %, peut-on considérer que les taux de guérison des 2 traitements ne sont pas identiques?

8.7. Deux sondages consécutifs auprès d'électeurs ont donné respectivement 25 % et 30 % des intentions de vote à un parti. Le nombre de répondants a été 150 dans le premier sondage et 225 dans le second. À partir de quel niveau de signification la hausse observée ne peut-elle plus être attribuée uniquement aux effets du hasard lors de l'échantillonnage?

8.8. Charles Darwin a utilisé 15 plants de *Zea Mays* pour comparer la fécondation croisée et l'autofécondation. Les plants ont été ensemencés dans des conditions semblables et les hauteurs atteintes (en pouces) par les plants ont été les suivantes :

| Fécondation croisée | 23,500 | 12,000 | 21 | 22 | 19,125 | 21,500 | 22,125 | 20,375 | 18,25 | 21,625 | 23,25 | 21 | 22,125 | 23,0 | 12 |
| Auto-fécondation | 17,375 | 20,375 | 20 | 20 | 18,375 | 18,625 | 18,625 | 15,250 | 16,50 | 18,000 | 16,25 | 18 | 12,750 | 15,5 | 18 |

Source : C. Darwin, *The Effects of Cross and Self Fertilization in the Vegetable Kingdom*, 2e éd., John Murray, Londres, 1878.

En supposant que la hauteur atteinte par un plant de *Zea Mays* est distribuée selon une loi normale, testez l'hypothèse selon laquelle la hauteur moyenne est la même quel que soit le type de fécondation avec un niveau $\alpha = 0,10$. On supposera dès le départ que la variance de la hauteur est la même quel que soit le type de fécondation.

8.9. Un test est donné à 2 groupes d'étudiants, le premier de taille 75 et le second de taille 50. La moyenne des résultats dans le premier groupe est 80 avec un écart-type de 10, alors que la moyenne dans le second est 70 avec un écart-type de 12. Avec un niveau de signification de 20 %, testez l'hypothèse que les étudiants des 2 groupes sont des étudiants pris au hasard dans la même population.

8.10. À la suite d'une campagne publicitaire d'économie d'énergie afin de faire diminuer la consommation d'électricité qui s'élève jusque-là en moyenne à 490 kWh par mois par logement avec un écart-type de 110 kWh, un échantillon de 400 factures mensuelles révèle une consommation moyenne de 480 kWh par mois par logement. Avec un niveau de signification de 10 %, peut-on dire que la campagne publicitaire ait donné des résultats?

*8.11. Voici le nombre total de naissances ainsi que le nombre d'enfants atteints du syndrome de Down (ou mongolisme, dû à la présence d'un chromosome surnuméraire sur la 21e paire) selon l'âge de la mère à Victoria, en Australie, de 1942 à 1957 :

Âge de la mère (années)	moins de 20	20-25	25-30	30-35	35-40	40-45	45 et plus
Naissances	35 555	207 931	253 450	170 970	86 046	24 498	1 707
Enfants atteints	15	128	208	194	297	240	37

Source : R. D. Collmann et A. Stoller, *Amer. J. Pub. Health*, vol. 57, 1962, p. 813-829.

Faites un test pour vérifier si l'âge moyen des mères d'enfants atteints du syndrome de Down n'est pas plus élevé que celui de l'ensemble des mères, avec un niveau $\alpha = 0,05$. (Bornez supérieurement la dernière classe par 50 ans et inférieurement la première classe par 15 ans.)

8.12. Un fabricant de disques compacts affirme qu'au moins 99 % de ses disques n'ont aucune défectuosité. Pour vérifier cette affirmation, on teste 500 disques et on en trouve 10 défectueux.

   a) Avec un niveau de signification de 5 %, peut-on contester l'affirmation du fabricant ?

   b) Qu'en aurait-il été si on avait testé 1000 disques parmi lesquels 20 se seraient avérés défectueux ?

   c) Déterminez et comparez les niveaux critiques dans les deux cas ci-dessus.

8.13. Sur 1000 candidats au baccalauréat, 675 ont réussi. Testez au niveau de 10 % l'hypothèse selon laquelle la probabilité de réussite est 0,7.

8.14. Dans plusieurs pays, les prévisions météorologiques sont données sous forme de probabilités. La prévision « la probabilité de pluie pour demain est 0,4 » a été faite 25 fois au cours de l'année et il a plu 13 fois. Testez l'exactitude de la prévision au niveau de 5 %.

8.15. On a dénombré 2900 nouveaux cas de mélanome cancéreux en 1991 au Canada, dont 1350 chez les hommes et 1550 chez les femmes (*La Presse*, Montréal, 14 mars 1992, d'après l'Institut national du cancer du Canada). Avec un niveau de signification de 1 %, peut-on soutenir que l'incidence de la maladie est différente chez les hommes et chez les femmes ? (On suppose qu'il y a autant d'hommes que de femmes dans la population.)

8.16. Dans le quotidien montréalais *La Presse* du 24 mars 1991, on pouvait lire que le Club des sceptiques du Québec avait lancé un défi à quiconque devinerait la couleur (rouge ou noire) d'au moins 77 cartes de 2 jeux de 52 cartes. Une personne affirmant posséder des pouvoirs télépathiques, Mme Filos, avait relevé le défi et réussi à deviner correctement la couleur de 55 cartes.

   a) Ces résultats sont-ils significatifs de pouvoirs télépathiques au niveau de 5 % ?

   b) En décidant de considérer comme significatif de pouvoirs télépathiques le fait d'obtenir 77 bonnes réponses ou plus, quel est le niveau de signification du test ? Donnez une interprétation de ce niveau.

8.17. Des données recueillies avant 1980 permettent d'affirmer que la température annuelle moyenne (en °C) à un endroit du globe a obéi à une loi normale de moyenne 10 et de variance 1. Les températures annuelles moyennes observées à cet endroit de 1980 à 1990 ont été les suivantes :

10,5	9,7	10,2	10,9	9,2	10,1	10,3	10,8	10,6	11,1	11,4

Avec un niveau de signification de 5 %, peut-on penser que la température annuelle moyenne à cet endroit a augmenté ?

8.18. Des crânes sont découverts dans une grotte et leurs largeurs (en mm) sont :

141	140	145	135	147	141	154

De nombreux crânes découverts précédemment dans la région de cette grotte ont une largeur moyenne égale à 146. En supposant une loi normale pour la largeur des crânes et en utilisant un niveau de signification de 10 %, peut-on considérer que les crânes découverts dans la grotte ne proviennent pas de la même population ?

8.19. Certaines conduites d'eau sont constituées de matériaux dont des sous-produits sont radioactifs. Il arrive que ces sous-produits entrent en contact avec l'eau destinée à la consommation domestique. Les normes en vigueur établissent le maximum de radioactivité tolérable à 5 picocuries (5×10^{-12} curies) par litre d'eau. Les mesures de radioactivité de 20 extraits d'un litre d'eau donnent comme moyenne 4,1 picocuries et comme écart-type, 3,8 picocuries.

a) En utilisant un niveau $\alpha = 0,01$, testez l'hypothèse $\mu = 5$ contre l'hypothèse $\mu < 5$ où μ désigne la radioactivité moyenne dans un litre d'eau. Supposez une loi normale.

b) Décrivez les 2 types d'erreur de décision et les conséquences possibles de rejeter ou non l'hypothèse $\mu = 5$.

8.20. Des contenants d'un litre sont remplis de lait mécaniquement par une machine de telle sorte qu'ils contiennent normalement en moyenne 1,01 L de lait avec un écart-type égal à 0,01 L. De plus, on a une loi normale pour le contenu.

a) Un échantillon de taille 25 permet d'obtenir un contenu moyen de 1,005 L. Doit-on faire un ajustement de la machine si on se donne 5 % de chances de faire un ajustement qui n'est pas requis ?

b) Quelle est la probabilité qu'un ajustement requis ne soit pas fait si le contenu réel moyen est de 1 L et qu'on fait un ajustement si la moyenne échantillonnale de 25 observations est inférieure à 1,005 L ?

8.21. Une machine à découper du tissu, lorsqu'elle est bien réglée, produit des morceaux de tissu de longueur moyenne égale à 102 cm et d'écart-type égal à 1,6 cm. Un échantillon de 20 morceaux de tissu donne les longueurs suivantes (en cm) :

103	100	102	99	98	101	103	100	101	101	98	96	94	102	101	100	102	103	104	101

En supposant que la longueur d'un morceau de tissu est distribuée selon une loi normale, testez au niveau $\alpha = 0,10$ l'hypothèse selon laquelle la machine est bien réglée.

8.22. Les femelles d'une espèce d'oiseaux pondent 4 œufs à chaque printemps. Un biologiste prétend que le premier œuf donne un oisillon plus gros que le dernier. Les poids suivants (en onces) ont été observés :

Couvée	1	2	3	4	5	6	7	8
Poids du premier	2,92	3,60	3,40	3,30	3,51	3,13	3,22	3,80
Poids du dernier	2,90	3,70	3,33	3,06	3,30	2,99	3,26	3,51

En supposant une loi normale pour le poids et en utilisant un niveau de signification de 20 %, peut-on douter de l'affirmation de ce biologiste ?

8.23. Afin de mesurer les effets d'un nouveau régime amaigrissant, celui-ci a été testé sur 15 individus pris au hasard dans une population. Le tableau qui suit donne leur poids (en kg) avant et après le régime.

Avant	70	75	80	60	64	66	70	74	78	80	82	90	101	84	77
Après	68	76	74	58	65	60	70	70	75	79	78	95	103	80	74

En supposant que le poids se distribue selon une loi normale, peut-on affirmer au niveau $\alpha = 0,10$ que le nouveau régime est efficace ?

8.24. Voici les observations originales de Student sur l'efficacité de 2 somnifères, la Hyoscyamine et la Hyoscine, mesurée en gain d'heures de sommeil. Les somnifères ont été administrés à 10 patients.

Hyoscyamine	0,7	−1,6	−0,2	−1,2	−0,1	3,4	3,7	0,8	0,0	2,0
Hyoscine	1,9	0,8	1,1	0,1	−0,1	4,4	5,5	1,6	4,6	3,4
Différence	1,2	2,4	1,3	1,3	0,0	1,0	1,8	0,8	4,6	1,4

Source : M. G. Bulmer, *Principles of Statistics*, Édimbourg, Oliver & Boyd, 1965. (Extrait de Student, *Biometrika*, vol. 6, 1908, p. 1-25.)

On suppose que le gain d'heures de sommeil est distribué selon une loi normale.

a) Peut-on affirmer que le gain d'heures de sommeil attribuable à la Hyoscyamine est significativement plus grand que 0 au niveau $\alpha = 0,05$?

b) Répondez à la question *a*) en ce qui concerne la Hyoscine.

c) Peut-on affirmer que le gain d'heures de sommeil attribuable à la Hyoscine est significativement plus grand que le gain d'heures de sommeil attribuable à la Hyoscyamine au niveau $\alpha = 0,05$?

*8.25. La quantité d'acide nitrique (en microgrammes) dans un mélange chimique doit être égale à 10. Cependant, des erreurs de manipulation font en sorte que cette quantité suit une loi normale de moyenne μ et de variance 0,09. On décide de tester $H_0 : \mu = 10$ contre $H_1 : \mu \neq 10$ à l'aide de résultats d'observation de 20 mélanges prélevés au hasard et de rejeter H_0 si $\bar{x} < 9,80$ ou $\bar{x} > 10,20$ où $\bar{x}$ est la quantité moyenne d'acide nitrique dans les 20 mélanges. Calculez :

a) la probabilité de l'erreur de première espèce ;

b) la probabilité de l'erreur de deuxième espèce dans le cas où $\mu = 9,90$;

c) la valeur de la fonction de puissance lorsque $\mu = 9,90$.

*8.26. On veut tester l'hypothèse $H_0 : \mu = 0$ contre l'hypothèse $H_1 : \mu < 0$, où μ est la moyenne dans une population dans laquelle l'écart-type est 2. On envisage de rejeter H_0 si $\bar{x} < k$, où $\bar{x}$ est la moyenne dans un échantillon de taille 36 et k est une constante.

a) Quelle constante k doit-on prendre pour que le niveau du test soit égal à 0,02 ?

b) Avec la constante k déterminée en a), quelle est la valeur de la fonction de puissance lorsque $\mu = -1$?

CHAPITRE

TESTS DU KHI-DEUX

9.1. TEST D'AJUSTEMENT

DESCRIPTION DU TEST

Lorsqu'on recueille des données statistiques sur une variable dans une population, on les présente souvent sous la forme d'un tableau des effectifs répartis en classes. Si l'on suppose r classes et n observations, le tableau des effectifs observés prend la forme du tableau 9.1. On suppose que les observations sont faites de façon indépendante dans les mêmes conditions.

Remarque. Une classe est ici entendue au sens large et peut aussi bien représenter un intervalle de valeurs (pour une variable quantitative continue) qu'une modalité unique (pour une variable qualitative ou quantitative discrète). Le nombre de classes r est cependant fini.

Les r classes numérotées 1, 2, ... , r sont représentées dans la population selon certaines proportions notées $p_1, p_2, ... , p_r$ respectivement, avec la condition $p_1 + p_2 + ... + p_r = 1$. Dans le cas où ces proportions sont inconnues, un problème qui survient naturellement est celui de tester une hypothèse de la forme

$$H_0 : p_1 = \pi_1, p_2 = \pi_2, ... , p_r = \pi_r,$$

où $\pi_1, \pi_2, ... , \pi_r$ sont des proportions données telles que $\pi_1 + \pi_2 + ... + \pi_r = 1$. Ces proportions définissent une distribution des classes dans la population, distribution à laquelle on peut s'attendre théoriquement ou distribution que l'on admet *a priori* à moins de preuve du contraire. Par exemple, on aurait $\pi_1 = \pi_2 = ... = \pi_r = 1/r$ si on s'attend, pour des raisons de symétrie ou de neutralité, à ce que les classes soient également représentées dans la population.

TABLEAU 9.1.

Tableau d'effectifs observés

Classe	Effectif observé
1	n_1
2	n_2
.	.
.	.
.	.
r	n_r
Total	n

En général, un test qui répond à ce genre de question est appelé un **test d'ajustement**. Un test d'ajustement souvent utilisé est le **test du khi-deux** (χ^2).

Pour définir le test du khi-deux, il est nécessaire d'introduire la notion d'**effectifs attendus** sous H_0. Le tableau d'effectifs attendus sous H_0 est celui qui donne pour chaque classe le nombre espéré d'observations dans cette classe si H_0 est vraie, c'est-à-dire $n\pi_i$ pour la classe i avec un nombre total d'observations indépendantes égal à n, puisque le nombre théorique d'observations dans la classe i suit alors une loi binomiale de paramètres n et π_i, et ce pour $i = 1, \ldots, r$ (voir le tableau 9.2).

De façon générale, un test d'ajustement permet de comparer la distribution réelle des observations à la distribution attendue des observations sous l'hypothèse d'une distribution donnée dans la population, représentée par H_0, et de rejeter l'hypothèse en question si la « distance » entre les deux distributions est suffisamment grande. Une notion de distance doit donc être définie. Le test du khi-deux propose d'utiliser la quantité

$$\chi^2 = \sum_{i=1}^{r} \frac{(n_i - n\pi_i)^2}{n\pi_i}$$

pour mesurer la distance entre le tableau des effectifs observés et celui des effectifs attendus sous H_0 et de rejeter H_0 si cette quantité est suffisamment grande. On a donc un test de la forme

rejeter H_0 si $\chi^2 > c$,

où c est une constante à déterminer selon le niveau désiré pour le test.

Dans la distance mesurée par la quantité χ^2, les différences entre les effectifs observés et les effectifs attendus ont le même effet qu'elles soient négatives ou positives, car elles sont élevées au carré. De plus, les différences au carré étant divisées par les effectifs attendus avant d'être additionnées, on additionne

TABLEAU 9.2.

Tableau d'effectifs attendus sous H_0

Classe	Effectif attendu sous H_0
1	$n\pi_1$
2	$n\pi_2$
.	.
.	.
.	.
.	.
r	$n\pi_r$
Total	n

des moyennes par observation attendue dans chaque classe, moyennes qui ont le même poids dans la mesure totale.

Lorsque le nombre d'observations est assez grand (de telle sorte que l'effectif attendu sous H_0 dans chaque classe soit supérieur ou égal à 5), on peut considérer en pratique que la quantité χ^2 est la valeur observée d'une variable suivant la **loi du khi-deux** à $r - 1$ degrés de liberté, notée χ^2_{r-1}. La constante c dans le test du khi-deux, appelée valeur critique, est alors donnée par l'équation

$$\Pr(\chi^2_{r-1} > c) = \alpha,$$

où α est le niveau du test. Une table partielle de la loi du khi-deux selon le nombre de degrés de liberté comme celle qui est donnée dans l'appendice (table II) permet de déterminer c dans la plupart des cas pratiques.

Remarque 1. Lorsque l'effectif attendu d'une classe est plus petit que 5, il est recommandé de regrouper cette classe avec une autre qui lui est adjacente avant de procéder au test du χ^2. Évidemment le même regroupement doit être effectué pour les effectifs observés. Le test d'ajustement porte alors sur la distribution dans les classes obtenues après le regroupement.

*Remarque 2. Le niveau critique du test, niveau au-delà duquel on rejette H_0, est

$$\alpha* = \Pr(\chi^2_{r-1} > \chi^2).$$

Il faut cependant disposer d'une table complète de la loi du khi-deux pour le déterminer exactement dans tous les cas.

Remarque 3. L'hypothèse alternative dans un test d'ajustement est l'hypothèse de toute autre distribution que celle spécifiée par l'hypothèse nulle. *Dans le cas de deux classes, le test du khi-deux est équivalent à un test bilatéral pour une proportion.* En effet, on a alors

$$H_0 : p_1 = \pi_1 \text{ (qui implique } p_2 = 1 - p_1 = 1 - \pi_1 = \pi_2)$$

et

$$\chi^2 = \frac{(n_1 - n\pi_1)^2}{n\pi_1} + \frac{(n_2 - n\pi_2)^2}{n\pi_2}$$

$$= \frac{(n_1 - n\pi_1)^2}{n\pi_1} + \frac{[n - n_1 - n(1 - \pi_1)]^2}{n(1 - \pi_1)}$$

$$= \frac{(1 - \pi_1)(n_1 - n\pi_1)^2 + \pi_1(n\pi_1 - n_1)^2}{n\pi_1(1 - \pi_1)}$$

$$= \frac{(n_1 - n\pi_1)^2}{n\pi_1(1 - \pi_1)}$$

$$= \left(\frac{\frac{n_1}{n} - \pi_1}{\sqrt{\frac{\pi_1(1 - \pi_1)}{n}}} \right)^2 .$$

Donc $\chi^2 > c$ si et seulement si

$$\left| \frac{\frac{n_1}{n} - \pi_1}{\sqrt{\frac{\pi_1(1 - \pi_1)}{n}}} \right| > \sqrt{c} \, ,$$

où

$$\Pr \left(|N(0, 1)| > \sqrt{c} \right) = \alpha$$

ou, ce qui est équivalent,

$$\Pr(\chi_1^2 > c) = \alpha,$$

pour un test de niveau α avec suffisamment d'observations. Cela montre aussi qu'une variable de loi χ_1^2 est distribuée comme le carré d'une variable de loi $N(0, 1)$.

Exemple 1. Le Bureau de la statistique du gouvernement du Québec a dénombré 84 579 nouveau-nés dans la province en 1986. De ce nombre, 43 220 étaient des garçons et 41 359 des filles. En supposant que le sexe de nouveau-nés est déterminé au hasard (hypothèse H_0), on se serait attendu à avoir

$$84\,579 \times \frac{1}{2} = 42\,289{,}5$$

garçons et le même nombre de filles. On trouve

$$\chi^2 = \frac{(43\,220 - 42\,289{,}5)^2}{42\,289{,}5} + \frac{(41\,359 - 42\,289{,}5)^2}{42\,289{,}5}$$

$$= 40{,}95 \, .$$

Comme

$$\Pr(\chi_1^2 > 7{,}88) = 0{,}005,$$

et
$$40,95 > 7,88,$$

on rejette l'hypothèse H_0 même avec un niveau aussi bas que 0,5 %.

Remarque. Avec le même niveau, on ne rejette pas l'hypothèse nulle de 51 % de garçons et 49 % de filles qui donnent des effectifs théoriques de 43 135 garçons et 41 444 filles, car alors

$$\chi^2 = \frac{(43\,220 - 43\,135)^2}{43\,135} + \frac{(41\,359 - 41\,444)^2}{41\,444}$$
$$= 0,34 \not> 7,88 \, .$$

Exemple 2. Soixante-douze étudiants et étudiantes inscrits à un cours se sont répartis comme suit selon le mois de leur naissance :

janv.	févr.	mars	avril	mai	juin	juil.	août	sept.	oct.	nov.	déc.
6	5	3	5	10	8	7	7	3	2	5	11

On considère l'hypothèse H_0 d'une distribution uniforme sur les 12 mois qui donne un effectif théorique de

$$72 \times \frac{1}{12} = 6$$

pour chaque mois. On se donne un niveau égal à 20 %. On trouve

$$\chi^2 = \frac{(6-6)^2}{6} + \frac{(5-6)^2}{6} + \dots + \frac{(11-6)^2}{6} = 14 \not> 14,6 \, ,$$

où
$$\Pr(\chi^2_{11} > 14,6) = 0,20.$$

Donc, on ne rejette pas l'hypothèse H_0 avec un niveau aussi élevé que 20 %.

Exemple 3. Le tableau 5.2 donne des effectifs de pois selon la couleur des fleurs (pourpre ou rouge) et la forme du pollen (allongée ou ronde) obtenus par Bateson en 1909 en croisant des pois hybrides. D'autre part, le tableau 5.3 donne la distribution théorique en supposant la ségrégation mendélienne et un « taux de recombinaison » égal à τ. On veut tester l'hypothèse H_0 de la ségrégation mendélienne et de la recombinaison libre ($\tau = 1/2$). Dans ce cas, on obtient :

Couleur des fleurs Forme du pollen	pourpre allongée	pourpre ronde	rouge allongée	rouge ronde	Total
Effectif observé	1528	106	117	381	2132
Effectif attendu sous H_0	1199,25	399,75	399,75	133,25	2132
	$\left(2132 \times \frac{9}{16}\right)$	$\left(2132 \times \frac{3}{16}\right)$	$\left(2132 \times \frac{3}{16}\right)$	$\left(2132 \times \frac{1}{16}\right)$	

On trouve alors

$$\chi^2 = \frac{(1528 - 1199{,}25)^2}{1199{,}25} + \frac{(106 - 399{,}75)^2}{399{,}75} + \frac{(117 - 399{,}75)^2}{399{,}75}$$

$$+ \frac{(381 - 133{,}25)^2}{133{,}25}$$

$$= 966{,}61$$

et

$$\Pr(\chi_3^2 > 11{,}3) = 0{,}01.$$

Nettement, la quantité 966,61 excède 11,3. Donc on rejette H_0 avec un niveau égal à 1 %.

Remarque.   Dans le cas de la forme (ronde ou ridée) et de la couleur (jaune ou verte) des graines, les résultats des croisements de Mendel (tableau 5.1) et les résultats attendus sous H_0 donnent

$$\chi^2 = \frac{(315 - 312{,}75)^2}{312{,}75} + \frac{(101 - 104{,}25)^2}{104{,}25} + \frac{(108 - 104{,}25)^2}{104{,}25} + \frac{(32 - 34{,}75)^2}{34{,}75}$$

$$= 0{,}47 .$$

Dans ce cas, on ne rejette pas H_0 avec un niveau égal à 1 %.

Exemple 4.   Un type d'ampoule a un temps de vie moyen de 1000 heures. Les temps de vie (en heures) observés de 100 ampoules de ce type ont donné le tableau d'effectifs suivant après qu'on ait effectué un regroupement en 7 classes :

Temps de vie	0-400	400-800	800-1000	1000-1200	1200-1400	1400-1600	1600 et plus	Total
Nombre d'ampoules	25	30	11	9	8	7	10	100

Supposons que l'on veuille tester l'hypothèse H_0 que le temps de vie se distribue suivant une loi exponentielle de moyenne 1000 heures, c'est-à-dire une loi Exp(1/1000), au niveau de signification de 5 %. On doit d'abord déterminer les effectifs attendus sous H_0 dans chacune des 7 classes du tableau ci-dessus. Pour une classe de la forme « a - b », cet effectif est égal à

$$100 \times \Pr(a < \text{Exp}(1/1000) < b) = 100 \times \left(e^{-\frac{a}{1000}} - e^{-\frac{b}{1000}} \right).$$

Par exemple, pour la classe « 0 - 400 », l'effectif attendu sous H_0 est

$$100 \times \left(e^{-0} - e^{-\frac{400}{1000}} \right) = 100 \times (1 - 0{,}67) = 33 .$$

Pour la classe « 1600 et plus », il suffit de poser $a = 1600$ et $b = +\infty$, ce qui donne

$$100 \times \left(e^{-\frac{1600}{1000}} - e^{-\infty} \right) = 100 \times e^{-1{,}6} = 10 .$$

Ces calculs donnent le tableau suivant :

Temps de vie	0-400	400-800	800-1000	1000-1200	1200-1400	1400-1600	1600 et plus	Total
Effectif attendu sous H_0	33	22	8	7	5	5	20	100

On a alors

$$\chi^2 = \frac{(25-33)^2}{33} + \frac{(30-22)^2}{22} + \frac{(11-8)^2}{8} + \frac{(9-7)^2}{7} + \frac{(8-5)^2}{5}$$
$$+ \frac{(7-5)^2}{5} + \frac{(10-20)^2}{20}$$
$$= 1{,}94 + 2{,}91 + 1{,}13 + 0{,}57 + 1{,}80 + 0{,}80 + 5{,}00 = 14{,}15.$$

Puisque

$$\Pr(\chi_6^2 > 12{,}6) = 0{,}05$$

et que $14{,}15 > 12{,}6$, on rejette H_0 au niveau de 5 %.

Remarque. Ce qu'on teste en fait dans cet exemple, c'est la distribution théorique dans les 7 classes considérées sous l'hypothèse d'une loi exponentielle sous-jacente de paramètre 1/1000. Une autre loi continue pourrait donner la même distribution dans les 7 classes. Il faut donc être très prudent dans les conclusions lorsqu'on effectue un test d'ajustement pour une variable continue à l'aide d'un test du χ^2.

TEST D'AJUSTEMENT AVEC ESTIMATION DE PARAMÈTRES

Dans tout ce qui précède sur les tests d'ajustement, nous avons supposé que la distribution théorique sous H_0 (c'est-à-dire les proportions $\pi_1, \ldots, \pi_r$) était entièrement connue. Or il arrive qu'on s'intéresse à une distribution définie à un ou plusieurs paramètres près.

On peut, par exemple, soupçonner que la distribution théorique suive une loi de Poisson de paramètre λ, mais sans connaître le paramètre de la loi. On doit alors se servir des données de l'échantillon pour estimer le paramètre inconnu avant de faire le test d'ajustement. Avec le test du khi-deux, cette démarche a pour conséquence de diminuer d'une unité le nombre de degrés de liberté. En règle générale, *le nombre de degrés de liberté de la loi du khi-deux utilisée pour le test d'ajustement lorsqu'on estime m paramètres inconnus à l'aide des résultats des observations est égal à $(r - 1 - m)$ où r est le nombre de classes.* Lorsque les paramètres inconnus sont remplacés par leurs valeurs estimées, la distance utilisée pour le test du khi-deux est notée $\hat{\chi}^2$ plutôt que χ^2.

Les valeurs estimées des paramètres inconnus correspondent aux estimations ponctuelles que nous avons présentées au chapitre 7. Avant d'appliquer le test du khi-deux, il faut s'assurer que le nombre attendu d'observations dans chaque classe lorsque l'on remplace les paramètres inconnus par les valeurs estimées soit supérieur ou égal à 5. Si tel n'est pas le cas, on doit regrouper des classes qui sont adjacentes.

Remarque. La justification théorique de la réduction du nombre de degrés de liberté lorsque des paramètres inconnus sont estimés dépasse le niveau de cet ouvrage. Il suffit de se rappeler que le nombre de degrés de liberté est réduit de 1 avec chaque contrainte supplémentaire, la contrainte de base étant

$$\pi_1 + \pi_2 + \ldots + \pi_r = 1.$$

Avec chaque paramètre estimé, on ajoute une contrainte et donc on retranche un degré de liberté.

Exemple 1. Le tableau 4.5 donne la répartition des familles au Canada en 1986 selon le nombre d'enfants. On veut tester l'hypothèse d'une distribution de Poisson (H_0) avec un niveau égal à 1%. On estime le paramètre λ de cette distribution par le nombre moyen d'enfants dans une famille, en l'occurrence

$$\frac{2200 \times 0 + 1800 \times 1 + 1800 \times 2 + 700 \times 3 + 200 \times 4 + 50 \times 5}{6750} = 1{,}27 \ .$$

Le nombre attendu de familles (en milliers) ayant k enfants est alors

$$6750 \times \frac{e^{-1{,}27} \times (1{,}27)^k}{k!} \text{ pour } k = 0, 1, 2, \ldots$$

On obtient le tableau suivant :

Nombre d'enfants dans une famille	0	1	2	3	4	5 et plus	Total
Effectif observé (milliers)	2200	1800	1800	700	200	50	6750
Effectif attendu sous H_0 (milliers)	1896	2407	1529	647	205	66	6750

On trouve

$$\hat{\chi}^2 = \frac{(2200 - 1896)^2}{1896} + \frac{(1800 - 2407)^2}{2407} + \frac{(1800 - 1529)^2}{1529} + \frac{(700 - 647)^2}{647}$$
$$+ \frac{(200 - 205)^2}{205} + \frac{(50 - 66)^2}{66}$$

$$= 258{,}19 > 13{,}3,$$

où

$$\Pr(\chi_4^2 > 13{,}3) = 0{,}01.$$

Donc on rejette l'hypothèse d'une distribution de Poisson avec un niveau égal à 1 %. Le nombre de degrés de liberté de la loi du χ^2 utilisée pour le test est 4, car le nombre de classes moins 1 égale 5 et on a estimé un paramètre, à savoir λ.

Exemple 2. Le tableau ci-dessous contient des données regroupées en 7 classes sur le diamètre (en millimètres) de roches de rivière. On veut tester l'hypothèse suivant laquelle le logarithme du diamètre suit une loi normale (H_0). Pour cela, on considère la variable $Y = \text{Log}_2 X$, qui est le logarithme de base 2 du diamètre noté X (le choix de la base 2 permettant de simplifier les calculs).

Diamètre X (mm)	moins de 8	8-16	16-32	32-64	64-128	128-256	256 et plus	Total
Effectif observé	1	4	5	17	16	13	4	60
Y = Log$_2$X	moins de 3	3-4	4-5	5-6	6-7	7-8	8 et plus	Total
Effectif attendu sous H_0	0,70	3,01	8,66	15,48	16,30	10,64	5,21	60

Source : W. C. Krumbein et F. A. Graybill, *An Introduction to Statistical Models in Geology*, New York, McGraw-Hill, 1965, p. 179. (Extrait de M. G. Wolman, *Trans. Am. Geophys. Union*, vol. 35, p. 951-956.)

Puisque les paramètres de la loi normale, qui sont la moyenne μ et la variance σ^2, sont inconnus, on les estime par la moyenne et la variance de Y dans l'échantillon, qui sont respectivement

$$\bar{y} = 6,13 \text{ et } s_y^2 = 1,9048.$$

L'effectif attendu dans une classe « a - b » pour Y est alors donné par

$$60 \times \Pr(a < \text{N}(\bar{y}, s_y^2) < b) = 60 \times \Pr\left(\frac{a - \bar{y}}{s_y} < \text{N}(0, 1) < \frac{b - \bar{y}}{s_y}\right).$$

Par exemple, pour la classe « 3 - 4 », l'effectif attendu est

$$60 \times \Pr\left(\frac{3 - 6,13}{1,38} < \text{N}(0, 1) < \frac{4 - 6,13}{1,38}\right) = 60 \times \Pr(-2,27 < \text{N}(0, 1) < -1,54)$$

$$= 60 \times 0,0502$$
$$= 3,01.$$

Pour la classe « moins de 3 », on pose $a = -\infty$ et $b = 3$, d'où on obtient que l'effectif attendu est

$$60 \times \Pr\left(-\infty < \text{N}(0, 1) < \frac{3 - 6,13}{1,38}\right) = 60 \times \Pr(\text{N}(0, 1) < -2,27)$$

$$= 60 \times 0,0116$$
$$= 0,70.$$

Enfin, on obtient l'effectif attendu pour la classe « 8 et plus » en posant $a = 8$ et $b = +\infty$, d'où on trouve pour cet effectif

$$60 \times \Pr\left(\frac{8 - 6,13}{1,38} < N(0, 1) < +\infty\right) = 60 \times \Pr(N(0, 1) > 1,36)$$
$$= 60 \times 0,0869$$
$$= 5,21.$$

Puisque les classes « moins de 3 » et « 3 - 4 » ont des effectifs attendus inférieurs à 5 dont la somme est inférieure à 5, on les regroupe avec la classe « 4 - 5 », ce qui donne une classe unique « moins de 5 » dont l'effectif attendu est 12,37 et l'effectif observé 10. Pour la statistique $\hat{\chi}^2$, on a alors

$$\hat{\chi}^2 = \frac{(10 - 12,37)^2}{12,37} + \frac{(17 - 15,48)^2}{15,48} + \frac{(16 - 16,30)^2}{16,30} + \frac{(13 - 10,64)^2}{10,64}$$
$$+ \frac{(4 - 5,21)^2}{5,21}$$

$$= 1,41.$$

Le nombre de degrés de liberté est égal à 2 (soit $5 - 1 - 2$), puisque deux paramètres ont été estimés, à savoir μ et σ^2, et que le regroupement de classes adjacentes ayant des effectifs inférieurs à 5 a réduit le nombre total de classes à 5. La lecture des tables montre que

$$\Pr(\chi^2_2 > 5,99) = 0,05,$$

et comme $1,41 \ngtr 5,99$, on ne rejette pas l'hypothèse d'une loi normale pour Y au niveau de signification de 5 %.

9.2. TEST D'INDÉPENDANCE

Supposons qu'on ait une population subdivisée en r classes selon une variable X et en s classes selon une variable Y. On désigne par p_{ij} la proportion des individus dans la population appartenant à la i^e classe selon la variable X et à la j^e classe selon la variable Y, pour $i = 1, \ldots, r$ et $j = 1, \ldots, s$.

Avec cette notation, la proportion des individus de la population appartenant à la classe i selon la variable X, notée $p_{i\bullet}$, est

$$p_{i\bullet} = \sum_{j=1}^{s} p_{ij} \text{ pour } i = 1, \ldots, r.$$

De même, la proportion des individus de la population appartenant à la classe j selon la variable Y, notée $p_{\bullet j}$, est

$$p_{\bullet j} = \sum_{i=1}^{r} p_{ij} \text{ pour } j = 1, \ldots, s.$$

Il y a indépendance entre les variables X et Y avec la classification utilisée si et seulement si

$$H_0 : p_{ij} = p_{i\bullet} \times p_{\bullet j} \text{ pour } i = 1, \dots, r \text{ et } j = 1, \dots, s.$$

Le problème qu'on se propose de résoudre est celui du test de cette **hypothèse d'indépendance** à l'aide des résultats d'un échantillon de taille n extrait de la population.

Supposons qu'on observe n_{ij} individus appartenant à la cellule (i, j), définie comme la classe i pour la variable X et la classe j pour la variable Y. Il y a alors

$$n_{i\bullet} = \sum_{j=1}^{s} n_{ij}$$

individus appartenant à la classe i pour X, et

$$n_{\bullet j} = \sum_{i=1}^{r} n_{ij}$$

individus appartenant à la classe j pour Y. Le nombre total d'individus de l'échantillon est n et on a les égalités

$$n = \sum_{i=1}^{r} \sum_{j=1}^{s} n_{ij} = \sum_{i=1}^{r} n_{i\bullet} = \sum_{j=1}^{s} n_{\bullet j}.$$

Présentées dans un tableau, ces informations forment ce qu'on appelle un **tableau de contingence** (voir le tableau 9.3). Il s'agit d'un tableau à deux entrées, une pour chaque variable, dans lequel on inscrit, à l'intersection de la i^{e} rangée et la j^{e} colonne représentant la cellule (i, j), l'**effectif conjoint** n_{ij}.

TABLEAU 9.3.

Tableau de contingence pour deux variables X et Y

X \ Y	1	2	...	j	...	s	Total
1	n_{11}	n_{12}	...	n_{1j}	...	n_{1s}	$n_{1\bullet}$
2	n_{21}	n_{22}	...	n_{2j}	...	n_{2s}	$n_{2\bullet}$
.	.	.	.	.	.	.	.
.	.	.	.	.	.	.	.
i	n_{i1}	n_{i2}	...	n_{ij}	...	n_{is}	$n_{i\bullet}$
.	.	.	.	.	.	.	.
.	.	.	.	.	.	.	.
r	n_{r1}	n_{r2}	...	n_{rj}	...	n_{rs}	$n_{r\bullet}$
Total	$n_{\bullet 1}$	$n_{\bullet 2}$	...	$n_{\bullet j}$	...	$n_{\bullet s}$	n

Les quantités $n_{i\bullet}$ et $n_{\bullet j}$ pour $i = 1, \ldots, r$ et $j = 1, \ldots, s$ apparaissent aux extrêmes des rangées et des colonnes respectivement et sont communément appelées **effectifs marginaux** des variables X et Y. Or, pour un échantillon de taille n, on s'attend sous H_0 à observer la situation présentée dans le tableau 9.4.

Dans le cas où $p_{i\bullet}$ pour $i = 1, \ldots, r$ et $p_{j\bullet}$ pour $j = 1, \ldots, s$ sont connus, la quantité

$$\chi^2 = \sum_{i=1}^{r} \sum_{j=1}^{s} \frac{(n_{ij} - np_{i\bullet}p_{\bullet j})^2}{np_{i\bullet}p_{\bullet j}}$$

qui mesure la distance entre les tableaux 9.3 et 9.4 est, sous l'hypothèse d'indépendance, une valeur observée d'une loi du khi-deux à $rs - 1$ degrés de liberté si le nombre d'observations est suffisamment élevé. Si on ne connaît ni $p_{i\bullet}$ pour $i = 1, \ldots, r$, ni $p_{\bullet j}$ pour $j = 1, \ldots, s$ comme cela est souvent le cas, on estime alors ces proportions dans la population par les proportions correspondantes dans l'échantillon, c'est-à-dire

$$p_{i\bullet} \text{ par } \frac{n_{i\bullet}}{n} \text{ pour } i = 1, \ldots, r \text{ et } p_{\bullet j} \text{ par } \frac{n_{\bullet j}}{n} \text{ pour } j = 1, \ldots, s.$$

Puisque $\sum_{i=1}^{r} p_{i\bullet} = 1$, on a en fait $r - 1$ paramètres $p_{i\bullet}$ à estimer et, de façon analogue, $s - 1$ paramètres $p_{\bullet j}$. On estime donc en tout un nombre de paramètres égal à

$$(r - 1) + (s - 1) = r + s - 2.$$

Dans ce cas, la quantité

$$\hat{\chi}^2 = \sum_{i=1}^{r} \sum_{j=1}^{s} \frac{\left(n_{ij} - n \times \dfrac{n_{i\bullet}}{n} \times \dfrac{n_{\bullet j}}{n}\right)^2}{n \times \dfrac{n_{i\bullet}}{n} \times \dfrac{n_{\bullet j}}{n}}$$

TABLEAU 9.4.

Effectifs attendus dans un tableau de contingence pour deux variables X et Y

Y\X	1	2	...	j	...	s	Total
1	$np_{1\bullet}p_{\bullet 1}$	$np_{1\bullet}p_{\bullet 2}$	...	$np_{1\bullet}p_{\bullet j}$	...	$np_{1\bullet}p_{\bullet s}$	$np_{1\bullet}$
2	$np_{2\bullet}p_{\bullet 1}$	$np_{2\bullet}p_{\bullet 2}$	...	$np_{2\bullet}p_{\bullet j}$	...	$np_{2\bullet}p_{\bullet s}$	$np_{2\bullet}$
.	.	.	.	.	.	.	.
i	$np_{i\bullet}p_{\bullet 1}$	$np_{i\bullet}p_{\bullet 2}$	...	$np_{i\bullet}p_{\bullet j}$	...	$np_{i\bullet}p_{\bullet s}$	$np_{i\bullet}$
.	.	.	.	.	.	.	.
r	$np_{r\bullet}p_{\bullet 1}$	$np_{r\bullet}p_{\bullet 2}$	...	$np_{r\bullet}p_{\bullet j}$	...	$np_{r\bullet}p_{\bullet s}$	$np_{r\bullet}$
Total	$np_{\bullet 1}$	$np_{\bullet 2}$	...	$np_{\bullet j}$	...	$np_{\bullet s}$	n

est la valeur prise par une loi du khi-deux à $[\, rs - 1 - (r + s - 2)\,]$ degrés de liberté si le nombre d'observations est suffisamment grand. On remarque que

$$rs - 1 - (r + s - 2) = (r - 1)(s - 1).$$

Pour tester l'indépendance de X et Y à l'aide des résultats des observations, on utilise donc la quantité

$$\hat{\chi}^2 = \sum_{i=1}^{r} \sum_{j=1}^{s} \frac{\left(n_{ij} - \dfrac{n_{i\bullet}n_{\bullet j}}{n}\right)^2}{\dfrac{n_{i\bullet}n_{\bullet j}}{n}}$$

et on rejette H_0, qui est l'hypothèse d'indépendance, si cette quantité est supérieure à la valeur critique c d'une loi du khi-deux à $(r-1)(s-1)$ degrés de liberté correspondant à un niveau de signification α fixé, c'est-à-dire

$$\text{on rejette } H_0 \text{ si } \hat{\chi}^2 > c \text{ où } \Pr\left(\chi^2_{(r-1)(s-1)} > c\right) = \alpha.$$

C'est le test du khi-deux pour l'hypothèse d'indépendance H_0.

Remarque 1. Dans le cas où $p_{i\bullet}$ pour $i = 1, \ldots, r$ et $p_{\bullet j}$ pour $j = 1, \ldots, s$ sont connus, alors

$$\text{on rejette } H_0 \text{ si } \hat{\chi}^2 > c \text{ où } \Pr\left(\chi^2_{rs-1} > c\right) = \alpha.$$

Ce test correspond simplement à un test d'ajustement sans estimation de paramètres.

Remarque 2. Pour que le test d'indépendance décrit ci-dessus soit assez précis, l'effectif attendu sous H_0 dans chaque cellule doit être plus grand ou égal à 5. Cependant, lorsque le nombre de cellules est grand, on peut tolérer un certain nombre de cellules avec des effectifs attendus plus petits que 5 sans que soit trop affectée la justesse du test.

Exemple. On veut tester l'indépendance entre la couleur (jaune ou verte) et la forme (ronde ou ridée) de graines de pois domestiques obtenus par croisement de pois hybrides à l'aide des résultats des observations faites par Mendel (tableau 5.1). On calcule

$$\hat{\chi}^2 = \frac{\left(315 - \dfrac{423 \times 416}{556}\right)^2}{\dfrac{423 \times 416}{556}} + \frac{\left(108 - \dfrac{423 \times 140}{556}\right)^2}{\dfrac{423 \times 140}{556}} + \frac{\left(101 - \dfrac{133 \times 416}{556}\right)^2}{\dfrac{133 \times 416}{556}}$$

$$+ \frac{\left(32 - \dfrac{133 \times 140}{556}\right)^2}{\dfrac{133 \times 140}{556}}$$

$$= 0{,}12.$$

Comme

$$\Pr(\chi^2_1 > 6{,}63) = 0{,}01$$

et

$$0,12 \not> 6,63,$$

on ne rejette pas l'hypothèse d'indépendance avec un niveau égal à 1 %.

Remarque. En supposant la ségrégation mendélienne, on a

$$p_{1\bullet} = \frac{3}{4} \, , \, p_{2\bullet} = \frac{1}{4} \, , \, p_{\bullet 1} = \frac{3}{4} \, , \, p_{\bullet 2} = \frac{1}{4} \, ,$$

et on trouve

$$\chi^2 = 0,47 \not> 11,3,$$

où

$$\Pr(\chi_3^2 > 11,3) = 0,01.$$

(Voir la remarque de l'exemple 3 de la section 9.1.) La décision est donc la même avec un niveau égal à 1 %.

9.3. TEST D'HOMOGÉNÉITÉ

Considérons r populations, chacune subdivisée en s classes distinctes selon une même variable Y. On dira que les populations sont **homogènes** si la distribution est la même dans les r populations. Pour tester cette hypothèse notée H_0, on extrait un échantillon dans chacune des populations et on observe la variable Y. Si n_{ij} désigne le nombre d'observations dans la i^e population appartenant à la j^e classe de Y, $n_{i\bullet}$ le nombre total d'observations dans la i^e population et $n_{\bullet j}$ le nombre total d'observations appartenant à la j^e classe de Y pour $i = 1, \ldots, r$ et $j = 1, \ldots, s$, on obtient le tableau 9.5.

TABLEAU 9.5.

Tableau de contingence pour un test d'homogénéité d'une variable Y

Population	Classe de Y						Taille de l'échantillon
	1	2	...	j	...	s	
1	n_{11}	n_{12}	...	n_{1j}	...	n_{1s}	$n_{1\bullet}$
2	n_{21}	n_{22}	...	n_{2j}	...	n_{2s}	$n_{2\bullet}$
.	.	.		.	.	.	.
.	.	.		.	.	.	.
i	n_{i1}	n_{i2}	...	n_{ij}	...	n_{is}	$n_{i\bullet}$
.	.	.		.	.	.	.
.	.	.		.	.	.	.
r	n_{r1}	n_{r2}	...	n_{rj}	...	n_{rs}	$n_{r\bullet}$
Total	$n_{\bullet 1}$	$n_{\bullet 2}$	...	$n_{\bullet j}$	...	$n_{\bullet s}$	n

Le tableau 9.5 se distingue du tableau 9.3 en ce qu'il présente une classification selon la « population » au lieu de la « classe d'une variable X dans la même population » et que les quantités $n_{1\bullet}, n_{2\bullet}, \dots, n_{r\bullet}$ sont des tailles d'échantillon fixées à l'avance et sont donc connues. Le total n ne représente pas alors la taille d'un échantillon unique, mais la somme des tailles de r échantillons distincts.

Si p_{ij} désigne la probabilité d'observer la j^e classe de Y dans la i^e population, $i = 1, \dots, r$ et $j = 1, \dots, s$, alors l'**hypothèse d'homogénéité** est que cette probabilité ne dépend pas de la population, c'est-à-dire

$$H_0 : p_{ij} = p_j \text{ pour } j = 1, \dots, s \text{ quel que soit } i = 1, \dots, r \text{ avec } p_1 + \dots + p_s = 1.$$

Pour chaque population $i = 1, \dots, r$, la quantité

$$\sum_{j=1}^{s} \frac{(n_{ij} - n_{i\bullet}p_j)^2}{n_{i\bullet}p_j}$$

est, sous H_0 et si l'on suppose suffisamment d'observations, une valeur observée d'une loi du khi-deux à $s - 1$ degrés de liberté. Dans ces conditions, la quantité

$$\chi^2 = \sum_{i=1}^{r} \sum_{j=1}^{s} \frac{(n_{ij} - n_{i\bullet}p_j)^2}{n_{i\bullet}p_j}$$

est une valeur observée d'une somme de r variables indépendantes de loi du khi-deux à $s - 1$ degrés de liberté, donc une valeur observée d'une loi du khi-deux à $r(s - 1)$ degrés de liberté.

Mais les quantités $p_1, \dots, p_s$ sont des paramètres inconnus. On estime alors la proportion p_j par la proportion correspondante dans l'échantillon, c'est-à-dire

$$\frac{n_{1j} + n_{2j} + \dots + n_{rj}}{n_{1\bullet} + n_{2\bullet} + \dots + n_{r\bullet}} = \frac{n_{\bullet j}}{n} \text{ pour } j = 1, \dots, s.$$

On estime ainsi $s - 1$ paramètres puisque $p_1 + \dots + p_s = 1$. En définitive, la quantité

$$\hat{\chi}^2 = \sum_{i=1}^{r} \sum_{j=1}^{s} \frac{\left(n_{ij} - \dfrac{n_{i\bullet}n_{\bullet j}}{n}\right)^2}{\dfrac{n_{i\bullet}n_{\bullet j}}{n}}$$

est la valeur observée d'une loi du khi-deux à $r(s - 1) - (s - 1)$ degrés de liberté s'il y a suffisamment d'observations. On remarque que

$$r(s - 1) - (s - 1) = (r - 1)(s - 1).$$

Donc, pour l'hypothèse H_0, qui est l'hypothèse d'homogénéité, et avec un niveau de signification α

$$\text{on rejette } H_0 \text{ si } \hat{\chi}^2 > c \text{ où } \Pr\left(\chi^2_{(r-1)(s-1)} > c\right) = \alpha.$$

C'est le test du khi-deux pour H_0 ci-dessus.

Remarque 1. Un test d'homogénéité sert aussi à tester si r échantillons distincts ont été extraits de la *même* population.

Remarque 2. Le nombre de degrés de liberté est le même dans un test d'homogénéité et dans un test d'indépendance, mais pour des raisons différentes.

Exemple. Lors de trois sondages consécutifs, on a observé que respectivement 51 %, 48 % et 55 % des répondants étaient en faveur d'une politique donnée sur un total de 700, 900 et 800 répondants. Entre les moments où ces sondages ont été réalisés, y a-t-il eu changement d'opinion au sujet de cette politique ? Pour répondre à cette question, on procède à un test d'homogénéité.

TABLEAU 9.6.

Résultats de trois sondages sur une politique donnée

Sondage	En faveur	En défaveur	Total
1	357	343	700
2	432	468	900
3	440	360	800
Total	1229	1171	2400

À partir du tableau 9.6 qui résume la situation, on trouve

$$\hat{\chi}^2 = \frac{\left(357 - \dfrac{700 \times 1229}{2400}\right)^2}{\dfrac{700 \times 1229}{2400}} + \frac{\left(343 - \dfrac{700 \times 1171}{2400}\right)^2}{\dfrac{700 \times 1171}{2400}} + \frac{\left(432 - \dfrac{900 \times 1229}{2400}\right)^2}{\dfrac{900 \times 1229}{2400}}$$

$$+ \frac{\left(468 - \dfrac{900 \times 1171}{2400}\right)^2}{\dfrac{900 \times 1171}{2400}} + \frac{\left(440 - \dfrac{800 \times 1229}{2400}\right)^2}{\dfrac{800 \times 1229}{2400}} + \frac{\left(360 - \dfrac{800 \times 1171}{2400}\right)^2}{\dfrac{800 \times 1171}{2400}}$$

$$= 8{,}32.$$

D'autre part

$$\Pr(\chi_2^2 > 5{,}99) = 0{,}05.$$

Puisque

$$8{,}32 > 5{,}99,$$

on rejette l'hypothèse d'homogénéité avec un niveau égal à 5 %.

Remarque. Avec un niveau égal à 1 %, on ne rejette pas l'hypothèse d'homogénéité, car

$$\Pr(\chi_2^2 > 9{,}21) = 0{,}01$$

et

$$8{,}32 \not> 9{,}21.$$

PROBLÈMES

9.1. Les résultats de 1100 jets d'une pièce de monnaie ont donné 556 piles et 544 faces.
  a) Testez l'hypothèse selon laquelle la pièce est non pipée en utilisant un niveau de 5 %.
  b) Testez au même niveau l'hypothèse selon laquelle la probabilité de pile est 0,51 et la probabilité de face est 0,49. Commentez.

9.2. Selon sa théorie sur les croisements génétiques, Mendel se devait d'observer 3 fois plus de plants de pois de grande tige que de plants de pois de petite tige en croisant des plants de pois des deux types. Sur 1064 plants, il observa 787 plants de grande tige et 277 plants de petite tige. Avec un niveau de signification de 10 %, peut-on soutenir que les observations ne confirment pas la théorie de Mendel?
  (Tiré de M. G. Bulmer, *Principles of Statistics*, Édimbourg, Oliver and Boyd, 1965; extrait de W. Bateson, *Mendel's Principles of Heredity*, Cambridge University Press, 1909.)

9.3. Une roue de fortune peut s'arrêter à 8 positions. En la faisant tourner 100 fois, on obtient :

Position	*a*	*b*	*c*	*d*	*e*	*f*	*g*	*h*
Effectif	10	11	16	13	17	9	12	12

Testez au niveau de 10 % l'hypothèse selon laquelle les 8 positions d'arrêt ont la même probabilité.

9.4. La distribution des ménages d'un pays selon le type de chauffage utilisé était la suivante voilà 20 ans :

Type de chauffage	Gaz naturel	Huile	Électricité	Bois	Autres
Pourcentage	57 %	14 %	16 %	7 %	6 %

Une enquête récente auprès de 250 ménages a donné les résultats suivants :

Type de chauffage	Gaz naturel	Huile	Électricité	Bois	Autres
Effectif	91	16	109	18	16

Testez au niveau de 5 % l'hypothèse selon laquelle la distribution des ménages selon le type de chauffage est la même aujourd'hui qu'il y a 20 ans.

9.5. On lance un dé à 6 faces n fois et on obtient la distribution suivante :

Face du dé	1	2	3	4	5	6
Pourcentage des jets	25 %	20 %	20 %	15 %	10 %	10 %

Testez au niveau de 1 % l'hypothèse selon laquelle le dé n'est pas pipé dans les cas :
  a) $n = 120$;   *b*) $n = 240$.

9.6. Selon les lois génétiques de Mendel, les génotypes AA, Aa et aa se retrouvent dans les proportions 1/4, 1/2, 1/4 lorsque des hybrides de génotype Aa sont croisés entre eux. Si on observe le même nombre n de chacun des génotypes AA, Aa et aa, alors à partir de quel n rejette-t-on le modèle ci-dessus au niveau de 5 %?

9.7. Des données anglaises sur le poids de nouveau-nés en livres et en onces ont donné les résultats suivants sur le nombre d'onces :

Nombre d'onces	Nombre de nouveau-nés	Nombre d'onces	Nombre de nouveau-nés
0	2786	8	2151
1	679	9	796
2	1081	10	1053
3	819	11	731
4	1804	12	1717
5	799	13	782
6	1023	14	971
7	771	15	682

Source : R. J. Pethybridge, J. R. Ashford et J. G. Fryer, *Brit. J. Prev. Soc. Med.*, vol. 28, 1974, p. 10-18.

Testez au niveau de 1 % l'hypothèse selon laquelle le nombre d'onces suit une loi uniforme sur 0, 1, ... , 15. Commentez.

9.8. Une calculatrice est munie d'un programme intégré qui permet, au dire du manufacturier, de générer des nombres aléatoires compris entre 0 et 1. En d'autres mots, ces nombres sont supposés représenter des résultats d'observations indépendantes d'une loi uniforme sur [0, 1]. Un échantillon de 100 nombres générés à l'aide de cette calculatrice a donné les résultats que voici, les valeurs possibles ayant été regroupées en 10 intervalles consécutifs de même longueur :

Intervalle	0,0-0,1	0,1-0,2	0,2-0,3	0,3-0,4	0,4-0,5	0,5-0,6	0,6-0,7	0,7-0,8	0,8-0,9	0,9-1,0
Effectif	12	8	13	9	14	5	10	8	11	10

Avec un niveau de signification de 20 %, ces résultats contredisent-ils l'affirmation du manufacturier? Répondez à la même question en regroupant les valeurs possibles en 5 intervalles consécutifs de même longueur. Commentez.

9.9. Dans la livraison du 21 octobre 1989 du *Journal de Montréal*, un journaliste parlant du Lotto 6/49 qui consiste à choisir une combinaison de 6 numéros différents parmi 1, 2, ..., 49 affirme : « Le bon sens veut que des combinaisons comprenant 4 numéros pairs et 2 impairs, 3 numéros pairs et 3 impairs ou encore 4 numéros impairs et 2 pairs soient plus susceptibles de vous faire gagner.» Pour appuyer ses dires, il présente le tableau ci-dessous qui donne le nombre de gains selon le type de combinaisons parmi les 598 tirages ayant eu lieu du début du Lotto 6/49 en 1982 jusqu'au mardi 17 octobre 1989.

Nombre de numéros pairs	0	1	2	3	4	5	6
Nombre de gains	6	61	159	185	130	54	3

Or, en supposant que le tirage est effectué complètement au hasard (c'est-à-dire que toutes les combinaisons ont des chances égales de sortir), on obtient la distribution théorique ci-dessous.

Nombre de numéros pairs	0	1	2	3	4	5	6
Probabilité de gagner	0,0127	0,0912	0,2497	0,3329	0,2280	0,0759	0,0096

Peut-on affirmer au niveau $\alpha = 0{,}05$ que les tirages ne sont pas effectués au hasard? Que pensez-vous de l'affirmation du journaliste?

9.10. La coupe Stanley met en compétition le plus vieux trophée du sport professionnel en Amérique du Nord. Il fut offert à la Ligue canadienne de hockey par Frederick Arthur, Lord Stanley of Preston, en 1893. Depuis 1938, la série finale de la coupe Stanley se joue selon la formule 4 de 7, c'est-à-dire que la première des 2 équipes qui réussit à gagner 4 matches remporte le trophée. Les résultats possibles de la série finale sont donc 4-0, 4-1, 4-2 ou 4-3. Voici la liste des résultats de 1938 à 1989 :

Année	Gagnant	Perdant	Résultat	Année	Gagnant	Perdant	Résultat
1938	Chicago	Toronto	4-1	1964	Toronto	Detroit	4-3
1939	Boston	Toronto	4-1	1965	Montréal	Chicago	4-3
1940	N.Y. Rangers	Toronto	4-2	1966	Montréal	Detroit	4-2
1941	Boston	Detroit	4-0	1967	Toronto	Montréal	4-2
1942	Toronto	Detroit	4-3	1968	Montréal	St-Louis	4-0
1943	Detroit	Boston	4-0	1969	Montréal	St-Louis	4-0
1944	Montréal	Chicago	4-0	1970	Boston	St-Louis	4-0
1945	Toronto	Detroit	4-3	1971	Montréal	Chicago	4-3
1946	Montréal	Boston	4-1	1972	Boston	N.Y. Rangers	4-2
1947	Toronto	Montréal	4-2	1973	Montréal	Chicago	4-2
1948	Toronto	Detroit	4-0	1974	Philadelphie	Boston	4-2
1949	Toronto	Detroit	4-0	1975	Philadelphie	Buffalo	4-2
1950	Detroit	N.Y. Rangers	4-3	1976	Montréal	Philadelphie	4-0
1951	Toronto	Montréal	4-1	1977	Montréal	Boston	4-0
1952	Detroit	Montréal	4-0	1978	Montréal	Boston	4-2
1953	Montréal	Boston	4-1	1979	Montréal	N.Y. Islanders	4-1
1954	Detroit	Montréal	4-3	1980	N.Y. Islanders	Philadelphie	4-2
1955	Detroit	Montréal	4-3	1981	N.Y. Islanders	Minnesota	4-1
1956	Montréal	Detroit	4-1	1982	N.Y. Islanders	Vancouver	4-0
1957	Montréal	Boston	4-1	1983	N.Y. Islanders	Edmonton	4-0
1958	Montréal	Boston	4-2	1984	Edmonton	N.Y. Islanders	4-1
1959	Montréal	Toronto	4-1	1985	Edmonton	Philadelphie	4-1
1960	Montréal	Toronto	4-0	1986	Montréal	Calgary	4-1
1961	Chicago	Detroit	4-2	1987	Edmonton	Philadelphie	4-3
1962	Toronto	Chicago	4-2	1988	Edmonton	Boston	4-0
1963	Toronto	Detroit	4-1	1989	Calgary	Montréal	4-2

Source : *The Canadian World Almanac and Book of Facts 1990*, Toronto, Global Press.

Si l'on suppose que les équipes finalistes sont de force égale, les probabilités des résultats 4-0, 4-1, 4-2, et 4-3 sont respectivement 2/16, 4/16, 5/16 et 5/16. (Pourriez-vous le montrer?) Utilisez les données ci-dessus pour tester au niveau $\alpha = 0{,}01$ l'hypothèse suivant laquelle les équipes finalistes sont de force égale.

9.11. Un brin d'ADN (acide désoxyribonucléique) est une séquence de nucléotides de 4 types (A pour adénine, C pour cytosine, G pour guanine, T pour thymine). Si les nucléotides sont pris au hasard de façon indépendante parmi les 4 types, le nombre de nucléotides avant d'obtenir un nucléotide de type A suit une loi géométrique de paramètre 1/4. Testez cette hypothèse au niveau $\alpha = 0{,}01$ en vous référant au séquençage ci-dessous d'un brin d'ADN.

CATTGAGAACCGAGTGTTGGAACTGAACAAGAAGCAGGAGTCCGAGGAGGAAGTGGCTGAT

(Tiré de Shi-Hsiang Shen *et al.*, *Nature*, vol. 352, 1991, p. 736-739.)

9.12. Le tableau ci-dessous donne la répartition de 53 680 familles de 8 enfants en Saxe durant la période 1876-1885 selon le nombre de garçons.

Nombre de garçons	0	1	2	3	4	5	6	7	8
Nombre de familles	215	1 485	5 331	10 649	14 959	11 929	6 678	2 092	342

Source : M. G. Bulmer, *Principles of Statistics*, Édimbourg, Oliver and Boyd, 1965. (Extrait de A. Geissler, Z.K. Sächsischen Statistischen Bureaus, vol. 35, 1889, p. 1.)

Peut-on, au niveau $\alpha = 0{,}05$, rejeter l'hypothèse que le nombre de garçons dans les familles de 8 enfants obéit à une loi binomiale de paramètres 8 et $1/2$?

9.13. La célèbre loi de Hardy-Weinberg en génétique prévoit une distribution binomiale pour le nombre de M dans les génotypes MM, MN et NN qui déterminent le groupe sanguin M-N si les accouplements se font au hasard dans la population. Dans un échantillon de 1100 Japonais de Tokyo, on a trouvé 356, 519 et 225 individus respectivement de génotype MM, MN et NN. Testez la loi de Hardy-Weinberg au niveau $\alpha = 0{,}20$. (Tiré de F. J. Ayala, *Population and Evolutionary Genetics : A Primer*, Benjamin Cummings, 1982, p. 83.)

9.14. L'allitération est la répétition d'un même son dans une suite de mots pour obtenir un effet d'harmonie comme dans l'extrait de Shakespeare *full fathom five thy father lies* dans lequel le *f* est répété 4 fois. En comptant le nombre de fois qu'on trouve le son *s* dans chaque ligne de sonnets de Shakespeare, le psychologue B. F. Skinner a obtenu les résultats suivants :

Nombre de sons *s*	0	1	2	3	4	Total
Nombre de lignes	702	501	161	29	7	1400

Source : P. Diaconis et F. Mosteller, «Methods for stydying coincidences», *JASA*, vol. 84, 1989, p. 853-861. (Extrait de B. F. Skinner, «The alliteration in Shakespeare's sonnets : A study in literary behavior», *The Psychological Record*, vol. 3, 1939, p. 186-192.)

Testez au niveau $\alpha = 0{,}01$ l'hypothèse d'une distribution binomiale. Commentez la remarque de Skinner : *So far as this aspect of poetry is concerned, Shakespeare might as well have drawn his words out of a hat.* («En ce qui concerne cet aspect de la poésie, Shakespeare aurait tout aussi bien pu tirer ses mots d'un chapeau.»)

9.15. À partir de résultats d'observations dont la moyenne est 2, on a rejeté l'hypothèse d'une distribution de Poisson dans une population. Aurait-on nécessairement rejeté la même hypothèse au même niveau si on avait su à l'avance que la moyenne de la distribution dans la population est 2 ?

9.16. Voici la répartition de 132 mois selon le nombre de mort-nés pendant ces mois à Belfast, de 1956 à 1966 :

Nombre de mort-nés	0	1	2	3	4	5	6	7	8	9 et plus
Nombre de mois	7	18	33	32	20	11	3	6	2	0

Source : J. H. Elwood et G. MacKenzie, *Brit. J. Prev. Soc. Med.*, vol. 25, 1971, p. 17-25.

Testez au niveau $\alpha = 0{,}05$ l'hypothèse suivant laquelle la distribution théorique est celle d'une loi de Poisson.

9.17. Le tableau ci-dessous donne le nombre de femmes travaillant dans des usines de munitions durant la guerre 1914-1918 selon le nombre d'accidents qu'elles ont eus en 5 semaines.

Nombre d'accidents	0	1	2	3	4	5	6 et plus	Total
Nombre de mois	447	132	42	21	3	2	0	647

Source : M. G. Bulmer, *Principles of Statistics*, Édimbourg, Oliver and Boyd, 1965. (Extrait de M. Greenwood et G. U. Yule, *Jour. Roy. Stat. Soc.*, vol. 83, 1920, p. 255.)

Testez l'hypothèse d'une distribution de Poisson pour le nombre d'accidents subis par une femme. Utilisez un niveau $\alpha = 0,01$. Commentez.

9.18. Les années d'éruption du volcan Aso au Japon de 1250 à 1950 ont été les suivantes :

1265	1340	1505	1584	1683	1827	1920
1269	1346	1506	1587	1691	1828	1927
1270	1369	1522	1598	1708	1829	1928
1272	1375	1533	1611	1709	1830	1929
1273	1376	1542	1612	1765	1854	1931
1274	1377	1558	1613	1772	1872	1932
1281	1387	1562	1620	1780	1874	1933
1286	1388	1563	1631	1804	1884	1934
1305	1434	1564	1637	1806	1894	1935
1324	1438	1576	1649	1814	1897	1938
1331	1473	1582	1668	1815	1906	1949
1335	1485	1583	1675	1826	1916	1950

Source : F. E. Wickman, « Respose-period patterns of volcanoes », *Arkiv för Mineralogi och Geologi*, Bd. 4, Häfte 4, 1966, p. 291-350.

Si les éruptions obéissent à un processus de Poisson, le nombre d'éruptions par période de 25 ans devrait suivre une loi de Poisson. Testez cette hypothèse au niveau $\alpha = 0,05$.

9.19. Au cours de leurs célèbres expériences, Rutherford, Geiger et Bateman ont observé les nombres de particules α émises par un film de polonium en 2608 périodes de 7,5 secondes chacune et ont obtenu le tableau suivant :

Nombre de particules	0	1	2	3	4	5	6	7	8	9	10 et plus
Nombre de périodes	57	203	383	525	532	408	273	139	45	27	16

Source : M. G. Bulmer, *Principles of Statistics*, Édimbourg, Oliver and Boyd, 1965. (Extrait de E. Rutherford, H. Geiger et H. Bateman, *Phil. Mag.*, vol. 20, 1910, p. 698.)

Testez au niveau $\alpha = 0,10$ l'hypothèse d'une distribution de Poisson.

9.20. Utilisez les données groupées du problème 2.12 pour tester au niveau de 20 % l'hypothèse que le poids (en livres) de nouveau-nés dans la population étudiée suit :

a) une loi normale ;

b) une loi normale d'écart-type 1,1 ;

c) une loi normale de moyenne 7,5 et d'écart-type 1,1.

9.21.   Des données sur la pression artérielle systolique chez des femmes ayant entre 17 et 24 ans ont permis d'obtenir le tableau suivant :

Pression (mm Hg)	moins de 100	100-110	110-120	120-130	130-140	140 et plus
Effectif	48	254	422	278	144	60

Source : D. Freedman, R. Pisani et R. Purves, *Statistics*, New York, Norton, 1978. (Extrait de I. R. Fisch, S. H. Freedman et A. V. Myat, *J. Amer. Med. Association*, Vol. 222, 1972, p. 1507-1510.)

Testez au niveau $\alpha = 0,05$ l'hypothèse que la pression artérielle systolique dans la population suit une loi normale.

9.22.   Les intervalles de temps (en secondes) entre des désintégrations successives d'atomes de thorium ont donné le tableau suivant :

Longueur de l'intervalle	0-1/2	1/2-1	1-2	2-3	3-4	4-5	5-7	7-10	10-15	15-20	20-30
Effectif	101	98	159	114	74	48	75	59	32	4	2

Source : M. G. Bulmer, *Principles of Statistics*, Édimbourg, Oliver and Boyd, 1965. (Extrait de E. Marsden et T. Barrat, *Proc. Phys. Soc.*, vol. 23, 1911, p. 367.)

Testez l'hypothèse d'une loi exponentielle pour l'intervalle de temps entre deux désintégrations successives. Utilisez un niveau de 10 %.

9.23.   Une étude sur la poliomyélite chez des jumeaux a donné le tableau ci-dessous.

	Les deux atteints	Un seul atteint	Total
Monozygotes	5	9	14
Dizygotes	2	31	33
Total	7	40	47

Source : C. N. Herndon et R. G. Jennings, « A twin-family study of susceptibility to poliomyelitis », *Human Genetics*, vol. 17, 1951, p. 3.

Testez l'indépendance entre le nombre de jumeaux atteints et le fait que les jumeaux soient monozygotes ou dizygotes au niveau $\alpha = 0,01$.

9.24.   Des roches recueillies en Illinois ont été classées selon la composition (métamorphique ou granitique) et la forme (à facettes ou sans facettes). Le tableau suivant a été obtenu :

Roches	À facettes	Sans facettes	Total
Métamorphiques	14	42	56
Granitiques	41	170	211
Total	55	212	267

Source : W. C. Krumbein et F. A. Graybill, *An Introduction to Statistical Models in Geology*, New York, McGraw-Hill, 1965. (Extrait de R. C. Anderson, « Pebble lithology of the Marseilles Till Sheet in northeastern Illinois », *J. Geol.*, vol. 63, 1955, p. 214-227.)

Testez au niveau de 5 % l'hypothèse d'indépendance entre la composition et la forme des roches.

9.25. Voici des données sur les naissances en Angleterre et au pays de Galles en 1956, réparties selon le sexe et l'état du nouveau-né (vivant ou mort-né).

	Vivant	Mort-né	Total
Masculin	359 881	8 609	368 490
Féminin	340 454	7 796	348 250
Total	700 335	16 405	716 740

Source : M. G. Bulmer, *Principles of Statistics*, Édimbourg, Oliver and Boyd, 1965. (Extrait de *Annual Statistical Review.*)

Au niveau $\alpha = 0{,}05$, testez l'hypothèse que l'état du nouveau-né est indépendant de son sexe.

9.26. Voici la répartition de 6800 individus selon la couleur des yeux et celle des cheveux.

Couleur des yeux	Couleur des cheveux				Total
	Blond	Brun	Noir	Roux	
Bleu	1768	807	189	47	2811
Gris ou vert	946	1387	746	53	3132
Brun	115	438	288	16	857
Total	2829	2632	1223	116	6800

Source : M. G. Kendall, *The Advanced Theory of Statistics*, Londres, Griffin, 1948.

Testez au niveau de 1 % l'hypothèse suivant laquelle la couleur des yeux est indépendante de celle des cheveux.

9.27. Des pièces défectueuses ont été classées selon le type de défectuosité, A, B, C ou D, et la division, 1, 2 ou 3, où la pièce a été produite.

Division	Type de défectuosité				Total
	A	B	C	D	
1	16	22	46	14	98
2	27	32	35	6	100
3	34	18	49	21	122
Total	77	72	130	41	320

Testez au niveau de $\alpha = 0{,}20$ l'indépendance entre le type de défectuosité et la division de production.

9.28. Voici 2 tableaux d'effectifs conjoints pour deux variables X et Y. Les effectifs du second tableau sont les doubles de ceux du premier tableau.

Tableau 1

Y X	1	2	Total
1	10	15	25
2	17	20	37
Total	27	35	62

Tableau 2

Y X	1	2	Total
1	20	30	50
2	34	40	74
Total	54	70	124

a) Calculez et comparez les valeurs de la statistique du χ^2 pour un test d'indépendance dans les deux tableaux.

b) Pensez-vous qu'on puisse généraliser le résultat obtenu en a)? Si oui, de quelle façon?

9.29. Certains patients atteints du diabète ont été traités avec de la phenformine tandis que d'autres l'ont été avec un placebo. Le tableau ci-après donne les nombres de ces patients classifiés selon qu'ils sont morts ou pas des suites de troubles cardio-vasculaires.

	Phenformine	Placebo	Total
Troubles cardiovasculaires	22	2	28
Pas de troubles cardiovasculaires	178	62	240
Total	204	64	268

Source : R. H. Gray, *Med. J. Aust.*, vol. 1, 1973, p. 594-596.

On se demande si le traitement a un effet sur la mortalité par suite de troubles cardiovasculaires.

a) Faites un test d'homogénéité pour les deux traitements au niveau $\alpha = 0,10$.

b) Faites un test d'indépendance au niveau $\alpha = 0,10$.

c) Décrivez les conditions pour utiliser un test d'homogénéité et les conditions pour utiliser un test d'indépendance.

9.30. Voici des données sur les groupes sanguins ABO dans 3 populations.

Population	Groupe sanguin				Total
	AB	B	A	O	
Chinois	606	1626	1920	1848	6000
Pygmées	103	300	313	316	1032
Esquimaux	7	17	260	200	484

Source : F. J. Ayala, *Population and Evolutionary Genetics : A Primer*, Benjamin/Cummings, 1982, p. 85.

Faites un test d'homogénéité de niveau $\alpha = 0,05$.

9.31. Voici la répartition de 1844 individus selon le sexe, la couleur de la peau et les pressions artérielles systolique et diastolique (en mm Hg).

	Sexe		Couleur de la peau	
	Masculin	**Féminin**	**Noire**	**Blanche**
Pression systolique				
Normale (≤ 139 mm)	720	728	701	747
Tolérable (140-159 mm)	154	132	146	140
Forte (≥ 160 mm)	53	57	69	41
Total	927	917	916	928
Pression diastolique				
Normale (≤ 89 mm)	674	722	650	746
Tolérable (90-94 mm)	102	101	120	83
Forte (≥ 95 mm)	151	94	146	99
Total	927	917	916	928

Source : F.B. Christiansen et M.W. Feldman, *Population Genetics*, Blackwell, 1986. (Extrait de E. Harburg *et al.*, « Heredity, stress and blood pressure, a family set method II », *J. Chron. Dis.*, vol. 30, 1977, p. 649–658.

a) Testez au niveau $\alpha = 0,01$ les hypothèses selon lesquelles les pressions systolique et diastolique ont les mêmes distributions chez les deux sexes.

b) Faites les tests d'homogénéité en *a*) pour les distributions selon la couleur de la peau.

9.32. Dans une étude sur les relations entre la date de la naissance et la date de la mort, D. P. Phillips a regroupé les données ci-dessous sur 4 échantillons. Ces données sont le nombre de mois écoulés entre la date de la mort et la date de célébration du dernier anniversaire de naissance.

Échantillon	Nombre de mois complets depuis le dernier anniversaire de naissance												Total
	0	**1**	**2**	**3**	**4**	**5**	**6**	**7**	**8**	**9**	**10**	**11**	**Total**
1	41	28	35	40	40	30	34	25	31	27	39	30	400
2	24	34	33	33	28	29	33	52	31	33	35	35	400
3	30	32	39	23	34	36	33	28	34	39	32	39	399
4	4	5	7	10	4	8	7	9	13	5	4	6	82

Source : D.P. Phillips, « Deathday and birthday : An unexpected connection », dans J. M. Tanur *et al.*, *Statistics : A Guide to the Unknown*, 2e éd., San Francisco, Holden-Day, 1972, p. 52-65.

Remarque. Échantillon 1 : 400 scientifiques renommés ; échantillon 2 : 400 écrivains renommés ; échantillon 3 : 399 personnes ordinaires ; échantillon 4 : 82 descendants de familles royales.

Testez au niveau $\alpha = 0,01$ l'hypothèse selon laquelle la distribution du nombre de mois écoulés entre le dernier anniversaire de naissance et la date de la mort est la même dans les 4 populations.

10

ANALYSE DE VARIANCE

10.1. INTRODUCTION

Le but de l'analyse de variance est d'identifier et de comparer les sources de variation d'une variable. La méthode fut introduite en 1918 par Sir R. A. Fisher et appliquée tout d'abord à l'agriculture et à l'élevage. Il s'agissait à l'origine de mesurer les effets des gènes et des divers facteurs environnementaux sur le rendement de cultures ou d'animaux domestiques. Aujourd'hui, l'analyse de variance est devenue classique dans la plupart des sciences expérimentales et est utilisée pour tester l'efficacité de nouveaux traitements entendus au sens large. Les applications de l'analyse de variance sont donc nombreuses et variées.

10.2. PLAN D'EXPÉRIENCE À UN FACTEUR

DESCRIPTION DU MODÈLE

Le plan d'expérience le plus simple est celui à un facteur. On l'utilise pour étudier l'effet d'un seul facteur sur une variable. Un **facteur** est un agent susceptible d'influencer la distribution de la variable. Pour détecter et quantifier une telle influence, on fait varier le facteur : on obtient ainsi des **traitements** différents.

Par exemple, considérons comme variable la quantité récoltée d'une céréale et comme facteur le fertilisant utilisé. Pour tirer une conclusion sur l'efficacité d'un fertilisant en particulier plutôt qu'un autre, des comparaisons sont faites entre plusieurs fertilisants différents. Les fertilisants peuvent être différents par leurs composants chimiques et organiques ou par la quantité de ceux-ci. Chaque fertilisant est utilisé sur un certain nombre de lopins de terre. Tous les lopins de terre ont la même dimension et jouissent des mêmes conditions macroscopiques contrôlables autres que le fertilisant (même quantité de graines de céréale ensemencées, mêmes conditions climatiques, etc.). Chaque fertilisant correspond à ce qu'on appelle généralement un traitement.

Supposons m fertilisants différents numérotés de 1 à m et, pour chaque fertilisant, n lopins de terre numérotés de 1 à n. Les résultats des récoltes donnent m échantillons de taille n. Si x_{ij} est la quantité d'une céréale (en poids ou en volume) récoltée sur le lopin de terre j avec le fertilisant i, alors les résultats se présentent sous la forme suivante :

Fertilisant 1	x_{11}	x_{12}	$\cdots$	x_{1n}
.	.	.		.
.	.	.		.
.	.	.		.
Fertilisant m	x_{m1}	x_{m2}	$\cdots$	x_{mn}

Mis à part de petites perturbations dues uniquement au hasard, seul le fertilisant devrait expliquer les différences entre les quantités de récolte observées. On considère donc que le fertilisant i a un **effet de déviation** α_i, pour $(i = 1, \ldots, m)$, par rapport à un **effet commun** à tous les fertilisants considérés, noté μ. On a alors le **modèle à un facteur**

$$x_{ij} = \mu + \alpha_i + \varepsilon_{ij} \text{ pour } i = 1, \ldots, m \text{ et } j = 1, \ldots, n,$$

où les quantités ε_{ij}, appelées **erreurs**, sont de petites variations inconnues qu'on attribue à tous les autres facteurs dont les effets sont microscopiques et que le plan d'expérience ne contrôle pas. Les quantités μ et α_i pour $i = 1, \ldots, m$, qui sont aussi inconnues, sont appelées les **paramètres du modèle à un facteur**.

Avec le modèle à un facteur, chaque valeur observée est le résultat d'un effet général commun à tous les traitements considérés, d'un effet de déviation propre à chaque traitement particulier et d'une perturbation due au hasard. La part de chaque effet est cependant inconnue. L'un des buts d'une analyse de variance est justement d'évaluer la part de chaque effet, cette évaluation devant ensuite servir à comparer les divers traitements.

ESTIMATION DES PARAMÈTRES

Les paramètres inconnus μ et α_i pour $i = 1, \ldots, m$ dans le modèle à un facteur sont estimés à partir des résultats des observations. La méthode employée pour obtenir les estimations est la **méthode des moindres carrés successifs**.

a) **Estimation de μ.**   On estime d'abord l'effet général μ par la quantité qui est telle que la moyenne des carrés des écarts entre μ et les valeurs observées, c'est-à-dire

$$\frac{1}{mn} \sum_{i=1}^{m} \sum_{j=1}^{n} (x_{ij} - \mu)^2 ,$$

est la plus petite possible lorsque μ égale cette quantité. On obtient

$$\bar{x} = \frac{1}{mn} \sum_{i=1}^{m} \sum_{j=1}^{n} x_{ij}$$

comme estimation pour μ puisque

$$\frac{1}{mn} \sum_{i=1}^{m} \sum_{j=1}^{n} (x_{ij} - \mu)^2$$

$$= \frac{1}{mn} \sum_{i=1}^{m} \sum_{j=1}^{n} [(x_{ij} - \bar{x}) + (\bar{x} - \mu)]^2$$

$$= \frac{1}{mn} \sum_{i=1}^{m} \sum_{j=1}^{n} [(x_{ij} - \bar{x})^2 + 2(x_{ij} - \bar{x})(\bar{x} - \mu) + (\bar{x} - \mu)^2]$$

$$= \frac{1}{mn} \sum_{i=1}^{m} \sum_{j=1}^{n} (x_{ij} - \bar{x})^2 + 2(\bar{x} - \bar{x})(\bar{x} - \mu) + (\bar{x} - \mu)^2$$

$$= \frac{1}{mn} \sum_{i=1}^{m} \sum_{j=1}^{n} (x_{ij} - \bar{x})^2 + (\bar{x} - \mu)^2$$

$$\geqslant \frac{1}{mn} \sum_{i=1}^{m} \sum_{j=1}^{n} (x_{ij} - \bar{x})^2$$

avec égalité si et seulement si $\mu = \bar{x}$. C'est la fameuse propriété de la moyenne (voir la section 3.2). On estime alors μ par la moyenne de toutes les valeurs observées.

b) **Estimation des α_i.**   On estime par la suite les effets de déviation α_i pour $i = 1, \ldots, m$ par les quantités a_i pour $i = 1, \ldots, m$ qui sont telles que l'expression

$$\frac{1}{mn} \sum_{i=1}^{m} \sum_{j=1}^{n} (x_{ij} - \bar{x} - \alpha_i)^2$$

est la plus petite possible lorsque $\alpha_i = a_i$ pour $i = 1, \ldots, m$. On a alors

$$a_i = x_{i\bullet} - \bar{x} = \frac{1}{n} \sum_{j=1}^{n} x_{ij} - \bar{x} \text{ pour } i = 1, \ldots, m .$$

En effet,

$$\frac{1}{mn} \sum_{i=1}^{m} \sum_{j=1}^{n} (x_{ij} - \bar{x} - \alpha_i)^2 = \frac{1}{m} \sum_{i=1}^{m} \left\{ \frac{1}{n} \sum_{j=1}^{n} (x_{ij} - \bar{x} - \alpha_i)^2 \right\}$$

est minimum lorsque chaque terme

$$\frac{1}{n} \sum_{j=1}^{n} (x_{ij} - \bar{x} - \alpha_i)^2$$

pour $i = 1, \ldots, m$ est minimum, ce qui est le cas lorsque

$$\alpha_i = \frac{1}{n} \sum_{j=1}^{n} (x_{ij} - \bar{x}) = \frac{1}{n} \sum_{j=1}^{n} x_{ij} - \bar{x}$$

pour $i = 1, \ldots, m$ par la propriété de la moyenne présentée précédemment. On estime donc α_i pour $i = 1, \ldots, m$ par la différence entre la moyenne dans le i^e échantillon et la moyenne de toutes les valeurs observées.

Remarque.   On estime les erreurs ε_{ij} par les quantités

$$e_{ij} = x_{ij} - \bar{x} - a_i = x_{ij} - \bar{x} - (x_{i\bullet} - \bar{x}) = x_{ij} - x_{i\bullet}$$

pour $i = 1, \ldots, m$ et $j = 1, \ldots, n$.

DÉCOMPOSITION DE LA VARIANCE

Dans un modèle d'analyse de variance à un facteur, la **variance totale** s_T^2 des valeurs observées est[1]

$$s_T^2 = \frac{1}{mn} \sum_{i=1}^{m} \sum_{j=1}^{n} (x_{ij} - \bar{x})^2 .$$

Cette variance est expliquée en partie par des différences entre les échantillons pour les différents traitements et en partie par des différences à l'intérieur des échantillons. En effet, en développant convenablement l'expression ci-dessus pour s_T^2, on obtient que

$$s_T^2 = \frac{1}{mn} \sum_{i=1}^{m} \sum_{j=1}^{n} \left[(x_{ij} - x_{i\bullet}) + (x_{i\bullet} - \bar{x}) \right]^2$$

$$= \frac{1}{mn} \sum_{i=1}^{m} \sum_{j=1}^{n} \left[(x_{ij} - x_{i\bullet})^2 + 2(x_{ij} - x_{i\bullet})(x_{i\bullet} - \bar{x}) + (x_{i\bullet} - \bar{x})^2 \right]$$

$$= \frac{1}{mn} \sum_{i=1}^{m} \sum_{j=1}^{n} (x_{ij} - x_{i\bullet})^2 + \frac{2}{m} \sum_{i=1}^{m} (x_{i\bullet} - x_{i\bullet})(x_{i\bullet} - \bar{x}) + \frac{1}{m} \sum_{i=1}^{m} (x_{i\bullet} - \bar{x})^2$$

$$= \frac{1}{m} \sum_{i=1}^{m} \left\{ \frac{1}{n} \sum_{j=1}^{n} (x_{ij} - x_{i\bullet})^2 \right\} + \frac{1}{m} \sum_{i=1}^{m} (x_{i\bullet} - \bar{x})^2$$

$$= s_I^2 + s_E^2 ,$$

où s_I^2 est la **moyenne des variances à l'intérieur des échantillons** et s_E^2 est la **variance entre les échantillons**.

---

1. La variance totale ne doit pas être confondue avec la variance dans un échantillon d'une population de traitement qui a été notée de la même façon au chapitre 8.

La **décomposition de la variance**

$$s_T^2 = s_I^2 + s_E^2,$$

où

$$s_I^2 = \frac{1}{m} \sum_{i=1}^{m} \left\{ \frac{1}{n} \sum_{j=1}^{n} (x_{ij} - x_{i\bullet})^2 \right\},$$

$$s_E^2 = \frac{1}{m} \sum_{i=1}^{m} (x_{i\bullet} - \bar{x})^2,$$

est à l'origine même de ce qu'on appelle l'analyse de variance. La décomposition de la variance est importante, car elle nous permet d'identifier les sources principales de variation ou de mesurer leurs effets.

TEST SUR LA NEUTRALITÉ DES TRAITEMENTS

À partir de maintenant, nous supposons que les erreurs ε_{ij} dans le modèle à un facteur sont des valeurs observées de variables $\mathscr{E}_{ij}$ qui sont indépendantes et qui suivent toutes une loi $N(0, \sigma^2)$ pour $i = 1, \ldots, m$ et $j = 1, \ldots, n$. Dans ce cas, les quantités x_{ij} sont des valeurs observées de variables X_{ij} indépendantes et de loi $N(\mu + \alpha_i, \sigma^2)$, pour $i = 1, \ldots, m$ et $j = 1, \ldots, n$.

Le modèle à un facteur pour ce qui est des variables s'écrit alors

$$X_{ij} = \mu + \alpha_i + \mathscr{E}_{ij} \text{ pour } i = 1, \ldots, m \text{ et } j = 1, \ldots, n,$$

où les $\mathscr{E}_{ij}$ sont des variables indépendantes de loi $N(0, \sigma^2)$ et où les α_i sont des effets de déviation par rapport à une moyenne générale μ attribuables aux différents traitements. De plus, on a la condition $\alpha_1 + \ldots + \alpha_m = 0$.

Remarque. Sous les hypothèses précédentes, les quantités $\bar{x}$, a_i pour $i = 1, \ldots, m$ et s_I^2 correspondent aux **estimations du maximum de vraisemblance** pour les paramètres inconnus μ, α_i pour $i = 1, \ldots, m$ et σ^2 respectivement, dans le sens que la fonction de densité conjointe des X_{ij} ($i = 1, \ldots, m$ et $j = 1, \ldots, n$) évaluée aux valeurs observées x_{ij} ($i = 1, \ldots, m$ et $j = 1, \ldots, n$) est maximum lorsque les paramètres inconnus prennent ces quantités pour valeurs.

Nous sommes maintenant en mesure de tester l'**hypothèse de la neutralité des traitements**, qui est celle d'effets de déviation nuls des différents traitements. Formellement, l'hypothèse est

$$H_0 : \alpha_1 = \ldots = \alpha_m = 0.$$

La contre-hypothèse qu'il faut prendre en considération est simplement qu'au moins deux traitements ont des effets distincts.

Si l'hypothèse H_0 n'est pas vraie, alors des différences notables entre les échantillons correspondant aux différents traitements sont à prévoir. Ces différences sont mesurées par la variance entre les échantillons s_E^2. On décide donc de rejeter H_0 si s_E^2 est suffisamment grand. Or s_E^2 est une valeur observée de la variable

$$S_E^2 = \frac{1}{m} \sum_{i=1}^{m} (X_{i\bullet} - \overline{X})^2 ,$$

où

$$X_{i\bullet} = \frac{1}{n} \sum_{j=1}^{n} X_{ij} \text{ pour } i = 1, \ldots, m$$

et

$$\overline{X} = \frac{1}{m} \sum_{i=1}^{m} X_{i\bullet} .$$

La distribution de S_E^2 sous H_0 dépend cependant de σ^2. En fait, les variables $X_{i\bullet}$ pour $i = 1, \ldots, m$ sont indépendantes et suivent toutes une loi $N(\mu, \sigma^2/n)$ sous H_0 de telle sorte que

$$\frac{mS_E^2}{\sigma^2/n} = \frac{mnS_E^2}{\sigma^2}$$

suit une loi du khi-deux avec $m - 1$ degrés de liberté sous H_0. Mais le paramètre σ^2 est inconnu. On peut cependant l'estimer par s_I^2 qui est une valeur observée de la variable S_I^2 qui est telle que

$$\frac{mnS_I^2}{\sigma^2} = \sum_{i=1}^{m} \sum_{j=1}^{n} \left(\frac{X_{ij} - X_{i\bullet}}{\sigma} \right)^2$$

suit une loi du khi-deux avec $m(n - 1)$ degrés de liberté, car les variables

$$\frac{nS_{i\bullet}^2}{\sigma^2} = \sum_{j=1}^{n} \left(\frac{X_{ij} - X_{i\bullet}}{\sigma} \right)^2$$

pour $i = 1, \ldots, m$ suivent une loi du khi-deux avec $n - 1$ degrés de liberté et sont toutes indépendantes. De plus, les variables $S_{i\bullet}^2$ pour $i = 1, \ldots, m$ sont indépendantes des variables $X_{k\bullet}$ pour $k = 1, \ldots, m$ (le cas $k = i$ a déjà été discuté dans la partie de la section 7.4 qui traite de la loi khi-deux et le cas $k \neq i$ découle du fait que les variables $X_{i1}, \ldots, X_{in}$ sont alors indépendantes des variables $X_{k1}, \ldots, X_{kn}$). On en conclut que mnS_I^2/σ^2 est indépendante de mnS_E^2/σ^2. En particulier, on obtient que

$$\frac{mnS_T^2}{\sigma^2} = \frac{mnS_E^2}{\sigma^2} + \frac{mnS_I^2}{\sigma^2}$$

suit une loi du khi-deux avec $(m-1) + m(n-1) = mn - 1$ degrés de liberté sous H_0 comme il fallait s'y attendre. Enfin, la variable

$$\frac{\left(\dfrac{mnS_E^2}{(m-1)\sigma^2}\right)}{\left(\dfrac{mnS_I^2}{m(n-1)\sigma^2}\right)} = \frac{m(n-1)S_E^2}{(m-1)S_I^2}$$

a une distribution sous H_0 qui ne dépend pas de σ^2 et qui est tabulée. Cette distribution est appelée **loi de Fisher,** ou **loi de Fisher-Snedecor,** à $m-1$ et $m(n-1)$ degrés de liberté et elle est notée $F(m-1, m(n-1))$. Des tables de la loi de Fisher sont données en appendice (tables IVa et IVb).

Finalement, un test de niveau α consiste à

$$\text{rejeter } H_0 \text{ si } f = \frac{m(n-1)s_E^2}{(m-1)s_I^2} > c,$$

où

$$\Pr(F(m-1, m(n-1)) > c) = \alpha.$$

Il est commode de présenter les informations requises pour effectuer une analyse de variance dans un tableau dit d'analyse de variance ou ANOVA (pour *analysis of variance*). Pour un plan d'expérience à un facteur, on a le tableau 10.1.

TABLEAU 10.1.
Tableau ANOVA à un facteur

Source	Variance[†]	Degré de liberté
Entre les échantillons	$s_E^2 = \dfrac{1}{m}\sum_{i-1}^{m}(x_{i\bullet} - \bar{x})^2$	$m-1$
À l'intérieur des échantillons	$s_I^2 = \dfrac{1}{m}\sum_{i-1}^{m}\left\{\dfrac{1}{n}\sum_{j-1}^{n}(x_{ij} - x_{i\bullet})^2\right\}$	$m(n-1)$
Total	$s_T^2 = \dfrac{1}{mn}\sum_{i-1}^{m}\sum_{j-1}^{n}(x_{ij} - \bar{x})^2$	$mn - 1$

[†] En pratique, on calcule d'abord s_T^2 et s_E^2 à l'aide des formules

$$s_T^2 = \frac{1}{mn}\sum_{i-1}^{m}\sum_{j-1}^{n}x_{ij}^2 - \bar{x}^2,$$

$$s_E^2 = \frac{1}{m}\sum_{i-1}^{m}x_{i\bullet}^2 - \bar{x}^2,$$

puis on obtient s_I^2 en posant

$$s_I^2 = s_T^2 - s_E^2.$$

Dans beaucoup de textes sur l'analyse de variance, les variances s_T^2, s_E^2 et s_I^2 sont remplacées dans le tableau ANOVA par les sommes de carrés correspondantes mns_T^2, mns_E^2 et mns_I^2.

Exemple. On obtient les quantités de récolte de céréale suivantes (en tonnes) en utilisant quatre fertilisants différents sur trois lopins de terre chacun :

Fertilisant 1	1,1	1,6	1,2
Fertilisant 2	1,5	1,7	1,3
Fertilisant 3	1,9	2,4	1,7
Fertilisant 4	1,4	1,8	1,6

On trouve

$$\bar{x} = 1,6$$

comme valeur estimée de μ, et

$$a_1 = -0,3 \qquad a_2 = -0,1 \qquad a_3 = 0,4 \qquad a_4 = 0,0$$

comme valeurs estimées de α_1, α_2, α_3 et α_4 respectivement. D'autre part, on obtient les variances

$$s_E^2 = 0,065,$$
$$s_T^2 = 0,047,$$
$$s_T^2 = 0,112,$$

et, avec un niveau égal à 5 %, on rejette l'hypothèse de la neutralité des fertilisants si

$$f = \frac{m(n-1)s_E^2}{(m-1)s_I^2} = 3,69 > c \,,$$

où

$$\Pr(F(3, 8) > c) = 0,05.$$

À l'aide d'une table de la loi de Fisher, on trouve $c = 4,07$ et, donc, on ne rejette pas l'hypothèse de neutralité.

* TEST SUR L'ÉQUIVALENCE DE DEUX TRAITEMENTS

Le rejet de l'hypothèse de la nullité des effets de déviation dans un modèle à un facteur n'exclut pas la possibilité que les effets de déviation de deux traitements particuliers soient égaux. Il devient alors important de tester une telle éventualité. Dans ce cas, nous nous intéressons à une hypothèse nulle de la forme

$$H_0 : \alpha_k = \alpha_\ell$$

avec la contre-hypothèse

$$H_1 : \alpha_k \neq \alpha_\ell$$

pour k et ℓ fixés ($k \neq \ell$) compris entre 1 et m. Dans ce contexte, l'hypothèse nulle est appelée un **contraste**.

En utilisant le résultat que

$$\frac{X_{k\bullet} - X_{\ell\bullet}}{\sqrt{\dfrac{2\sigma^2}{n}}}$$

suit une loi $N(0,1)$ sous H_0 et est indépendant de mnS_I^2/σ^2, qui est de loi du khi-deux avec $m(n-1)$ degrés de liberté, donc que

$$\frac{\left(\dfrac{X_{k\bullet} - X_{\ell\bullet}}{\sqrt{\dfrac{2\sigma^2}{n}}}\right)}{\sqrt{\dfrac{mnS_I^2}{m(n-1)\sigma^2}}} = \frac{X_{k\bullet} - X_{\ell\bullet}}{\sqrt{\dfrac{2S_I^2}{n-1}}}$$

suit une loi de Student avec $m(n-1)$ degrés de liberté sous H_0, un test de niveau α est de

$$\text{rejeter } H_0 \text{ si} \left| \tau_{k\ell} \right| = \left| \frac{x_{k\bullet} - x_{\ell\bullet}}{\sqrt{\dfrac{2s_I^2}{n-1}}} \right| > c \,,$$

où c est tel que

$$\Pr\left(\left| t_{m(n-1)} \right| > c \right) = \alpha.$$

C'est la **méthode de Student** pour un contraste. À noter que $x_{k\bullet} - x_{\ell\bullet} = a_k - a_\ell$.

Remarque. Ce test ressemble à celui que nous avons présenté dans la section 8.2 pour la comparaison de deux moyennes dans le cas où σ^2 est inconnu à la différence que σ^2 est estimé à partir de m échantillons plutôt qu'à partir de deux échantillons seulement (les deux échantillons utilisés pour estimer les moyennes).

Exemple. Dans l'exemple précédent sur les fertilisants, on trouve

$\left\| \tau_{12} \right\| = 0{,}92$	$\left\| \tau_{13} \right\| = 3{,}23$	$\left\| \tau_{14} \right\| = 1{,}38$
$\left\| \tau_{23} \right\| = 2{,}30$	$\left\| \tau_{24} \right\| = 0{,}46$	$\left\| \tau_{34} \right\| = 1{,}84$

alors que

$$\Pr(\left| t_8 \right| > c) = 0{,}05$$

pour

$$c = 2{,}31.$$

Donc, avec un niveau de 5 %, on ne rejette pas l'hypothèse $\alpha_k = \alpha_\ell$ pour $k \neq \ell$ (k et ℓ compris entre 1 et 4) sauf pour $k = 1$ et $\ell = 3$. On peut alors considérer que les fertilisants 1 et 3 ont des effets différents.

10.3. PLAN D'EXPÉRIENCE À DEUX FACTEURS

Dans l'exemple sur le rendement d'une céréale, le taux d'humidité du sol (**facteur B**), en plus du fertilisant (**facteur A**), peut avoir une influence déterminante. En reprenant cet exemple et en supposant que le taux d'humidité ait été contrôlé de telle sorte qu'on a n taux d'humidité différents pour les n lopins de terre pour chacun des m fertilisants, on obtient le tableau des résultats suivant :

	Taux d'humidité				
	1	**...**	**j**	**...**	**n**
Fertilisant 1	x_{11}	...	x_{1j}	...	x_{1n}
.	.		.		.
.	.		.		.
.	.		.		.
Fertilisant i	x_{i1}	...	x_{ij}	...	x_{in}
.	.		.		.
.	.		.		.
.	.		.		.
Fertilisant m	x_{m1}	...	x_{mj}	...	x_{mn}

On considère alors le **modèle à deux facteurs**

$$x_{ij} = \mu + \alpha_i + \beta_j + \varepsilon_{ij} \text{ pour } i = 1, \ldots, m \text{ et } j = 1, \ldots, n,$$

où μ représente l'effet général des deux facteurs réunis, fertilisant et taux d'humidité, α_i l'effet de déviation spécifique au fertilisant i ($i = 1, \ldots, m$), β_j l'effet de déviation spécifique au taux d'humidité j ($j = 1, \ldots, n$) et ε_{ij} un terme résiduel attribuable au hasard ($i = 1, \ldots, m$ et $j = 1, \ldots, n$). Chaque fertilisant particulier correspond à un traitement du facteur A et chaque taux d'humidité particulier à un traitement du facteur B.

Comme dans le modèle à un facteur, les différents effets sont estimés par la méthode des moindres carrés successifs. En réduisant successivement au minimum les sommes de carrés

$$\frac{1}{mn} \sum_{i=1}^{m} \sum_{j=1}^{n} (x_{ij} - \mu)^2,$$

$$\frac{1}{mn} \sum_{i=1}^{m} \sum_{j=1}^{n} (x_{ij} - \mu - \alpha_i)^2,$$

et

$$\frac{1}{mn} \sum_{i=1}^{m} \sum_{j=1}^{n} (x_{ij} - \mu - \alpha_i - \beta_j)^2 \, ,$$

on obtient les **valeurs estimées des paramètres du modèle à deux facteurs**, en l'occurrence

$$\bar{x} = \frac{1}{mn} \sum_{i=1}^{m} \sum_{j=1}^{n} x_{ij} \text{ pour } \mu \, ,$$

$$a_i = \frac{1}{n} \sum_{j=1}^{n} (x_{ij} - \bar{x})$$

$$= \frac{1}{n} \sum_{j=1}^{n} x_{ij} - \bar{x}$$

$$= x_{i\bullet} - \bar{x} \text{ pour } \alpha_i, i = 1, \dots, m \, ,$$

et

$$b_j = \frac{1}{m} \sum_{i=1}^{m} [x_{ij} - \bar{x} - (x_{i\bullet} - \bar{x})]$$

$$= \frac{1}{m} \sum_{i=1}^{m} x_{ij} - \bar{x}$$

$$= x_{\bullet j} - \bar{x} \text{ pour } \beta_j, j = 1, \dots, n \, ,$$

où $x_{i\bullet}$ est la moyenne des résultats avec le fertilisant i ($i = 1, \dots, m$) et $x_{\bullet j}$ la moyenne des résultats avec le taux d'humidité j ($j = 1, \dots, n$). Les termes résiduels ε_{ij} attribuables au hasard sont alors estimés par

$$x_{ij} - x_{i\bullet} - x_{\bullet j} + \bar{x}$$

pour $i = 1, \dots, m$ et $j = 1, \dots, n$.

De plus, la **décomposition de la variance** se fait de la façon suivante :

$$s_T^2 = \frac{1}{mn} \sum_{i=1}^{m} \sum_{j=1}^{n} (x_{ij} - \bar{x})^2$$

$$= \frac{1}{mn} \sum_{i=1}^{m} \sum_{j=1}^{n} [(x_{ij} - x_{i\bullet} - x_{\bullet j} + \bar{x}) + (x_{\bullet j} - \bar{x}) + (x_{i\bullet} - \bar{x})]^2$$

$$= \frac{1}{mn} \sum_{i=1}^{m} \sum_{j=1}^{n} (x_{ij} - x_{i\bullet} - x_{\bullet j} + \bar{x})^2 + \frac{1}{n} \sum_{j=1}^{n} (x_{\bullet j} - \bar{x})^2 + \frac{1}{m} \sum_{i=1}^{m} (x_{i\bullet} - \bar{x})^2$$

$$= s_R^2 + s_B^2 + s_A^2 \, ,$$

où s_A^2 est la **variance due au facteur A** (le fertilisant), s_B^2 la **variance due au facteur B** (le taux d'humidité) et s_R^2 la **variance résiduelle** qui est imputable au hasard.[2]

---

2. La variance résiduelle ne doit pas être confondue avec la variance dans un échantillon d'une population de référence qui a été notée de la même façon au chapitre 8.

À partir de maintenant, nous supposons que les termes résiduels ε_{ij} sont des valeurs observées de variables $\mathscr{E}_{ij}$ indépendantes et de loi $N(0, \sigma^2)$, pour $i = 1, \ldots, m$ et $j = 1, \ldots, n$. Les quantités x_{ij} sont alors des valeurs observées de variables

$$X_{ij} = \mu + \alpha_i + \beta_j + \mathscr{E}_{ij}$$

indépendantes et de loi $N(\mu + \alpha_i + \beta_j, \sigma^2)$, pour $i = 1, \ldots, m$ et $j, \ldots, n$.

De plus, on a les conditions $\alpha_1 + \ldots + \alpha_m = 0$ et $\beta_1 + \ldots + \beta_n = 0$.

Remarque. Sous ces hypothèses, les quantités $\bar{x}$, a_i pour $i = 1, \ldots, m$, b_j pour $j = 1, \ldots, n$ et s_R^2 sont alors des estimations de maximum de vraisemblance pour les paramètres μ, α_i pour $i = 1, \ldots, m$, β_j pour $j = 1, \ldots, n$ et σ^2, respectivement.

Pour tester l'**hypothèse de la neutralité des traitements du facteur A**, c'est-à-dire

$$H_A : \alpha_1 = \ldots = \alpha_m = 0,$$

on considère le rapport

$$f_A = \frac{ms_A^2/m - 1}{mns_R^2/(m-1)(n-1)} .$$

Avec un niveau α, on rejette H_A si

$$f_A = \frac{(n-1)s_A^2}{ns_R^2} > c ,$$

où

$$\Pr(F(m - 1, (m - 1)(n - 1)) > c) = \alpha .$$

De façon analogue, on rejette l'**hypothèse de la neutralité des traitements du facteur B**, c'est-à-dire

$$H_B : \beta_1 = \ldots = \beta_n = 0,$$

si

$$f_B = \frac{(m-1)s_B^2}{ms_R^2} > c ,$$

où

$$\Pr(F(n - 1, (m - 1)(n - 1)) > c) = \alpha .$$

Le niveau du test est alors α.

Le tableau ANOVA pour la présentation des quantités utilisées dans une analyse de variance avec deux facteurs prend la forme du tableau 10.2. Dans beaucoup de textes sur l'analyse de variance, les variances s_T^2, s_A^2, s_B^2 et s_R^2 sont remplacées dans le tableau ANOVA par les sommes de carrés correspondantes mns_T^2, mns_A^2, mns_B^2 et mns_R^2.

TABLEAU 10.2.

Tableau ANOVA à deux facteurs

Source	Variance[†]	Degré de liberté
Facteur A	$s_A^2 = \dfrac{1}{m} \sum_{i=1}^{m} (x_{i\bullet} - \bar{x})^2$	$m - 1$
Facteur B	$s_B^2 = \dfrac{1}{n} \sum_{j=1}^{n} (x_{\bullet j} - \bar{x})^2$	$n - 1$
Résidu	$s_R^2 = \dfrac{1}{mn} \sum_{i=1}^{m} \sum_{j=1}^{n} (x_{ij} - x_{i\bullet} - x_{\bullet j} + \bar{x})^2$	$(m-1)(n-1)$
Total	$s_T^2 = \dfrac{1}{mn} \sum_{i=1}^{m} \sum_{j=1}^{n} (x_{ij} - \bar{x})^2$	$mn - 1$

[†] Pour effectuer les calculs des variances, on utilise souvent les formules

$$s_T^2 = \frac{1}{mn} \sum_{i=1}^{m} \sum_{j=1}^{n} x_{ij}^2 - \bar{x}^2,$$

$$s_A^2 = \frac{1}{m} \sum_{i=1}^{m} x_{i\bullet}^2 - \bar{x}^2,$$

$$s_B^2 = \frac{1}{n} \sum_{j=1}^{n} x_{\bullet j}^2 - \bar{x}^2,$$

$$s_R^2 = s_T^2 - s_A^2 - s_B^2.$$

Exemple.   On a les données suivantes sur les quantités de récolte de céréale (en tonnes) selon le fertilisant utilisé (facteur A) et le taux d'humidité du sol (facteur B) :

	Taux d'humidité		
	bas (1)	moyen (2)	élevé (3)
Fertilisant 1	1,1	1,6	1,2
Fertilisant 2	1,5	1,7	1,3
Fertilisant 3	1,9	2,4	1,7
Fertilisant 4	1,4	1,8	1,6

On obtient

$$\bar{x} = 1,6$$

comme valeur estimée de μ, et

$$a_1 = -0,3 \qquad a_2 = -0,1 \qquad a_3 = 0,4 \qquad a_4 = 0,0$$

comme valeurs estimées de α_1, α_2, α_3 et α_4 respectivement, et enfin

$$b_1 = -0{,}125 \qquad b_2 = 0{,}275 \qquad b_3 = -0{,}150$$

comme valeurs estimées de β_1, β_2 et β_3 respectivement. Pour les variances, on trouve

$$s_A^2 = 0{,}065,$$
$$s_B^2 = 0{,}038,$$
$$s_R^2 = 0{,}009,$$
$$s_T^2 = 0{,}112.$$

Enfin, on calcule

$$f_A = \frac{(n-1)s_A^2}{ns_R^2} = 4{,}81$$

et

$$f_B = \frac{(m-1)s_B^2}{ms_R^2} = 3{,}17 \ .$$

Puisque

$$\Pr(F(3,6) > 4{,}76) = 0{,}05 \text{ et } 4{,}81 > 4{,}76,$$

on rejette l'hypothèse de la neutralité des différents fertilisants avec un niveau égal à 5 %. Par contre, comme

$$\Pr(F(2,6) > 5{,}14) = 0{,}05 \text{ et } 3{,}17 \not> 5{,}14,$$

on ne rejette pas l'hypothèse de la neutralité des différents taux d'humidité avec un niveau égal à 5 %.

Remarque 1. Le modèle à deux facteurs ci-dessus permet de mieux discerner les fertilisants que le modèle à un facteur correspondant (voir l'exemple de la section 10.2) dans lequel le facteur B et le terme résiduel sont confondus pour former un terme d'erreur, ce qui se traduit par une perte d'information.

Remarque 2. Il peut paraître surprenant de ne pas rejeter l'hypothèse que le taux d'humidité importe peu, mais deux taux sur trois (bas et élevé) donnent à peu près les mêmes résultats.

Remarque 3. Les données peuvent être des moyennes de récoltes obtenues sur un même nombre de lopins de terre pour chaque fertilisant et chaque taux d'humidité. L'hypothèse de normalité est alors tout à fait justifiée par le théorème central limite. Cela est vrai aussi en général dans d'autres contextes.

PROBLÈMES

10.1. Le niveau de DDT (dichloro-diphényl-trichlorithane) en parties par milliard a été mesuré dans le sang de poissons pêchés à 3 sites distincts. Les résultats sont les suivants :

Site 1	20	33	17	28	32
Site 2	22	18	15	18	23
Site 3	6	11	15	19	14

Donnez les valeurs estimées des paramètres du modèle d'analyse de variance à un facteur correspondant.

10.2. Quatre types de revêtement phosphorescent sont testés 8 fois chacun. Les temps de luminosité après une excitation sont :

Type 1	52,9	62,1	57,4	50,0	59,3	61,2	60,8	53,1
Type 2	58,4	55,0	59,8	62,5	64,7	59,9	54,7	58,4
Type 3	71,3	66,6	63,4	64,7	75,8	65,6	72,9	67,3
Type 4	50,0	51,2	48,4	55,9	59,2	61,5	52,1	58,6

Faites la décomposition de la variance correspondante.

10.3. Cinq variantes d'un médicament utilisé pour réduire le taux de cholestérol dans le sang sont testées chacune sur 10 patients souffrant au même degré d'hyper-cholestérolémie. Supposons que les résultats sur la réduction du taux (en mg/dl) donnent le tableau suivant :

Médicament	1	2	3	4	5
Moyenne	35	40	50	30	60
Écart-type	15	10	20	15	25

Faites la décomposition de la variance correspondante.

10.4. Trois observations sont faites dans chacune des 3 populations définies par les traitements A, B et C.

a) Avec les résultats ci-dessous, testez l'hypothèse de la neutralité des traitements au niveau de 5 %.

Traitement A	2	6	4
Traitement B	12	6	6
Traitement C	4	6	8

b) Testez la même hypothèse avec les résultats suivants :

Traitement A	4	4	4
Traitement B	8	8	8
Traitement C	6	6	6

Dans ce cas, la décision dépend-elle du niveau ?

10.5. Des mesures de porosité (définie comme le pourcentage des vides par rapport au volume total) à 2 sites de forage ont donné les résultats suivants :

| Site 1 | 8,4 | 9,8 | 11,3 | 12,1 | 13,3 | 13,5 | 14,1 | 14,3 |
| Site 2 | 9,6 | 9,7 | 12,9 | 13,2 | 13,2 | 13,4 | 14,3 | 16,1 |

Source : W. C. Krumbein et F. A. Graybill, *An Introduction to Statistical Models in Geology*, New York, McGraw-Hill, 1965. (Extrait de W. C. Krumbein et R. L. Miller, « Design of experiments for statistical analysis of geological data », *J. Geol.*, vol. 61, 1953, p. 510-532.)

On se demande si les différences entre les 2 sites sont significatives au niveau de 10%. Répondez à la question :

a) par une analyse de variance ;

b) par une comparaison des moyennes.

10.6. Un groupe de 12 étudiants a été subdivisé en 3 sous-groupes de 4 selon le niveau de bruit auquel ils ont été exposés pendant un examen. Les notes obtenues par ces étudiants sont :

Niveau élevé	62	55	70	61
Niveau moyen	65	73	71	53
Niveau bas	71	72	69	70

Les différences des notes obtenues dans les 3 sous-groupes selon le niveau de bruit sont-elles significatives au niveau de 1%?

10.7. Afin d'étudier l'effet du pourcentage de coton dans la résistance d'une fibre synthétique, on a tendu jusqu'à la rupture 5 fibres synthétiques pour chacune de 3 compositions : 15% de coton (1), 25% de coton (2) et 35% de coton (3). Les forces de tension nécessaires (en livres par pouce carré) ont été les suivantes :

Composition 1	7	7	15	11	9
Composition 2	14	18	18	19	19
Composition 3	7	10	11	15	11

Source : D. C. Montgomery, *Designs and Analysis of Experiments*, 2e éd., New York, Wiley and Sons, 1984, p. 51.

Les différences observées pour les 3 compositions sont-elles significatives au niveau de 5%?

10.8. Quatre régimes sont expérimentés sur des individus de poids similaires. Les données ci-après sont les poids (en kilogrammes) perdus après un régime d'un mois.

Régime 1	4,5	2,3	4,8	1,5
Régime 2	5,1	3,2	4,3	2,6
Régime 3	5,3	2,0	1,1	2,1
Régime 4	3,0	3,2	4,4	0,5

Y a-t-il une différence significative entre les pertes de poids et les 3 types de régime au niveau de 10%?

10.9. Les données ci-dessous correspondent à des quantités de blé récolté sur 16 lopins de terre selon la fréquence et le moment d'utilisation de sulfure contre la rouille : avant chaque pluie (1), après chaque pluie (2), à chaque semaine (3), jamais (4).

Traitement 1	5,3	3,7	14,3	6,5
Traitement 2	4,4	5,1	5,4	12,1
Traitement 3	8,4	6,0	4,9	9,5
Traitement 4	7,4	4,3	3,5	3,8

Source : P. G. Hoel et R. J. Jessen, *Basic Statistics for Business and Economics*, 3ᵉ éd., New York, Wiley and Sons, 1982, p. 406.

Testez l'hypothèse de la neutralité des traitements au niveau de 1 %.

10.10. Le directeur d'une chaîne de magasins met à l'essai 4 politiques de publicité. Ces politiques sont : A : pas de publicité; B : publicité dans des circulaires; C : publicité dans des journaux; D : publicité à la radio et à la télévision. Vingt-quatre magasins sont choisis et chacune des politiques est mise à l'essai dans 6 magasins. Voici les résultats des ventes moyennes quotidiennes (en milliers de dollars) durant les 3 mois qui ont suivi l'instauration de la politique.

Politique A	3,0	2,5	4,1	2,7	1,9	2,7
Politique B	2,2	2,7	2,3	2,8	1,3	2,1
Politique C	2,9	3,3	3,5	3,1	2,1	2,9
Politique D	3,1	3,2	2,9	3,5	3,9	3,2

Testez l'hypothèse de la neutralité des politiques au niveau de 10 %.

10.11. On considère un modèle à un facteur avec 5 traitements et n observations pour chaque traitement. À partir de quelle valeur de s_E^2 / s_I^2 rejette-t-on l'hypothèse de la neutralité des traitements au niveau α dans les cas suivants :

   a) $n = 5$, $\alpha = 1 \%$;

   b) $n = 5$, $\alpha = 5 \%$;

   c) $n = 9$, $\alpha = 5 \%$.

*10.12. Testez tous les contrastes dans le modèle à un facteur du problème 10.7 au niveau de 5 %.

*10.13. On considère le modèle à un facteur du problème 10.9.

   a) Testez tous les contrastes au niveau de 1 %.

   b) En regroupant les traitements 1, 2, 3 en un traitement 0 (utilisation de sulfure), testez au niveau de 1 % l'hypothèse que la moyenne avec le traitement 4 (pas d'utilisation de sulfure) est égale à la moyenne avec le traitement 0.

*10.14. On considère le modèle à un facteur du problème 10.10.

   a) Testez tous les contrastes au niveau de 20 %.

   b) En regroupant les politiques B, C, D en une politique E (publicité), testez au niveau de 20 % l'hypothèse que la moyenne avec la politique A (pas de publicité) est égale à la moyenne avec la politique E.

*10.15. Le tableau ci-dessous résume des données obtenues sur la longueur (en mm) de l'aile antérieure droite de papillons mâles appartenant à 4 espèces du genre *Papilio*.

Espèce	1.	2	3	4
Nombre d'observations	10	10	10	10
Moyenne	41,5	46,9	44,5	55,3
Variance	4,25	5,09	10,85	10,81

Source : P. Jolicoeur, *Introduction à la biométrie*, Décarie-Masson, 1991. (Extrait de L. P. Brower, « Speciation in butterflies of the *Papilio glaucus* group. I. Morphological relationships and hybridization », *Evolution*, vol. 13, 1959, p. 40-63.)

Testez tous les contrastes au niveau de 10 %.

10.16. Le rendement en produits d'une réaction chimique est étudié selon la température ambiante et le catalyseur utilisé. On obtient le tableau suivant :

	Catalyseur 1	Catalyseur 2	Catalyseur 3	Catalyseur 4
Température 1	49	54	52	50
Température 2	55	63	60	59
Température 3	52	60	58	53

a) Estimez les paramètres du modèle à 2 facteurs correspondant.
b) Faites la décomposition de la variance selon les 2 facteurs.

10.17. Voici un tableau ANOVA partiel pour 2 facteurs, A et B, avec 6 traitements chacun.

Source	Variance
Facteur A	0,40
Facteur B	0,08
Résidu	0,07

a) Testez au niveau de 5 % l'hypothèse de la nullité des effets du facteur A.
b) Testez au niveau de 5 % l'hypothèse de la nullité des effets du facteur B.
c) Testez au niveau de 5 %, l'hypothèse de la nullité des effets du facteur A en ignorant le facteur B (en le confondant avec le résidu).
d) Testez au niveau de 5 % l'hypothèse de la nullité des effets du facteur B en ignorant le facteur A (en le confondant avec le résidu).
e) Déterminez la variance totale.

10.18. Pour comparer la performance de 3 détersifs différents, A, B et C, à 3 températures d'eau différentes, les indices de « blancheur » suivants ont été obtenus :

	Détersif A	Détersif B	Détersif C
Eau froide	37	40	41
Eau tiède	42	43	42
Eau chaude	45	44	40

a) Les différences entre les détersifs sont-elles significatives au niveau de 5 % si l'on tient compte de la température de l'eau ?

b) Répondez à *a*) en ne tenant pas compte de la température de l'eau.

10.19. Quatre techniques de vente, A, B, C et D, sont testées en milieu urbain et en milieu rural. Les nombres de succès sur 1000 tentatives dans chaque cas donnent le tableau suivant :

	Technique A	Technique B	Technique C	Technique D
Milieu urbain	120	80	150	200
Milieu rural	250	170	180	90

a) Testez au niveau de 1 % la neutralité des effets des techniques de vente.

b) Testez au niveau de 1 % la neutralité des effets du milieu.

10.20. Les données ci-dessous représentent les consommations (en L/100 km) de 3 types d'essence par 4 véhicules du même modèle.

	Véhicule 1	Véhicule 2	Véhicule 3	Véhicule 4
Essence 1	10,1	10,8	11,3	10,5
Essence 2	10,3	10,2	11,2	10,5
Essence 3	10,2	10,3	10,8	10,1

a) Les différences entre les 3 types d'essence sont-elles significatives au niveau de 10 %?

b) Répondez à *a*) en ne différenciant pas les véhicules.

10.21. Quatre types de machines sont utilisées par 4 opérateurs. Les productions journalières correspondantes sont :

	Opérateur 1	Opérateur 2	Opérateur 3	Opérateur 4
Machine 1	125	105	105	130
Machine 2	95	100	135	150
Machine 3	130	100	125	90
Machine 4	80	110	90	85

Peut-on affirmer au niveau de 1 % que les différences entre les opérateurs sont significatives ?

10.22. Les données ci-dessous représentent les indices calorifiques de gaz relevés quotidiennement dans une ville pendant 9 semaines.

	Sem. 1	Sem. 2	Sem. 3	Sem. 4	Sem. 5	Sem. 6	Sem. 7	Sem. 8	Sem. 9
Lundi	5	1	−4	5	−13	−8	−2	−4	−10
Mardi	3	6	−10	−2	−7	−2	−4	2	2
Mercredi	8	4	−14	−3	3	0	5	−11	−12
Jeudi	8	10	−5	−1	4	−2	4	1	−12
Vendredi	4	−1	7	−5	5	−3	−7	−3	−6
Samedi	3	−9	3	−8	−6	0	−3	8	−1

Source : P. G. Hoel et R. J. Jessen, *Basic Statistics for Business and Economics*, 3e éd., New York, Wiley and Sons, 1982, p. 410. (Extrait de Griffith, Westman et Lloyd, *Industrial Quality Control*, mai 1948.)

Testez au niveau de 10 % s'il y a des différences significatives :
a) de semaine en semaine ;   *b*) d'un jour de la semaine à un autre.

11

RÉGRESSION LINÉAIRE
ET CORRÉLATION

11.1. INTRODUCTION

RELATIONS STATISTIQUES ENTRE DEUX VARIABLES

Il est fréquent de s'interroger sur la relation qui peut exister entre deux variables. En particulier pour des variables quantitatives, il est courant de se demander si une seconde variable a tendance à croître ou à décroître lorsqu'une première variable croît ou décroît. Cela présente une certaine importance, car on peut connaître la valeur prise par la première variable sans connaître la valeur prise par la seconde ou bien avoir un contrôle sur la valeur de la première et ainsi exercer une influence sur la valeur de la seconde, et ce dans le but de faire des prévisions avec le plus de justesse possible.

Par exemple, on peut s'attendre à ce que la demande pour une marchandise ait tendance à diminuer lorsque le prix est haussé, mais qu'elle tende à augmenter lorsque les sommes allouées à la publicité sont accrues. Ou encore que les résultats scolaires d'un étudiant aient tendance à s'améliorer lorsque plus de temps est consacré à l'étude. Dans ces exemples, on note la présence d'une **variable explicative** (parfois appelée **variable indépendante**) et d'une **variable expliquée** (aussi appelée **variable dépendante**). La variable explicative est celle sur laquelle on exerce un contrôle ou qui sert de variable de référence tandis que la variable expliquée est une variable dont la distribution est susceptible d'être influencée par la valeur de l'autre. La variable explicative peut être considérée comme une cause, *parmi d'autres*, de la variation de la variable expliquée. La relation est alors interprétée comme une relation de cause à effet, du moins d'un point de vue statistique.

Cependant, dans beaucoup de situations, on s'intéresse à deux variables simultanément sans pouvoir vraiment identifier de variables explicative et expliquée. Par exemple, le poids et la taille d'un individu dans une population, la longueur et la largeur de la boîte crânienne chez une espèce de mammifères, les résultats obtenus à deux examens par des étudiants. Dans ces cas, les deux variables peuvent simplement avoir des causes communes de variation, *parmi d'autres*, qui expliquent leur relation d'un point de vue statistique. La relation en est alors une de **co-relation**. Une telle relation est symétrique quant aux rôles joués par les variables.

Le problème qui se pose lorsqu'on est en présence de variables en relation statistique est d'identifier cette relation et de mesurer son importance. Dans le cas d'une variable explicative et d'une variable expliquée, on parle d'un problème de **régression**, tandis que dans le cas de deux variables considérées simultanément sans distinction de rôles, on parle d'un problème de **corrélation**. Dans ce chapitre, nous étudierons la **régression linéaire**, en supposant que la moyenne de la variable expliquée par rapport à la valeur de la variable explicative est une droite, et la **corrélation linéaire**, en mesurant par un coefficient le degré d'alignement des points correspondant aux observations simultanées ou non de deux variables. Dans la première partie, nous traiterons de méthodes purement descriptives, plus précisément de la droite des moindres carrés, alors que dans la seconde nous élaborerons des tests d'hypothèses en supposant que les variables sont distribuées selon une loi normale.

* HÉRITABILITÉ DE LA STATURE

Historiquement, le problème de la régression a été étudié avant celui de la corrélation. Au XIXe siècle, les problèmes d'évolution et d'hérédité ne sont pas résolus. On en est encore au stade des hypothèses. Sir Francis Galton (1822-1911), un cousin de Charles Darwin, s'intéresse à cette époque à la comparaison de mesures diverses d'une génération à la suivante. Dans *Natural Inheritance* publié en 1889, il présente entre autres une étude sur des données recueillies auprès de 205 familles (928 enfants adultes) pour comparer la taille des enfants adultes à la taille moyenne de leurs parents (en multipliant la taille des femmes par 1,08 pour compenser pour la plus petite taille générale des femmes par rapport aux hommes). Les données produisent un « nuage de points ». En regroupant les données en classes, Galton obtient le tableau 6.3. Ce tableau indique que plus les parents sont grands, plus les enfants ont tendance à être grands, la relation étant « presque linéaire ». Galton obtient graphiquement la droite décrivant le mieux la relation exacte en calculant la taille médiane des enfants pour chaque classe de parents selon leur taille moyenne et en représentant cette classe par sa valeur centrale (voir la figure 11.1). Une méthode plus rigoureuse est proposée plus tard par Karl Pearson (1857-1936), un disciple de Galton, qui s'inspire des travaux de Gauss sur les erreurs d'observation. Pearson propose de prendre la droite qui réduit au minimum la somme des carrés des écarts entre la taille observée des enfants et la taille obtenue à l'aide de la droite selon la taille moyenne des parents. Il obtient ainsi la « droite des moindres carrés » de la taille des enfants sur la taille moyenne des parents. La pente de la droite obtenue par Pearson, comme celle obtenue par Galton, est une estimation de l'**héritabilité** au sens des biométriciens. L'héritabilité est en quelque sorte une mesure de l'effet d'une sélection des parents selon un caractère donné sur la distribution de ce caractère chez les enfants. Une telle mesure a une importance capitale en agriculture, car elle explique les succès obtenus par la sélection artificielle. La sélection est efficace dans la mesure où il y a héritabilité.

La pente de la droite des moindres carrés correspond au **coefficient de corrélation de Pearson** si les données sont standardisées (moyenne 0 et variance 1), autant les tailles des enfants que les tailles moyennes des parents. Dans ce cas, la droite des moindres carrés de la taille moyenne des parents sur la taille des enfants a la même pente que celle de la taille des enfants sur la taille moyenne des parents. Cela constitue une propriété de symétrie importante du coefficent de corrélation.

Mais le plus important d'un point de vue historique est que Galton obtient une héritabilité d'environ 2/3, donc strictement plus petite que 1, pour la taille

FIGURE 11.1.

Droite de régression de Galton pour la taille des enfants par rapport à la taille moyenne des parents (voir le tableau 6.3.)

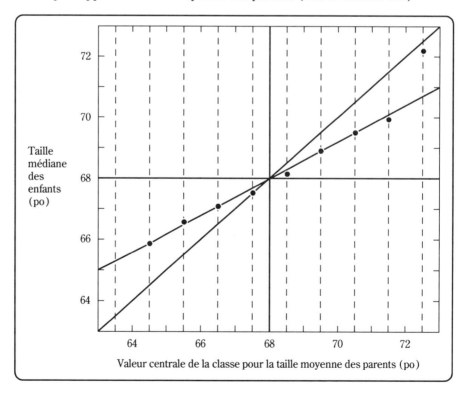

Valeur centrale de la classe pour la taille moyenne des parents (po)

des enfants par rapport à la taille moyenne des parents. D'où il conclut qu'il y a « régression vers la moyenne », c'est-à-dire que des parents très grands ont généralement des enfants plus petits qu'eux, alors que des parents très petits ont généralement des enfants plus grands qu'eux. Galton avait déjà remarqué des phénomènes analogues pour d'autres caractères dont certains d'ailleurs beaucoup moins objectifs, comme ceux ayant trait à l'« éminence » (d'après des critères de reconnaissance sociale ou des citations dans des encyclopédies) relevés au cours de l'histoire de l'humanité et rapportés dans *Hereditary Genius* (1869).

L'explication de Galton pour la régression s'appuyait sur l'hypothèse suivante : pour tout caractère quantitatif, les parents contribuent pour 1/2 du caractère moyen des enfants, les grands-parents pour 1/4, les arrière-grands-parents pour 1/8, etc. D'où un retour naturel vers la moyenne. Cette explication est ingénieuse, mais, malheureusement pour Galton, elle s'est révélée plus tard erronée à la lumière des lois génétiques de Mendel. Il n'en demeure pas moins que la technique de la régression avait fait son entrée en statistique et qu'elle devait y connaître un avenir florissant.

11.2. RÉGRESSION LINÉAIRE

DROITE DES MOINDRES CARRÉS

Étant donné un ensemble de points (x_i, y_i), disons pour $i = 1, \ldots, n$, on cherche une relation de la forme

$$y_i = \alpha + \beta x_i + \varepsilon_i \text{ pour } i = 1, \ldots, n$$

avec des ε_i minimaux dans leur ensemble selon un critère donné pour faire la meilleure approximation possible des y_i par les valeurs $\alpha + \beta x_i$ pour $i = 1, \ldots, n$. Les quantités α et β sont les paramètres du modèle à estimer. Le critère qu'on utilise est celui des moindres carrés. On cherche donc le vecteur de la forme $(\alpha + \beta x_1, \ldots, \alpha + \beta x_n)$ qui est le plus près de $(y_1, \ldots, y_n)$ dans le sens euclidien. Cela revient à minimiser la somme (ou la moyenne) des carrés des distances verticales des points (x_i, y_i) à une droite d'équation $y = \alpha + \beta x$ avec l'axe des x à l'horizontale et l'axe des y à la verticale (voir la figure 11.2).

Tout d'abord, puisque

$$\frac{1}{n} \sum_{i=1}^{n} \varepsilon_i^2 = \frac{1}{n} \sum_{i=1}^{n} (\varepsilon_i - \bar{\varepsilon} + \bar{\varepsilon})^2$$

$$= \frac{1}{n} \sum_{i=1}^{n} (\varepsilon_i - \bar{\varepsilon})^2 + \bar{\varepsilon}^2$$

$$\geqslant \frac{1}{n} \sum_{i=1}^{n} (\varepsilon_i - \bar{\varepsilon})^2$$

avec égalité si et seulement si $\bar{\varepsilon} = 0$, on choisit $\bar{\varepsilon} = 0$. Dans ce cas,

$$\bar{y} = \alpha + \beta \bar{x},$$

FIGURE 11.2.

Droite de régression de y en x

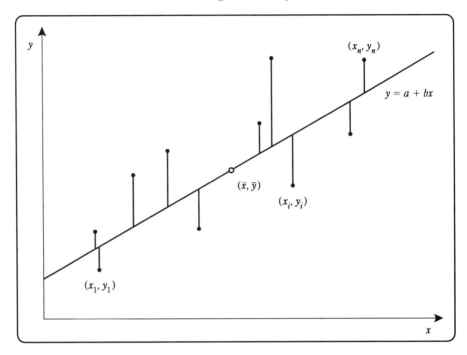

c'est-à-dire

$$\alpha = \bar{y} - \beta\bar{x}.$$

À partir de là, on obtient que

$$\frac{1}{n}\sum_{i=1}^{n}\varepsilon_i^2 = \frac{1}{n}\sum_{i=1}^{n}[y_i - (\alpha + \beta x_i)]^2$$

$$= \frac{1}{n}\sum_{i=1}^{n}[y_i - \bar{y} - \beta(x_i - \bar{x})]^2$$

$$= \frac{1}{n}\sum_{i=1}^{n}(x_i - \bar{x})^2\left[\frac{(y_i - \bar{y})}{(x_i - \bar{x})} - \beta\right]^2,$$

qui est un minimum lorsque

$$\beta = \sum_{i=1}^{n}\frac{(x_i - \bar{x})^2}{ns_x^2}\left[\frac{(y_i - \bar{y})}{(x_i - \bar{x})}\right] = \frac{s_{xy}}{s_x^2},$$

où

$$s_x^2 = \frac{1}{n}\sum_{i=1}^{n}(x_i - \bar{x})^2 = \frac{1}{n}\sum_{i=1}^{n}x_i^2 - \bar{x}^2$$

et

$$s_{xy} = \frac{1}{n}\sum_{i=1}^{n}(x_i - \bar{x})(y_i - \bar{y}) = \frac{1}{n}\sum_{i=1}^{n}x_iy_i - \bar{x}\,\bar{y},$$

par la propriété de la moyenne (voir la section 3.2). De plus, la valeur minimale est

$$\frac{1}{n} \sum_{i=1}^{n} (x_i - \bar{x})^2 \left[\frac{(y_i - \bar{y})}{(x_i - \bar{x})} - \frac{s_{xy}}{s_x^2} \right]^2 = s_y^2 - 2s_{xy} \left[\frac{s_{xy}}{s_x^2} \right] + s_x^2 \left[\frac{s_{xy}^2}{s_x^4} \right]$$

$$= s_y^2 \left[1 - \frac{s_{xy}^2}{s_x^2 s_y^2} \right],$$

où

$$s_y^2 = \frac{1}{n} \sum_{i=1}^{n} (y_i - \bar{y})^2 = \frac{1}{n} \sum_{i=1}^{n} y_i^2 - \bar{y}^2.$$

La **droite des moindres carrés**

$$y = a + bx,$$

où

$$b = \frac{s_{xy}}{s_x^2} \quad \text{et} \quad a = \bar{y} - b\bar{x},$$

est appelée la **droite de régression** de y en x. C'est une droite de pente b qui passe par $(\bar{x}, \bar{y})$. La droite de régression de x en y est obtenue de façon analogue.

COEFFICIENT DE CORRÉLATION

À remarquer que, d'après ce qui précède, la pente de la droite de régression de y en x est donnée par

$$b = r_{xy} \frac{s_y}{s_x},$$

où

$$r_{xy} = \frac{s_{xy}}{s_x s_y}.$$

La quantité r_{xy} est le **coefficient de corrélation de Pearson** entre x et y. Si $s_x = s_y$, alors le coefficient de corrélation donne exactement la pente de la droite de régression de y en x (autant que de x en y d'ailleurs par symétrie). Cela est le cas pour des données standardisées. Le coefficient de corrélation de Pearson est aussi appelé **coefficient de corrélation linéaire** ou, plus simplement, **coefficient de corrélation**.

Dans tous les cas, on a[1]

$$s_R^2 = \frac{1}{n} \sum_{i=1}^{n} [y_i - (a + bx_i)]^2 = s_y^2 [1 - r_{xy}^2],$$

---

1. Cette variance résiduelle est distincte de la variance résiduelle notée de la même façon au chapitre 10.

et donc la **variance résiduelle** représentée par s_R^2, qui est la variance non expliquée par la droite de régression de y en x, est une fraction de la variance totale s_y^2, cette fraction étant donnée par $[1 - r_{xy}^2]$. D'autre part, la **variance expliquée** par la droite de régression est[2]

$$s_E^2 = \frac{1}{n} \sum_{i=1}^{n} [a + bx_i - \bar{y}]^2$$

$$= \frac{1}{n} \sum_{i=1}^{n} [b(x_i - \bar{x})]^2$$

$$= b^2 s_x^2$$

$$= r_{xy}^2 s_y^2$$

$$= s_y^2 - s_R^2 .$$

On déduit immédiatement de ces résultats les propriétés les plus importantes du coefficient de corrélation, à savoir :

a) le coefficient de corrélation est une quantité comprise entre -1 et $+1$;

b) le coefficient de corrélation en valeur absolue mesure le degré d'alignement des points correspondant aux observations sur une échelle de 0 à 1;

c) un coefficient de corrélation égal à -1 ou $+1$ indique un alignement parfait (**corrélation parfaite**);

d) un coefficient de corrélation égal à 0 indique une absence d'alignement (**non-corrélation**);

e) le signe du coefficient de corrélation indique si l'alignement est de pente positive (**corrélation positive**) ou de pente négative (**corrélation néga-tive**).

Exemple. On s'attend à ce que le profit annuel d'une entreprise soit lié à la valeur de son actif. On a recueilli les données du tableau 11.1 sur 5 entreprises.

TABLEAU 11.1.

Données sur l'actif et le profit annuel de 5 entreprises

Entreprise	i	1	2	3	4	5
Actif (millions de $)	x_i	10	20	30	40	50
Profit annuel (millions de $)	y_i	1	3	2	5	4

2. La variance expliquée ne doit pas être confondue avec la variance entre les échantillons qui a été notée de la même façon au chapitre 10.

On calcule

$$\bar{x} = 30, \quad \bar{y} = 3, \quad s_x^2 = 200, \quad s_{xy} = 16,$$

d'où la droite de régression de y en x est

$$y = a + bx$$

avec

$$b = \frac{16}{200} = 0,08 \text{ et } a = 3 - 0,08 \times 30 = 0,6 ,$$

c'est-à-dire (voir la figure 11.3)

$$y = 0,6 + 0,08x.$$

À remarquer que la variance totale est

$$s_y^2 = 2,$$

alors que le coefficient de corrélation de Pearson est

$$r_{xy} = \frac{16}{\sqrt{200} \times \sqrt{2}} = 0,8 .$$

La variance expliquée par la droite de régression est donc

$$s_E^2 = (0,8)^2 \times 2 = 1,28$$

et la variance résiduelle

$$s_R^2 = s_y^2 - s_E^2 = 0,72.$$

On en conclut que le profit annuel d'une entreprise est fortement lié à la valeur de son actif.

FIGURE 11.3.

Régression du profit annuel d'une entreprise
par rapport à la valeur de son actif

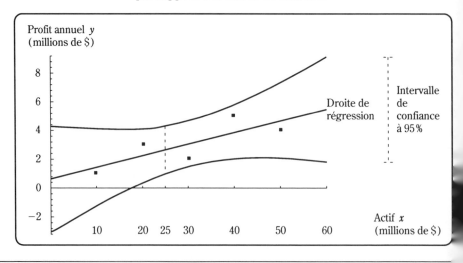

* TRANSFORMATIONS LOGARITHMIQUES

On doit parfois procéder à des transformations de variables suggérées par un modèle théorique ou par l'expérience avant de procéder à une régression linéaire. En particulier, les transformations logarithmiques sont très utilisées.

Par exemple, la taille d'une population biologique en fonction du temps est modélisée théoriquement par l'équation

$$P = A\, e^{ct},$$

où P est la taille de la population, t est le temps, A est une constante de normalisation et c est le **taux d'accroissement** de la population. Si on prend le logarithme naturel des deux côtés de l'égalité ci-dessus, on obtient la relation

$$\text{Log } P = \text{Log } A + ct.$$

On a alors un modèle de régression linéaire avec t comme variable explicative et Log P comme variable expliquée.

Un autre modèle, couramment utilisé en économique, est celui qui décrit la quantité offerte (Q) d'un produit en fonction du prix demandé (P) pour ce même produit. La relation est

$$Q = AP^{E},$$

où A est une constante de normalisation et E est l'**élasticité** de la quantité offerte par rapport au prix demandé. L'élasticité est une mesure de la capacité relative de la variation des quantités offertes à s'adapter à la fluctuation des prix. Si l'on prend le logarithme des deux membres de l'égalité ci-dessus, la relation devient

$$\text{Log } Q = \text{Log } A + E \text{ Log } P.$$

En considérant Log P comme variable explicative et Log Q comme variable expliquée, on obtient donc un modèle de régression linéaire.

* GÉNÉRALISATIONS

a) **Régression non linéaire.**   La régression non linéaire suppose une relation de la forme

$$y_i = g(x_i) + \varepsilon_i \text{ pour } i = 1, \dots, n,$$

où g est une courbe différente d'une droite qui dépend de certains paramètres, par exemple une parabole définie par

$$g(x) = \alpha + \beta x + \gamma x^2,$$

où α, β et γ sont des paramètres. Le critère des moindres carrés permet d'estimer ces paramètres.

b) **Régression multiple.**   Avec des points à trois composantes (x_i, y_i, z_i) pour $i = 1, \dots, n$, on peut s'intéresser à une relation de la forme

$$y_i = \alpha + \beta x_i + \gamma z_i + \varepsilon_i \text{ pour } i = 1, \dots, n.$$

Le critère des moindres carrés donne alors un plan de régression de y en x et z. Dans ce cas, on parle de régression multiple et de coefficient de corrélation multiple. Ce coefficient au carré représente la proportion de la variance expliquée par le plan de régression. La généralisation à des points ayant plus de trois composantes est analogue.

c) **Régression partielle.** Dans le même contexte que précédemment, le problème de la régression appliqué aux couples $(x_i - \tilde{x}_i, y_i - \tilde{y}_i)$, où $\tilde{x}_i$ et $\tilde{y}_i$ sont les mesures estimées de x_i et de y_i obtenues à partir des droites de régression de x en z et de y en z respectivement, évaluées aux points z_i pour $i = 1, \dots, n$, est un problème de **régression partielle**. Dans ce cas, le coefficient de corrélation est appelé le **coefficient de corrélation partielle** entre x et y.

11.3. INFÉRENCE SUR LES PARAMÈTRES DE RÉGRESSION

À partir de maintenant, nous supposerons que y_i est la valeur observée d'une variable Y_i de loi normale de moyenne $\mu_i = \alpha + \beta x_i$ pour x_i fixé et de variance σ^2 ($i = 1, \dots, n$). De plus, les variables $Y_1, \dots, Y_n$ sont indépendantes. Cela revient à dire que les quantités

$$\varepsilon_i = y_i - (\alpha + \beta x_i) \text{ pour } i = 1, \dots, n$$

sont des valeurs observées de variables indépendantes de loi $N(0, \sigma^2)$. Ce modèle est le modèle classique de régression en x avec paramètres α et β, appelés **paramètres de régression**.

Dans ce cas, les valeurs estimées b et a respectivement pour β et α sont les valeurs observées des variables

$$B = \frac{1}{ns_x^2} \sum_{i=1}^{n} (x_i - \bar{x})(Y_i - \bar{Y})$$

$$= \frac{1}{ns_x^2} \sum_{i=1}^{n} (x_i - \bar{x}) Y_i - \frac{\bar{Y}}{ns_x^2} \sum_{i=1}^{n} (x_i - \bar{x})$$

$$= \frac{1}{ns_x^2} \sum_{i=1}^{n} (x_i - \bar{x}) Y_i$$

et

$$A = \bar{Y} - B\bar{x}$$

$$= \frac{1}{n} \sum_{i=1}^{n} Y_i - \frac{\bar{x}}{ns_x^2} \sum_{i=1}^{n} (x_i - \bar{x}) Y_i$$

$$= \frac{1}{n} \sum_{i=1}^{n} \left[1 - \frac{\bar{x}(x_i - \bar{x})}{s_x^2} \right] Y_i,$$

respectivement. La variable B est distribuée selon une loi normale, car elle est une combinaison linéaire de variables de loi normale, dont la moyenne est

$$E(B) = \frac{1}{ns_x^2} \sum_{i=1}^{n} (x_i - \bar{x}) \, E(Y_i - \overline{Y})$$

$$= \frac{1}{ns_x^2} \sum_{i=1}^{n} (x_i - \bar{x}) \, [E(Y_i) - E(\overline{Y})]$$

$$= \frac{1}{ns_x^2} \sum_{i=1}^{n} (x_i - \bar{x}) \, [(\alpha + \beta x_i) - (\alpha + \beta \bar{x})]$$

$$= \frac{\beta}{ns_x^2} \sum_{i=1}^{n} (x_i - \bar{x})^2$$

$$= \beta,$$

et la variance

$$Var(B) = \frac{1}{n^2 s_x^4} \sum_{i=1}^{n} (x_i - \bar{x}) \, Var(Y_i)$$

$$= \frac{\sigma^2}{n^2 s_x^4} \sum_{i=1}^{n} (x_i - \bar{x})^2$$

$$= \frac{\sigma^2}{ns_x^2}.$$

La variable A est aussi distribuée selon une loi normale, mais de moyenne

$$E(A) = E(\overline{Y}) - E(B)\bar{x}$$

$$= (\alpha + \beta \bar{x}) - \beta \bar{x}$$

$$= \alpha$$

et de variance

$$Var(A) = \frac{1}{n^2} \sum_{i=1}^{n} \left[1 - \frac{\bar{x}(x_i - \bar{x})}{s_x^2} \right]^2 Var(Y_i)$$

$$= \frac{\sigma^2}{n^2} \sum_{i=1}^{n} \left[1 - \frac{2\bar{x}(x_i - \bar{x})}{s_x^2} + \frac{\bar{x}^2(x_i - \bar{x})^2}{s_x^4} \right]$$

$$= \frac{\sigma^2}{n^2} \left[n + \frac{n\bar{x}^2 s_x^2}{s_x^4} \right]$$

$$= \frac{\sigma^2}{n} \left[1 + \frac{\bar{x}^2}{s_x^2} \right].$$

De plus, si σ^2 n'est pas connu, alors on l'estime par s_R^2 qui est la valeur observée de la variable

$$S_R^2 = \frac{1}{n} \sum_{i=1}^{n} [\,Y_i - (A + Bx_i)\,]^2$$

$$= \frac{1}{n} \sum_{i=1}^{n} [\,(Y_i - \mu_i) - (\overline{Y} - \overline{\mu}) - (B - \beta)(x_i - \overline{x})\,]^2$$

$$= \frac{1}{n} \sum_{i=1}^{n} (Y_i - \mu_i)^2 - (\overline{Y} - \overline{\mu})^2 - s_x^2(B - \beta)^2 ,$$

où

$$\overline{\mu} = \frac{1}{n} \sum_{i=1}^{n} \mu_i = \frac{1}{n} \sum_{i=1}^{n} (\alpha + \beta x_i) = \alpha + \beta \overline{x} .$$

Or la variable nS_R^2/σ^2 est distribuée selon une loi du khi-deux avec $n - 2$ degrés de liberté et est indépendante de A et de B.

En utilisant toutes ces informations, on déduit que

$$\frac{B - \beta}{\left(\dfrac{\sigma}{\sqrt{n}\, s_x} \right)} \quad \text{et} \quad \frac{A - \alpha}{\dfrac{\sigma}{\sqrt{n}} \sqrt{1 + \dfrac{\overline{x}^2}{s_x^2}}}$$

suivent une loi $N(0, 1)$, alors que

$$\frac{B - \beta}{\left(\dfrac{S_R}{\sqrt{n-2}\, s_x} \right)} \quad \text{et} \quad \frac{A - \alpha}{\dfrac{S_R}{\sqrt{n-2}} \sqrt{1 + \dfrac{\overline{x}^2}{s_x^2}}}$$

suivent une loi de Student avec $n - 2$ degrés de liberté.

Par conséquent, des **intervalles de confiance** à $100\gamma\%$ pour β et pour α sont, dans le cas où σ est connu,

$$\left[b - c\, \frac{\sigma}{\sqrt{n}\, s_x} \,,\, b + c\, \frac{\sigma}{\sqrt{n}\, s_x} \right]$$

et

$$\left[a - c\, \frac{\sigma}{\sqrt{n}} \sqrt{1 + \frac{\overline{x}^2}{s_x^2}} \,,\, a + c\, \frac{\sigma}{\sqrt{n}} \sqrt{1 + \frac{\overline{x}^2}{s_x^2}} \right] ,$$

où c est tel que

$$\Pr(|\,N(0, 1)\,| \leqslant c) = \gamma,$$

et, dans le cas où σ est inconnu,

$$\left[b - c\,\frac{s_R}{\sqrt{n-2}\,s_x} \,,\, b + c\,\frac{s_R}{\sqrt{n-2}\,s_x} \right]$$

et

$$\left[a - c\,\frac{s_R}{\sqrt{n-2}}\,\sqrt{1 + \frac{\bar{x}^2}{s_x^2}} \,,\, a + c\,\frac{s_R}{\sqrt{n-2}}\,\sqrt{1 + \frac{\bar{x}^2}{s_x^2}} \right],$$

où c est tel que

$$\Pr(|t_{n-2}| \leq c) = \gamma.$$

Avec les mêmes définitions pour c dans les cas où σ est soit connu, soit inconnu, un **test de niveau $1 - \gamma$** pour

$$H_0 : \beta = \beta_0 \text{ contre } H_1 : \beta \neq \beta_0$$

est de rejeter H_0 si β_0 n'est pas dans l'intervalle de confiance correspondant pour β. Cela revient, dans le cas où σ est connu, à

$$\text{rejeter } H_0 \text{ si } \left| \frac{b - \beta_0}{\left(\dfrac{\sigma}{\sqrt{n}\,s_x}\right)} \right| > c$$

et, dans le cas où σ est inconnu, à

$$\text{rejeter } H_0 \text{ si } \left| \frac{b - \beta_0}{\left(\dfrac{s_R}{\sqrt{n-2}\,s_x}\right)} \right| > c \,.$$

De même, un **test de niveau $1 - \gamma$** pour

$$H_0 : \alpha = \alpha_0 \text{ contre } H_1 : \alpha \neq \alpha_0$$

est de rejeter H_0 si α_0 n'est pas dans l'intervalle de confiance correspondant pour α. Cela est équivalent, dans le cas où σ est connu, à

$$\text{rejeter } H_0 \text{ si } \left| \frac{a - \alpha_0}{\dfrac{\sigma}{\sqrt{n}}\sqrt{1 + \dfrac{\bar{x}^2}{s_x^2}}} \right| > c$$

et, dans le cas où σ est inconnu, à

$$\text{rejeter } H_0 \text{ si } \left| \frac{a - \alpha_0}{\dfrac{s_R}{\sqrt{n-2}}\sqrt{1 + \dfrac{\bar{x}^2}{s_x^2}}} \right| > c \,.$$

Exemple.   En reprenant l'exemple précédent (tableau 11.1) concernant le profit annuel d'une entreprise lié à son actif, dans lequel $n = 5$ et σ est inconnu, et en choisissant $\gamma = 0,95$, on obtient les intervalles de confiance à 95 %

$$\left[0,08 - 3,18 \, \frac{\sqrt{0,72}}{\sqrt{3} \times \sqrt{200}} \, , 0,08 + 3,18 \, \frac{\sqrt{0,72}}{\sqrt{3} \times \sqrt{200}}\right] = [-0,03, 0,19]$$

et

$$\left[0,6 - 3,18 \, \frac{\sqrt{0,72}}{\sqrt{3}} \, \sqrt{1 + \frac{30^2}{200}} \, , 0,6 + 3,18 \, \frac{\sqrt{0,72}}{\sqrt{3}} \, \sqrt{1 + \frac{30^2}{200}}\right] = [-3,05, 4,25]$$

pour β et α respectivement. Avec un niveau de 5 %, on ne rejette donc pas les hypothèses $\beta = 0$ et $\alpha = 0$, car 0 appartient aux deux intervalles ci-dessus.

11.4. PRÉVISIONS

INTERVALLE DE CONFIANCE POUR LA MOYENNE

Dans le contexte précédent, si on fait une observation supplémentaire pour x_0 fixé, la variable correspondante, notée Y_0, est une variable de loi normale d'espérance $\alpha + \beta x_0$ et de variance σ^2 qui est indépendante de $Y_1, \dots, Y_n$. On veut estimer $\alpha + \beta x_0$ par un intervalle. Or la variable $A + Bx_0$ a pour espérance

$$E(A + Bx_0) = E(A) + E(B)x_0$$
$$= \alpha + \beta x_0$$

et pour variance

$$Var(A + Bx_0) = Var(\overline{Y} + B(x_0 - \bar{x}))$$
$$= Var(\overline{Y}) + Var(B)(x_0 - \bar{x})^2$$
$$= \frac{\sigma^2}{n} + \frac{\sigma^2}{ns_x^2}(x_0 - \bar{x})^2 .$$

De plus, cette variable est de loi normale et est indépendante de S_R^2. Donc

$$\frac{(A + Bx_0) - (\alpha + \beta x_0)}{\frac{\sigma}{\sqrt{n}}\sqrt{1 + \frac{(x_0 - \bar{x})^2}{s_x^2}}} \quad \text{et} \quad \frac{(A + Bx_0) - (\alpha + \beta x_0)}{\frac{S_R}{\sqrt{n-2}}\sqrt{1 + \frac{(x_0 - \bar{x})^2}{s_x^2}}}$$

suivent respectivement une loi $N(0, 1)$ et une loi de Student avec $n - 2$ degrés de liberté.

Conséquemment, un **intervalle de confiance** à $100\gamma\%$ pour $\alpha + \beta x_0$ est, dans le cas où σ est connu,

$$\left[a + bx_0 - c\,\frac{\sigma}{\sqrt{n}} \sqrt{1 + \frac{(x_0 - \bar{x})^2}{s_x^2}} \quad , a + bx_0 + c\,\frac{\sigma}{\sqrt{n}} \sqrt{1 + \frac{(x_0 - \bar{x})^2}{s_x^2}} \right],$$

où

$$\Pr(|\,N(0, 1)\,| \leq c) = \gamma,$$

et, dans le cas où σ est inconnu,

$$\left[a + bx_0 - c\,\frac{s_R}{\sqrt{n-2}} \sqrt{1 + \frac{(x_0 - \bar{x})^2}{s_x^2}} \quad , a + bx_0 + c\,\frac{s_R}{\sqrt{n-2}} \sqrt{1 + \frac{(x_0 - \bar{x})^2}{s_x^2}} \right]$$

où

$$\Pr(\,|t_{n-2}| \leq c) = \gamma.$$

À remarquer que plus x_0 est éloigné de $\bar{x}$, plus l'intervalle de confiance est grand.

INTERVALLE DE PRÉVISION POUR LA VALEUR

Une autre façon de procéder est d'estimer par intervalle la valeur que va prendre Y_0. On considère alors la variable $(A + Bx_0 - Y_0)$ dont la moyenne est 0 et la variance est

$$\text{Var}(A + Bx_0 - Y_0) = \text{Var}(A + Bx_0) + \text{Var}(Y_0)$$

$$= \frac{\sigma^2}{n}\left[1 + \frac{(x_0 - \bar{x})^2}{s_x^2} \right] + \sigma^2$$

$$= \frac{\sigma^2}{n}\left[n + 1 + \frac{(x_0 - \bar{x})^2}{s_x^2} \right]$$

$$= \frac{\sigma^2}{n}\,h^2, \text{ où } h^2 = n + 1 + \frac{(x_0 - \bar{x})^2}{s_x^2}.$$

Cette variable est aussi de loi normale et indépendante de S_R^2. Pour γ donné, on peut trouver un c tel que

$$\gamma = \Pr(|\,N(0, 1)\,| \leq c)$$

$$= \Pr\left(\left| \frac{A + Bx_0 - Y_0}{\frac{\sigma}{\sqrt{n}}\,h} \right| \leq c \right)$$

$$= \Pr\left(-c\,\frac{\sigma}{\sqrt{n}}\,h \leq A + Bx_0 - Y_0 \leq +c\,\frac{\sigma}{\sqrt{n}}\,h \right)$$

$$= \Pr\left(A + Bx_0 - c\,\frac{\sigma}{\sqrt{n}}\,h \leq Y_0 \leq A + Bx_0 + c\,\frac{\sigma}{\sqrt{n}}\,h \right).$$

On peut aussi trouver un c tel que

$$\gamma = \Pr(|t_{n-2}| \leqslant c)$$

$$= \Pr\left(\left|\frac{A + Bx_0 - Y_0}{\dfrac{S_R}{\sqrt{n+2}}\, h}\right| \leqslant c\right)$$

$$= \Pr\left(A + Bx_0 - c\,\frac{S_R}{\sqrt{n-2}}\, h \leqslant Y_0 \leqslant A + Bx_0 + c\,\frac{S_R}{\sqrt{n-2}}\, h\right).$$

On obtient ainsi des **intervalles de prévision** à $100\gamma\%$ pour y_0, la valeur que prendra Y_0, qui sont donnés, dans le cas où σ est connu, par

$$\left[a + bx_0 - c\,\frac{\sigma}{\sqrt{n}}\, h,\ a + bx_0 + c\,\frac{\sigma}{\sqrt{n}}\, h\right]$$

et, dans le cas où σ est inconnu, par

$$\left[a + bx_0 - c\,\frac{s_R}{\sqrt{n-2}}\, h,\ a + bx_0 + c\,\frac{s_R}{\sqrt{n-2}}\, h\right],$$

où

$$h = \sqrt{n + 1 + \frac{(x_0 - \bar{x})^2}{s_x^2}}\ .$$

Dans le premier de ces intervalles, c satisfait

$$\Pr(|N(0, 1)| \leqslant c) = \gamma,$$

et, dans le second,

$$\Pr(|t_{n-2}| \leqslant c) = \gamma,$$

la quantité γ correspondant à un degré de confiance. À remarquer qu'un intervalle de prévision pour une valeur est plus grand que l'intervalle de confiance correspondant pour la moyenne.

Exemple. À partir des données du tableau 11.1, on veut estimer par intervalle et avec un degré de confiance de 95 % le profit annuel, et le profit annuel moyen, d'une entreprise dont l'actif est $x_0 = 25$. On a

$$n = 5,\ \bar{x} = 30,\ s_x^2 = 200,\ s_R = \sqrt{0{,}72} = 0{,}85,$$

$$a = 0{,}6,\ b = 0{,}08,\ c = 3{,}18,$$

d'où on obtient l'intervalle

$$[\,2{,}6 - 0{,}86,\ 2{,}6 + 0{,}86\,] = [\,1{,}74,\ 3{,}46\,]$$

pour le profit annuel moyen, et l'intervalle

$$[\,2{,}6 - 4{,}67,\ 2{,}6 + 4{,}67\,] = [\,-2{,}07,\ 7{,}27\,]$$

pour le profit lui-même. (Voir la figure 11.3.)

11.5. APPLICATION AUX SÉRIES CHRONOLOGIQUES

Lorsque la variable explicative est le temps, les observations successives de la variable expliquée donnent comme résultat une série chronologique. Dans ce cas, la droite de régression est appelée **droite de tendance**.

Lorsque les observations se font à intervalles réguliers, ce qui est fréquent, il est pratique, pour simplifier les calculs, de transformer le temps de telle sorte que

$$x_i = i \text{ pour } i = 1, \dots, n.$$

On a alors

$$\bar{x} = \frac{1}{n} \sum_{i=1}^{n} i = \frac{n+1}{2},$$

$$s_x^2 = \frac{1}{n} \sum_{i=1}^{n} i^2 - \bar{x}^2$$

$$= \frac{(n+1)(2n+1)}{6} - \left(\frac{n+1}{2}\right)^2$$

$$= \frac{n^2 - 1}{12},$$

$$s_{xy} = \frac{1}{n} \sum_{i=1}^{n} i y_i - \bar{x}\,\bar{y}$$

$$= \frac{1}{n} \sum_{i=1}^{n} i y_i - \left(\frac{n+1}{2}\right)\bar{y}.$$

Remarque. La régression linéaire doit être appliquée avec prudence aux séries chronologiques. Si la tendance peut être décrite avec assez de précision par une droite sur de petits intervalles de temps, cela est rarement le cas sur de longs intervalles de temps, à moins que l'on procède à des transformations comme par exemple des transformations logarithmiques.

Exemple. La production d'acier des États-Unis pour la période de 1946 à 1956 est donnée par le tableau 11.2. Si l'on prend l'année 1945 comme origine, les années 1946 à 1956 deviennent les années 1 à 11. Avec ces valeurs pour $x_1, \dots, x_{11}$ et les productions des années correspondantes pour $y_1, \dots, y_{11}$, on obtient

$$\bar{x} = 6, \qquad\qquad \bar{y} = 95{,}0,$$

$$s_x^2 = 10, \qquad\qquad s_{xy} = 39{,}5.$$

La droite de tendance est alors donnée par

$$y = a + bx,$$

où

$$b = \frac{39{,}5}{10} = 3{,}95,$$

$$a = 95{,}0 - 3{,}95 \times 6 = 71{,}3.$$

(Voir la figure 11.4.)

TABLEAU 11.2

Production d'acier aux États-Unis de 1946 à 1956

Année	1946	1947	1948	1949	1950	1951	1952	1953	1954	1955	1956
Production (millions de tonnes)	66,6	84,9	88,6	78,0	96,8	105,2	93,2	111,6	88,3	117,0	115,2

Source : M. R. Spiegel, *Théorie et applications de la statistique*, Série Schaum, McGraw-Hill, 1972. (Extrait de The American Iron and Steel Institute.)

L'année 1957 correspond à $x = 12$ pour laquelle on prévoit une production égale à

$$y = 71,3 + 3,95 \times 12 = 118,7.$$

D'autre part, on a

$$s_y^2 = 232,9$$

et

$$s_R^2 = s_y^2 \left[1 - \frac{s_{xy}^2}{s_x^2 s_y^2} \right] = 76,9 \, ,$$

d'où

$$s_R = \sqrt{76,9} = 8,8 \, .$$

FIGURE 11.4.

Tendance de la production d'acier aux États-Unis de 1946 à 1956

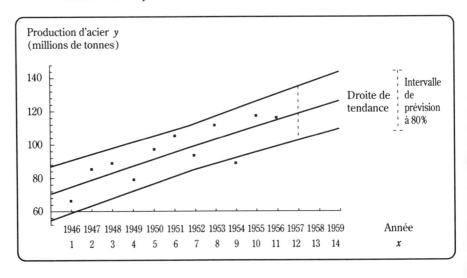

Un intervalle de prévision à 80% pour la production en 1957 est alors

$$\left[118,7 - 1,38 \frac{8,8}{\sqrt{9}} \sqrt{15,6} \, , \, 118,7 + 1,38 \frac{8,8}{\sqrt{9}} \sqrt{15,6}\right] = [\, 102,7, \, 134,7\,]\,,$$

où 1,38 vérifie

$$\Pr(|\,t_9\,| \leqslant 1,38) = 0,80.$$

Cet intervalle contient la production réelle en 1957 qui a été 112,7.

Enfin, on peut tester

$$H_0 : \beta = 0 \text{ contre } H_1 : \beta \neq 0$$

pour décider si oui ou non la pente de la droite de tendance est significativement différente de 0. On trouve

$$\left|\frac{b}{\left(\dfrac{s_R}{\sqrt{n-2}\,s_x}\right)}\right| = \left|\frac{3,95}{8,8/(\sqrt{9}\,\sqrt{10})}\right| = 4,26 > 1,38\,.$$

Avec un niveau égal à 20%, on rejette donc H_0 et on considère par conséquent que la pente est significativement différente de 0.

11.6. TESTS DE NON-CORRÉLATION

INTRODUCTION

Le coefficient de corrélation calculé r_{xy} peut être considéré comme une estimation ponctuelle d'un **coefficient de corrélation théorique**

$$\rho_{XY} = \frac{\mathrm{Cov}(X, Y)}{\sqrt{\mathrm{Var}(X)\,\mathrm{Var}(Y)}}$$

de deux variables X et Y. Lorsque le couple (X, Y) est distribué selon une loi binormale, la non-corrélation ($\rho_{XY} = 0$) est équivalente à l'indépendance de X et Y (voir la section 6.6).

Il y a essentiellement deux façons de tester

$$H_0 : \rho_{XY} = 0 \text{ contre } H_1 : \rho_{XY} \neq 0$$

selon que les observations se font sur la variable Y pour des valeurs de X fixées ou sur les variables X et Y simultanément. La première utilise les distributions conditionnelles, la seconde la distribution conjointe. Dans ce qui suit, nous supposons que (X, Y) est de loi binormale.

TEST PAR LES DISTRIBUTIONS CONDITIONNELLES

La variable Y étant donné que $X = x_i$ pour x_i fixé, notée Y_i, a une distribution de loi normale de moyenne

$$\alpha + \beta x_i = \mu_Y + \frac{\sigma_Y}{\sigma_X} \rho_{XY}(x_i - \mu_X)$$

et de variance

$$\sigma^2 = \sigma_Y^2 \,,$$

pour $i = 1, \ldots, n$. La non-corrélation est alors équivalente à une pente nulle ($\beta = 0$) dans le modèle de régression en x avec $x_1, \ldots, x_n$ fixés. Dans ce cas, la quantité

$$\frac{r_{xy}\sqrt{n-2}}{\sqrt{1 - r_{xy}^2}} = \frac{b}{s_R/(\sqrt{n-2}\, s_x)}$$

est la valeur observée d'une loi de Student à $n - 2$ degrés de liberté. Un test de niveau α pour la non-corrélation consiste alors à

$$\text{rejeter } H_0 \text{ si} \left| \frac{r_{xy}\sqrt{n-2}}{\sqrt{1 - r_{xy}^2}} \right| > c \,,$$

où c est tel que

$$\Pr(|t_{n-2}| > c) = \alpha.$$

TEST PAR LA DISTRIBUTION CONJOINTE

On peut aussi utiliser le résultat que

$$z_{xy} = \frac{1}{2} \text{Log} \frac{1 + r_{xy}}{1 - r_{xy}}$$

est sous H_0 une valeur observée d'une variable approximativement de loi normale de moyenne 0 et de variance $1/(n-3)$ lorsque n est assez grand (en fait, $n \geqslant 15$). On décide alors de

$$\text{rejeter } H_0 \text{ si} \left| \sqrt{n-3}\, z_{xy} \right| > c \,,$$

où c est tel que

$$\Pr(|N(0, 1)| > c) = \alpha.$$

Exemple. Pour un ensemble de 18 points $(x_1, y_1), \ldots, (x_{18}, y_{18})$, on a

$$\bar{x} = 0, \quad s_x^2 = 1, \quad \bar{y} = 25, \quad s_y^2 = 25, \quad s_{xy} = 3.$$

En supposant que ces points sont les résultats d'observations d'un couple de variables (X, Y) de loi binormale dont le coefficient de corrélation théorique est ρ_{XY}, on veut tester

$$H_0 : \rho_{XY} = 0 \text{ contre } H_1 : \rho_{XY} \neq 0.$$

Le coefficient de corrélation observé est

$$r_{xy} = \frac{s_{xy}}{s_x s_y} = 0{,}6 .$$

Par la méthode des distributions conditionnelles, on trouve

$$\left| \frac{r_{xy} \sqrt{n-2}}{\sqrt{1 - r_{xy}^2}} \right| = \frac{0{,}6 \times \sqrt{16}}{\sqrt{1 - (0{,}6)^2}} = 3 > 2{,}58 ,$$

où 2,58 vérifie

$$\Pr(|t_{16}| > 2{,}58) = 0{,}02.$$

Par la méthode de la distribution conjointe, on a

$$\left| \frac{\sqrt{n-3}}{2} \text{ Log } \frac{1 + r_{xy}}{1 - r_{xy}} \right| = \frac{\sqrt{15}}{2} \text{ Log } \frac{1{,}6}{0{,}4} = 2{,}68 > 2{,}33 ,$$

où 2,33 vérifie

$$\Pr(| N(0, 1) | > 2{,}33) = 0{,}02.$$

Avec un niveau égal à 2 %, on rejette donc H_0 par les deux méthodes. Par conséquent, on considère que le coefficient de corrélation théorique est différent de 0 quelle que soit la méthode utilisée.

* 11.7. DÉFINITION DE L'AXE PRINCIPAL

Pour obtenir la droite de régression de y en x, on a pris en considération les distances verticales de points (x_i, y_i) pour $i = 1, \dots, n$ à une droite d'équation

$$y = \alpha + \beta x.$$

Cette approche sous-entend que les x_i sont des valeurs connues ou fixées à l'avance d'une variable explicative X et les y_i, des valeurs observées d'une variable expliquée Y selon les valeurs de X. Si les points (x_i, y_i) sont les valeurs prises par un couple de variables (X, Y) comme résultats d'observations simultanées de X et Y, alors il est plus approprié de prendre les **distances orthogonales** qui sont les plus petites distances des points par rapport à la droite (voir la figure 11.5). La droite qui réduit au minimum la somme (ou la moyenne) des carrés des distances orthogonales est donnée par

$$y = \bar{y} + d(x - \bar{x}),$$

où

$$d = \frac{\left(s_y^2 - s_x^2\right) + \sqrt{\left(s_y^2 - s_x^2\right)^2 + 4s_{xy}^2}}{2s_{xy}}.$$

Les projections orthogonales (à angle droit) des points sur cette droite donnent la meilleure représentation possible des points sur une droite. Cette droite est appelée l'**axe principal**. Dans le cas où le couple de variables (X, Y) est de loi binormale, cette droite est une estimation de l'axe principal des ellipses d'égale densité (voir la figure 6.6). À remarquer que l'axe principal passe par $(\bar{x}, \bar{y})$ et que sa pente d égale ± 1 dès que $s_y^2 = s_x^2$ ($+1$ lorsque $s_{xy} > 0$ et -1 lorsque $s_{xy} < 0$). De plus, cet axe passe toujours entre la droite de régression de y en x et la droite de régression de x en y.

Avec des points ayant trois composantes ou plus, on peut obtenir de façon analogue un **plan principal** tel que les projections orthogonales des points sur ce plan donnent la meilleure représentation possible des points sur un plan.

FIGURE 11.5.
Axe principal d'un ensemble de points

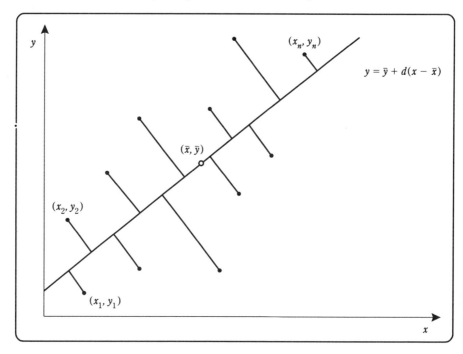

PROBLÈMES

11.1. Voici la représentation graphique de 4 points dans le plan x, y :

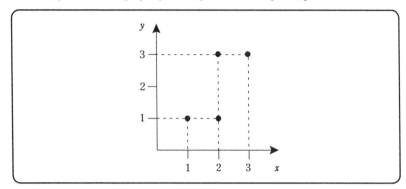

  a) Déterminez la droite de régression de y en x et tracez-la.
  b) Calculez le coefficient de corrélation.

11.2. On ajoute les points $(5, 5)$, $(6, 5)$, $(6, 7)$, $(7, 7)$ à ceux du problème 11.1. Sans faire de calculs, répondez aux questions suivantes :
  a) Est-ce que la droite de régression de y en x reste la même ? Sinon, sa pente est-elle plus grande ou plus petite ?
  b) Vous attendez-vous à un coefficient de corrélation inférieur, égal ou supérieur à celui calculé au problème 11.1 ?

11.3. Vrai ou faux :
  a) Si on fait des observations de 2 variables indépendantes, alors on s'attend à ce que le coefficient de corrélation linéaire soit près de 0.
  b) Un coefficent de corrélation linéaire négatif signifie une faible corrélation.
  c) Si deux variables sont corrélées linéairement, alors nécessairement la variation de l'une est la cause de la variation de l'autre.
  d) Si, à un ensemble de n points (x_i, y_i) pour $i = 1, ..., n$, on ajoute m points tous égaux à $(\bar{x}, \bar{y})$, alors le coefficient de corrélation linéaire reste le même.

11.4. Étant donné un ensemble de points (x_1, y_1), ..., (x_n, y_n), déterminez par la méthode des moindres carrés une droite de la forme $y = ax$ qui approche le mieux ces points. Faites les calculs pour les points suivants :

$(0, 1)$	$(1, 2)$	$(1, 1)$	$(-2, 0)$	$(-2, -2)$	$(2, 1)$	$(0, -1)$	$(2, 0)$

Représentez ces points et la droite sur un graphique.

11.5. Voici une suite de 20 nombres aléatoires compris entre 000 et 999 qui ont été générés par une calculatrice.

120	934	354	183	155	310	214	387	453	447
101	106	776	115	338	056	731	493	114	596

Soit x_i le premier chiffre et y_i le nombre formé par les 2 derniers chiffres du i^e nombre pour $i = 1, 2, ... , 20$. Par exemple, pour le 16e nombre qui est 056, on a $x_{16} = 0$ et $y_{16} = 56$.

a) Déterminez le coefficient *b* de la droite des moindres carrés $y = a + bx$. Interprétez le résultat.

b) Calculez le coefficient de corrélation r_{xy}. Interprétez le résultat.

11.6. Les notes suivantes (sur 100) ont été obtenues par 10 étudiants à 2 examens :

Examen 1	74	76	83	92	73	58	61	91	53	55
Examen 2	79	86	58	89	70	84	66	78	74	66

Calculez le coefficient de corrélation des notes obtenues aux 2 examens. Interprétez la grandeur en valeur absolue et le signe de ce coefficient.

11.7. On demande à 100 personnes de lire un texte 2 fois et de relever les fautes d'orthographe (sans répétition). Voici les résultats :

Nombre de fautes relevées la première fois	0	0	1	1	1	2	2	3
Nombre de fautes relevées la deuxième fois	1	2	0	1	2	0	1	0
Nombre de personnes	20	10	10	20	5	20	10	5

Calculez le coefficient de corrélation entre le nombre de fautes relevées la première fois et le nombre de fautes supplémentaires relevées la deuxième fois. Interprétez la grandeur en valeur absolue et le signe de ce coefficient.

11.8. Pour des données, on calcule

$$s_x = 5, \qquad s_y = 10, \qquad s_{xy} = -20 .$$

Calculez :

a) le coefficient de corrélation ;

b) la part de la variance s_y^2 expliquée par la droite de régression de *y* en *x* ;

c) la variance résiduelle.

11.9. Soit les données suivantes qui peuvent représenter des productions mensuelles (x_i en milliers d'unités) et les coûts de production correspondants (y_i en milliers de dollars) d'une entreprise au cours d'une année ($i = 1, 2, \ldots, 12$) :

i	1	2	3	4	5	6	7	8	9	10	11	12
x_i	5	4	7	8	6	7	9	8	6	7	5	3
y_i	70	60	90	80	70	80	90	75	80	75	75	60

a) Trouvez l'équation de la droite de régression de *y* en *x*. Interprétez les paramètres de cette droite.

b) Estimez le coût de production de 10 000 unités à l'aide de la droite en *a*).

c) Calculez la variance des coûts mensuels de production expliquée par la droite en *a*) et la variance résiduelle de ces coûts.

11.10. Le botaniste danois Johannsen a obtenu les poids moyens suivants (en milligrammes) pour les graines de 19 lignées pures de pois de haricot en 1901 et 1902 :

1901	600	520	570	600	512	395	440	405	395	400
1902	642	558	554	547	512	506	492	488	482	465

1901	380	410	400	390	510	360	340	312	310
1902	455	455	454	453	450	446	428	407	351

Source : M. G. Bulmer, *The Mathematical Theory of Quantitative Genetics*, Oxford, Clarendon, 1980, p. 27.

Déterminez :

a) la droite de régression pour le poids moyen en 1902 en fonction du poids moyen en 1901 ;

b) la variance des poids moyens en 1902 expliquée par la droite en *a*) et la variance résiduelle ;

c) des intervalles de confiance à 95 % pour les paramètres de la régression en *a*).

11.11. Voici des données sur la quantité de paille de blé récoltée sur un lopin de terre selon la quantité d'engrais à l'azote utilisée :

Quantité d'engrais	Quantité de récolte			
0	332	260	202	210
15	412	384	362	348
30	542	472	516	458
45	730	590	294	560

Source : R. L. Anderson, « Missing-plot techniques », *Biometrics*, vol. 2, 1946, p. 41-47.

Déterminez des intervalles de confiance à 99 % pour les paramètres de la régression linéaire de la quantité de récolte en fonction de la quantité d'engrais.

11.12. Des relevés sur la quantité de mercure contenu dans des truites provenant du lac Cayuga dans l'État de New York ont donné le tableau suivant :

Âge	Mercure	Âge	Mercure	Âge	Mercure
1	0,24	4	0,44	7	0,44
1	0,28	4	0,41	8	0,60
1	0,19	4	0,44	8	0,59
2	0,25	5	0,43	8	0,47
2	0,26	6	0,46	9	0,53
2	0,31	6	0,55	11	0,58
3	0,38	6	0,50	12	0,62
3	0,45	7	0,40	12	0,66
3	0,28	7	0,46	12	0,44

Source : P. G. Hoel et R. J. Jessen, *Basic Statistics for Business and Economics*, 3e éd., New York, Wiley and Sons, 1982, p. 325. (Extrait de Bache *et al.*, *Science*, 28 mai, 1971.)

a) Déterminez un intervalle de confiance à 90% pour la quantité moyenne de mercure contenu dans des truites d'âge : I) 10 ; II) 13.

b) Déterminez un intervalle de prévision à 90% pour la quantité de mercure contenu dans une truite d'âge : I) 10 ; II) 13.

11.13. Voici des données (en mm) sur la longueur de l'humérus gauche et la longueur de l'humérus droit de 10 squelettes de femmes, obtenues à la suite de fouilles archéologiques en Angleterre :

Squelette	1	2	3	4	5	6	7	8	9	10
Humérus gauche	311	302	301	322	312	285	305	310	328	304
Humérus droit	315	306	311	333	316	292	308	318	326	309

Source : P. Jolicoeur, *Introduction à la biométrie*, Décarie-Masson, 1991. (Extrait de A. H. Munter, « A study of the lengths of the long bones of the arms and legs in man, with special reference to Anglo-Saxon skeletons », *Biometrika*, vol. 28 , 1936, p. 258-294.)

On suppose que la longueur de l'humérus droit étant donné la longueur de l'humérus gauche est une variable de loi normale de moyenne

$$\alpha + \beta \times \text{longueur de l'humérus gauche}.$$

Testez au niveau de 5% les hypothèses suivantes :

a) $\alpha = 0$;   *b*) $\beta = 1$.

11.14. On suppose que la longueur de l'humérus gauche et la longueur de l'humérus droit dans le problème 11.13 forment un couple de variables de loi binormale. Déterminez :

a) un intervalle de confiance à 95% pour la longueur moyenne de l'humérus droit dans le cas où la longueur de l'humérus gauche est 315 ;

b) un intervalle de confiance à 95% pour la longueur moyenne de l'humérus gauche dans le cas où la longueur de l'humérus droit est 315.

11.15. La largeur et la longueur (en cm) des pétales de 20 fleurs d'une espèce d'iris (*Iris versicolor*) sont données ci-dessous.

Largeur	1,4	1,5	1,5	1,3	1,5	1,3	1,6	1,0	1,3	1,4
Longueur	4,7	4,5	4,9	4,0	4,6	4,5	4,7	3,3	4,6	3,9
Largeur	1,0	1,5	1,0	1,4	1,3	1,4	1,5	1,0	1,5	1,1
Longueur	3,5	4,2	4,0	4,7	3,6	4,4	4,5	4,1	4,5	3,9

Source : R. A. Fisher, « The use of multiple measurements in taxonomic problems », *Ann. Eugenics*, vol. 7, 2e partie, 1936, p. 179-188.

a) Calculez un intervalle de prévision à 99% pour la longueur d'un pétale dont la largeur est 1,7. Cet intervalle contient-il la valeur 5,0 qui a été observée dans ce cas ?

b) Calculez un intervalle de confiance à 99% pour la longueur moyenne d'un pétale dont la largeur est 1,2. Comparez avec l'intervalle de confiance à 99% calculé à l'aide des observations qui ont été faites dans ce cas :

4,7	3,9	4,4	4,0	4,2

11.16. Une étude sur le taux de mortalité due au cancer du poumon et la consommation de cigarettes dans certains États des États-Unis a permis d'obtenir le tableau ci-dessous.

État	Consommation annuelle de cigarettes par habitant	Taux de mortalité due au cancer du poumon pour 100 000 habitants
Delaware	3400	24
Indiana	2600	20
Iowa	2200	17
Montana	2400	19
New Jersey	2900	26
Washington	2100	20
Moyenne	2600	21

Source : T. H. Wonnacott et R. J. Wonnacott, *Statistique*, 3e éd., Economica, 1984. (Extrait de J. F. Jr. Fraumini, « Cigarette smoking and cancers of the urinary tract : Geographic variation in the United States », *Journal of National Cancer Institute*, 1968, p. 1205-1211.)

a) Testez au niveau de 10 % l'hypothèse que la consommation de cigarettes ne modifie pas le taux de mortalité due au cancer du poumon.

b) La décision est-elle la même avec un niveau de signification de 5 % ?

11.17. À la suite d'une fuite de déchets radioactifs dans la rivière Columbia dans les années 50, on a calculé un indice d'exposition à la radioactivité et le taux annuel de mortalité par cancer pour 100 000 habitants dans 9 comtés de l'État de l'Oregon. Voici les résultats :

Comté	Indice d'exposition à la radioactivité	Taux de mortalité par cancer
Clatsop	8,3	210
Columbia	6,4	180
Gilliam	3,4	130
Hood River	3,8	170
Morrow	2,6	130
Portland	11,6	210
Sherman	1,2	120
Umatilla	2,5	150
Wasco	1,6	140

Source : T. H. Wonnacott et R. J. Wonnacott, *Statistique*, 3e éd., Economica, 1984, p. 342. (Extrait de R. C. Fadeley, « Oregon malignancy pattern physiographically related to Hanford, Washington, Radioisotopic storage », *Journal of Environmental Health*, vol. 27, 1965, p. 883-897.)

Testez au niveau de 1 % l'hypothèse que le taux de mortalité par cancer reste le même, quel que soit l'indice d'exposition à la radioactivité.

11.18. Pour un ensemble de 20 points $(x_1, y_1), \dots, (x_{20}, y_{20})$, on obtient

$$\bar{x} = 10, \qquad s_x^2 = 4, \qquad \bar{y} = -13, \qquad s_y^2 = 16, \qquad s_{xy} = -2.$$

On suppose que ces points sont le résultat d'observations d'un couple de variables (X, Y) de loi binormale.

a) Testez la non-corrélation entre X et Y à l'aide de la méthode des distributions conditionnelles au niveau de 10%.

b) Testez la non-corrélation entre X et Y à l'aide de la méthode de la distribution conjointe au niveau de 10%.

c) Déterminez le niveau critique du test utilisé en *b*).

11.19. Si un échantillon de 2 variables couplées est de taille 30, quelle est la plus petite valeur absolue du coefficient de corrélation qui permet de conclure à l'indépendance possible des 2 variables en cause au niveau de 10%?

11.20. Une étude sur les habitudes de consommation faite auprès de 8 ménages permet d'obtenir les données suivantes sur les pourcentages des dépenses totales consacrées à l'alimentation et aux loisirs :

Alimentation	18	24	20	17	15	11	12	14
Loisirs	4,2	3,0	4,0	4,5	4,6	5,5	5,0	4,8

Testez la non-corrélation par la méthode de la distribution conjointe au niveau de 5%.

11.21. Voici les taux d'inflation et les taux de chômage dans certains pays occidentaux en 1990 :

Pays	Inflation	Chômage	Pays	Inflation	Chômage
Allemagne	2,8	4,6	Grande-Bretagne	9,3	7,6
Autriche	3,5	5,2	Irlande	2,7	14,2
Belgique	3,5	8,2	Italie	6,8	9,8
Canada	5,0	9,3	Norvège	4,4	5,0
Danemark	1,9	9,7	Pays-Bas	2,6	7,3
Espagne	6,5	15,8	Portugal	13,7	4,5
États-Unis	6,1	6,0	Suède	10,9	1,9
France	3,4	9,0	Suisse	5,3	0,8

Source : *L'état du monde 1992*, Montréal, La Découverte - Le Boréal, 1991.

Testez la non-corrélation par la méthode de la distribution conjointe au niveau de 1%.

*11.22. Voici les temps réalisés par les médaillés d'or du 100 m chez les hommes et chez les femmes aux Jeux olympiques depuis leur création en 1896 jusqu'en 1988 :

Année	Temps (hommes)	Temps (femmes)	Année	Temps (hommes)	Temps (femmes)
1896	12,0		1952	10,4	11,5
1900	11,0		1956	10,5	11,5
1904	11,0		1960	10,2	11,0
1908	10,8		1964	10,0	11,4
1912	10,8		1968	9,95	11,0
1920	10,8		1972	10,14	11,07
1924	10,6		1976	10,06	11,08
1928	10,8	12,2	1980	10,25	11,06
1932	10,3	11,9	1984	9,99	10,97
1936	10,3	11,5	1988	9,92	10,54
1948	10,3	11,9			

Source : *The Canadian World Almanac & Book of Facts 1990*, Toronto, Global Press.

Déterminez les droites de tendance chez les hommes et chez les femmes. Que pensez-vous de l'affirmation que les femmes pourraient un jour faire mieux que les hommes dans cette discipline?

*11.23. Les données ci-dessous représentent l'évolution de la population des États-Unis de 1800 à 1990.

Année	Population (millions)	Année	Population (millions)
1800	5,3	1900	76,2
1810	7,2	1910	92,2
1820	9,6	1920	106,0
1830	12,9	1930	123,2
1840	17,1	1940	132,2
1850	23,2	1950	151,3
1860	31,4	1960	179,3
1870	38,6	1970	203,3
1880	50,2	1980	226,5
1890	63,0	1990	249,2

Source : *The Canadian World Almanac & Book of Facts 1990*, Toronto, Global Press. (Extrait de U. S. Bureau of the Census.)

a) Trouvez la droite de régression de $y = \text{Log } x$ en t, où t représente le nombre de décennies écoulées depuis 1800 et x la population des États-Unis.

b) Donnez une estimation ponctuelle de la population des États-Unis en l'an 2000.

APPENDICE

A.1. NORMALISATION

Plusieurs procédures en statistique ne sont valides que dans le cas de variables de loi normale. Afin d'utiliser ces procédures dans d'autres cas, il est courant de «normaliser» les variables que l'on observe, c'est-à-dire de les transformer de façon à en faire au moins approximativement des variables de loi normale. Pour ce faire, il existe deux méthodes : la méthode des transformations fonctionnelles et la méthode des moyennes.

La **méthode des transformations fonctionnelles** est surtout utilisée dans le cas d'une variable continue unidimensionnelle. En effet, toute variable X continue unidimensionnelle de fonction de répartition connue F peut être transformée en une variable Z de loi $N(0, 1)$. Cette variable satisfait la relation fonctionnelle

$$\Phi(Z) = F(X),$$

où Φ désigne la fonction de répartition d'une loi $N(0, 1)$. On utilise cette relation pour obtenir des valeurs observées de Z à partir de valeurs observées de X. Cette opération nécessite le recours à une table des valeurs de Φ (table I).

Par exemple, si X suit une loi $U[0, 1]$ et prend la valeur $x = 0,1056$, alors

$$F(0,1056) = 0,1056 = \Phi(-1,25),$$

d'où on trouve $z = -1,25$ pour la valeur correspondante prise par une loi $N(0, 1)$. De la même façon, si X suit une loi $Exp(2)$ et prend la valeur $x = 0,75$, alors

$$F(0,75) = 1 - e^{-2 \times 0,75} \approx 0,7764 = \Phi(0,76),$$

d'où on trouve $z = 0,76$ pour la valeur correspondante prise par Z.

Un grand inconvénient de cette méthode est qu'elle requiert la connaissance de la distribution exacte de la variable dans la population. Son grand avantage réside principalement dans le fait qu'elle peut être utilisée même si le nombre d'observations est petit.

La **méthode des moyennes** quant à elle exige un grand nombre d'observations. Elle repose sur le théorème central limite. Ainsi, plutôt que de procéder directement avec les valeurs observées, on calcule les moyennes de ces valeurs à l'intérieur de sous-échantillons de même taille et on procède avec ces moyennes. Le théorème central limite nous assure que ces moyennes seront approximativement des valeurs prises par une variable de loi normale. Les avantages de cette méthode sont qu'elle n'exige aucune connaissance préalable de la distribution dans la population, qu'elle reste valide même si cette distribution n'est pas continue et qu'elle peut être appliquée au cas de couples de variables tout comme, d'ailleurs, à celui de variables multidimensionnelles.

A.2. SIMULATION DE LOIS

Dans le but de vérifier certains résultats en statistique ou en l'absence totale de résultats théoriques, on a souvent recours à la simulation. Les phénomènes d'attente par exemple se prêtent très bien à la simulation. Les phénomènes qu'on simule habituellement font appel aux principales lois de probabilité. Le problème consiste alors à générer des valeurs observées de ces lois.

LOI UNIFORME

Diverses procédures permettent de simuler une loi $U[0, 1]$. La plus simple nécessite une urne et des jetons. Une urne contenant 10 jetons identiques sur lesquels sont inscrits les chiffres 0, 1, ... , 9 sert à faire des tirages au hasard avec remise qui génèrent les décimales successives de la valeur u prise par une variable de loi $U[0, 1]$. Cette procédure demande une précision fixée à l'avance. Par exemple, si la précision est fixée à cinq décimales significatives, et si les résultats des cinq tirages donnent 8, 0, 1, 3, 4, dans cet ordre, alors la valeur observée est 0,80134.

Une telle méthode pour simuler une loi $U[0, 1]$ n'est cependant que très rarement employée en pratique. On utilise plutôt des calculatrices ou des ordinateurs qui possèdent des programmes intégrés permettant d'obtenir directement à l'aide d'une seule commande une valeur observée d'une loi $U[0, 1]$.

LOI EXPONENTIELLE

Rappelons que la fonction de répartition d'une variable X de loi $Exp(\lambda)$ est

$$F(x) = 1 - e^{-\lambda x} \text{ pour } x \geq 0.$$

Dans ce cas, la variable $U = F(X)$ est distribuée selon une loi $U[0, 1]$. Or

$$u = 1 - e^{-\lambda x} \text{ si et seulement si } x = -\frac{1}{\lambda} \text{Log} (1 - u).$$

Donc, pour générer une valeur observée x d'une variable de loi $\text{Exp}(\lambda)$, il suffit de générer une valeur observée u d'une loi $U[0, 1]$ et de calculer

$$x = -\frac{1}{\lambda} \text{Log} (1 - u).$$

LOI NORMALE

Une méthode simple permettant de simuler des observations d'une loi $N(0, 1)$ repose sur le théorème central limite. En effet si $U_1, \ldots, U_n$ sont des variables indépendantes et identiquement distribuées selon une loi $U[0, 1]$, on a

$$E(U_i) = \frac{1}{2} \text{ pour } i = 1, \ldots, n,$$

et

$$\text{Var}(U_i) = \frac{1}{12} \text{ pour } i = 1, \ldots, n.$$

Le théorème central limite permet d'affirmer que la variable

$$Z = \frac{\sum_{i=1}^{n} U_i - \frac{n}{2}}{\sqrt{\frac{n}{12}}}$$

est approximativement distribuée selon une loi $N(0, 1)$ lorsque n est grand. On prend $n = 12$. Dans ce cas, on a

$$Z = \sum_{i=1}^{12} U_i - 6.$$

Il suffit alors de générer de façon indépendante 12 valeurs observées d'une loi $U[0, 1]$, de les additionner et de soustraire 6 pour obtenir une valeur observée d'une loi $N(0, 1)$.

À partir d'une valeur observée z d'une loi $N(0, 1)$, on obtient une valeur observée d'une loi $N(\mu, \sigma^2)$, où μ et σ^2 sont quelconques mais connues, en posant

$$x = \mu + \sigma z.$$

LOI LOGNORMALE

On peut simuler une valeur observée y d'une loi lognormale de paramètres μ et σ^2 à partir d'une valeur observée x d'une loi $N(\mu, \sigma^2)$ en posant

$$y = e^x.$$

LOI BINOMIALE ET LOI GÉOMÉTRIQUE

Pour simuler la valeur observée x d'une loi $B(1, p)$, on génère une valeur observée u d'une loi $U[0, 1]$. Si $u \leq p$, alors on pose $x = 1$ et, si $u > p$, on pose

$x = 0$. Cette procédure se généralise à la simulation d'une loi binomiale quelconque ou d'une loi géométrique. Pour simuler une loi $B(n, p)$, on procède n fois de façon indépendante à la simulation d'une loi $B(1, p)$ et on compte le nombre de fois qu'on obtient 1 parmi les n. Dans le cas de la loi $G(p)$, on procède plusieurs fois de façon indépendante à la simulation d'une loi $B(1, p)$ jusqu'à ce qu'on obtienne 1. La valeur observée de la loi géométrique de paramètre p est alors égale au nombre de simulations effectuées.

LOI DE POISSON

On peut utiliser la relation qui lie la loi de Poisson de paramètre λ à la loi exponentielle de même paramètre pour simuler la première à partir de plusieurs simulations de la seconde. En effet, pour un phénomène dont la durée de vie suit une loi $Exp(\lambda)$ avant d'être renouvelé de façon indépendante dans les mêmes conditions, le nombre de renouvellements dans un intervalle d'une unité de temps suit une loi $P(\lambda)$.

Pour simuler une valeur observée d'une loi $P(\lambda)$, il suffit donc de simuler des valeurs observées de façon indépendante de loi $Exp(\lambda)$, notées $x_1, x_2, ...$, jusqu'à ce que leur somme excède 1. Ainsi, si on a

$$x_1 + x_2 + ... + x_k < 1 \text{ et } x_1 + x_2 + ... + x_k + x_{k+1} > 1,$$

alors la valeur observée de la loi $P(\lambda)$ est k.

A.3. TESTS D'HYPOTHÈSES SUR LES VARIANCES

Hypothèse nulle H_0	Distribution dans la ou les populations	Taille des échantillons	Statistique[†]	Loi L
$\sigma_1^2 = \sigma_2^2$	$N(\mu_1, \sigma_1^2)$ $N(\mu_2, \sigma_2^2)$ μ_1, μ_2 inconnus	n_1 et n_2 quelconques	$\dfrac{n_1 s_1^2/(n_1 - 1)}{n_2 s_2^2/(n_2 - 1)}$	$F(n_1 - 1, n_2 - 1)$
$\sigma_1^2 = \sigma_2^2$	$N(\mu_1, \sigma_1^2)$ $N(\mu_2, \sigma_2^2)$ μ_1, μ_2 connus	n_1 et n_2 quelconques	$\dfrac{s_1^2 + (\bar{x}_1 - \mu_1)^2}{s_2^2 + (\bar{x}_2 - \mu_2)^2}$	$F(n_1, n_2)$
$\sigma_1^2 = \sigma_0^2$	$N(\mu_1, \sigma_1^2)$ μ_1 inconnu	n_1 quelconque	$\dfrac{n_1 s_1^2}{\sigma_0^2}$	$\chi_{n_1 - 1}^2$
$\sigma_1^2 = \sigma_0^2$	$N(\mu_1, \sigma_1^2)$ μ_1 connu	n_1 quelconque	$\dfrac{n_1 [s_1^2 + (\bar{x}_1 - \mu_1)^2]}{\sigma_0^2}$	$\chi_{n_1}^2$

Tests bilatéraux de niveau α

$$H_1 : \sigma_1^2 \neq \sigma_2^2 \text{ ou } \sigma_1^2 \neq \sigma_0^2.$$

Rejeter H_0 si $\tau < c_1$ ou $\tau > c_2$, où

$$\Pr(L < c_1) = \Pr(L > c_2) = \alpha/2.$$

Tests unilatéraux à droite de niveau α

$$H_1 : \sigma_1^2 > \sigma_2^2 \text{ ou } \sigma_1^2 > \sigma_0^2.$$

Rejeter H_0 si $\tau > c$, où

$$\Pr(L > c) = \alpha.$$

Tests unilatéraux à gauche de niveau α

$$H_1 : \sigma_1^2 < \sigma_2^2 \text{ ou } \sigma_1^2 < \sigma_0^2.$$

Rejeter H_0 si $\tau < c$, où

$$\Pr(L > c) = \alpha.$$

Test d'égalité des variances de plusieurs populations de loi normale avec un niveau de signification plus petit ou égal à α

$$H_0 : \sigma_1^2 = \ldots = \sigma_m^2$$

contre

$$H_1 : \sigma_1^2 \neq \sigma_m^2 \text{ ou } \ldots \text{ ou } \sigma_{m-1}^2 \neq \sigma_m^2.$$

Rejeter H_0 si on rejette $\sigma_i^2 = \sigma_m^2$ contre $\sigma_i^2 \neq \sigma_m^2$ au niveau $\alpha/(m-1)$ pour au moins un i compris entre 1 et $(m-1)$.

† **Notation.**   On utilise la notation

$$\bar{x}_i = \frac{1}{n_i} \sum_{j=1}^{n_i} x_{ij}, s_i^2 = \frac{1}{n_i} \sum_{j=1}^{n_i} (x_{ij} - \bar{x}_i)^2,$$

de telle sorte que

$$s_i^2 + (\bar{x}_i - \mu_i)^2 = \frac{1}{n_i} \sum_{j=1}^{n_i} (x_{ij} - \mu_i)^2,$$

où $x_{i1}, \ldots, x_{in_i}$ représentent un échantillon de taille n_i prélevé dans la i^e population de moyenne μ_i pour la variable à l'étude.

RÉPONSES
À DES PROBLÈMES CHOISIS

CHAPITRE 1

1.4. Qualitative : *a, c, d, f, g, k, l, m, o, p, s* ; quantitative discrète : *h, n, q* ; quantitative continue : *b, e, i, j*.

1.7. *a*) actif > 0 ;
    b) passif $\geqslant 0$;
    c) la valeur nette prend ses valeurs dans l'ensemble des nombres rationnels.

1.8. *a*) $0 <$ état liquide < 100 ;
    b) état gazeux $\geqslant 100$;
    c) $-273 \leqslant$ état solide $\leqslant 0$.

1.12. Oui. La variable prend la valeur 1 si l'individu appartient à l'échantillon et 0 sinon.

1.13. *a*) *aa, ab, ac, ad, bb, bc, bd, cc, cd, dd* ;
    b) *ab, ac, ad, bc, bd, cd* ;
    c) *ab, ac, ad, bc, bd, cd*.

CHAPITRE 2

2.1.

Couleur des yeux	Effectif	Fréquence (%)
Noir	9	25,0
Brun	16	44,4
Bleu	6	16,7
Vert	5	13,9
Total	36	100,0

2.2.

Nombre de langues parlées	Effectif	Fréquence (%)
1	21	35,0
2	24	40,0
3	10	16,7
4	3	5,0
5	2	3,3
Total	60	100,0

2.3.

Classe	Effectif	Fréquence (%)
600 - 800	4	8,9
800 - 1000	6	13,3
1000 - 1200	12	26,7
1200 - 1400	10	22,2
1400 - 1600	6	13,3
1600 - 1800	4	8,9
1800 - 2000	3	6,7
Total	45	100,0

2.9. *a*)

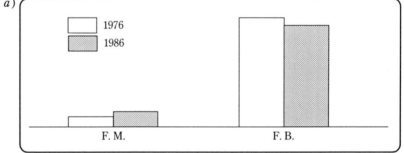

b)

Sexe du parent	1976	1986
Parent masculin	17,3 %	18,1 %
Parent féminin	82,7 %	81,9 %
Total	100,0 %	100,0 %

2.13. *a*) Il est égal.

b)

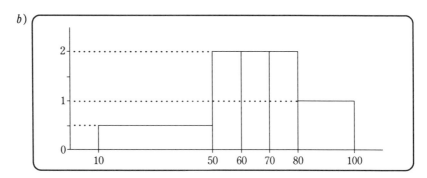

2.14. *a*) Dans l'ordre, 14 %, 12 %, 16 %, 18 %, 20 %, 20 % ;

b) 7, 6, 8, 9, 10, 10 ;

c) non, car 75 × 0,14 = 10,5 n'est pas un entier.

2.16. *a*)

Classe	Effectif	Fréquence (%)
6 1/2 - 7	12	75,00
7 - 7 1/2	1	6,25
7 1/2 - 8	1	6,25
8 - 8 1/2	1	6,25
8 1/2 - 9	1	6,25
Total	16	100,00

b)

Classe	Effectif	Fréquence (%)
7 - 7 1/2	1	4,76
7 1/2 - 8	14	66,67
8 - 8 1/2	0	0,00
8 1/2 - 9	5	23,81
9 - 9 1/2	1	4,76
Total	21	100,00

CHAPITRE 3

3.2. *a*) Tous les chiffres sont des 1 ;

b) tous les chiffres sont des 3 ;

c) il y a autant de 1 que de 3 ;

d) tous les chiffres sont des 2 ;

e) il y a 50 chiffres qui sont des 1 et 50 chiffres qui sont des 3. La moyenne est égale à 2 et l'écart-type est égal à 1.

3.4. *a*) $\bar{x} = 109,46$;

b) $s_x^2 = 2,6044$ et $s_x = 1,61$.

3.5. a) $\bar{x} = 47,42$ et $s_x = 11,60$;

  b) $\bar{x} \approx 48,2$ et $s_x \approx 11,62$.

3.6. a) (I) La moyenne est à gauche de 50, (II) la moyenne est égale à 50, (III) la moyenne est à droite de 50;

  b) l'écart-type en (I) est égal à l'écart-type en (III) et leur valeur commune est supérieure à celle de l'écart-type en (II);

  c) plus près de 25.

3.8. a) Revenu moyen des hommes $\approx$ 40 431,50 \$,
  revenu moyen des femmes $\approx$ 25 864,50 \$;

  b) revenu moyen total $\approx$ 34 289,70 \$;

  c) écart-type (hommes) $\approx$ 24 383,99 \$, écart-type (femmes) $\approx$ 18 411,03 \$,
  écart-type total $\approx$ 23 270,51 \$.

3.13. $y = ax + b$ avec $a = 1,5$ et $b = 0$.

3.15. $\bar{y} = 6,90$ \$ et $s_y = 3,86$ \$.

3.16. Pour le 500 m, $\bar{x} = 40,819$, $s_x = 0,3173$ et $\dfrac{s_x}{\bar{x}} = 0,0078$;

  pour le 1000 m, $\bar{x} = 82,674$, $s_x = 0,5200$ et $\dfrac{s_x}{\bar{x}} = 0,0063$.

3.19. Données brutes :   Données groupées :

  a) $C_{25} = 40$; a) $C_{25} \approx 40,28$;

  b) $C_{40} = 42,5$; b) $C_{40} \approx 44,44$;

  c) $C_{60} = 50$; c) $C_{60} \approx 51,25$;

  d) $C_{85} = 63$. d) $C_{85} \approx 62,5$.

3.23.

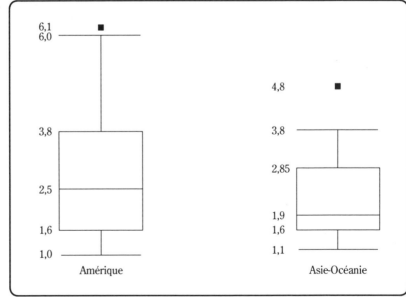

CHAPITRE 4

4.1. $a)$ $\dfrac{1}{13}$; $\qquad$ $b)$ $\dfrac{1}{52}$; $\qquad$ $c)$ $\dfrac{4}{13}$; $\qquad$ $d)$ $\dfrac{19}{52}$; $\qquad$ $e)$ $\dfrac{7}{13}$.

4.2. $a)$ 0,0227; $\qquad$ $b)$ 0,4716; $\qquad$ $c)$ 0,0476.

4.3. $a)$ 0,1; $\qquad$ $b)$ 0,61; $\qquad$ $c)$ 0,51; $\qquad$ $d)$ 0,18.

4.5. 0,068.

4.6. $a)$ $\dfrac{1}{216}$; $\qquad$ $b)$ $\dfrac{3}{216}$; $\qquad$ $c)$ $\dfrac{6}{216}$; $\qquad$ $d)$ $\dfrac{25}{216}$; $\qquad$ $e)$ $\dfrac{27}{216}$.

4.7. $a)$ Non; $\qquad$ $b)$ oui; $\qquad$ $c)$ non; $\qquad$ $d)$ non.

4.9. $a)$ $p(1) = \dfrac{1}{4}, p(2) = \dfrac{3}{8}, p(3) = \dfrac{1}{8}, p(4) = \dfrac{1}{8}, p(5) = \dfrac{1}{8}$;

$\qquad$ $b)$ $p(2) = \dfrac{2}{56}, \; p(3) = \dfrac{12}{56}, \; p(4) = \dfrac{10}{56}, \; p(5) = \dfrac{10}{56}, \; p(6) = \dfrac{10}{56}, \; p(7) = \dfrac{8}{56},$

$\qquad$ $p(8) = \dfrac{2}{56}, p(9) = \dfrac{2}{56}.$

4.12. $a)$ Non; $\qquad$ $b)$ non; $\qquad$ $c)$ non; $\qquad$ $d)$ non.

4.13. $a)$ $b = e$; $\qquad$ $b)$ Pr $(X < 2) = $ Log 2, Pr $(X > 2) = 1 - $ Log 2.

4.17. $a)$ $F(c) = \begin{cases} 0 & \text{si} & c < 0 \\[2mm] \dfrac{c^2}{4} & \text{si} & 0 \leqslant c \leqslant 2 \\[2mm] 1 & \text{si} & c > 2 \end{cases}$

$\qquad$ $b)$ $c_\gamma = 2\sqrt{\gamma}$.

4.18. $a)$ M $= 1$; $\qquad\qquad\qquad\qquad\qquad$ $d)$ $D_1 = \dfrac{\sqrt{5}}{5}, D_9 = 2 - \dfrac{\sqrt{5}}{5}$;

$\qquad$ $b)$ $Q_1 = \dfrac{\sqrt{2}}{2}, Q_3 = 2 - \dfrac{\sqrt{2}}{2}$; $\qquad$ $e)$ $C_1 = \dfrac{\sqrt{2}}{10}, C_{99} = 2 - \dfrac{\sqrt{2}}{10}$;

$\qquad$ $c)$ $V_1 = \dfrac{\sqrt{10}}{5}, V_4 = 2 - \dfrac{\sqrt{10}}{5}$; $\qquad$ $f)$ $M_1 = \dfrac{\sqrt{5}}{50}, M_{999} = 2 - \dfrac{\sqrt{5}}{50}$.

4.21. $E(X) = 2$, Var$(X) = 20,5$, $E(X + 2) = 4$, Var$(X + 2) = 20,5$,

$\qquad$ $E(2X) = 4$, Var$(2X) = 82$, $E(X - 10) = -8$, Var$(X - 10) = 20,5$,

$\qquad$ $E\left(\dfrac{X}{10}\right) = 0,2$, Var $\left(\dfrac{X}{10}\right) = 0,205$.

4.25. $a)$ $\dfrac{2}{3}$; $\qquad$ $b)$ $\dfrac{1}{2}$.

4.31. $a)$ $E[g(X)] = \dfrac{3}{8}$, Var$[g(X)] = \dfrac{5}{192}$.

4.32. $E(X^2) = 109$.

CHAPITRE 5

5.1. *a*) $\frac{1}{3}$; *b*) 0; *c*) 1; *d*) $\frac{1}{5}$; *e*) $\frac{1}{2}$.

5.2. *a*) 0,10; *b*) $\frac{1}{3}$; *c*) $\frac{1}{7}$.

5.3. *a*) $\frac{1}{2}$; *b*) $\frac{1}{2}$; *c*) $\frac{2}{9}$; *d*) $\frac{5}{9}$.

5.4. *a*) $\frac{1}{17}$; *b*) $\frac{1}{52}$; *c*) $\frac{1}{221}$.

5.5. *a*) $\frac{4}{52}$; *b*) $\frac{16}{221}$; *c*) $\frac{48! \, 4!}{52!}$; *d*) 0.

5.9. *a*) $\frac{115}{6909}$; *b*) $\frac{115}{6909}$, la probabilité est la même qu'en *a*).

5.11. *a*) $\frac{8}{36}$; *b*) $\frac{25}{396}$; *c*) 0,4929.

5.12. $\frac{5}{6}$.

5.13. 0,95.

5.16. 0,09.

5.18. 0,988.

5.20. 0,043.

5.22.

Cas \ Porte	n° 1	n° 2	n° 3	Probabilité de se faire dire que l'auto n'est pas derrière la porte n° 3
1	☒	☐	☐	$\frac{1}{2}$
2	☐	☒	☐	1
3	☐	☐	☒	0

Pr (cas 1 | se faire dire que l'auto n'est pas derrière la porte n° 3)

$$\frac{\frac{1}{2} \times \frac{1}{3}}{\frac{1}{2} \times \frac{1}{3} + 1 \times \frac{1}{3} + 0 \times \frac{1}{3}} = \frac{1}{3},$$

Pr (cas 2 | se faire dire que l'auto n'est pas derrière la porte n° 3) $= \frac{2}{3}$,

Pr (cas 3 | se faire dire que l'auto n'est pas derrière la porte n° 3) $= 0$.

Puisque $\frac{2}{3} > \frac{1}{3}$, il faut changer son choix pour améliorer ses chances.

5.23. 0,754.

5.26. *a*)

Y X	0	1	2
0	0	3/30	2/30
1	3/30	6/30	6/30
2	2/30	6/30	2/30

b)

x	0	1	2
Pr $(X = x)$	5/30	15/30	10/30

y	0	1	2
Pr $(Y = y)$	5/30	15/30	10/30

c) $\rho_{XY} = -0,199$. Lorsque X augmente, Y aura tendance à diminuer et vice-versa.

5.31. *a*) -2;   *b*) 2;   *c*) 4;   *d*) 4.

5.32. $\mathrm{Cov}(X + Y, X - Y) = \mathrm{Var}(X) - \mathrm{Var}(Y) = 0$ et donc $\rho_{XY} = 0$.

5.36. *a*) $\dfrac{5}{8}$;   *b*) $\dfrac{1}{4}$.

5.37. $\dfrac{3}{4}$.

5.39. *a*) $f_X(x) = x + \dfrac{1}{2}, 0 \leqslant x \leqslant 1, f_Y(y) = y + \dfrac{1}{2}, 0 \leqslant y \leqslant 1$;

b) $f_{X|Y=y}(x) = \dfrac{x + y}{y + \dfrac{1}{2}}, 0 \leqslant x \leqslant 1$ et y fixé, $f_{Y|X=x}(y) = \dfrac{x + y}{x + \dfrac{1}{2}}, 0 \leqslant y \leqslant 1$ et x fixé;

c) $E(X + Y) = \dfrac{7}{6}, \mathrm{Var}(X + Y) = \dfrac{5}{36}$ et $\rho_{XY} = -\dfrac{1}{11}$.

5.40. *a*) $\dfrac{25}{36}$;

b) $f_X(x) = 2 - 2x, 0 \leqslant x \leqslant 1, g_Y(y) = 2y, 0 \leqslant y \leqslant 1$;

c) $f_{X|Y=y}(x) = \dfrac{1}{y}, 0 \leqslant x \leqslant y$ et y fixé, $f_{Y|X=x}(y) = \dfrac{1}{1-x}, x \leqslant y \leqslant 1$ et x fixé;

d) $\rho_{XY} = \dfrac{1}{2}$. Les deux variables ont tendance à varier dans le même sens.

5.44. $E(S) = \dfrac{9}{4}, \mathrm{Var}(S) = \dfrac{123}{16}$.

CHAPITRE 6

6.1. *a*) $\dfrac{1}{2}$;   *b*) $\dfrac{7}{144}$;   *c*) $\dfrac{7}{36}$;   *d*) $\dfrac{1}{16}$;   *e*) $\dfrac{1}{16}$.

6.2. *a*) $\dfrac{1}{8}$;   *b*) $\dfrac{3}{8}$.

6.3. $p > \dfrac{1}{3}$.

6.4. *a*) 0,00856;   *b*) 0,99144.

6.6. *a*) 0,5987;   *d*) 0,0010;
     b) 0,0009;   *e*) 0,9999;
     c) 0,9990;   *f*) 0,0000.

6.9. $E(X) = \dfrac{50}{3}$, $Var(X) = \dfrac{125}{9}$.

6.10. $n = 50$, $p = \dfrac{1}{5}$.

6.11. *a*) 0,6331;   *b*) 6;   *c*) 24;   *d*) 2,53.

6.12. 3,5.

6.13. 0,1694.

6.15. *a*) 0,0560;   *b*) 0,7498;   *c*) 0,1942.
     Dans le cas d'une somme égale à 5, on a :
     a) 0,0255 < 0,0560;   *b*) 0,8934 > 0,7498;   *c*) 0,0810 < 0,1942.

6.16. *a*) $G(1 - p - q)$;

     b) $G\left(\dfrac{1}{2}(1 - p - q)\right)$;

     c) $G\left(\dfrac{1}{2}(1 + p - q)\right)$.

6.18. *a*) 0,0013;   *b*) 0,0003;   *c*) 0,0013;   *d*) 0,0003.

6.20. 3 unités de temps en moyenne.

6.22. 4.

6.24. *a*) 0,5781;   *b*) 0,5781;   *c*) $E(X) = 4$, $Var(X) = 12$;   *d*) l'infini.

6.25. *a*) 0,2707;   *b*) 0,3233;   *c*) 2;   *d*) 2.

6.26. 0,9924.

6.27. 0,0045.

6.30. *a*) $P(60)$;   *b*) $P(30)$.

6.33. $E(X) = \dfrac{1}{\text{Log}\,2}$.

6.35. $\Pr(\text{partie entière de } X = k) = e^{-k}(1 - e^{-1})$, $k = 0, 1, 2, \ldots$

6.38. *a*) 0,5934;   *b*) 0,4512;   *c*) 0,2677.

6.40. $\text{Exp}\left(\dfrac{1}{600}\right)$.

6.43. *a*) 0,0302;   *b*) 3,5;   *c*) $P(14)$.

6.44. $\text{Exp}\left(\dfrac{1}{100}\right)$.

6.45. $t \approx 10^9$.

6.48. *a*) 0,0082;   *b*) 0,0002;   *c*) 0,9974.

6.52. On a par exemple $a = 12$ et $b = 20,24$ ou $a = 4$ et $b = 20$.

6.55. *a*) $E(T) = 60$, $Var(T) = 100$;
     b) (I) 0,4772, (II) 0,0002, (III) 0,0668.

6.57. $\mu = 0,0792$ et $\sigma^2 = 0,0324$.

6.60. *a*) 0,9957;   *b*) 0,0000.

6.65. N(5, 4).

6.66. *a*) 0,8485;   *b*) 0,9990.

CHAPITRE 7

7.1. *a*) $\hat{\mu} = 1,0455$;   *b*) $\hat{\sigma}^2 = 0,00051$.

7.3. *a*) $\hat{p} = 0,425$;   *b*) $\hat{\mu} = 13,5575$;   *c*) $\hat{\sigma} = 1,1724$.

7.5. $\hat{\lambda} = 0,90$.

7.6. *a*) $\hat{\theta} = 0,4$;   *b*) $\hat{\theta} = 0,3012$.

7.7. *a*) $p = 3\alpha - 1$;   *b*) $\frac{1}{3} \leq \alpha \leq \frac{2}{3}$;   *c*) $\hat{p} = \frac{1}{2}$.

7.8. $\hat{N} = 3750$.

7.10. *a*) $\text{Var}(\overline{X}) = 1$; *b*) $\text{Var}(\overline{X}) = 2$; *c*) $\text{Var}(\overline{X}) = 0,5$; *d*) $\text{Var}(\overline{X}) = 4$. Dans le cas *d*).

7.12. $0,0876 = \text{Pr}(32 \leq X \leq 40) \leq \text{Pr}(32 \leq \overline{X} \leq 40) = 0,9544$.

7.13. 0,0456.

7.16. *a*) 0,33;   *b*) $n \leq 33$.

7.17. 0,434.

7.18. *a*) 0,990;   *b*) 0,990;   *c*) 0,837 dans les deux cas.

7.19. *a*) 0,025;   *b*) 0,0252.

7.21. *a*) $E(S_X^2) = 34,2$;   *b*) 0,01;   *c*) 0,01.

7.23. *a*) Vrai;   *b*) faux;   *c*) faux;   *d*) faux;   *e*) vrai.

7.24. *a*) $3,6 \pm 1,96 \times \dfrac{0,5}{\sqrt{49}} = [3,46, 3,74]$;   *b*) 0,516.

7.26. $20,5418 \pm 1,96 \times \dfrac{2,4859}{\sqrt{100}} = [20,0546, 21,0290]$.

7.28. *a*) $0,3741 \pm 1,28 \sqrt{\dfrac{0,3741 \times 0,6259}{139}} = [0,3216, 0,4266]$;

   b) $0,3741 \pm 2,33 \sqrt{\dfrac{0,3741 \times 0,6259}{139}} = [0,2785, 0,4697]$.

7.31. $n = 107$.

7.35. *a*) $20 \pm 1,645 \times \dfrac{6}{\sqrt{16}} = [17,53, 22,47]$;   *b*) $n = 390$.

CHAPITRE 8

8.1. *a*) (I) Faux, (II) vrai ;   *b*) faux.

8.2. *a*) (I) $\dfrac{\bar{x}_T - \bar{x}_R}{\sqrt{\dfrac{2}{36}}} < -1{,}645$, (II) $\dfrac{\bar{x}_T - \bar{x}_R}{\sqrt{\dfrac{2}{36}}} < -0{,}84$;

     b) (I) $\dfrac{\bar{x}_T - \bar{x}_R}{\sqrt{\dfrac{2}{64}}} < -1{,}645$, (II) $\dfrac{\bar{x}_T - \bar{x}_R}{\sqrt{\dfrac{2}{64}}} < -0{,}84$.

8.4. *a*) $H_0 : \mu_U = \mu_R$, $H_1 : \mu_U > \mu_R$, $\tau = 4{,}65 > 1{,}645$, on rejette H_0 ;
     b) $\alpha^\star \approx 0{,}0000$.

8.6. $H_0 : p_A = p_B$, $H_1 : p_A \neq p_B$, $|\tau| = 0{,}10 \not> 1{,}645$, on ne rejette pas H_0. Les deux taux de guérison ne sont pas significativement distincts au niveau considéré.

8.9. $H_0 : \mu_T = \mu_R$, $H_1 : \mu_T \neq \mu_R$, $|\tau| = 4{,}87 > 1{,}28$, on rejette H_0.

8.12. *a*) $H_0 : p = 0{,}99$, $H_1 : p < 0{,}99$, $\tau = -2{,}25 < -1{,}645$, on rejette H_0 ;
     b) $\tau = -3{,}18 < -1{,}645$, on rejette H_0 ;
     c) dans le premier cas $\alpha^\star = 0{,}0122$, et dans le second $\alpha^\star \approx 0{,}0000$.

8.13. $H_0 : p = 0{,}7$, $H_1 : p \neq 0{,}7$, $|\tau| = 1{,}73 > 1{,}645$, on rejette H_0.

8.14. $H_0 : p = 0{,}4$, $H_1 : p \neq 0{,}4$, $|\tau| = 1{,}22 \not> 1{,}96$, on ne rejette pas H_0.

8.18. $H_0 : \mu = 146$, $H_1 : \mu \neq 146$, $|\tau| = 1{,}18 \not> 1{,}94$, on ne rejette pas H_0.

8.20. *a*) $H_0 : \mu = 1{,}01$, $H_1 : \mu \neq 1{,}01$, $|\tau| = 2{,}5 > 1{,}96$, on rejette H_0 ;
     b) 0,006.

8.22. $H_0 : \mu_P - \mu_D = 0$, $H_1 : \mu_P - \mu_D > 0$, $\tau = 2{,}04 > 1{,}42$, on rejette H_0.

8.25. *a*) 0,0028 ;   *b*) 0,9319 ;   *c*) 0,0681.

8.26. *a*) $k = -0{,}68$;   *b*) 0,8315.

CHAPITRE 9

9.1. *a*) $H_0 : p_1 = 0{,}50$, $p_2 = 0{,}50$, $\chi^2 = 0{,}13 \not> 3{,}84$, on ne rejette pas H_0 ;
     b) $H_0 : p_1 = 0{,}51$, $p_2 = 0{,}49$, $\chi^2 = 0{,}09 \not> 3{,}84$, on ne rejette pas H_0.

Ne pas rejeter une hypothèse n'assure pas sa validité.

9.2. $H_0 : p_1 = \dfrac{3}{4}, p_2 = \dfrac{1}{4}, \chi^2 = 0{,}60 \not> 2{,}71$, on ne rejette pas H_0.

9.3. $H_0 : p_i = \dfrac{1}{8}, i = a, \ldots, h, \chi^2 = 4{,}32 \not> 12{,}0$, on ne rejette pas H_0.

9.6. $H_0 : p_{AA} = \dfrac{1}{4}, p_{Aa} = \dfrac{1}{2}, p_{aa} = \dfrac{1}{4}, \chi^2 = \dfrac{n}{3} > 5{,}99$ si $n > 17{,}97$, donc à partir de $n = 18$.

9.7. $H_0 : p_i = \dfrac{1}{16}, i = 0, \ldots, 15, \chi^2 = 4908{,}3 > 30{,}6$, on rejette H_0.

9.9. H_0 : les tirages sont effectués au hasard, $\chi^2 = 5{,}91 \not> 12{,}6$, on ne rejette pas H_0.

9.10. H_0 : les équipes finalistes sont de force égale, $\chi^2 = 14{,}7 > 11{,}3$, on rejette H_0.

9.13. H_0 : le nombre de M dans les génotypes suit une loi binomiale de paramètres 2 et p, $\hat{\chi}^2 = 2,16 \not> 3,22$, on ne rejette pas H_0.

9.15. Non.

9.17. H_0 : la distribution du nombre d'accidents est une loi de Poisson, $\hat{\lambda} = 0,47$, $\hat{\chi}^2 = 63,88 > 9,21$, on rejette H_0.

9.19. H_0 : le nombre de particules obéit à un processus de Poisson, $\hat{\lambda} = 3,9$, $\hat{\chi}^2 = 14,5 \not> 14,7$, on ne rejette pas H_0.

9.20. $a)\ \hat{\chi}^2 = 1145,45 > 14,6$, on rejette H_0;
$b)\ \hat{\chi}^2 = 747,57 > 15,8$, on rejette H_0;
$c)\ \chi^2 = 822,6 > 17,0$, on rejette H_0.

9.22. $\hat{\lambda} = 0,30$, $\hat{\chi}^2 = 5,95 \not> 13,4$, on ne rejette pas H_0.

9.24. H_0 : la composition et la forme des roches sont indépendantes, $\hat{\chi}^2 = 0,86 \not> 3,84$, on ne rejette pas H_0.

9.27. H_0 : le type de défectuosité et la division de production sont indépendants, $\hat{\chi}^2 = 18,11 > 8,56$, on rejette H_0.

9.30. H_0 : la distribution du groupe sanguin ABO est la même dans les trois populations $\hat{\chi}^2 = 219,3 > 12,6$, on rejette H_0.

9.32. H_0 : la distribution du nombre de mois écoulés entre le dernier anniversaire de naissance et la date de la mort est la même dans les quatre populations, $\hat{\chi}^2 = 42,28$, on ne rejette pas H_0.

CHAPITRE 10

10.1. $\hat{\mu} = 19,4$, $\hat{\alpha}_1 = 6,6$, $\hat{\alpha}_2 = -0,2$, $\hat{\alpha}_3 = -6,4$.

10.3.

Source	Variance	Degré de liberté
Entre échantillons	116	4
À l'intérieur des échantillons	315	45
Total	431	49

10.4. $a)\ f = 1,80 \not> 5,14$, on ne rejette pas l'hypothèse de la neutralité des traitements;
$b)$ on rejette l'hypothèse de la neutralité quel que soit le niveau.

10.6. $f = 1,81 \not> 8,02$, on ne rejette pas l'hypothèse H_0.

10.7. $f = 11,40 > 3,89$, on rejette H_0.

10.9. $f = 0,56 \not> 5,95$, on ne rejette pas H_0.

10.11. $a)\ 0,886$; $\qquad b)\ 0,574$; $\qquad c)\ 0,261$.

10.15. Dans chaque cas, on rejette l'hypothèse nulle.

10.17. $a)\ f_A = 4,76 > 2,60$, on rejette H_A;
$b)\ f_B = 0,95 \not> 2,6$, on ne rejette pas H_B;
$c)\ f = 16 > 2,53$, on rejette H_0;
$d)\ f = 1,02 \not> 2,53$, on ne rejette pas H_0;
$e)\ s_T^2 = 0,55$.

10.19. *a)* $f_B = 0,12 \not> 29,5$, on ne rejette pas l'hypothèse H_B;
 *b)* $f_A = 0,11 \not> 34,1$, on ne rejette pas l'hypothèse H_A.

CHAPITRE 11

11.3. *a)* Vrai; $\qquad$ *b)* faux; $\qquad$ *c)* faux; $\qquad$ *d)* vrai.

11.5. *a)* $y = 33,26 + 3,57x$; $\qquad$ *b)* $r_{xy} = 0,28$.

11.6. $r_{xy} = 0,26$.

11.8. *a)* $r_{xy} = -0,4$; $\quad$ *b)* $s_E^2 = 16$; $\qquad$ *c)* $s_R^2 = 84$.

11.9. *a)* $y = 47,42 + 4,48x$;
 *b)* $\hat{y} = 92,22$;
 *c)* $s_E^2 = 57,3344$ et $s_R^2 = 27,9086$.

11.11. $[2,43, 10,87]$ pour β, $[148,92, 385,84]$ pour α.

11.12. *a)* (I) $[0,53, 0,59]$, (II) $[0,60, 0,70]$;
 *b)* (I) $[0,45, 0,67]$, (II) $[0,53, 0,77]$.

11.17. $6,21 > 3,50$, on rejette H_0.

11.18. *a)* $1,10 \not> 1,73$, on ne rejette pas H_0;
 *b)* $1,05 \not> 1,645$, on ne rejette pas H_0;
 *c)* $\alpha^* = 0,2938$.

11.20. $11,84 > 1,96$, on rejette H_0.

11.21. $1,12 \not> 2,575$, on ne rejette pas H_0.

TABLES

TABLE I.

Valeur de la fonction de répartition $\Phi(z)$ d'une loi $N(0, 1)$ selon z

z	0	1	2	3	4	5	6	7	8	9
$-3,$	0,0013	0,0010	0,0007	0,0005	0,0003	0,0002	0,0002	0,0001	0,0001	0,0000
$-2,9$	0,0019	0,0018	0,0018	0,0017	0,0016	0,0016	0,0015	0,0015	0,0014	0,0014
$-2,8$	0,0026	0,0025	0,0024	0,0023	0,0023	0,0022	0,0021	0,0021	0,0020	0,0019
$-2,7$	0,0035	0,0034	0,0033	0,0032	0,0031	0,0030	0,0029	0,0028	0,0027	0,0026
$-2,6$	0,0047	0,0045	0,0044	0,0043	0,0041	0,0040	0,0039	0,0038	0,0037	0,0036
$-2,5$	0,0062	0,0060	0,0059	0,0057	0,0055	0,0054	0,0052	0,0051	0,0049	0,0048
$-2,4$	0,0082	0,0080	0,0078	0,0075	0,0073	0,0071	0,0069	0,0068	0,0066	0,0064
$-2,3$	0,0107	0,0104	0,0102	0,0099	0,0096	0,0094	0,0091	0,0089	0,0087	0,0084
$-2,2$	0,0139	0,0136	0,0132	0,0129	0,0126	0,0122	0,0119	0,0116	0,0113	0,0110
$-2,1$	0,0179	0,0174	0,0170	0,0166	0,0162	0,0158	0,0154	0,0150	0,0146	0,0143
$-2,0$	0,0228	0,0222	0,0217	0,0212	0,0207	0,0202	0,0197	0,0192	0,0188	0,0183
$-1,9$	0,0287	0,0281	0,0274	0,0268	0,0262	0,0256	0,0250	0,0244	0,0238	0,0233
$-1,8$	0,0359	0,0352	0,0344	0,0336	0,0329	0,0322	0,0314	0,0307	0,0300	0,0294
$-1,7$	0,0446	0,0436	0,0427	0,0418	0,0409	0,0401	0,0392	0,0384	0,0375	0,0367
$-1,6$	0,0548	0,0537	0,0526	0,0516	0,0505	0,0495	0,0485	0,0475	0,0465	0,0455
$-1,5$	0,0668	0,0655	0,0643	0,0630	0,0618	0,0606	0,0594	0,0582	0,0570	0,0559
$-1,4$	0,0808	0,0793	0,0778	0,0764	0,0749	0,0735	0,0722	0,0708	0,0694	0,0681
$-1,3$	0,0968	0,0951	0,0934	0,0918	0,0901	0,0885	0,0869	0,0853	0,0838	0,0823
$-1,2$	0,1151	0,1131	0,1112	0,1093	0,1075	0,1056	0,1038	0,1020	0,1003	0,0985
$-1,1$	0,1357	0,1335	0,1314	0,1292	0,1271	0,1251	0,1230	0,1210	0,1190	0,1170
$-1,0$	0,1587	0,1562	0,1539	0,1515	0,1492	0,1469	0,1446	0,1423	0,1401	0,1379
$-0,9$	0,1841	0,1814	0,1788	0,1762	0,1736	0,1711	0,1685	0,1660	0,1635	0,1611
$-0,8$	0,2119	0,2090	0,2061	0,2033	0,2005	0,1977	0,1949	0,1922	0,1894	0,1867
$-0,7$	0,2420	0,2389	0,2358	0,2327	0,2297	0,2266	0,2236	0,2206	0,2177	0,2148
$-0,6$	0,2743	0,2709	0,2676	0,2643	0,2611	0,2578	0,2546	0,2514	0,2483	0,2451
$-0,5$	0,3085	0,3050	0,3015	0,2981	0,2946	0,2912	0,2877	0,2843	0,2810	0,2776
$-0,4$	0,3446	0,3409	0,3372	0,3336	0,3300	0,3264	0,3228	0,3192	0,3156	0,3121
$-0,3$	0,3821	0,3783	0,3745	0,3707	0,3669	0,3632	0,3594	0,3557	0,3520	0,3483
$-0,2$	0,4207	0,4168	0,4129	0,4090	0,4052	0,4013	0,3974	0,3936	0,3897	0,3859
$-0,1$	0,4602	0,4562	0,4522	0,4483	0,4443	0,4404	0,4364	0,4325	0,4286	0,4247
$-0,0$	0,5000	0,4960	0,4920	0,4880	0,4840	0,4801	0,4761	0,4721	0,4681	0,4641

TABLE I. (suite)
Valeur de la fonction de répartition $\Phi(z)$ d'une loi N(0, 1) selon z

z	0	1	2	3	4	5	6	7	8	9
0,0	0,5000	0,5040	0,5080	0,5120	0,5160	0,5199	0,5239	0,5279	0,5319	0,5359
0,1	0,5398	0,5438	0,5478	0,5517	0,5557	0,5596	0,5636	0,5675	0,5714	0,5753
0,2	0,5793	0,5832	0,5871	0,5910	0,5948	0,5987	0,6026	0,6064	0,6103	0,6141
0,3	0,6179	0,6217	0,6255	0,6293	0,6331	0,6368	0,6406	0,6443	0,6480	0,6517
0,4	0,6554	0,6591	0,6628	0,6664	0,6700	0,6736	0,6772	0,6808	0,6844	0,6879
0,5	0,6915	0,6950	0,6985	0,7019	0,7054	0,7088	0,7123	0,7157	0,7190	0,7224
0,6	0,7257	0,7291	0,7324	0,7357	0,7389	0,7422	0,7454	0,7486	0,7517	0,7549
0,7	0,7580	0,7611	0,7642	0,7673	0,7703	0,7734	0,7764	0,7794	0,7823	0,7852
0,8	0,7881	0,7910	0,7939	0,7967	0,7995	0,8023	0,8051	0,8078	0,8106	0,8133
0,9	0,8159	0,8186	0,8212	0,8238	0,8264	0,8289	0,8315	0,8340	0,8365	0,8389
1,0	0,8413	0,8438	0,8461	0,8485	0,8508	0,8531	0,8554	0,8577	0,8599	0,8621
1,1	0,8643	0,8665	0,8686	0,8708	0,8729	0,8749	0,8770	0,8790	0,8810	0,8830
1,2	0,8849	0,8869	0,8888	0,8907	0,8925	0,8944	0,8962	0,8980	0,8997	0,9015
1,3	0,9032	0,9049	0,9066	0,9082	0,9099	0,9115	0,9131	0,9147	0,9162	0,9177
1,4	0,9192	0,9207	0,9222	0,9236	0,9251	0,9265	0,9278	0,9292	0,9306	0,9319
1,5	0,9332	0,9345	0,9357	0,9370	0,9382	0,9394	0,9406	0,9418	0,9430	0,9441
1,6	0,9452	0,9463	0,9474	0,9484	0,9495	0,9505	0,9515	0,9525	0,9535	0,9545
1,7	0,9554	0,9564	0,9573	0,9582	0,9591	0,9599	0,9608	0,9616	0,9625	0,9633
1,8	0,9641	0,9648	0,9656	0,9664	0,9671	0,9678	0,9686	0,9693	0,9700	0,9706
1,9	0,9713	0,9719	0,9726	0,9732	0,9738	0,9744	0,9750	0,9756	0,9762	0,9767
2,0	0,9772	0,9778	0,9783	0,9788	0,9793	0,9798	0,9803	0,9808	0,9812	0,9817
2,1	0,9821	0,9826	0,9830	0,9834	0,9838	0,9842	0,9846	0,9850	0,9854	0,9857
2,2	0,9861	0,9864	0,9868	0,9871	0,9874	0,9878	0,9881	0,9884	0,9887	0,9890
2,3	0,9893	0,9896	0,9898	0,9901	0,9904	0,9906	0,9909	0,9911	0,9913	0,9916
2,4	0,9918	0,9920	0,9922	0,9925	0,9927	0,9929	0,9931	0,9932	0,9934	0,9936
2,5	0,9938	0,9940	0,9941	0,9943	0,9945	0,9946	0,9948	0,9949	0,9951	0,9952
2,6	0,9953	0,9955	0,9956	0,9957	0,9959	0,9960	0,9961	0,9962	0,9963	0,9964
2,7	0,9965	0,9966	0,9967	0,9968	0,9969	0,9970	0,9971	0,9972	0,9973	0,9974
2,8	0,9974	0,9975	0,9976	0,9977	0,9977	0,9978	0,9979	0,9979	0,9980	0,9981
2,9	0,9981	0,9982	0,9982	0,9983	0,9984	0,9984	0,9985	0,9985	0,9986	0,9986
3,	0,9987	0,9990	0,9993	0,9995	0,9997	0,9998	0,9998	0,9999	0,9999	1,0000

Source : B. W. Lindgren, *Statistical Theory*, Macmillan, 1968.

TABLE II.

Quantile c_γ d'une loi χ_n^2 selon γ et n

γ / n	0,005	0,01	0,025	0,05	0,10	0,20	0,30	0,50	0,70	0,80	0,90	0,95	0,975	0,99	0,995
1	0,00	0,00	0,00	0,00	0,02	0,06	0,15	0,46	1,07	1,64	2,71	3,84	5,02	6,63	7,88
2	0,01	0,02	0,05	0,10	0,21	0,45	0,71	1,39	2,41	3,22	4,61	5,99	7,38	9,21	10,6
3	0,07	0,12	0,22	0,35	0,58	1,00	1,42	2,37	3,66	4,64	6,25	7,81	9,35	11,3	12,8
4	0,21	0,30	0,48	0,71	1,06	1,65	2,20	3,36	4,88	5,99	7,78	9,49	11,1	13,3	14,9
5	0,41	0,55	0,83	1,15	1,61	2,34	3,00	4,35	6,06	7,29	9,24	11,1	12,8	15,1	16,7
6	0,68	0,87	1,24	1,64	2,20	3,07	3,83	5,35	7,23	8,56	10,6	12,6	14,4	16,8	18,5
7	0,99	1,24	1,69	2,17	2,83	3,82	4,67	6,35	8,38	9,80	12,0	14,1	16,0	18,5	20,3
8	1,34	1,65	2,18	2,73	3,49	4,59	5,53	7,34	9,52	11,0	13,4	15,5	17,5	20,1	22,0
9	1,73	2,09	2,70	3,33	4,17	5,38	6,39	8,34	10,7	12,2	14,7	16,9	19,0	21,7	23,6
10	2,16	2,56	3,25	3,94	4,87	6,18	7,27	9,34	11,8	13,4	16,0	18,3	20,5	23,2	25,2
11	2,60	3,05	3,82	4,57	5,58	6,99	8,15	10,3	12,9	14,6	17,3	19,7	21,9	24,7	26,8
12	3,07	3,57	4,40	5,23	6,30	7,81	9,03	11,3	14,0	15,8	18,5	21,0	23,3	26,2	28,3
13	3,57	4,11	5,01	5,89	7,04	8,63	9,93	12,3	15,1	17,0	19,8	22,4	24,7	27,7	29,8
14	4,07	4,66	5,63	6,57	7,79	9,47	10,8	13,3	16,2	18,2	21,1	23,7	26,1	29,1	31,3
15	4,60	5,23	6,26	7,26	8,55	10,3	11,7	14,3	17,3	19,3	22,3	25,0	27,5	30,6	32,8
16	5,14	5,81	6,91	7,96	9,31	11,2	12,6	15,3	18,4	20,5	23,5	26,3	28,8	32,0	34,3
17	5,70	6,41	7,56	8,67	10,1	12,0	13,5	16,3	19,5	21,6	24,8	27,6	30,2	33,4	35,7
18	6,26	7,01	8,23	9,39	10,9	12,9	14,4	17,3	20,6	22,8	26,0	28,9	31,5	34,8	37,2
19	6,83	7,63	8,91	10,1	11,7	13,7	15,4	18,3	21,7	23,9	27,2	30,1	32,9	36,2	38,6
20	7,43	8,26	9,59	10,9	12,4	14,6	16,3	19,3	22,8	25,0	28,4	31,4	34,2	37,6	40,0
21	8,03	8,90	10,3	11,6	13,2	15,4	17,2	20,3	23,9	26,2	29,6	32,7	35,5	38,9	41,4
22	8,64	9,54	11,0	12,3	14,0	16,3	18,1	21,3	24,9	27,3	30,8	33,9	36,8	40,3	42,8
23	9,26	10,2	11,7	13,1	14,8	17,2	19,0	22,3	26,0	28,4	32,0	35,2	38,1	41,6	44,2
24	9,89	10,9	12,4	13,8	15,7	18,1	19,9	23,3	27,1	29,6	33,2	36,4	39,4	43,0	45,6
25	10,5	11,5	13,1	14,6	16,5	18,9	20,9	24,3	28,2	30,7	34,4	37,7	40,6	44,3	46,9
26	11,2	12,2	13,8	15,4	17,3	19,8	21,8	25,3	29,2	31,8	35,6	38,9	41,9	45,6	48,3
27	11,8	12,9	14,6	16,2	18,1	20,7	22,7	26,3	30,3	32,9	36,7	40,1	43,2	47,0	49,6
28	12,5	13,6	15,3	16,9	18,9	21,6	23,6	27,3	31,4	34,0	37,9	41,3	44,5	48,3	51,0
29	13,1	14,3	16,0	17,7	19,8	22,5	24,6	28,3	32,5	35,1	39,1	42,6	45,7	49,6	52,3
30	13,8	15,0	16,8	18,5	20,6	23,4	25,5	29,3	33,5	36,2	40,3	43,8	47,0	50,9	53,7
40	20,7	22,1	24,4	26,5	29,0	32,3	34,9	39,3	44,2	47,3	51,8	55,8	59,3	63,7	66,8
50	28,0	29,7	32,3	34,8	37,7	41,3	44,3	49,3	54,7	58,2	63,2	67,5	71,4	76,2	79,5
60	35,5	37,5	40,5	43,2	46,5	50,6	53,8	59,3	65,2	69,0	74,4	79,1	83,3	88,4	92,0

Source : B. W. Lindgren, *Statistical Theory*, Macmillan, 1968. (Extrait de E. S. Pearson et H. O. Hartley, *Biometrika Tables for Statisticians*, vol. 1, 1954.)

TABLE III.

Quantile c_γ d'une loi t_n selon γ et n

γ n	0,55	0,60	0,65	0,70	0,75	0,80	0,85	0,90	0,95	0,975	0,99	0,995	0,9995
1	0,158	0,325	0,510	0,727	1,00	1,38	1,96	3,08	6,31	12,7	31,8	63,7	637
2	0,142	0,289	0,445	0,617	0,816	1,06	1,39	1,89	2,92	4,30	6,96	9,92	31,6
3	0,137	0,277	0,424	0,584	0,765	0,978	1,25	1,64	2,35	3,18	4,54	5,84	12,9
4	0,134	0,271	0,414	0,569	0,741	0,941	1,19	1,53	2,13	2,78	3,75	4,60	8,61
5	0,132	0,267	0,408	0,559	0,727	0,920	1,16	1,48	2,01	2,57	3,36	4,03	6,86
6	0,131	0,265	0,404	0,553	0,718	0,906	1,13	1,44	1,94	2,45	3,14	3,71	5,96
7	0,130	0,263	0,402	0,549	0,711	0,896	1,12	1,42	1,90	2,36	3,00	3,50	5,40
8	0,130	0,262	0,399	0,546	0,706	0,889	1,11	1,40	1,86	2,31	2,90	3,36	5,04
9	0,129	0,261	0,398	0,543	0,703	0,883	1,10	1,38	1,83	2,26	2,82	3,25	4,78
10	0,129	0,260	0,397	0,542	0,700	0,879	1,09	1,37	1,81	2,23	2,76	3,17	4,59
11	0,129	0,260	0,396	0,540	0,697	0,876	1,09	1,36	1,80	2,20	2,72	3,11	4,44
12	0,128	0,259	0,395	0,539	0,695	0,873	1,08	1,36	1,78	2,18	2,68	3,06	4,32
13	0,128	0,259	0,394	0,538	0,694	0,870	1,08	1,35	1,77	2,16	2,65	3,01	4,22
14	0,128	0,258	0,393	0,537	0,692	0,868	1,08	1,34	1,76	2,14	2,62	2,98	4,14
15	0,128	0,258	0,393	0,536	0,691	0,866	1,07	1,34	1,75	2,13	2,60	2,95	4,07
16	0,128	0,258	0,392	0,535	0,690	0,865	1,07	1,34	1,75	2,12	2,58	2,92	4,02
17	0,128	0,257	0,392	0,534	0,689	0,863	1,07	1,33	1,74	2,11	2,57	2,90	3,96
18	0,127	0,257	0,392	0,534	0,688	0,862	1,07	1,33	1,73	2,10	2,55	2,88	3,92
19	0,127	0,257	0,391	0,533	0,688	0,861	1,07	1,33	1,73	2,09	2,54	2,86	3,88
20	0,127	0,257	0,391	0,533	0,687	0,860	1,06	1,32	1,72	2,09	2,53	2,84	3,85
21	0,127	0,257	0,391	0,532	0,686	0,859	1,06	1,32	1,72	2,08	2,52	2,83	3,82
22	0,127	0,256	0,390	0,532	0,686	0,858	1,06	1,32	1,72	2,07	2,51	2,82	3,79
23	0,127	0,256	0,390	0,532	0,685	0,858	1,06	1,32	1,71	2,07	2,50	2,81	3,77
24	0,127	0,256	0,390	0,531	0,685	0,857	1,06	1,32	1,71	2,06	2,49	2,80	3,74
25	0,127	0,256	0,390	0,531	0,684	0,856	1,06	1,32	1,71	2,06	2,48	2,79	3,72
26	0,127	0,256	0,390	0,531	0,684	0,856	1,06	1,32	1,70	2,06	2,48	2,78	3,71
27	0,127	0,256	0,389	0,531	0,684	0,855	1,06	1,31	1,70	2,05	2,47	2,77	3,69
28	0,127	0,256	0,389	0,530	0,683	0,855	1,06	1,31	1,70	2,05	2,47	2,76	3,67
29	0,127	0,256	0,389	0,530	0,683	0,854	1,05	1,31	1,70	2,04	2,46	2,76	3,66
30	0,127	0,256	0,389	0,530	0,683	0,854	1,05	1,31	1,70	2,04	2,46	2,75	3,65
∞	0,126	0,253	0,385	0,524	0,674	0,842	1,04	1,28	1,64	1,96	2,33	2,58	3,29

Source : B. W. Lindgren, *Statistical Theory*, Macmillan, 1968. (Extrait de Fisher et Yates, *Statistical Tables for Biological, Agricultural, and Medical Research*, et Fisher, *Statistical Methods for Research Workers*, Édimbourg, Oliver and Boyd.)

TABLE IVa.

Quantile d'ordre 95%, $c_{0,95}$, d'une loi F(n, m) selon n et m

n / m	1	2	3	4	5	6	8	10	12	15	20	24	30
1	161	200	216	225	230	234	239	242	244	246	248	249	250
2	18,5	19,0	19,2	19,2	19,3	19,3	19,4	19,4	19,4	19,4	19,4	19,5	19,5
3	10,1	9,55	9,28	9,12	9,01	8,94	8,85	8,79	8,74	8,70	8,66	8,64	8,62
4	7,71	6,94	6,59	6,39	6,26	6,16	6,04	5,96	5,91	5,86	5,80	5,77	5,75
5	6,61	5,79	5,41	5,19	5,05	4,95	4,82	4,74	4,68	4,62	4,56	4,53	4,50
6	5,99	5,14	4,76	4,53	4,39	4,28	4,15	4,06	4,00	3,94	3,87	3,84	3,81
7	5,59	4,74	4,35	4,12	3,97	3,87	3,73	3,64	3,57	3,51	3,44	3,41	3,38
8	5,32	4,46	4,07	3,84	3,69	3,58	3,44	3,35	3,28	3,22	3,15	3,12	3,08
9	5,12	4,26	3,86	3,63	3,48	3,37	3,23	3,14	3,07	3,01	2,94	2,90	2,86
10	4,96	4,10	3,71	3,48	3,33	3,22	3,07	2,98	2,91	2,85	2,77	2,74	2,70
11	4,84	3,98	3,59	3,36	3,20	3,09	2,95	2,85	2,79	2,72	2,65	2,61	2,57
12	4,75	3,89	3,49	3,26	3,11	3,00	2,85	2,75	2,69	2,62	2,54	2,51	2,47
13	4,67	3,81	3,41	3,18	3,03	2,92	2,77	2,67	2,60	2,53	2,46	2,42	2,38
14	4,60	3,74	3,34	3,11	2,96	2,85	2,70	2,60	2,53	2,46	2,39	2,35	2,31
15	4,54	3,68	3,29	3,06	2,90	2,79	2,64	2,54	2,48	2,40	2,33	2,29	2,25
16	4,49	3,63	3,24	3,01	2,85	2,74	2,59	2,49	2,42	2,35	2,28	2,24	2,19
17	4,45	3,59	3,20	2,96	2,81	2,70	2,55	2,45	2,38	2,31	2,23	2,19	2,15
18	4,41	3,55	3,16	2,93	2,77	2,66	2,51	2,41	2,34	2,27	2,19	2,15	2,11
19	4,38	3,52	3,13	2,90	2,74	2,63	2,48	2,38	2,31	2,23	2,16	2,11	2,07
20	4,35	3,49	3,10	2,87	2,71	2,60	2,45	2,35	2,28	2,20	2,12	2,08	2,04
21	4,32	3,47	3,07	2,84	2,68	2,57	2,42	2,32	2,25	2,18	2,10	2,05	2,01
22	4,30	3,44	3,05	2,82	2,66	2,55	2,40	2,30	2,23	2,15	2,07	2,03	1,98
23	4,28	3,42	3,03	2,80	2,64	2,53	2,37	2,27	2,20	2,13	2,05	2,01	1,96
24	4,26	3,40	3,01	2,78	2,62	2,51	2,36	2,25	2,18	2,11	2,03	1,98	1,94
25	4,24	3,39	2,99	2,76	2,60	2,49	2,34	2,24	2,16	2,09	2,01	1,96	1,92
30	4,17	3,32	2,92	2,69	2,53	2,42	2,27	2,16	2,09	2,01	1,93	1,89	1,84
40	4,08	3,23	2,84	2,61	2,45	2,34	2,18	2,08	2,00	1,92	1,84	1,79	1,74
60	4,00	3,15	2,76	2,53	2,37	2,25	2,10	1,99	1,92	1,84	1,75	1,70	1,65

Source : B. W. Lindgren, *Statistical Theory*, Macmillan, 1968. (Extrait de E. S. Pearson et H. 0. Hartley, *Biometrika Tables for Statisticians*, vol. 1, 1954.)

TABLE IVb.

Quantile d'ordre 99 %, $c_{0,99}$, d'une loi $F(n, m)$ selon n et m

n / m	1	2	3	4	5	6	8	10	12	15	20	24	30
1	4050	5000	5400	5620	5760	5860	5980	6060	6110	6160	6210	6235	6260
2	98,5	99,0	99,2	99,2	99,3	99,3	99,4	99,4	99,4	99,4	99,4	99,5	99,5
3	34,1	30,8	29,5	28,7	28,2	27,9	27,5	27,3	27,1	26,9	26,7	26,6	26,5
4	21,2	18,0	16,7	16,0	15,5	15,2	14,8	14,5	14,4	14,2	14,0	13,9	13,8
5	16,3	13,3	12,1	11,4	11,0	10,7	10,3	10,1	9,89	9,72	9,55	9,47	9,38
6	13,7	10,9	9,78	9,15	8,75	8,47	8,10	7,87	7,72	7,56	7,40	7,31	7,23
7	12,2	9,55	8,45	7,85	7,46	7,19	6,84	6,62	6,47	6,31	6,16	6,07	5,99
8	11,3	8,65	7,59	7,01	6,63	6,37	6,03	5,81	5,67	5,52	5,36	5,28	5,20
9	10,6	8,02	6,99	6,42	6,06	5,80	5,47	5,26	5,11	4,96	4,81	4,73	4,65
10	10,0	7,56	6,55	5,99	5,64	5,39	5,06	4,85	4,71	4,56	4,41	4,33	4,25
11	9,65	7,21	6,22	5,67	5,32	5,07	4,74	4,54	4,40	4,25	4,10	4,02	3,94
12	9,33	6,93	5,95	5,41	5,06	4,82	4,50	4,30	4,16	4,01	3,86	3,78	3,70
13	9,07	6,70	5,74	5,21	4,86	4,62	4,30	4,10	3,96	3,82	3,66	3,59	3,51
14	8,86	6,51	5,56	5,04	4,69	4,46	4,14	3,94	3,80	3,66	3,51	3,43	3,35
15	8,68	6,36	5,42	4,89	4,56	4,32	4,00	3,80	3,67	3,52	3,37	3,29	3,21
16	8,53	6,23	5,29	4,77	4,44	4,20	3,89	3,69	3,55	3,41	3,26	3,18	3,10
17	8,40	6,11	5,18	4,67	4,34	4,10	3,79	3,59	3,46	3,31	3,16	3,08	3,00
18	8,29	6,01	5,09	4,58	4,25	4,01	3,71	3,51	3,37	3,23	3,08	3,00	2,92
19	8,18	5,93	5,01	4,50	4,17	3,94	3,63	3,43	3,30	3,15	3,00	2,92	2,84
20	8,10	5,85	4,94	4,43	4,10	3,87	3,56	3,37	3,23	3,09	2,94	2,86	2,78
21	8,02	5,78	4,87	4,37	4,04	3,81	3,51	3,31	3,17	3,03	2,88	2,80	2,72
22	7,95	5,72	4,82	4,31	3,99	3,76	3,45	3,26	3,12	2,98	2,83	2,75	2,67
23	7,88	5,66	4,76	4,26	3,94	3,71	3,41	3,21	3,07	2,93	2,78	2,70	2,62
24	7,82	5,61	4,72	4,22	3,90	3,67	3,36	3,17	3,03	2,89	2,74	2,66	2,58
25	7,77	5,57	4,68	4,18	3,86	3,63	3,32	3,13	2,99	2,85	2,70	2,62	2,54
30	7,56	5,39	4,51	4,02	3,70	3,47	3,17	2,98	2,84	2,70	2,55	2,47	2,39
40	7,31	5,18	4,31	3,83	3,51	3,29	2,99	2,80	2,66	2,52	2,37	2,29	2,20
60	7,08	4,98	4,13	3,65	3,34	3,12	2,82	2,63	2,50	2,35	2,20	2,12	2,03

Source : B. W. Lindgren, *Statistical Theory*, Macmillan, 1968. (Extrait de E. S. Pearson et H. 0. Hartley, *Biometrika Tables for Statisticians*, vol. 1, 1954.)

INDEX

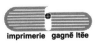

imprimerie gagné ltée

IMPRIMÉ AU CANADA